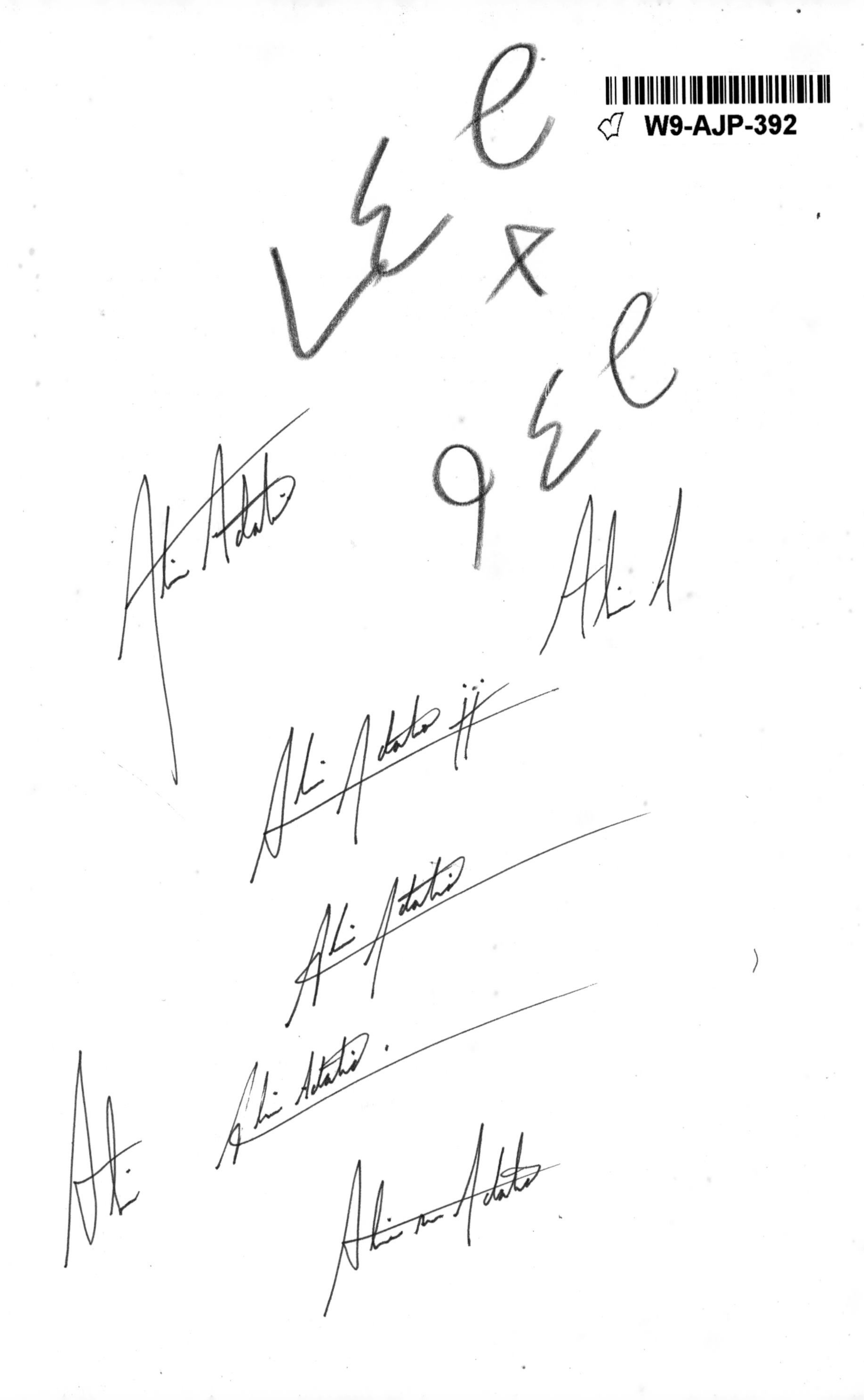
W9-AJP-392

¡DIME!

DOS

FABIÁN A. SAMANIEGO
University of California, Davis

M. CAROL BROWN
California State University, Sacramento

PATRICIA HAMILTON CARLIN
University of California, Davis

SIDNEY E. GORMAN
Fremont Unified School District
Fremont, California

CAROL L. SPARKS
Mt. Diablo Unified School District
Concord, California

CONTRIBUTING WRITERS
Francisco X. Alarcón
Fanny Guía

HEATH

D.C. Heath and Company
Lexington, Massachusetts
Toronto, Ontario

Director, Modern Languages
Roger D. Coulombe

Project Manager
Sylvia Madrigal

Managing Editor for Spanish
Marilyn Lindgren

Project Editors
Susan Cosentino, Lawrence Lipson, Judith Ravin

D.C. Heath National Modern Language Marketing Manager
Karen Ralston

D.C. Heath National Modern Language Coordinator
Teresa Carrera-Hanley

Design and Production
Design Manager, Modern Languages: Victor Curran
Project Designer: Pamela Daly
Design Staff: Paulette Crowley, Daniel Derdula, Carolyn J. Langley, Joan Paley, Martha Podren
Production Coordinator: Patrick Finbarr Connolly
Text Permissions Editor: Dorothy B. McLeod
Photo Supervisor: Carmen Johnson
Photo Coordinator: Connie Komack
Book Designer: Angela Sciaraffa
Cover Design: Ruby Shoes Studio

Author Team Manager
J. Thomas Wetterstrom

Cover Illustration
Para el mercado by Mujeres Muralistas; photographs ©1992, by Timothy Drescher. Photographs of students by Nancy Sheehan, ©1994 by D.C. Heath.

Published simultaneously in Canada

Printed in the United States of America

International Standard Book Number: 0-669-23996-8

6 7 8 9 10 VHP 99 98 97 96

REVIEWERS AND CONSULTANTS

María Brock
Miami Norland
Senior High School
Miami, FL

Marie Carrera Lambert
Iona College
Eastchester High School
Eastchester, NY

Karen Davis
Southwest High School
Fort Worth, TX

Patricia McFarland
Concord Carlisle High School
Concord, MA

Joseph Moore
Tiffin City Schools
Tiffin, OH

Dr. Linda Pavian Roberts
Waverly Community Schools
Lansing, MI

Robin A. Ruffo
Chaparral High School
Scottsdale, AZ

Paul Sandrock
Appleton High School West
Appleton, WI

Roman J. Stearns
Arroyo Jr. Sr. High School
San Lorenzo, CA

Stephanie M. Thomas
Indiana University
Bloomington, IN

Gladys Varona-Lacey
Ithaca College
Ithaca, NY

Dr. Virginia D. Vigil
Northern Arizona University
Flagstaff, AZ

Marcos Williams
Landon School
Bethesda, MD

Richard V. Teschner
University of Texas at El Paso
El Paso, TX

Héctor Enríquez
University of Texas at El Paso
El Paso, TX

Guillermo Meza
University of Nevada
Reno, NV

LINGUISTIC CONSULTANT

William H. Klemme
Indiana University
Fort Wayne, IN

FIELD TEST USERS
¡DIME! UNO

Dena Bachman
Lafayette High School
St. Joseph, MO

Cathy Boulanger
L. Horton Watkins High School
St. Louis, MO

Janice Costella
Stanley Intermediate School
Lafayette, CA

Karen Davis
Southwest High School
Fort Worth, TX

Beatriz DesLoges
Lexington High School
Lexington, MA

Amelia Donovan
South Gwinnett High School
Snellville, GA

Velda Hughes
Bryan Senior High School
Omaha, NE

Sarah Witmer Lehman
P. K. Yonge Laboratory School
Gainesville, FL

Alita Mantels
Hall High School
Little Rock, AR

Ann Marie Mesquita
Encina High School
Sacramento, CA

Linda Meyer
Roosevelt Junior High School
Appleton, WI

Joseph Moore
Tiffin City Schools
Tiffin, OH

Craig Mudie
Dennis-Yarmouth Regional High School
South Yarmouth, MA

Sue Rodríguez
Hopkins Junior High School
Fremont, CA

Janice Stangl
Bryan Senior High School
Omaha, NE

Teresa Hull Tolentino
Seven Hills Upper School
Cincinnati, OH

Grace Tripp
McCall School
Winchester, MA

Carol B. Walsh
Acton-Boxborough Regional High School
Acton, MA

Margaret Whitmore
Morton Junior High School
Omaha, NE

A T L A S

- El mundo
- México, el Caribe y Centroamérica
- Sudamérica
- España

EL MUNDO

Groenl...
Alaska (E.U.)
Canadá
NORTEAMÉRICA
Estados Unidos
OCÉANO ATLÁNTIC...
Bahamas
Trópico de Cáncer
Cuba
República Dominicana
Hawai (E.U.)
México
Puerto Rico
Jamaica
Belice
San Cristóbal y Nevis
Dominica
Haití
Santa Lucía
Barbados
OCÉANO PACÍFICO
Guatemala
Honduras
Granada
San Vicente y Granadinas
El Salvador
Costa Rica
Trinidad y Tobago
Nicaragua
Venezuela
Guyana
Panamá
Suriname
Colombia
Guayana Francesa
Ecuador
Islas Galápagos (Ec.)
Ecuador
Kiribati
SUDAMÉRIC...
Brasil
Perú
Samoa Occidental
Bolivia
Tonga
Paraguay
Trópico de Capricornio
Chile
Uruguay
Argentina
Islas Malvinas

Los países de habla española

Escala de kilómetros
0 1000 2000 3000

0 1000 2000 3000
Escala de millas

OCÉANO ÁRTICO
Islandia
Noruega
Suecia
Finlandia
Estonia
Letonia
Lituania
Reino Unido
Irlanda
Dinamarca
Holanda
Alemania
Polonia
Belarús
Bélgica
Ucrania
EUROPA
Francia
Suiza
Andorra
Italia
Rumania
Moldova
Bulgaria
España
Portugal
Cerdeña
Grecia
1 Checoslovaquia
2 Austria
3 Hungría
4 Eslovenia
5 Croacia
6 Bosnia & Herzgovina
7 Yugoslavia
8 Albania
9 (República de) Macedonia
Rusia
ASIA
Kazajstán
Mongolia
Georgia
Uzbekistán
Kirguistán
Azerbaiyán
Turkmenistán
Tayiskistán
Corea del Norte
Corea del Sur
Japón
Turquía
Siria
Armenia
Chipre
Líbano
Israel
Iraq
Irán
Afganistán
China
Jordania
Kuwait
Bhután
Nepal
Pakistán
Bahrein
Qatar
Arabia Saudita
Emiratos Árabes Unidos
Omán
India
Bangladesh
Myanmar
Lao
Taiwán
Marruecos
Túnez
Malta
Argelia
Libia
Egipto
Mauritania
Malí
Níger
ÁFRICA
Sudán
Eritrea
Yemen
Tailandia
Viet Nam
Cambodia
Filipinas
OCÉANO PACÍFICO
Gambia
Burkina Faso
Chad
Djibouti
Benin
Nigeria
Costa de Marfil
Liberia
Togo
Ghana
República Centroafricana
Camerún
Etiopía
Sri Lanka
Brunei
Somalia
Maldivas
Malasia
Guinea Ecuatorial
Congo
Uganda
Kenya
Rwanda
Gabón
Zaire
Burundi
Tanzanía
Seychelles
Singapur
Indonesia
Nauru
OCÉANO ÍNDICO
Papua-Nueva Guinea
Islas Salomón
Comoras
Angola
Malawi
Zambia
Vanuatu
Mozambique
Namibia
Zimbabwe
Botswana
Madagascar
Mauricio
Swazilandia
AUSTRALIA
Lesotho
Sudáfrica
Nueva Zelandia
ANTÁRTIDA

MÉXICO, EL CARIBE Y CENTROAMÉRICA

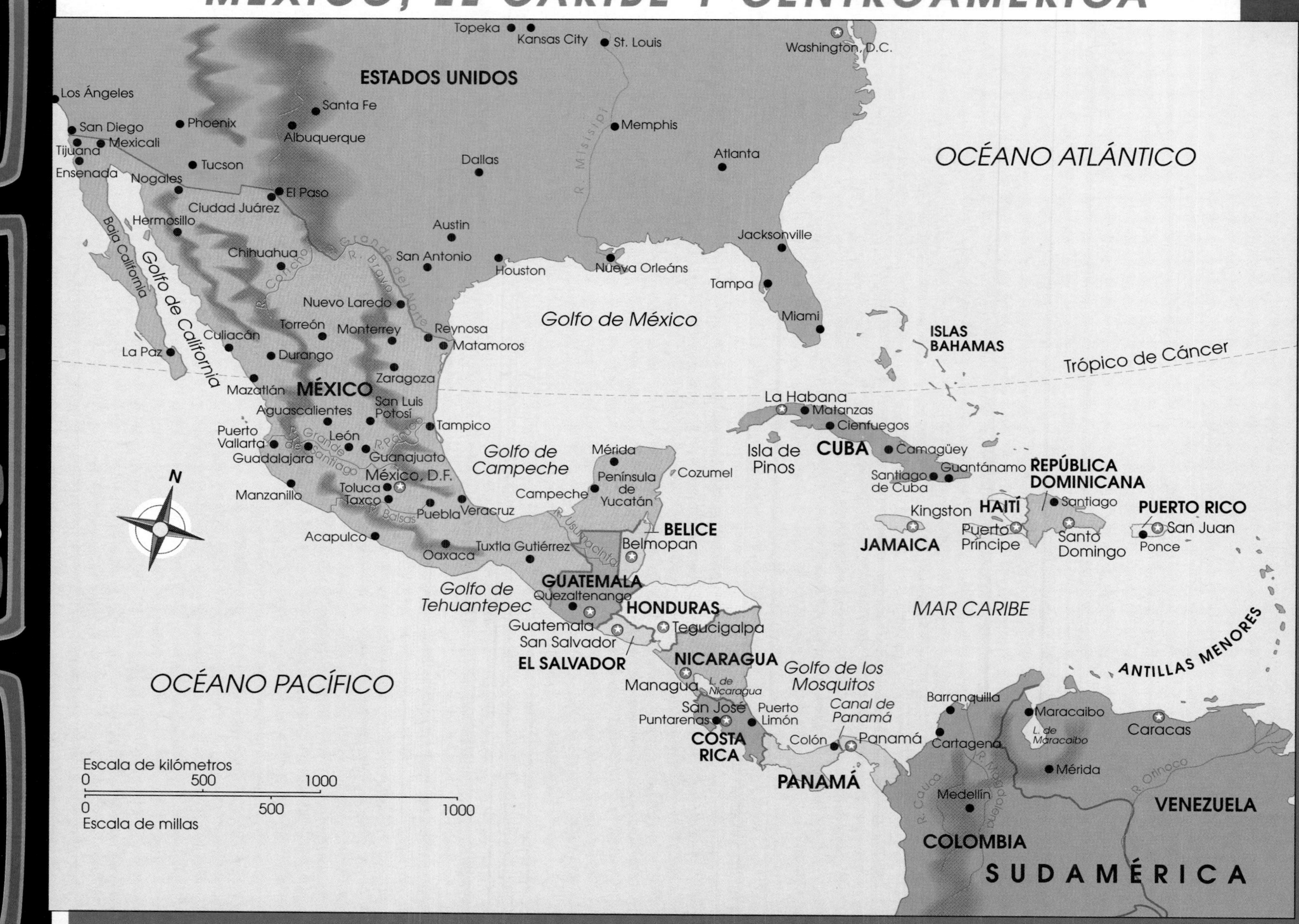

SUDAMÉRICA

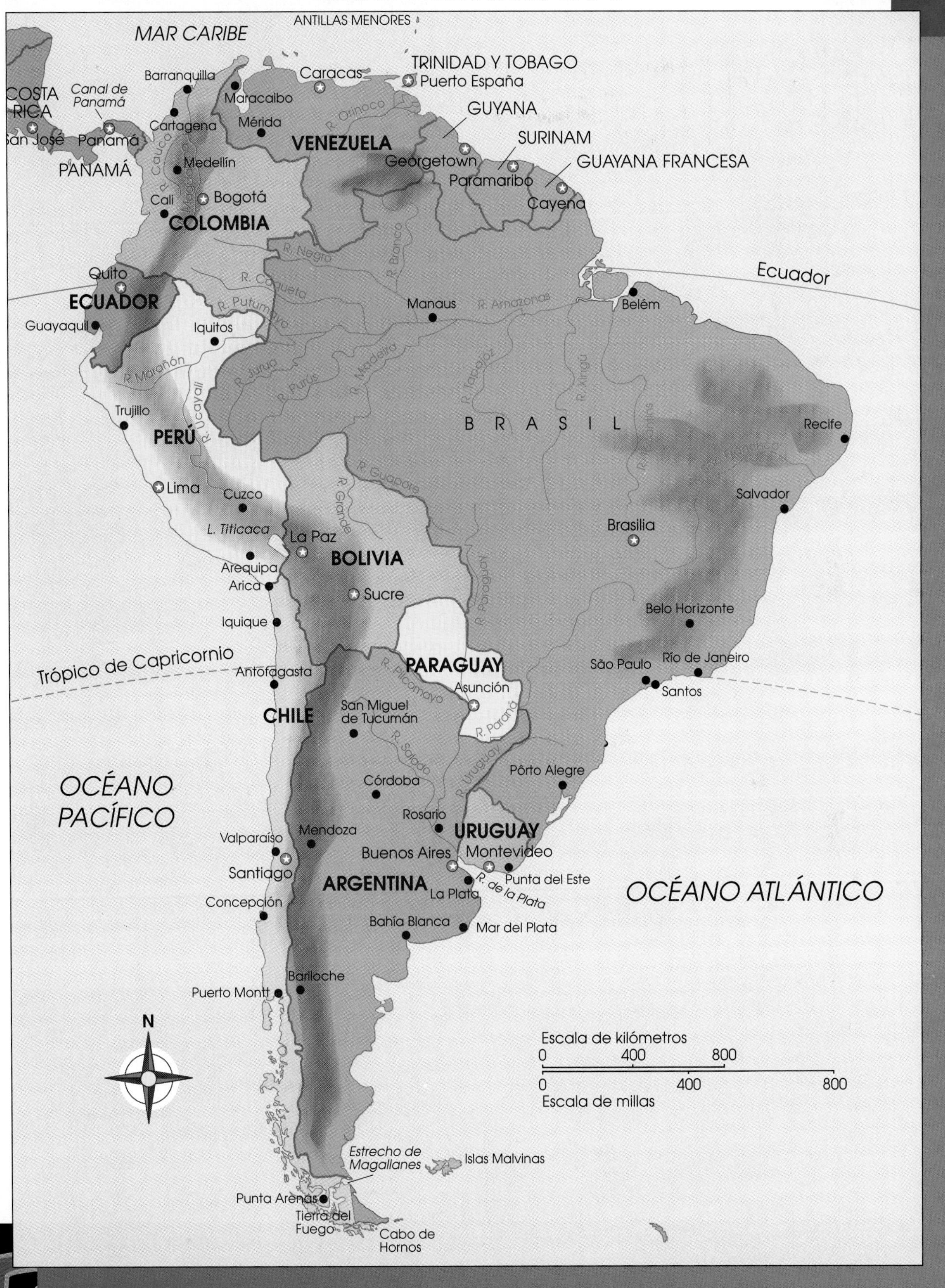
ANTILLAS MENORES
MAR CARIBE
Barranquilla
Maracaibo
Caracas
TRINIDAD Y TOBAGO
Puerto España
COSTA RICA
San José
Canal de Panamá
Panamá
PANAMÁ
Cartagena
Mérida
R. Orinoco
GUYANA
VENEZUELA
SURINAM
Georgetown
GUAYANA FRANCESA
Paramaribo
Cayena
Medellín
R. Cauca
R. Magdalena
Bogotá
Cali
COLOMBIA
R. Negro
R. Branco
R. Caquetá
Quito
ECUADOR
Ecuador
Guayaquil
R. Putumayo
Iquitos
Manaus
R. Amazonas
Belém
R. Marañón
R. Juruá
R. Purús
R. Madeira
R. Tapajóz
R. Xingú
R. Ucayali
Trujillo
PERÚ
B R A S I L
R. Tocantins
R. São Francisco
Recife
R. Guaporé
R. Grande
Lima
Cuzco
Salvador
L. Titicaca
La Paz
Brasilia
BOLIVIA
Arequipa
Arica
Sucre
R. Paraguay
Iquique
Belo Horizonte
Trópico de Capricornio
Antofagasta
R. Pilcomayo
PARAGUAY
São Paulo
Río de Janeiro
Asunción
Santos
CHILE
San Miguel de Tucumán
R. Paraná
R. Salado
R. Uruguay
Pôrto Alegre
OCÉANO PACÍFICO
Córdoba
Rosario
URUGUAY
Valparaíso
Mendoza
Buenos Aires
Montevideo
Santiago
Punta del Este
ARGENTINA
La Plata
R. de la Plata
OCÉANO ATLÁNTICO
Concepción
Bahía Blanca
Mar del Plata
Bariloche
Puerto Montt
N
Escala de kilómetros
0
400
800
0
400
800
Escala de millas
Estrecho de Magallanes
Islas Malvinas
Punta Arenas
Tierra del Fuego
Cabo de Hornos

ESPAÑA

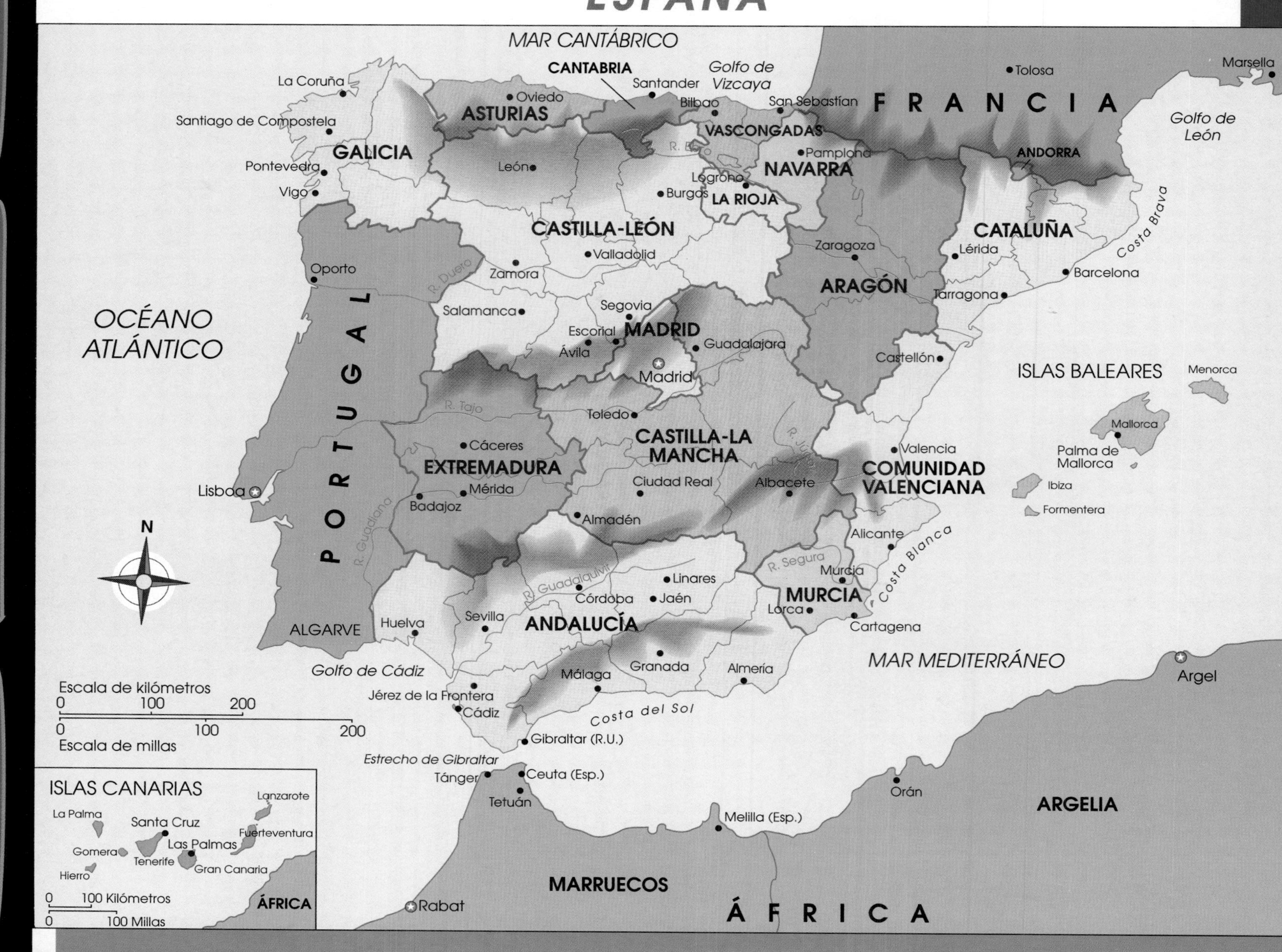

MAR CANTÁBRICO
CANTABRIA
Golfo de Vizcaya
Santander
Bilbao
San Sebastían
FRANCIA
Tolosa
Marsella
Golfo de León
La Coruña
Oviedo
ASTURIAS
Santiago de Compostela
VASCONGADAS
GALICIA
Pamplona
ANDORRA
León
NAVARRA
Pontevedra
Logroño
Vigo
Burgos
LA RIOJA
CASTILLA-LEÓN
CATALUÑA
Costa Brava
Zaragoza
Lérida
Valladolid
Oporto
Zamora
Barcelona
R. Duero
ARAGÓN
Tarragona
Salamanca
Segovia
OCÉANO ATLÁNTICO
Escorial
MADRID
Ávila
Guadalajara
Castellón
Madrid
ISLAS BALEARES
Menorca
R. Tajo
PORTUGAL
Toledo
Mallorca
CASTILLA-LA MANCHA
Valencia
Cáceres
Palma de Mallorca
EXTREMADURA
COMUNIDAD VALENCIANA
Ciudad Real
Albacete
Ibiza
Lisboa
Mérida
Badajoz
Formentera
Almadén
N
R. Guadiana
Alicante
R. Segura
Murcia
Costa Blanca
Linares
R. Guadalquivir
Córdoba
Jaén
MURCIA
Lorca
Sevilla
ALGARVE
Huelva
ANDALUCÍA
Cartagena
Golfo de Cádiz
Granada
Almería
MAR MEDITERRÁNEO
Málaga
Argel
Escala de kilómetros
0
100
200
Jérez de la Frontera
Cádiz
Costa del Sol
0
100
200
Escala de millas
Gibraltar (R.U.)
Estrecho de Gibraltar
ISLAS CANARIAS
Tánger
Ceuta (Esp.)
Lanzarote
Orán
Tetuán
ARGELIA
La Palma
Santa Cruz
Fuerteventura
Melilla (Esp.)
Las Palmas
Gomera
Tenerife
Gran Canaria
Hierro
MARRUECOS
0
100 Kilómetros
ÁFRICA
0
100 Millas
Rabat
ÁFRICA

¿Cómo te llamas tú?

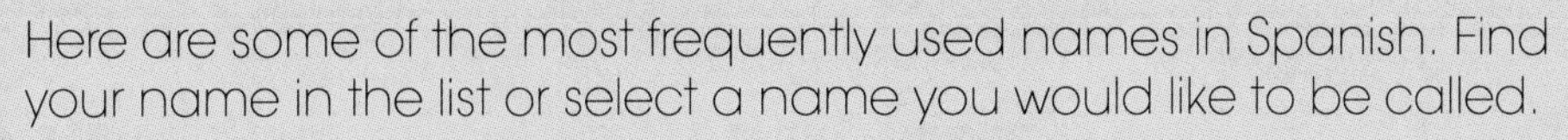

Here are some of the most frequently used names in Spanish. Find your name in the list or select a name you would like to be called.

Chicos

Alberto (Beto)
Alejandro (Alex)
Alfonso
Alfredo
Andrés
Antonio (Toni, Toño)
Arturo (Tudi)
Benjamín
Bernardo
Carlos
César
Clemente (Tito)
Cristóbal
Daniel (Dani)
David
Diego
Eduardo (Edi)
Emilio
Enrique (Quico)
Ernesto
Esteban
Federico (Fede)
Felipe
Fernando (Nando)
Francisco (Cisco, Paco, Pancho)
Gabriel (Gabi)
Germán
Gilberto
Gonzalo
Gregorio
Guillermo (Memo)
Gustavo
Hernán
Homero
Horacio
Hugo
Ignacio (Nacho)
Jacobo
Jaime
Javier
Jerónimo
Joaquín
Jorge
José (Pepe)
Juan (Juancho)
Julio
Lorenzo
Lucas
Luis
Manuel (Manolo)
Marcos
Mariano
Mario
Martín
Mateo
Miguel
Nicolás (Nico)
Octavio
Óscar
Pablo
Patricio
Pedro
Rafael (Rafa)
Ramiro
Ramón
Raúl
Ricardo (Riqui)
Roberto (Beto)
Rodrigo (Rodri)
Rubén
Salvador
Samuel
Sancho
Santiago (Santi)
Sergio
Teodoro
Timoteo
Tomás
Víctor

Chicas

Adela
Adriana
Alicia
Amalia
Ana
Anita
Ángela
Antonia (Toni)
Bárbara
Beatriz (Bea)
Berta
Blanca
Carla
Carlota
Carmen
Carolina
Catalina
Cecilia
Clara
Concepción (Concha, Conchita)
Cristina (Cris, Tina)
Débora
Diana
Dolores (Lola)
Dorotea (Dora)
Elena
Elisa
Eloísa
Elvira
Emilia (Emi)
Estela
Ester
Eva
Florencia
Francisca (Paca, Paquita)
Gabriela (Gabi)
Gloria
Graciela (Chela)
Guadalupe (Lupe)
Inés
Irene
Isabel (Chavela)
Josefina (Pepita)
Juana (Juanita)
Julia
Laura
Leonor
Leticia (Leti)
Lilia
Lucía
Luisa
Marcela (Chela)
Margarita (Rita)
María
Mariana
Maricarmen
Marilú
Marta
Mercedes (Meche)
Mónica
Natalia (Nati)
Norma
Patricia (Pati)
Pilar
Ramona
Raquel
Rebeca
Rosa (Rosita)
Sara
Silvia
Sofía
Soledad (Sole)
Sonia
Susana (Susanita)
Teresa (Tere)
Verónica (Vero)
Victoria (Vicki)
Yolanda (Yoli)

CONTENIDO

UNIDAD 1 ¿Cómo pasan el tiempo? 1

Featured Country: EE.UU., El suroeste hispano

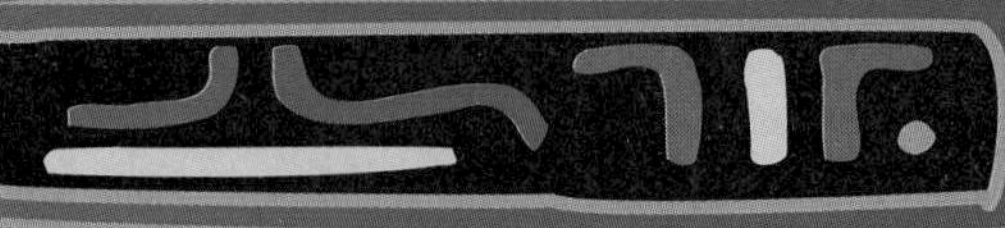

UNIDAD 2 ¡Qué chévere! 54

Featured country: VENEZUELA

LECCIÓN 1

LECCIÓN 2

LECCIÓN 3

UNIDAD 3 Queridos televidentes... 110

Featured country: CHILE

LECCIÓN 1

LECCIÓN 2

LECCIÓN 3

UNIDAD 4 Era una ciudad muy... 166

Featured country: PERÚ

UNIDAD 4

Era una ciudad muy...

Caracas, 1940

UNIDAD 5
Recomiendo que . . .
CONTENIDO DE GRASA Y CALORÍAS EN LAS COMIDAS

UNIDAD 6 ¡Hagamos una excursión! 274

Featured country: COSTA RICA

UNIDAD 7 ¡Hay que buscar empleo! 332

Featured country: MÉXICO

UNIDAD 8 ¡Voy a Venezuela! 386

Featured country: ARGENTINA

UNIDAD 1

¿Cómo pasan el tiempo?

LECCIÓN 1

¡En una semana empezamos!

ANTICIPEMOS

¿Qué piensas tú?

1. ¿Crees que estas fotos se sacaron en la misma ciudad o en distintas ciudades? ¿Por qué crees eso?
2. En efecto, todas las fotos se sacaron en dos ciudades distintas: El Paso, Texas y Caracas, Venezuela. ¿Puedes identificar cuáles son de El Paso y cuáles son de Caracas? ¿Qué semejanzas ves en las dos ciudades? ¿Qué diferencias? ¿Cómo explicas estas semejanzas? ¿diferencias?
3. ¿En qué día del año crees que se sacaron las fotos en la página anterior? ¿Por qué crees eso? ¿De qué estarán hablando estos estudiantes?
4. ¿Qué están haciendo los jóvenes en las fotos de arriba? ¿Son actividades que tú y tus amigos hacen?
5. ¿Qué actividades te gusta hacer durante el año escolar? ¿durante las vacaciones de verano? ¿durante las vacaciones de invierno?
6. En **¡DIME! UNO**, los estudiantes expresaron sus impresiones de los jóvenes de otros países y descubrieron cómo son en realidad. ¿Creen tú y tus amigos que los jóvenes de Venezuela son similares a o diferentes de ustedes? ¿Por qué?
7. ¿Qué crees que vamos a hacer en esta lección?

PARA EMPEZAR

1

Buenos días, amigos y ¡bienvenidos! Es un gran placer conocerlos, y un verdadero privilegio presentarles mi ciudad — El Paso, Texas.

2

El Paso es una ciudad con una larga historia . . . cuatro siglos de historia — el doble de la edad de EE.UU. En El Paso de hoy, todavía vemos la influencia de diversas gentes y culturas como . . .

la influencia india,

la de los conquistadores españoles,

la de los vaqueros del suroeste norteamericano,

y por supuesto, la de México.

3

En El Paso, 60% de la población somos de origen mexicano y nos criamos bilingües. Además, El Paso está en la frontera mexicana a unos cuantos pasos de nuestra ciudad gemela, Ciudad Juárez. Sólo el Río Grande, o el Río Bravo como lo llaman en México, separa las dos ciudades.

4 ¿Quieren saber cómo pasamos el tiempo?

Pues . . . El Paso es una ciudad muy animada y hay mucho que hacer aquí.

En primer lugar, el tiempo es fenomenal. ¡Hace sol 360 días al año! En el verano, cuando hace calor, mis amigos y yo nos divertimos mucho.

También hago cosas divertidas con mi familia. Por ejemplo, nos gusta ir a las montañas de Nuevo México. No quedan lejos de aquí.

Allí nos gusta acampar— incluso en invierno.

En el campamento mi actividad favorita es cocinar al aire libre. ¡Me encanta! Lo que no me explico es, si papá y Daniel insisten en que no les gusta mi comida, ¿por qué siempre se la comen?

5

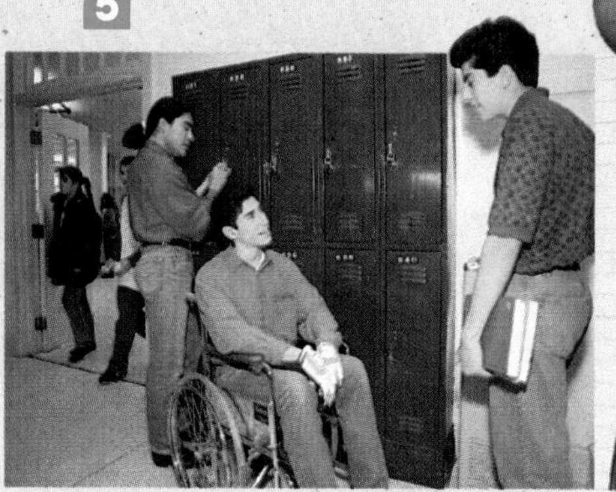

Ah, . . . pero quieren saber algo de mi escuela, ¿verdad? Mi hermano y yo vamos a El Paso High School. Estudiamos mucho, porque los profesores son muy exigentes. Nos dan mucha tarea.

Pero hay otras cosas que hacer.

A mí, por ejemplo, me encantan los deportes, el baloncesto en particular. Soy miembro de un equipo de baloncesto.

A Daniel le gusta el teatro y no es mal actor.

Se puede decir que los dos somos "estrellas", ¿no?

6

Pero ahora quiero contarles lo que hacemos en mi tiempo favorito . . . ¡los fines de semana!

A ver . . . Mi problema es que hay tanto que hacer que no sé qué contarles primero.

7

Bueno, Daniel y yo pasamos mucho tiempo con nuestras amigas Tina y Margarita. A Daniel y a Tina les gusta mucho jugar tenis.

A Margarita y a mí nos gusta ir de compras.

También nos paseamos en el parque o en bicicleta.

Y con frecuencia salimos a tomar refrescos o a comer algo en un restaurante.

Daniel y yo vamos mucho al cine.

8

Sí, . . . hay mucho que hacer y nos gusta hacer de todo — leer, nadar, dormir, bailar, cantar, cocinar, comer, hablar, desayunar, escribir, escuchar, estudiar, hacer ejercicio, jugar, lavar, pasear en bicicleta, tocar el saxofón, ver la tele . . .

¿QUÉ DECIMOS...?

Al hablar del comienzo del año escolar

1 ¿Qué hay de nuevo?

2 Quiero presentarles a mi papá.

Pero mira, Margarita, ya es tarde. Tengo que ayudar a mi mamá a preparar la cena.
Fue un placer, Sr. Galindo.
Igualmente, muchachas.
Hasta luego.
Adiós.
Nos vemos.
Hasta luego.

3 ¿Qué dice?

A ver... ¡Híjole, cuentas y cuentas y más cuentas!
Pero ¿qué es esto? Mira, Daniel, es una carta para ti. ¡De Venezuela!
¿De Venezuela? Es de Luis, mi nuevo amigo por correspondencia.
Pues, ábrela. ¿Qué dice?
Pues, describe su vida y después me hace una lista de preguntas. Quiere saber cómo es El Paso . . .
qué hago para pasar el tiempo, a qué colegio voy, cómo son mis amigos y mi familia, si practico deportes, etc., etc.
¡Qué va! ¡Sus preguntas no tienen fin!

CHARLEMOS UN POCO

A. PARA EMPEZAR . . . Indica si los siguientes comentarios son ciertos o falsos. Si son falsos, corrígelos.

1. El Paso tiene una historia de 200 años más o menos, como EE.UU.
2. La cultura india y la española influyeron mucho en la historia de El Paso.
3. La mayoría de la población de El Paso es bilingüe.
4. El Paso está a unas cuántas millas de Ciudad Juárez, México.
5. En El Paso llueve mucho y casi siempre hace frío.
6. Nuevo México está muy cerca de El Paso.
7. La ciudad gemela de El Paso es Ruidoso.
8. El Río Grande y el Río Bravo son dos ríos muy cerca de El Paso.

B. ¿QUÉ DECIMOS . . .? Identifica a la persona que hace estos comentarios.

Daniel

Papá

Tina

Margarita

1. "¡Bravo, Martín! ¡Qué talento!"
2. "Aquí estamos aprovechando los últimos días de vacaciones".
3. "¡Ay, sí! ¡Me encantaría tener otro mes de vacaciones!"
4. "¡Aguafiestas! ¡Déjanos gozar de la última semana!"
5. "¿Viven por aquí cerca?"
6. "Yo sí, a unas cuadras. Nos mudamos para acá en julio".
7. "¡Híjole, cuentas y cuentas y más cuentas!"
8. "¡Qué va! ¡Sus preguntas no tienen fin!"

C. Actividades favoritas. Tu compañero(a) quiere saber más de tus gustos. Contesta sus preguntas.

MODELO bailar
Compañero(a): **¿Te gusta bailar?**
Tú: **Sí, me gusta bailar.** o
No, no me gusta bailar. o
Sí, me encanta bailar.

1. hacer la tarea
2. practicar deportes
3. ir a fiestas
4. estudiar
5. salir los fines de semana
6. escribir composiciones
7. hacer excursiones
8. ir al cine
9. escuchar música clásica
10. ir de compras

REPASO

Gustar and *encantar*

Talking about likes and dislikes:

me gusta(n)	no me gusta(n)
te gusta(n)	no te gusta(n)
le gusta(n)	no le gusta(n)
nos gusta(n)	no nos gusta(n)
les gusta(n)	no les gusta(n)

No me gusta bailar.
Me gustan mucho los deportes.

Talking about what you really like, or love:

me encanta(n)	nos encanta(n)
te encanta(n)	
le encanta(n)	les encanta(n)

Le encantan los tacos.
Nos encanta acampar.

See **¿Por qué se dice así?**, *page G2, section 1.1.*

REPASO

Indirect object pronouns

me	nos
te	
le	les

Me gusta correr.
Les encanta el teatro.

To clarify or emphasize: **a mí, a ti, a él, a ella,** etc.

Nunca les escribo **a ellos** pero siempre les escribo **a ustedes.**
Pues, **a mí** sí me gusta.

See **¿Por qué se dice así?**, *page G2, section 1.1.*

CH. Gustos. La familia de Isabel es muy activa. Según ella, ¿qué les gusta hacer a todos?

yo

MODELO **A mí me gusta pasear en bicicleta.**

1. mi hermano Luis

2. mi papá

3. yo

4. mi mamá

5. mis abuelitos

6. mi hermana Elena

7. papá y Miguel

8. yo

9. mi mamá

REPASO

Actividades

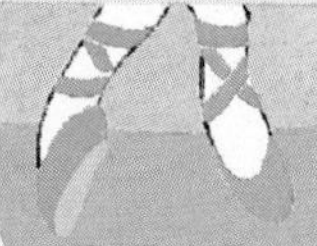

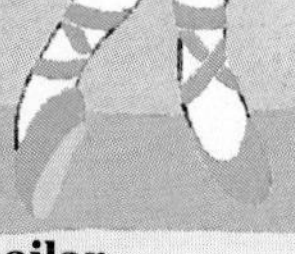

bailar

cantar

cocinar

comer

desayunar

escribir

escuchar

estudiar

hablar

hacer ejercicio

jugar

lavar

leer

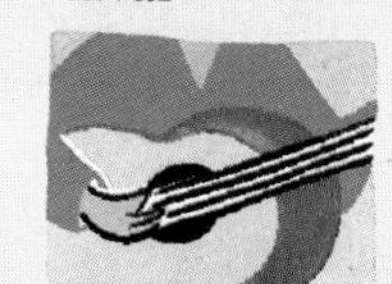

tocar la guitarra

nadar

ver la tele

pasear en bicicleta

D. Le encanta. ¿Conoces los gustos de las otras personas? Di qué les gusta a tus amigos en la clase.

EJEMPLO **A Martín y a Margarita les gustan los deportes.**

a [. . .] y a [. . .]	los exámenes
a mí	la música rock
a mi amigo(a) [. . .]	las películas románticas
al (a la) profesor(a)	la televisión
a [. . .] y a mí	los deportes
	la natación
	los museos
	el fútbol americano

REPASO

Present tense: Regular verb endings

-ar	-er, -ir
-o	-o
-as	-es
-a	-e
-amos	-emos, -imos
-an	-en

Yo **hablo** por teléfono, mamá **lee** el periódico y papá **prepara** la comida.

See **¿Por qué se dice así?**, *page G4, section 1.2.*

E. ¿Con qué frecuencia? Pregúntale a tu compañero(a) con qué frecuencia hace estas cosas.

EJEMPLO practicar karate

Tú: **¿Con qué frecuencia practicas karate?**

Compañero(a): **Nunca practico karate.** o **Practico karate todos los días.**

nunca ——— a veces ——— todos los días

1. asistir a conciertos
2. escuchar la radio
3. viajar en autobús
4. abrir regalos
5. comprar ropa nueva
6. cocinar
7. comer en restaurantes mexicanos
8. leer novelas de aventura
9. pasear en bicicleta
10. sacar fotos

F. Siempre ocupados. Según Silvia León, ¿qué hacen los miembros de su familia a estas horas?

Enrique y yo

MODELO **Enrique y yo estudiamos a las nueve de la noche.**

1. Enrique

2. papá

3. mamá y yo

4. mis amigas y yo

5. mamá

6. toda la familia

7. mi hermano y su amigo

8. yo

REPASO

Asking for and giving the time

¿Qué hora es?

Son las nueve en punto.

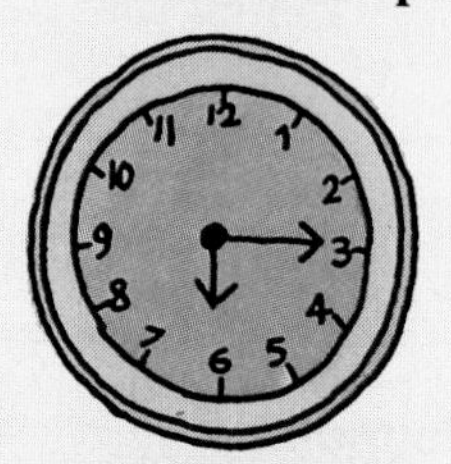

Son las seis y cuarto.

Son las once y media.

Son las dos menos veinte.

G. Los fines de semana.

Pregúntale a tu compañero(a) qué hace con sus hermanos y con sus amigos los fines de semana.

EJEMPLO *Tú:* **¿Tú y tus hermanos limpian la casa?**
Compañero(a): **No, nunca limpiamos la casa los fines de semana.**

VOCABULARIO ÚTIL:

asistir a clases	jugar [. . .]	¿. . . ?
bailar	leer novelas	
comer pizza	practicar deportes	
correr	practicar el piano	
escribir cartas	trabajar	
estudiar	ver televisión	
hablar por teléfono	visitar a los abuelos	

REPASO

Requesting information: Question words

¿Adónde?	**¿Cuándo?**
¿Dónde?	**¿Cuánto(a)?**
¿Cómo?	**¿Cuántos(as)?**
¿Cuál(es)?	**¿Por qué?**
¿Qué?	**¿Quién(es)?**

Note that all question words require a written accent.

See **¿Por qué se dice así?,** *page G7, section 1.3.*

H. ¿Qué pasa?

¿Qué dicen tú y un(a) amigo(a) cuando se encuentran en el pasillo?

Amigo(a): Hola. ¿ _____ estás?
Tú: Bien, gracias, ¿y tú? ¿_____ tal?
Amigo(a): Regular. Tengo mucho que estudiar.
Tú: ¿_____ tienes que hacer?
Amigo(a): Tengo que escribir una composición.
Tú: ¿Para _____?
Amigo(a): Para el señor Guzmán.
Tú: ¿De _____ páginas es la composición?
Amigo(a): ¡Cinco! ¡Caramba! ¿_____ lo voy a hacer?
Tú: Te ayudo. ¿_____ vas a estudiar?
Amigo(a): Esta tarde después de las clases. ¿_____ te encuentro?
Tú: En la biblioteca.
Amigo(a): Después, ¿_____ no comemos algo?
Tú: ¡Excelente! Me encantan los nachos.
Amigo(a): ¿_____ vamos?
Tú: Al Café del Sol. Son muy buenos allí.

I. Amiga por correspondencia.

Vas a escribirle una carta a tu nueva amiga por correspondencia. ¿Qué preguntas piensas hacerle?

MODELO edad: ¿número de años?
¿Cuántos años tienes?

1. escuela: ¿nombre?
2. clases: ¿hora?
3. estudiar: ¿lugar?
4. amigos: ¿personalidad?
5. familia: ¿número de personas?
6. actividades: ¿los fines de semana?
7. música: ¿grupos favoritos?
8. deportes: ¿preferencias?

CHARLEMOS UN POCO MÁS

A. Encuesta. Usa la cuadrícula que tu profesor(a) te va a dar para entrevistar a varias personas en la clase. Pregúntales si les gusta hacer las actividades indicadas en los cuadrados. Pídele a cada persona que conteste afirmativamente que firme el cuadrado apropiado. No se permite que una persona firme más de un cuadrado.

EJEMPLO pasear en bicicleta

Tú: **¿Te gusta pasear en bicicleta?**
Compañero(a): **Sí, me encanta.**
Tú: **Bien. Firma aquí, por favor.**

tocar el piano

Tú: **¿Te gusta tocar el piano?**
Compañero(a): **No, no me gusta.**
Tú: **¡Qué lástima!**

B. ¡Charada! En grupos de tres, preparen una lista de seis actividades que a todos les gusta hacer. Luego trabajando con otro grupo, dramaticen la primera actividad en su lista para ver si los otros pueden adivinar la actividad. Túrnense hasta dramatizar todas las actividades en sus listas.

C. ¿Y tu profesor(a)? Con un(a) compañero(a) de clase, escribe una lista de cinco o más actividades que crees que hace tu profesor(a) durante el fin de semana. Después, hazle preguntas al profesor(a) para verificar tu lista.

EJEMPLO *Tú escribes:* **calificar exámenes**
Tú preguntas: **¿Califica usted exámenes los fines de semana?**

CH. ¿Cuándo juega fútbol Beto? Tu profesor(a) te va a dar un dibujo de varias personas que hacen distintas actividades en distintos días. El problema es que en algunos dibujos faltan los nombres y en otros faltan las fechas. Pregúntale a tu compañero(a) los nombres o las fechas que te faltan y dale la información que le falte a él o a ella. Cuando terminen, escriban una oración para describir cada dibujo.

EJEMPLO *Tú:* **¿Cómo se llama el chico que juega fútbol?**
Compañero(a): **Se llama Beto. ¿Cuándo juega fútbol?**
Tú: **Beto juega fútbol el sábado por la mañana.**

Dramatizaciones

A. Hola. Te encuentras con un(a) amigo(a) en el supermercado. Dramatiza esta conversación.

- Salúdense.
- Pregúntale qué está haciendo y dile lo que haces tú.
- Hablen de otras actividades que les gusta o no les gusta hacer.
- Despídanse.

B. Mucho gusto. Acaban de presentarte a un(a) nuevo(a) estudiante. Salúdalo(a) y luego preséntalo(la) a tus amigos. Hablen de sus actividades favoritas y de sus familias. Decidan qué van a hacer esta tarde. Dramatiza la situación con tres compañeros de clase.

IMPACTO CULTURAL

Excursiones

Antes de empezar

A. Ciudad fronteriza. Una ciudad fronteriza es una ciudad que está en la frontera *(línea que divide dos naciones)* con otro país. A veces vemos dos ciudades fronterizas, una en cada nación, lado a lado, la una con la otra. Contesta estas preguntas para ver cuánto sabes de ciudades fronterizas.

1. ¿Hay ciudades fronterizas en Estados Unidos? ¿Con qué países tienen fronteras?

2. ¿Conoces algunas ciudades fronterizas? ¿Cuáles? ¿Las has visitado alguna vez?

3. ¿Te gustaría vivir en una ciudad fronteriza? ¿Por qué sí o por qué no?

B. Anticipar. Mira las fotos en esta lectura y escribe tres preguntas que crees que la lectura va a contestar. Luego escribe otras dos preguntas que no estás seguro si la lectura va a contestar pero que te gustaría tener la información.

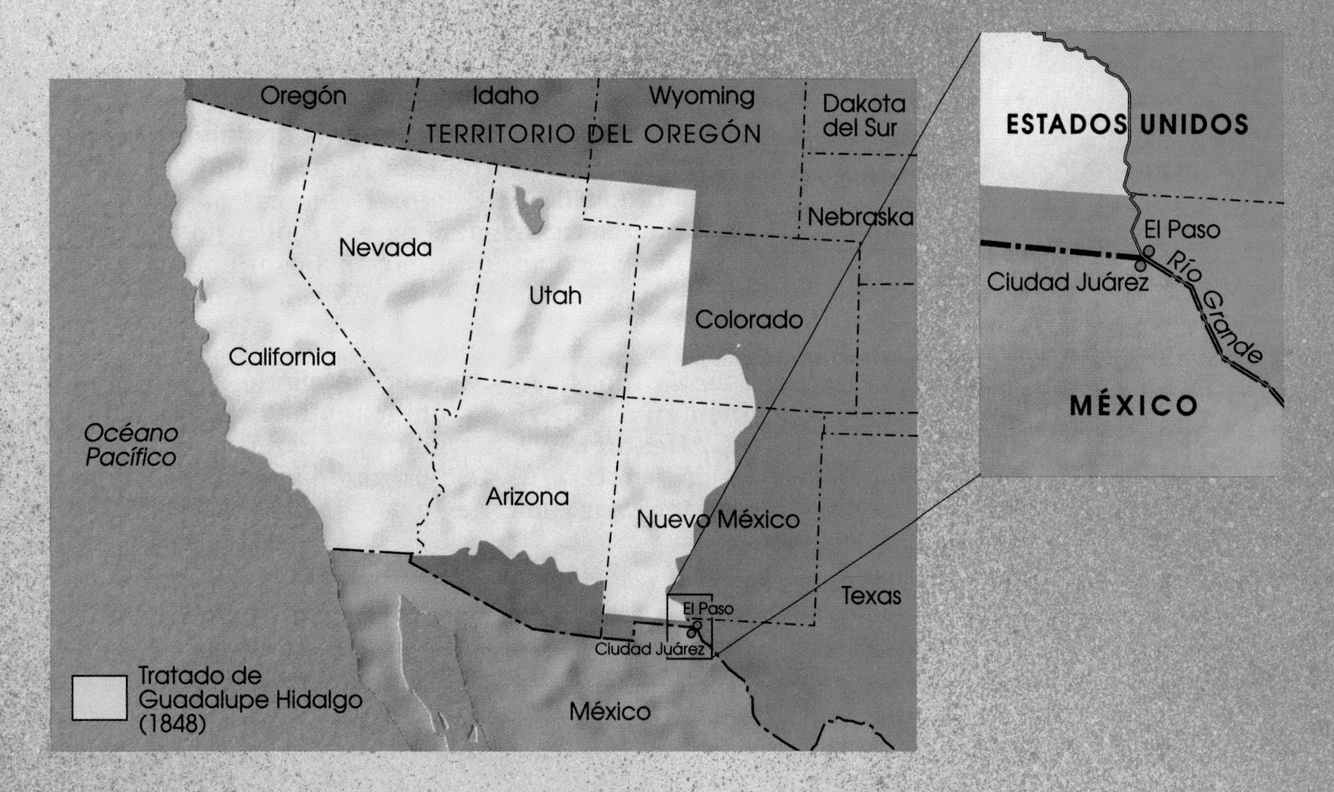

IMPACTO CULTURAL

EL PASO DEL NORTE
UNA BREVE HISTORIA

Las líneas fronterizas* que se trazan* entre los países muchas veces no llegan a cumplir* su función de separación. Éste es el caso del suroeste de Estados Unidos donde muchas ciudades de esta región aún conservan lazos* culturales, sociales y económicos con el país vecino, México. Una de estas ciudades es El Paso, en el estado de Texas, que a pesar de hechos* históricos-políticos sigue fuertemente ligada* a su ciudad gemela mexicana, Ciudad Juárez.

que dividen naciones / hacen
hacer
conexiones
eventos / relacionada

Antes de la llegada de los conquistadores de España, la región que ahora ocupan El Paso-Ciudad Juárez en la meseta central de México, estaba ocupada por algunas tribus indígenas americanas como los Suma, los Manso, los Jacome y los Jumano. Estas tribus vivían en "rancherías" o pequeños pueblos de más o menos cien personas dedicadas a la agricultura.

1

En 1534, el conquistador Álvar Núñez Cabeza de Vaca y tres españoles más llegaron a la región de Texas. Ellos creyeron que estas tierras tenían muchas riquezas, pero se desilusionaron al no encontrar nada. Por el contrario, ésta era una zona desértica, de montañas áridas, fuertes vientos y temperaturas extremas.

Sin embargo, en 1581 los frailes franciscanos llegaron a Texas y empezaron a fundar muchas misiones. 1 En los alrededores* de El Paso fundaron las primeras dos misiones de Texas en 1682. Los frailes convirtieron esta región del Río Grande en una zona como la del Río Nilo en Egipto. Había muchos cultivos de árboles frutales, viñedos* y trigo. Los españoles dominaron la frontera norte hasta 1821 cuando ocurrió la independencia de México y esta región pasó a formar parte de la nueva nación mexicana.

área cercano
viñas de uvas

Durante el período mexicano, la frontera norte siguió siendo una zona agrícola. También en este período, un grupo de comerciantes* que incluye a John G. Heathen y a Stephen F. Austin, empieza la gradual ocupación de la frontera norte por anglo-americanos, con la intención de desarrollar* estas zonas de Texas.

hombres de negocio
mejorar

2

En 1836 se proclama la República de Texas y en 1844 se declara la anexión de este estado a Estados Unidos. En 1846, Estados Unidos le declara la guerra a México, la cual termina en 1848 con el Tratado de Guadalupe Hidalgo. En este tratado, se establece que California, Nevada, Utah, casi todo Arizona y Nuevo México y partes de Colorado y Wyoming pasan a ser parte de Estados Unidos por la suma de $15 millones pagados a México.

Desde 1848, las ciudades de Texas como El Paso, se empezaron a poblar* y desarrollar muy rápidamente. Cuando en 1848 se descubrió oro en California, El Paso del Norte se convirtió en "el último lugar para descansar" y comprar todos los víveres necesarios para llegar a California. En 1881, con la llegada de los trenes, (2) El Paso se convirtió en una importante ciudad fronteriza.

Ahora El Paso es una moderna ciudad (3) occidental que, sin embargo, no ha cortado sus lazos con su ciudad hermana del otro lado del Río Grande, o Río Bravo, como lo llaman en México. Hay una gran interdependencia económica, cultural y social entre El Paso y Ciudad Juárez. El Paso conserva sus raíces mexicanas. El bilingüismo en El Paso es un fenómeno extendido por toda la ciudad. (4) Un experto en la historia de estas dos ciudades, Carey McWilliams, dice que el Río Grande no separa a la gente sino que la une.*

combina, junta

Verifiquemos

1. Prepara un diagrama como el siguiente, e incluye toda la información posible bajo cada categoría.

El Paso antes de los españoles

1.
2.

El Paso durante la ocupación española

1.
2.

El Paso bajo México

1.
2.

El Paso moderno

1.
2.

2. ¿Por qué crees que Estados Unidos declaró guerra contra México en 1846?
3. ¿Crees que Estados Unidos pagó suficiente por todo el área que ganó en el Tratado de Guadalupe Hidalgo? ¿Por qué sí o por qué no?

LECCIÓN 2

¿Qué piensas de este collar?

ANTICIPEMOS

¿Qué piensas tú?

1. Estas jóvenes están en un centro comercial. ¿Qué crees que van a hacer?
2. Octubre siempre es muy costoso para Margarita. ¿Por qué?
3. Al comprar regalos para sus padres, su hermana y su amigo Víctor, Margarita tiene que considerar los gustos y las preferencias de cada uno. Basándote en las fotos, ¿qué crees que le va a interesar a cada uno?
4. ¿Qué regalos recomiendas tú para cada persona? Explica por qué.
5. ¿Qué tienes en común con tus mejores amigos? ¿Cómo son diferentes? Descríbete con una sola palabra. Describe a tus mejores amigos con una sola palabra. Describe a cada miembro de tu familia de la misma manera breve.
6. ¿Hay algunas diferencias entre este centro comercial y los centros comerciales en tu ciudad? Explica las diferencias.
7. ¿Qué crees que vas a aprender a decir y hacer en esta lección?

PARA EMPEZAR

Escuchemos un cuento de Nuevo México

En las partes rurales de Texas, Nuevo México, Colorado y Utah, cuando se ve a una persona hacer autostop, no es raro que alguien diga, "Tal vez quiera ir al baile". ¿Por qué dicen eso?, preguntas. Pues, deja contarte algo que pasó hace varios años . . .

Imagínate que es una noche oscura y triste de sábado. Un joven soldado, que acaba de regresar a su casa del servicio militar, va manejando su viejo Chevy desgastado, cuando ve a una joven que pide un aventón.

El soldado para su coche y le pregunta, "¿Adónde vas?"

"Hay un baile en el pueblo. ¿Puede darme un aventón?"

Como el joven no siente ninguna aprehensión, decide darle un aventón.

Camino al pueblo, la muchacha no habla mucho, pero dice que se llama Crucita Delgado.

El joven queda fascinado con la hermosa muchacha.

Cuando llegan al baile la gente tiene mucha curiosidad. Todos conocen bien al joven soldado, pero nadie conoce a la muchacha.

Ella es tan hermosa como misteriosa. Tiene la cara pálida y lleva su largo pelo negro en un moño, estilo victoriano. En efecto, todo su vestir parece victoriano: su vestido largo y negro con florecitas de color rosa y azules, su cuello alto, decorado con encaje blanco. Sobre el encaje lleva un broche camafeo. También las medias y los zapatos parecen ser de principios de siglo.

El soldado la saca a bailar pero la música es demasiado rápida y ruidosa para ella.

Después de sólo unas cuantas vueltas rápidas, la pobre mujer se cae al suelo. La gente quiere contener la risa pero les es imposible.

Muy avergonzada, Crucita empieza a llorar. Las lágrimas corren sobre las pálidas mejillas de la muchacha. El soldado trata de consolarla, pero está muy desconcertada.

Después de un rato, la música empieza de nuevo. Esta vez, es música mexicana. Crucita conoce bien estos bailes y en muy poco tiempo se convierte en la mujer más bella del baile. Toda la gente la mira con admiración.

Demasiado pronto termina la música y es hora de ir a casa. Al salir del baile, el soldado pone su chaqueta militar sobre los hombros de Crucita. Él está decidido que quiere mucho verla otra vez. La encuentra encantadora.

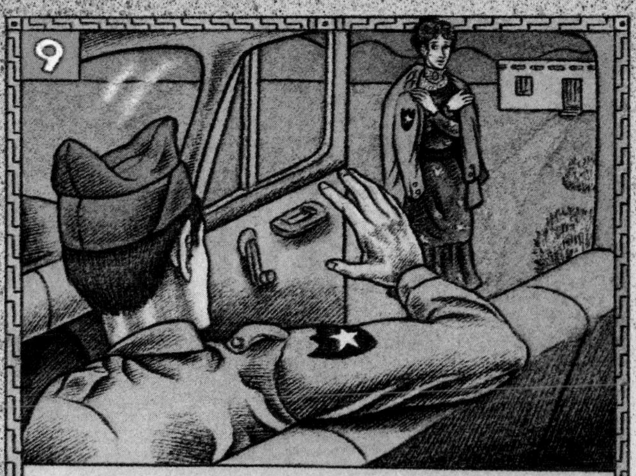

El joven ofrece llevarla a su casa, pero ella insiste en bajarse del coche allá donde él la recogió.

Entonces, para tener buena excusa para volver a verla, el joven soldado insiste en dejar su chaqueta militar con ella hasta el día siguiente.

Por la mañana, bien temprano, el joven se sube al viejo Chevy y vuelve al sitio donde dejó a Crucita. Allí sigue una vereda que conduce a una casa de adobe abandonada.

Llama a la puerta varias veces y por fin una viejita contesta. El joven le habla del baile de la noche anterior. La viejita se asusta y le dice, "No es posible. ¡Váyase!" Pero cuando él sigue insistiendo ella le dice, "Bueno, venga. Sígame".

Y la viejita le conduce al cementerio, donde le muestra una tumba. Y allí, colgada sobre una lápida, ve su chaqueta militar.

Cuando recoge su chaqueta, puede leer la inscripción en la lápida:

CRUCITA DELGADO
1878–1897
Que Su Alma Alcance
la Paz Eterna

En ese instante, el soldado se dio cuenta que la noche anterior había bailado con un bulto.

¿QUÉ DECIMOS...?

Al andar de compras

1 ¿Le gustan los collares?

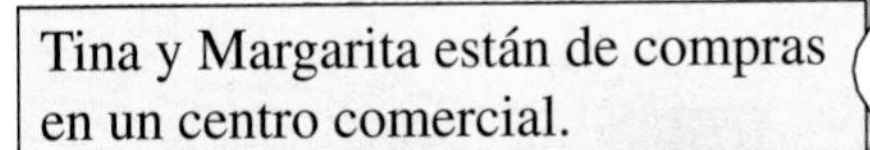

2 Mamá prefiere el rojo.

3 ¿Qué hacen por aquí?

B. El cuento de Salchicha. Con un compañero(a), escribe un cuento sobre la perrita en el dibujo, Salchicha.

VOCABULARIO ÚTIL:

pelota	comida	perro	pensar
comenzar	perder	pedir	divertirse
acostarse	encontrar	despertarse	comer
jugar	vivir	beber	querer

C. Solamente la verdad. Formen grupos de tres personas. Su profesor(a) les va a dar un juego de nueve preguntas a cada uno. Ustedes deben hacerse las preguntas y contestarlas todas. La idea es que todos deben decir la verdad al contestar todas las preguntas menos una. Al terminar, el grupo tiene que adivinar cuál fue la pregunta que cada persona contestó falsamente.

Dramatizaciones

A. ¡Qué problemas! Estás hablando con tu mejor amigo(a) de tus problemas. Dramatiza la conversación con un(a) compañero(a).

- Dile cómo te sientes.
- Menciona algunos de los síntomas.
- Escucha mientras tu amigo(a) te dice lo que él o ella piensa.
- Invita a tu amigo(a) a hacer algo este fin de semana.
- Decidan qué van a hacer y luego despídanse.

B. ¿A qué hora te despiertas? Tú eres un(a) visitante extraterrestre que viene al mundo para conocer la vida de los jóvenes norteamericanos. Pregúntale a un(a) compañero(a) de clase acerca de su vida diaria y sus actividades. Dramatiza esta situación con un(a) compañero(a).

C. Día de las madres. Tú y tu amigo(a) van de compras. Tienen que comprar un regalo para sus madres porque el domingo es el Día de las madres. Dramaticen esta situación. Mencionen varias posibilidades para regalos hasta que cada uno(a) decida lo que va a comprar.

IMPACTO CULTURAL

Tesoros nacionales

Antes de empezar

A. Mi primer día de clases. Piensa en tu primer día de clases y contesta estas preguntas. Luego discute tus respuestas con dos compañeros de clase.

1. ¿Cuánto recuerdas de tu primer día de clases?
2. ¿Quién te llevó a la escuela?
3. ¿Cómo reaccionaste tú? ¿Te gustó? ¿Lloraste?

B. Puntuación. En grupos de tres, contesten estas preguntas acerca de la falta de puntuación en el poema.

1. ¿Por qué crees que no hay puntuación en este poema?
2. Es fácil ponerle puntuación al poema. ¿Cuántas oraciones completas hay? ¿Cuáles son?
3. Escribe todas las oraciones del poema como oraciones completas. No olvides empezar cada oración con letra mayúscula.

Verifiquemos

A. Interpretemos. Lee el poema en la siguiente página. Luego, indica si estas oraciones son ciertas o falsas para mostrar que entendiste el poema. Explica cada respuesta.

1. El niño entiende inglés.
2. El niño no está tranquilo cuando se va su abuela.
3. La *teacher* entiende el problema del niño.
4. La abuela decide quedarse con el niño durante su primer día de escuela.

B. Expliquemos. En grupos de tres o cuatro, preparen una explicación para la clase de las siguientes partes del poema.

1. mi abuela
luego me dio
su bendición
y se fue
2. yo me quedé
hecho silla
3. en un mundo
muy extraño

Este poema es del bien conocido poeta chicano, Francisco X. Alarcón.

First Day of School

frente
a la teacher

apreté
más fuerte

la mano
de mi abuela

la teacher
se sonrió

y dijo algo
raro en inglés

mi abuela
luego me dio

su bendición
y se fue

yo me quedé
hecho silla

en un mundo
muy extraño.

LECCIÓN 3

¡Tienes que visitar El Paso!

ANTICIPEMOS

¿Qué piensas tú?

1. ¿Qué están haciendo las personas en los dibujos? ¿Qué crees que van a hacer estas personas al terminar lo que hacen ahora? ¿Por qué crees eso?
2. ¿Cuáles de estas personas hacen lo que hacen porque tienen que hacerlo? ¿Por qué tienen que hacer estas cosas?
3. ¿Qué relación hay entre las personas en los dibujos? ¿Por qué crees eso?
4. ¿Conoces bien a todos tus familiares — abuelos, tíos, primos, etc.? ¿Por qué sí o por qué no?
5. Compara tu respuesta a la pregunta número 4 a la de tus compañeros de clase. ¿Cómo se compara? ¿Por qué crees que unos conocen bien a sus familiares y otros no?
6. ¿Crees que la vida diaria de una familia hispana en un país de habla española es diferente o similar a la vida de una familia hispana en EE.UU.? ¿Por qué?
7. ¿Qué crees que vas a aprender en esta lección?

PARA EMPEZAR

Escuchemos un cuento de Nuevo México

Este cuento de Nuevo México habla de la importancia de amar y respetar a los ancianos, un tema que se ve en cuentos de todos los países de habla hispana.

Siguiendo la tradición de la comunidad, Manuel y su padre van a casa de la señorita a pedirles a los padres su mano en matrimonio. Y como la tradición dicta, los padres de la novia esperan una semana antes de dar su respuesta. Aceptan la petición de Manuel.

Como regalo de boda, el padre del novio traspasa todas sus tierras, sus animales, su casa, en fin, todas sus posesiones, a su querido hijo y su futura esposa.

Dolores y Manuel, como dicta la costumbre, le proporcionan al padre de Manuel un cuarto de la casa.

Todo está bien mientras el padre de Manuel esté en condiciones de trabajar.

Después de unos años, Dolores y su marido tienen un niño muy lindo. A la vez, el padre de Manuel empieza a debilitarse.

Dolores se queja constantemente de que su suegro es mucho trabajo para ella.

Resulta que la única razón por la que Dolores permite al viejito continuar allí con ellos es que ella siempre puede contar con él para cuidar al bebé. Con el pasar de los años, como uno se puede imaginar, el abuelo y su nieto resultan muy prendidos el uno al otro.

Desafortunadamente, dentro de poco el viejo se enferma. Y ahora es su nieto quien lo cuida. Le trae sus comidas, le lava la cara, lo peina y lo afeita. A Dolores le sigue molestando la presencia del anciano.

Llega el día en que Dolores proclama que necesita el cuarto del abuelo y le dice a Manuel que su padre tiene que dormir en el granero.

Manuel y su hijo ponen la cama del viejo en el granero, donde hace mucho frío. Dolores no le permite ni una sola cobija. "Va a morirse de frío", le dijo el niño a su mamá y ella le contestó, "Allí está bien. Él está acostumbrado al frío". El nieto se pone muy triste al ver a su abuelo sufrir tanto.

Al día siguiente, el nieto encuentra una vieja cobija y va a su padre y le dice, "Por favor, papá, corte esta cobija en dos".
"¿Por qué en dos?" pregunta su padre.
"Para poder darle a mi abuelo la mitad, y la otra la voy a guardar para cuando usted y mamá estén viejos y tengan que dormir en el granero".

Al oír eso Dolores se acuerda de un refrán que dice, "Joven eres y viejo serás". A los dos les vino un sentimiento profundo y rápido van a pedirle perdón al viejo. Le juran que nunca van a faltarle el respeto que se merece.
Y la familia pasa diez años maravillosos juntos. De allí en adelante, todos tratan al viejito con mucho cariño y respeto. Y no cabe duda que Dolores y Manuel estarán siempre agradecidos del consejo que les dio su hijo.

¿QUÉ DECIMOS AL ESCRIBIR...?

Una carta informativa

Ésta es la carta que Daniel le escribió a su amigo Luis.

Querido Luis,

Gracias por tu carta. Fue muy interesante. Estoy encantado de tener un nuevo amigo venezolano. Me encantaría conocer tu país algún día. Caracas parece una ciudad fascinante.

Hace siete años que vivo en El Paso. No es tan grande como Caracas, pero es la cuarta ciudad más grande de Texas. Lo único que nos separa de Ciudad Juárez, la cuarta ciudad más grande de México, es el Río Grande, o como dicen en México, el Río Bravo. No tendrías ningún problema aquí porque todo el mundo habla español. Me gusta mucho El Paso; tiene un clima ideal si te gusta el sol y el calor.

El Paso

Somos cinco en mi familia: mis padres, mi hermano Martín, mi hermana Nena y yo. Todos somos morenos y muy guapos, por supuesto. Mi hermano Martín tiene diecisiete años y, como resultado de un accidente automovilístico hace cinco años, usa silla de ruedas. Es muy activo, sin embargo, sobre todo en el baloncesto. Juega con un equipo especial que ganó el campeonato de Texas el año pasado y dicen que va a ganarlo este año también. Nena tiene trece años. Está muy interesada en el arte—pintura y dibujo. A todos nos gusta acampar y vamos a muchos lugares interesantes.

Mi familia

Mi hermano y yo asistimos a El Paso High School. Aparentemente, es muy diferente de tu escuela. Tú dices que tienes quince clases—pues nosotros solamente tenemos seis. Yo, por ejemplo, tengo historia de Estados Unidos, inglés, álgebra, química, educación física y música. Todas nuestras clases se reúnen todos los días, de lunes a viernes. ¡Y no tenemos clases los sábados, como ustedes! A propósito, toco el saxofón en la orquesta. Tengo que practicar muchas horas pero me gusta.

Mi saxofón

Casi todos mis amigos también van a El Paso High School. Mi mejor amigo se llama Mateo Romero. Es muy simpático y hacemos todo juntos. Jugamos tenis, vamos al cine y a partidos de baloncesto y fútbol americano. También juego tenis con una chica muy divertida que se llama Tina Valdez. A veces los tres nos reunimos con otros amigos para escuchar música o para ir a conciertos. Me fascina toda clase de música, pero mi favorita es la música popular latinoamericana. ¿Cuáles son los cantantes y los "hits" de ahora en Venezuela?

Enfrente de mi escuela

Me gustaría saber más de Caracas y de tus amigos. ¿Cómo son tus amigos? ¿Qué hacen los fines de semana? ¿Tienes una amiga especial? ¿Cómo es el clima en Caracas? ¿Hace buen tiempo todo el año? Escríbeme pronto. Algún día en el futuro tienes que visitarme aquí en El Paso. Y sí, yo tendré que visitarte en Caracas también.

Saludos de tu amigo

Daniel

¡Pobre Mateo! No juega tenis muy bien.

Mi hermano, mis amigos y yo escuchamos música en casa.

CHARLEMOS UN POCO

A. PARA EMPEZAR . . . Pon los siguientes hechos en el orden apropiado según el cuento de "La nuera".

1. Los dos juran que nunca van a faltarle respeto al viejo.
2. Dolores le dice a Manuel que su padre puede dormir en el granero.
3. Dolores empieza a quejarse constantemente de que su suegro no hace nada.
4. Manuel y Dolores invitan al padre de Manuel a vivir con ellos.
5. Manuel y Dolores salen juntos por varios meses, en compañía de personas mayores.
6. El nieto le dice a su padre que corte la vieja cobija en dos.
7. Manuel conoce a una joven llamada Dolores en las Fiestas de San Felipe.
8. Dolores y su marido tienen un niño muy lindo.
9. Como regalo de matrimonio, el padre de Manuel les da todas sus posesiones.
10. Manuel les pide la mano de Dolores a sus padres.

B. ¿QUÉ DECIMOS . . .? Selecciona la respuesta apropiada según la carta que escribió Daniel.

1. Hace *(5 / 7 / 15)* años que Daniel vive en El Paso.
2. El Paso es la *(segunda / tercera / cuarta)* ciudad más grande de Texas.
3. *(Daniel / Martín / Mateo)* usa silla de ruedas.
4. *(Daniel / Martín / Luis)* tiene quince clases.
5. Daniel toca un instrumento en *(una orquesta / una banda / un restaurante)*.
6. A Daniel le gusta jugar tenis con *(Mateo / Tina / Mateo y Tina)*.
7. Daniel quiere saber más de *(las clases de Luis / la familia de Luis / el clima de Caracas)*.
8. A Daniel le encantaría *(visitar a Luis en Caracas / vivir con Luis / hablar con Luis por teléfono)*.

C. **¿Y tú?** Tu compañero(a) quiere saber cómo eres. Contesta sus preguntas y luego hazle preguntas a él (ella).

MODELO romántico
Compañero(a): **¿Eres romántico(a)?**
Tú: **Sí, soy romántico(a).** o
No, no soy romántico(a).

VOCABULARIO ÚTIL:

estudioso	perezoso	tímido	popular
fuerte	débil	tonto	inteligente
simpático	antipático	organizado	desorganizado

REPASO

Adjectives

Adjectives must agree in number and gender with the word(s) they describe.

Carlos es guap**o**, tímid**o** e inteligent**e**.
Alicia y Paula son simpátic**as**, organizad**as** e inteligent**es**.

See **¿Por qué se dice así?**, *page G16, section 1.7.*

REPASO

Describing people: *Ser*

soy	somos
eres	
es	son

Soy inteligente y guapo.
Sí, y **eres** muy modesto también, ¿no?

See **¿Por qué se dice así?**, *page G17, section 1.8.*

REPASO

Describing future plans: *Ir*

voy	vamos
vas	
va	van

Voy al gimnasio a las dos.
¿**Van** a correr esta tarde?

See **¿Por qué se dice así?**, *page G17, section 1.8.*

CH. Descripciones. Describe a estas personas.

EJEMPLO **Mi mejor amiga y yo no somos ni altas ni bajas; somos medianas.**

VOCABULARIO ÚTIL:

alto	débil	interesante	serio
atlético	delgado	joven	tacaño
bajo	gordo	moreno	
cómico	guapo	rubio	

1. mi mejor amigo(a) [. . .]
2. mis papás
3. mis amigos [. . .] y [. . .]
4. yo
5. el(la) profesor(a) [. . .]
6. mi hermano(a) [. . .]
7. mi mejor amigo(a) y yo
8. mi gato(a) o mi perro(a)

D. Los domingos. ¿Adónde van estas personas los domingos?

EJEMPLO **Mis abuelos van al parque.**

yo	gimnasio
mi familia	parque
mis amigos y yo	biblioteca
mi amigo(a) . . .	iglesia
mis abuelos	café
	cine
	centro comercial
	restaurante
	casa de unos amigos
	¿ . . . ?

E. El fin de semana. ¿Qué planes tiene tu compañero(a) para este fin de semana? Pregúntale si va a hacer las actividades representadas en este dibujo.

MODELO *Tú:* **¿Vas a jugar tenis este fin de semana?**
Compañero(a): **Sí, voy a jugar.** o **No, no voy a jugar.**

F. ¡Qué horario! Pregúntale a tu compañero(a) a qué hora tiene sus clases.

MODELO *Tú:* **¿A qué hora tienes la clase de drama?**
Compañero(a): **Tengo drama a las [*dos*].** o **No tengo clase de drama.**

1.

2.

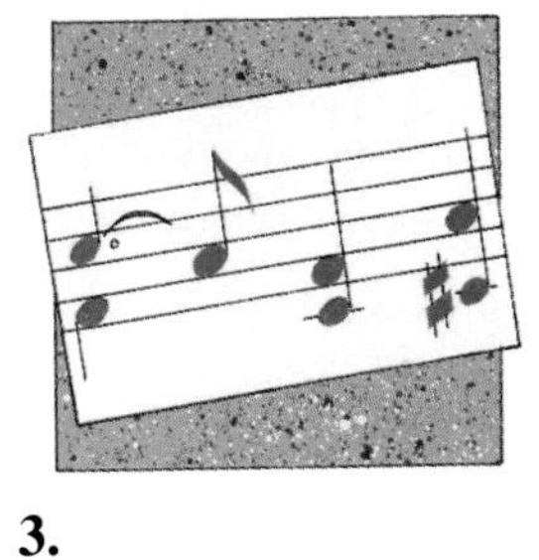

3.

4.

5.

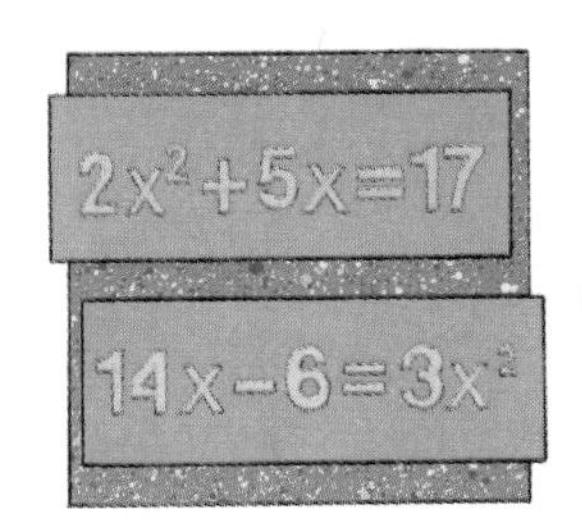

6.

7.

8.

9.

10.

11.

12.

REPASO

Tener

tengo	tenemos
tienes	
tiene	tienen

¿A que hora **tienes** inglés?
¿**Tenemos** que comprarlo?

See **¿Por qué se dice así?**, *page G17, section 1.8.*

REPASO

Hacer in time expressions

To ask how long something has been happening, use:

¿Cuánto tiempo hace que + *[present tense verb]***?**

To tell how long something has been happening, use:

Hace + *[time]* + **que** + *[present tense verb]*

¿Cuánto tiempo hace que viven aquí?
Hace tres años que vivimos aquí.
Hace cuatro meses que estudio español.

See **¿Por qué se dice así?**, *page G20, section 1.9.*

G. ¡Mucho que hacer! Es sábado y todos en tu familia tienen que ayudar. ¿Quiénes tienen que hacer estas tareas?

EJEMPLO arreglar tu cuarto
Yo tengo que arreglar mi cuarto. o
Mi hermano tiene que arreglar su cuarto.

1. preparar el almuerzo
2. lavar el coche
3. preparar la comida
4. poner la mesa
5. lavar el perro
6. estudiar
7. limpiar la casa
8. lavar los platos
9. hacer la cama
10. ir de compras

H. Familia y amigos. Explica cuánto tiempo hace que tú, tu familia y tus amigos hacen estas cosas.

EJEMPLO **Hace 7 años que mi familia tiene un perro.**

mi amigo . . . yo mis amigos . . . y . . . . . . y yo mi familia	salir con . . . trabajar en . . . saber nadar ser buenos amigos cantar en español asistir a este colegio estudiar . . . tener un gato / perro saber esquiar ¿ . . . ?

I. ¿Cuánto tiempo hace que . . .? Pregúntale a tu compañero(a) si hace esto. Si dice que sí, pregúntale cuánto tiempo hace que lo hace.

EJEMPLO *Tú:* **¿Vives en *[tu ciudad]*?**
Compañero(a): **Sí.**
Tú: **¿Cuánto tiempo hace que vives en . . .?**
Compañero(a): **Hace tres años.**

tu amigo . . . tú tus amigos . . . y . . . tú y . . . tu familia ¿ . . . ?	leer el periódico trabajar en . . . tener coche estudiar español vivir aquí tocar el piano ser buenos amigos asistir a este colegio estudiar baile conocer a tu mejor amigo(a) tener un gato / perro ir a esquiar salir con . . .

CHARLEMOS UN POCO MÁS

A. ¿Quién es? ¿Cuánto sabes de las personas que acabas de conocer? Selecciona a una de estas personas y descríbesela a tu compañero(a) sin mencionar el nombre. Tu compañero(a) tiene que adivinar *(decir)* quién es.

EJEMPLO *Tú:* **Es guapo. Tiene diecisiete años. Le gusta mucho el baloncesto.**
Compañero(a): **Es Martín Galindo.**

1.

2.

3.

4.

5.

B. La persona más seria . . . Su profesor(a) les va a dar una cuadrícula. En grupos de tres, primero escriban individualmente las respuestas a la pregunta en la primera columna. Luego hagan las preguntas a sus dos compañeros y anoten todas las respuestas. Informen a la clase los casos donde dos o tres personas estuvieron de acuerdo.

C. Encuesta. Tu profesor(a) te va a dar un cuestionario para usar al entrevistar a tus compañeros de clase. Pregúntales a varias personas cuánto tiempo hace que participan en estas actividades. Pídeles que firmen en el cuadrado apropiado y que escriban el número de años. Recuerda que no se permite que una persona firme más de una vez.

EJEMPLO estudiar inglés

Tú: **¿Cuánto tiempo hace que estudias inglés?**
Compañero(a): **Hace once años que estudio inglés.**
Compañero(a) escribe: **once** *(en el cuadrado apropiado)*

Dramatizaciones

A. El sábado. Estás charlando con un(a) amigo(a) de las actividades del sábado que viene. Dramaticen su conversación.

- Saluda a tu amigo(a).
- Pregúntale qué tiene que hacer el sábado que viene.
- Dile lo que tú tienes que hacer.
- Pregúntale qué va a hacer el sábado por la noche.
- Invítalo(la) a ir al cine contigo.

B. ¡Qué interesante! Estás conversando con un(a) nuevo(a) estudiante que parece ser muy interesante. Para conocerlo(la) mejor, le haces muchas preguntas. Dramatiza la conversación con un compañero(a).

C. El nuevo estudiante. Tu amigo(a) quiere conocer al (a la) nuevo(a) estudiante también. Contesta todas las preguntas que tu amigo(a) te hace con la información que ya tienes. También describe al (a la) nuevo(a) estudiante.

LEAMOS AHORA

Estrategias para leer:
Predecir con fotos, dibujos, gráficos o diagramas

A. Ilustraciones. Ciertas lecturas casi siempre vienen acompañadas de fotos, dibujos, gráficos o diagramas. Mira la lista que sigue y piensa en el tipo de lectura que tiende a usar cada tipo de ilustración. Luego indica el propósito de cada tipo de lectura.

Tipo de ilustración	Tipo de lectura	Propósito de lectura
Foto		
Dibujo		
Gráfico		
Diagrama		

B. Predecir. Un buen lector siempre usa las ilustraciones para predecir o anticipar el contenido de la lectura y también, para clarificar o confirmar al leer. Antes de leer esta selección, mira las fotos y anota lo que cada foto te hace anticipar.

¿Qué hay en la foto?	Lo que anticipo.	Lo que sé después de leer.
1.		
2.		
3.		
4.		

C. Confirmar. Ahora lee la selección. Vuelve a la actividad **B** y completa la tercera columna del cuadro.

D. Comparar. Compara tus predicciones en la segunda columna con el verdadero contenido de la tercera columna. ¿Acertaste? ¿Cómo te ayudó el predecir a leer mejor?

the whole enchilada

En Estados Unidos todo el mundo sabe lo que es una enchilada y muchos hasta saben prepararlas. Pero nadie las prepara como Roberto Estrada, dueño de una tortillería y un restaurante en Las Cruces, Nuevo México. ¿Pero por qué son tan diferentes las enchiladas de Roberto Estrada?, te preguntas. Pues, hay varias cosas que hacen que sus enchiladas sean singulares.

En primer lugar, Roberto Estrada prepara enchiladas típicas de Nuevo México. (1) Éstas son muy diferentes de las enchiladas tradicionales de México, (2) las cuales generalmente se preparan rellenas de queso, o de carne, o hasta de mariscos-cangrejo, (3) camarones (4) o langosta (5) y casi siempre se sirven tres enchiladas enrolladas con frijoles refritos y arroz a la mexicana al lado.

En Nuevo México, si pides una enchilada, te van a servir tres tortillas no enrolladas, sino tendidas como un panqueque. Tampoco se rellenan, simplemente se sirven con un poco de queso rallado (6) y cebolla picada (7) encima de cada tortilla. Una enchilada normalmente tiene tres tortillas y también se acostumbra servirlas con frijoles refritos y arroz a la mexicana, . . . ¡pero no si las prepara Roberto Estrada!

¿Por qué no?, dices. Porque las enchiladas de Roberto Estrada se preparan sólo una vez al año en el mes de octubre y son tan grandes que es imposible comer algo más. Son tan grandes que para hacer una sola enchilada de tres tortillas, Roberto usa 185 libras (8) de masa, 60 galones de chile colorado y 175 libras de queso.

Sin duda, Roberto Estrada prepara las enchiladas más grandes del mundo entero. Siempre las prepara para la fiesta de "The Whole Enchilada" en Las Cruces, Nuevo México. Ya lleva más de 12 años preparando "The Whole Enchilada" y cada año la enchilada parece crecer más y más. Cuando empezó a hacerla medía unos 6 pies de diámetro y servía a 2,000 personas, más o menos. La que hizo más recientemente midió 10 pies de diámetro y sirvió a 8,500 personas.

Más de 100,000 personas asistieron a la fiesta de "The Whole Enchilada" en '91, y los más de 1,500 voluntarios que ayudaron dicen que les gusta la fiesta no sólo porque acaban por "devorarse la enchilada más grande del mundo entero, sino también porque es como una fiesta de familia". Y de veras que lo es, ya que la mayoría de los voluntarios han servido de voluntarios desde que empezó la fiesta en 1981.

Verifiquemos

1. Preparen un esquema como éste y comparen las enchiladas mexicanas con las de Nuevo México y las de Roberto Estrada.

Enchiladas

Enchiladas mexicanas	Enchiladas nuevo mexicanas	Enchiladas de Roberto Estrada
1.	1.	1.
2.	2.	2.

2. Describe la fiesta de "The Whole Enchilada". ¿Dónde y cuándo es? ¿Cómo la celebran? ¿Quiénes asisten? ¿Cuánto tiempo hace que la celebran?
3. ¿Hay alguna fiesta que celebra un producto particular en tu ciudad? ¿Cuál es? Descríbelo.

ESCRIBAMOS AHORA

Estrategias para escribir:
Planificación

A. Empezar. En *Leamos ahora* leíste de un evento, una fiesta que se celebra cada año en Las Cruces, Nuevo México. ¿Qué información acerca del evento incluyó el autor? ¿Cuál fue el enfoque del artículo? ¿Dónde crees que se publicó este artículo originalmente? ¿Qué eventos anuales se celebran en tu escuela? ¿tu comunidad? ¿tu región?

B. Planificar. Selecciona uno de los eventos que mencionaste en la sección anterior para describirlo en un artículo para el periódico escolar. Será necesario mencionar ciertos datos y tú tendrás que decidir cuáles otros datos van a interesar a tu público. Para ayudarte a planificar, prepara un cuadro como el que sigue. Identifica en el cuadro lo que ya sabes, lo que necesitas investigar y dónde podrás conseguir la información que necesitas.

Evento	Lo que ya sé	Lo que debo investigar	¿Dónde debo conseguir la información?
Título del evento			
Fecha / Hora			
¿Dónde es?			
¿Frecuencia?			
¿Desde cuándo?			
¿Cómo recibió su nombre?			
Actividades específicas			
Mi parte favorita			

C. Organizar. Antes de empezar a escribir tu artículo, decide cuál información en tu cuadro debes incluir y cuál es opcional. Luego piensa en lo que puede causar que el evento sea interesante y atractivo para tu público. Tal vez quieras usar un marcador para indicar la información que quieres incluir. El título ''The Whole Enchilada'' es muy llamativo porque tiene doble sentido. ¿Puedes pensar en un título llamativo para tu artículo?

CH. Primer borrador. Ahora, usa la información en tu cuadro y prepara la primera versión de tu artículo. No te detengas demasiado en forma o exactitud; simplemente desarrolla tus ideas. Vas a tener amplia oportunidad para corregir el formato y la estructura.

D. Compartir. Comparte el primer borrador de tu artículo con dos compañeros de clase. Pídeles sugerencias. Pregúntales si hay algo más que desean saber sobre tu evento, si hay algo que no entienden, si hay algo que puede o debe eliminarse. Dales la misma información sobre sus artículos cuando ellos te pidan sugerencias.

E. Revisar. Haz cambios en tu artículo a base de las sugerencias de tus compañeros. Luego, antes de entregar el artículo, compártelo una vez más con dos compañeros de clase. Esta vez pídeles que revisen la estructura y la puntuación. En particular, pídeles que revisen el uso de verbos en el presente y de concordancia entre sujeto / verbo y adjetivo / sustantivo.

F. Versión final. Escribe la versión final de tu artículo incorporando las correcciones que tus compañeros de clase te indicaron. Entrega una copia en limpio a tu profesor(a).

G. Publicar. Cuando tu profesor(a) te devuelva el artículo, léeselo a tus compañeros en grupos de cuatro. Luego piensen en un título para una libreta que incluya los cuatro artículos. Escriban una breve introducción para la libreta y entréguensela a su profesor(a).

UNIDAD 2

¡Qué chévere!

CARACAS
M
PLAZA VENEZUELA
SABANA GRANDE
CHACAITO
CHACAO
ALTAMIRA
COLEGIO SAN IGNACIO DE LOYOLA
CENTRO CIUDAD COMERCIAL TAMANACO
AUTOMERCADO LAS MERCEDES
CORREO DE CHACAO

LECCIÓN 1

¿Nos acompañan?

ANTICIPEMOS

¿Qué piensas tú?

1. ¿Quiénes crees que son los jóvenes en la foto? ¿Qué hora crees que es? ¿Adónde crees que fueron los jóvenes antes de venir a este café? ¿Por qué crees eso?
2. ¿De qué estarán hablando los jóvenes?
3. ¿De qué partes del mundo te recuerdan estas fotos? ¿Por qué? ¿Hay algunas fotos que no relacionas con nada?
4. ¿Crees que todas estas cosas se pueden encontrar en un lugar? ¿Dónde? ¿Están de acuerdo contigo tus compañeros de clase?
5. ¿Crees que todas estas cosas se pueden encontrar en Venezuela? ¿Por qué sí o por qué no?
6. ¿Qué impresiones tienes tú de Venezuela? ¿De dónde vienen tus impresiones?
7. Los autores de **¡DIME!** les preguntaron a estos jóvenes venezolanos si hay algo en particular que quieren que los jóvenes de EE.UU. piensen de ellos. ¿Qué crees que contestaron?
8. ¿Qué quieres tú que los jóvenes de otros países piensen de los jóvenes en EE.UU.?
9. En esta lección, van a repasar mucho de lo que aprendieron en **¡DIME! UNO** y a escuchar lo que estos jóvenes están diciendo. Si consideras esto y tus respuestas a las primeras tres preguntas, ¿qué crees que van a hacer en esta lección?

PARA EMPEZAR

Escuchemos una leyenda hondureña

1

MÉXICO
BELICE
GUATEMALA
HONDURAS
TEGUCIGALPA
EL SALVADOR
NICARAGUA
COSTA RICA

Tegucigalpa es ahora la capital de Honduras, como ya saben ustedes, pero este cuento tiene lugar en tiempos antiguos, cuando era un pueblo pequeño sin mucho contacto con países extranjeros.

2

Es en esos tiempos que vive en el pequeño pueblo de Tegucigalpa, la familia Real—Don Periquito Real, su esposa Misia Pepa y su hijita, Laurita.

Es una familia feliz. Tienen bastante dinero y no tienen que trabajar. No son muy inteligentes pero viven contentos porque viven juntos.

3

La señora Real está muy orgullosa porque habla un poquito de francés e inglés. No los habla muy bien, pero cree que los habla a la perfección. Por eso, se cree superior a la gente del pueblo. Hasta pronuncia el nombre de su hija, Laurita, como en inglés—"Lorita".

LORITA

¿LAURITA?

¿LORITA?

La diversión favorita de toda la familia Real es hablar. Hablan constantemente. El padre habla con los hombres del pueblo y la madre habla con sus esposas.

Y Lorita habla todo el día con sus amiguitos.

En la tarde hablan durante horas juntos. Verdaderamente, los vecinos y otros del pueblo los encuentran muy aburridos.

Les gusta mucho a los Real criticar a sus vecinos. Pero peor que eso, también les gusta mucho repetir lo que oyen en casas de sus amigos.

Provocan muchos problemas en el pueblo con sus chismes.

Finalmente, la gente decide que la familia Real es incorregible. Y todo el pueblo se pone de acuerdo de no invitarlos más a sus fiestas y reuniones.

Por lo tanto, Misia Pepa, su marido y su hija tienen que quedarse en casa. Interesantemente, no parece molestarles mucho. Simplemente pasan el día hablando entre ellos.

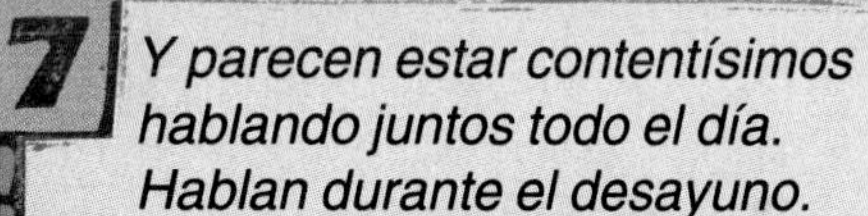

Pasan el día en el jardín hablando.

Hablan mientras Misia Pepa prepara la comida.

Y cada tarde los tres se sientan, cada uno en su silla mecedora, y porque no hay nada nuevo que discutir, simplemente repiten, palabra por palabra, de una manera automática, lo que oyen durante el día. Así se pasan los días, las semanas enteras y los meses.

Poco a poco empieza a tener lugar una transformación notable en los tres personajes. La nariz de los tres crece hasta convertirse en un grotesco apéndice muy duro. Luego, sus brazos empiezan a cambiar y se convierten en alas de colores brillantes: amarillo, rojo y verde.

Y actualmente, en Honduras y en muchas partes de Sudamérica, hay muchos pajaritos muy graciosos, que repiten todo lo que oyen. Y, ¿qué les llaman? "Periquitos o loritos reales", ¡por supuesto!

¿QUÉ DECIMOS...?

Al charlar entre amigos

1 ¡Chévere!

Unos amigos se encuentran en el centro de Caracas.

Ven, Chela, y te presentamos.

¡Chévere!

Mucho gusto. Luis Miranda.

Es un placer. Salvador Méndez. Así que eres la nueva vecina de Meche y Diana, ¿eh?

Sí, acabo de mudarme de Maracaibo.

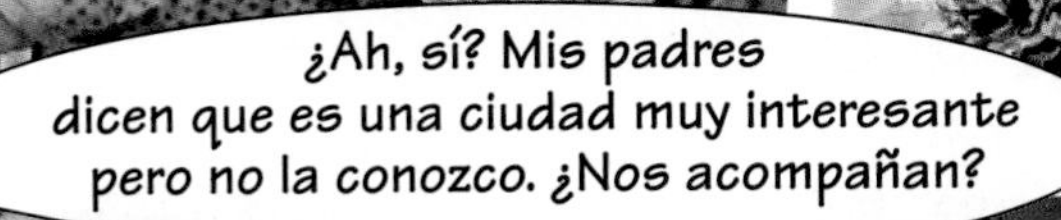

2 Tres arepas de pollo.

El mesonero les sirve las arepas a los jóvenes.

3 Salúdalo de mi parte.

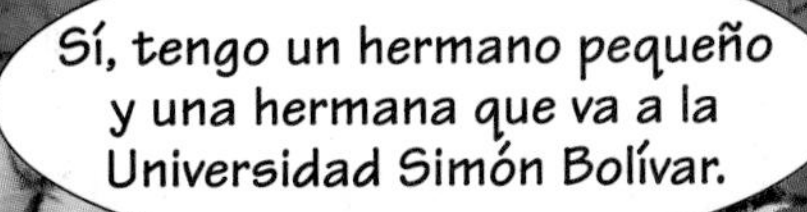

4 Estamos todos juntos.

CH. Las más interesantes. Tú eres reportero(a) con el periódico escolar y cada semana escribes una descripción de la familia para una sección del periódico titulada **Las familias más interesantes de [*tu comunidad*].** Entrevista a un(a) compañero(a) y consigue suficiente información para escribir un artículo sobre su familia.

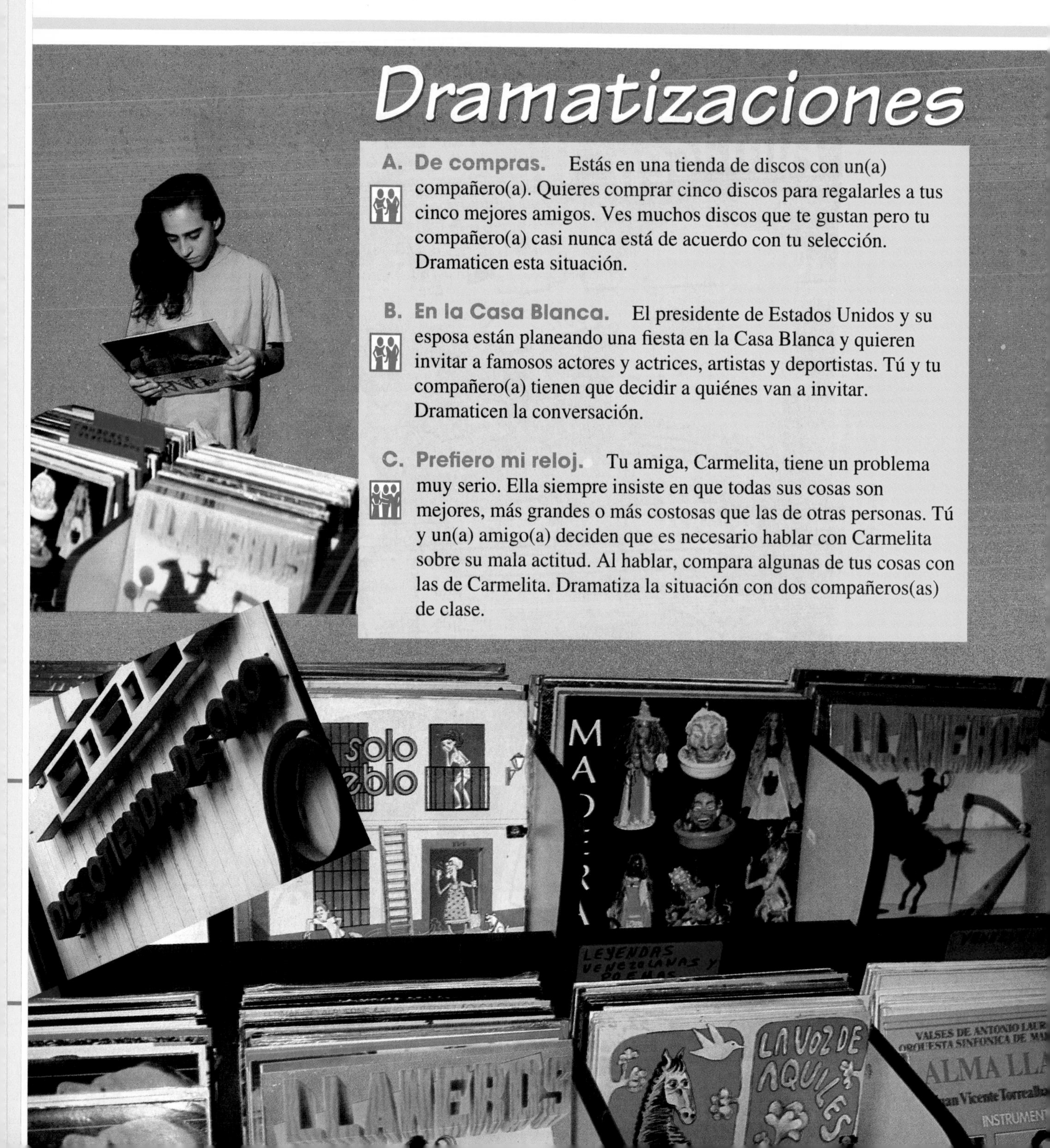

Dramatizaciones

A. De compras. Estás en una tienda de discos con un(a) compañero(a). Quieres comprar cinco discos para regalarles a tus cinco mejores amigos. Ves muchos discos que te gustan pero tu compañero(a) casi nunca está de acuerdo con tu selección. Dramaticen esta situación.

B. En la Casa Blanca. El presidente de Estados Unidos y su esposa están planeando una fiesta en la Casa Blanca y quieren invitar a famosos actores y actrices, artistas y deportistas. Tú y tu compañero(a) tienen que decidir a quiénes van a invitar. Dramaticen la conversación.

C. Prefiero mi reloj. Tu amiga, Carmelita, tiene un problema muy serio. Ella siempre insiste en que todas sus cosas son mejores, más grandes o más costosas que las de otras personas. Tú y un(a) amigo(a) deciden que es necesario hablar con Carmelita sobre su mala actitud. Al hablar, compara algunas de tus cosas con las de Carmelita. Dramatiza la situación con dos compañeros(as) de clase.

IMPACTO CULTURAL

Excursiones

Antes de empezar

A. El mapa. Localiza estos lugares en el mapa: el Mar Caribe, Venezuela, Colombia, Brasil, Guyana, los Andes, el río Orinoco, el lago de Maracaibo.

B. Impresiones. Antes de leer esta lectura sobre Venezuela, indica cuáles son tus impresiones sobre el país. Luego, después de leer la selección, vuelve a estas preguntas y decide si necesitas cambiar algunas de tus impresiones iniciales.

1. Venezuela está en . . .
  a. Norteamérica.
  b. Sudamérica.
  c. Centroamérica.
  ch. Europa.

2. El clima en la mayor parte de Venezuela es . . .
  a. muy variado.
  b. muy árido.
  c. tropical.
  ch. frío.

3. La población venezolana incluye . . .
  a. chinos.
  b. canadienses.
  c. japoneses.
  ch. europeos.

4. La economía de Venezuela está basada principalmente en . . .
  a. la exportación de frutas tropicales.
  b. la exportación de café.
  c. la producción de petróleo.
  ch. la exportación de azúcar.

5. El origen del nombre de la nación de Venezuela es . . .
  a. la ciudad italiana, "Venecia".
  b. una tribu de indios llamados "venezolanos".
  c. un general español.
  ch. una mujer llamada Venezuela.

Venezuela

¡Un país para querer!

En la parte norteña de Sudamérica, se encuentra una perla frente al Mar Caribe: Venezuela. Su territorio está frente a Las Antillas en el Mar Caribe y es vecino de Colombia, Brasil y Guyana. Es un país extenso con un clima tropical ideal. Su población es una mezcla de indios, de descendientes de conquistadores españoles y de negros traídos del África como esclavos. Además, tiene una numerosa población europea de origen alemán, francés, inglés, holandés, italiano y portugués.

Aunque Venezuela no es un país muy grande, es más grande que Texas pero más pequeño que Alaska, y su geografía es muy variada. Hay montañas y clima frío en Los Andes, y llanuras, grandes ríos y clima tropical en el resto del país. Casi una mitad del país es de terreno montañoso y en gran parte de Venezuela, la temperatura no varía mucho de 80^{0} F.

En las montañas, cerca del pueblo Icabarú se encuentran las famosas minas de diamantes de la Gran Sabana. Cerca de allí también está uno de los espectáculos naturales más impresionantes de todo el mundo, el Salto Ángel, (1) la cascada más alta del mundo. Con una caída de más de media milla, es quince veces más alta que las cataratas de Niágara.

Los llanos de la parte central y sur, donde corren los ríos Orinoco y Apure, es un área difícil que sufre inundaciones seis meses del año y sequías los otros seis meses. Al noroeste, en el Golfo de Venezuela y en el lago de Maracaibo, es donde navegaron Alonzo de Ojeda y Américo Vespucio cuando le dieron el nombre de Venezuela, o la pequeña Venecia, a la región. Esto porque vieron que los indígenas vivían en casas puestas sobre pilotes en el agua de las inundaciones. (2)

Venezuela tiene ciudades muy bellas, con características especiales. A Caracas, 3 la capital, se le llama "la ciudad de la eterna primavera". Es una ciudad muy moderna y cosmopolita con sus hermosos parques, varias universidades, hermosos centros comerciales y gran actividad política, económica y cultural. El Centro Cultural junto con la Plaza Bolívar son dos de los sitios más populares de los turistas en Caracas. Otras hermosas ciudades de Venezuela son Mérida en los Andes, Maracaibo frente al lago del mismo nombre, Barquisimeto en los llanos centrales, Puerto la Cruz y Cumaná en la costa del Mar Caribe y Ciudad Bolívar y Puerto Ordaz en la parte sur en las márgenes del río Orinoco.

La economía venezolana está basada principalmente en petróleo. 4 Se ha calculado que hasta un 85 por ciento de la economía de la nación depende de la producción de petróleo. Por eso, cuando baja el precio de este producto el país tiene problemas económicos. Actualmente, el país hace todo lo posible por introducir otros comercios como la producción del café, cacao, azúcar, frutas tropicales, maderas, caucho, hierro, acero, carbón, aluminio, oro y piedras preciosas.

Venezuela es especial por la gran variedad y diversidad de sus habitantes 5 y por la gran variedad de diversiones que ofrece, por la riqueza de su tierra y del mar y por la magia del trópico. Es por todo eso que los venezolanos dicen: "Venezuela: ¡Un país para querer!"

Verifiquemos

1. Prepara un diagrama de Venezuela, como el siguiente, e incluye toda la información posible bajo cada categoría.

Venezuela

En las montañas	En los llanos	En la capital	La economía
1. minas de diamantes	1. Río Orinoco	1. Caracas	1. petróleo
2.	2.	2.	2.
3.	3.	3.	3.

2. Dibuja el Salto Ángel o la vista que en tu imaginación vieron Alonzo de Ojeda y Américo Vespucio al nombrar Venezuela.
3. Explica el título de esta lectura.
4. Si tú podrías visitar Venezuela, ¿qué te gustaría ver y hacer?

LECCIÓN 2

Otras culturas y yo

ANTICIPEMOS

¿Qué piensas tú?

1. ¿Qué ciudad crees que es la ciudad en la foto? ¿Por qué crees eso?
2. ¿Qué puedes decir de la vida de la gente que vive en esta ciudad a base de la foto?
3. Nombra los países que reconoces en esta página. ¿Qué representa cada dibujo, algo típico o estereotípico de la cultura de estos países? ¿Por qué crees eso?
4. ¿Qué es un estereotipo? ¿Cómo empiezan los estereotipos?
5. ¿Son los estereotipos una representación verdadera y exacta de la cultura que representan? ¿Por qué crees eso? En tu opinión, ¿son buenos o malos los estereotipos? ¿Por qué?
6. ¿Puedes describir una sola cultura representativa de Estados Unidos? ¿de Sudamérica? ¿de otras partes del mundo? ¿Por qué sí o por qué no?
7. ¿Cuáles son algunos elementos que deben considerarse al describir la cultura de un pueblo o un país?
8. En esta lección, los estudiantes que conociste en la primera lección van a hablar de cómo pasaron el verano. ¿Cuáles son algunos temas que crees que vas a repasar en esta lección?

PARA EMPEZAR

Escuchemos una leyenda venezolana

Todos los países del mundo tienen sus cuentos y leyendas con sus héroes y villanos y otros personajes interesantes, divertidos, fantásticos o mágicos. Hay leyendas japonesas, alemanas, inglesas, griegas y norte-americanas, . . . y, por supuesto, hay leyendas hispanas.

Esta leyenda venezolana cuenta cómo los buenos hechos merecen y reciben la buena fortuna.

Había una vez . . .

. . .un hombre ciego y sus tres hijos. Todos sabían que al padre no le volvería la vista hasta escuchar el canto del pájaro de los siete colores.

Por eso, el hijo mayor decidió salir en busca del pájaro de los siete colores.

Llegó a la orilla de un río donde vio a un niño ahogándose. La madre del niño le pidió auxilio, pero el jóven le dijo que no porque tenía demasiada prisa, y siguió su camino.

4

Más adelante el hijo mayor llegó a la casa de una señora pobre. Ella le pidió dinero para poder enterrar a su esposo recién muerto. Pero él le dijo que no. Dijo que tenía muy poco dinero y siguió adelante.

Poco después, el hijo mayor llegó a un lago encantado. Como tenía mucha sed, tomó el agua del lago y se quedó encantado. Se quedó profundamente dormido.

Cuando el hijo mayor no regresó, el segundo hijo salió en busca del pájaro de los siete colores pero le pasó lo mismo que a su hermano mayor.

7

Entonces, el tercer hijo decidió salir en busca del pájaro de los siete colores. Cuando llegó al río, inmediatamente se echó al agua y le salvó la vida al niño que se ahogaba. Luego continuó su búsqueda.

Al llegar a la casa de la señora pobre, el hijo menor le dio todo su dinero para enterrar al muerto y de nuevo continuó su camino.

8

Al poco tiempo, el hijo menor llegó a una casa donde vivían tres hermanas, las dueñas del pájaro de los siete colores.

Cuando les contó a las jóvenes lo de su padre, la hija menor inmediatamente se montó en el caballo con él y regresaron rápidamente a la casa del ciego.

9

Tan pronto como llegaron, el pájaro empezó a cantar y en seguida le volvió la vista al padre.

¿QUÉ DECIMOS...?

Al hablar de lo que hicimos

1 Una actividad especial.

2 ¿Qué hiciste tú?

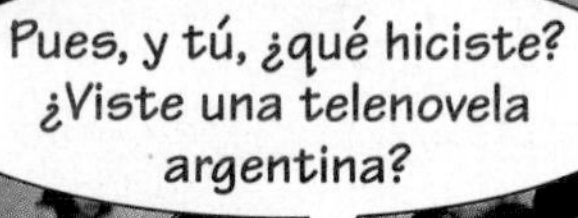

3 Hice un viaje.

4 ¡Pirañas!

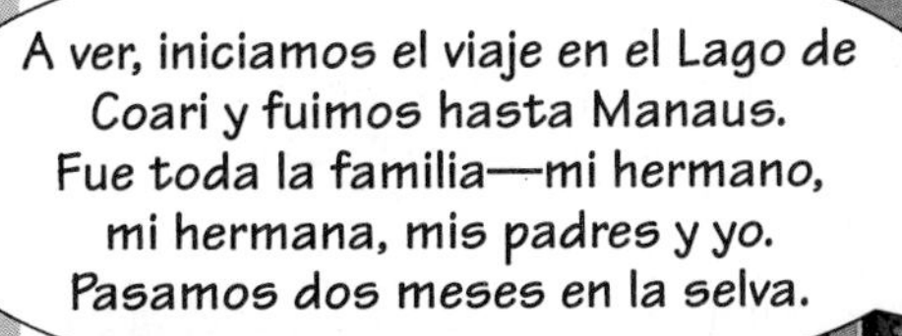

A ver, iniciamos el viaje en el Lago de Coari y fuimos hasta Manaus. Fue toda la familia—mi hermano, mi hermana, mis padres y yo. Pasamos dos meses en la selva.

¿Viste animales salvajes?

¡Ay, sí, muchos! Vimos guacamayas, jaguares, capibaras, tapires y muchos caimanes.
¿No te asustaron?
No, para nada, sólo las pirañas me asustaron.

¡Pirañas! ¿Y había culebras?
Sí, vimos varias anacondas y boas.

¿De veras? Me encantan las serpientes.

¡Huy! ¡Qué tonto eres!
¡Salvador! ¡Quítate! ¡Yo las odio!
Silencio, por favor. Como veo que todavía no terminaron, les voy a dar una tarea relacionada con este tema para la próxima clase.
Por favor, escriban un informe sobre el contacto más interesante que tuvieron con otra cultura durante las vacaciones.

Animales del Amazonas

En general se dice:	En Venezuela se dice:
anaconda	tragavenado
boa	tragavenado
capibara	chigüire
cocodrilo	caimán
jaguar	tigre
piraña	caribe
serpiente	culebra
tapir	danto

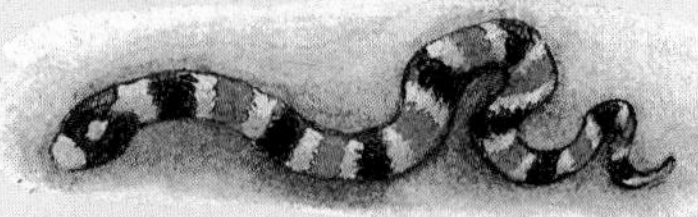

CHARLEMOS UN POCO

A. PARA EMPEZAR . . . Indica si las siguientes oraciones son ciertas o falsas según la leyenda "El pájaro de los siete colores". Si son falsas, corrígelas.

1. Para poder ver, el hombre ciego tenía que escuchar el canto del pájaro de los siete colores.
2. Dos de los tres hijos salieron de la casa en busca del pájaro de los siete colores.
3. El hijo mayor no ayudó a nadie.
4. El hijo mayor se quedó profundamente dormido cuando tomó el agua del lago encantado.
5. El segundo hijo también se quedó profundamente dormido cuando tomó el agua del lago encantado.
6. El tercer hijo hizo lo mismo que el hermano mayor.
7. El pájaro de los siete colores vivía en una casa con tres viejitas.
8. El hijo menor encontró el pájaro de los siete colores y lo mató para poder llevarlo a la casa de su padre.
9. Tan pronto como oyó el canto del pájaro de los siete colores, le volvió la vista al padre.

B. ¿QUÉ DECIMOS . . .? Según el diálogo, ¿quién hizo estas cosas?

Luis

Meche

Salvador

Chela

1. Comió en un restaurante chino.
2. Leyó una novela sobre James Bond.
3. Vio jaguares, caimanes, anacondas y pirañas.
4. Recibió a sus primos alemanes.
5. Hizo un viaje a Brasil.
6. Vio una película francesa.
7. Comió en un restaurante italiano.
8. Visitó a unos parientes en Colombia.
9. Viajó por el río Amazonas.
10. Vio unos programas norteamericanos en la tele.

C. El fin de semana. Los compañeros de clase de Herlinda hicieron muchas cosas el fin de semana pasado. Según Herlinda, ¿qué hicieron?

Blanca y Shotaro

MODELO **Blanca y Shotaro estudiaron.**

1. yo

2. Beto

3. mis amigos y yo

4. Luz

5. la profesora

6. José y Felipe

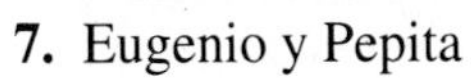

7. Eugenio y Pepita

8. Enrique

REPASO

Preterite: *-ar* verb endings

-é	-amos
-aste	
-ó	-aron

¿Alquilaste un video?
Sí, pero primero **limpié** mi cuarto y **estudié** un rato.

See **¿Por qué se dice así?,** *page G27, section 2.3.*

REPASO

Preterite: *-er, -ir* verb endings

-í	-imos
-iste	
-ió	-ieron

¿**Vieron** televisión anoche?
No. Sal**imos** a cenar.
Comí unas arepas exquisitas.

See **¿Por qué se dice así?,** *page G27, section 2.3.*

REPASO

Preterite:
Regular verb endings

-ar	-er, -ir
-é	-í
-aste	-iste
-ó	-ió
-amos	-imos
-aron	-ieron

See **¿Por qué se dice así?,** *page G27, section 2.3.*

CH. Una fiesta. Ayer Pepe celebró su cumpleaños. Según él, ¿qué pasó en la fiesta?

MODELO **Yo recibí muchos regalos.**

mis amigos y yo	tomar	pastel
mamá	recibir	pizza
yo	leer	limonada
los invitados	romper	café
papá	ver	tarjetas
mis hermanos	abrir	regalos
Óscar	comer	piñata
		la tele

D. Durante el verano. Pregúntale a un(a) compañero(a) si hizo estas cosas durante el verano.

MODELO practicar deportes
Tú: **¿Practicaste deportes?**
Compañero(a): **Sí, practiqué deportes todos los días.**

1. comer en un restaurante italiano
2. viajar a otro estado
3. viajar a otro país
4. jugar tenis
5. asistir a un concierto
6. escribir cartas
7. leer un libro interesante
8. pasear en bicicleta
9. ver muchas películas
10. visitar a sus abuelos
11. trabajar
12. correr mucho

E. Ocupados. ¿Qué dice Roberto que él y su familia hicieron ayer?

Rubén y Timoteo

MODELO **Rubén y Timoteo caminaron en el parque.**

1. Irma

2. Irma y Marta

3. Rubén

4. mamá

5. yo

6. Susana y yo

7. papá

8. Marta y Timoteo

F. ¿Qué hicieron allá? Tú y unos amigos fueron a otros países durante el verano. ¿Adónde fueron y qué hicieron allá?

MODELO Gabriel: Segovia (ir al cine mucho)
Gabriel fue a Segovia. Fue al cine mucho.

1. Julieta y Patricia: París (ir a muchas fiestas)
2. Enrico: Roma (ir a visitar a sus parientes)
3. Rosita y Jorge: Buenos Aires (ir de compras todos los días)
4. Carlota y yo: Guadalajara (hacer tres excursiones al lago Chapala)
5. Eduardo y Eva: Madrid (ir a la Biblioteca Nacional)
6. Tú: Cuzco (hacer una excursión a Machu Picchu)
7. Carmen y Héctor: México, D.F. (hacer excursiones a las pirámides)
8. Tú y yo: Venezuela (hacer una excursión por el río Orinoco)

REPASO

Preterite:
Three irregular verbs

Ir/Ser	Hacer
fui	hice
fuiste	hiciste
fue	hizo
fuimos	hicimos
fueron	hicieron

See **¿Por qué se dice así?,** *page G27, section 2.3.*

Adjectives of nationality

Adjectives whose singular masculine form ends in **-o:**

argentino	hondureño
boliviano	italiano
brasileño	mexicano
colombiano	noruego
coreano	paraguayo
cubano	peruano
chileno	puertorriqueño
chino	ruso
dominicano	salvadoreño
ecuatoriano	sueco
europeo	suizo
filipino	uruguayo
griego	venezolano
guatemalteco	

Adjectives whose singular form ends in **-a, -e,** or **-í:**

canadiense	marroquí
costarricense	nicaragüense
estadounidense	paquistaní
israelita	vietnamita

Adjectives whose singular masculine form ends in a consonant:

alemán	holandés
danés	inglés
escocés	irlandés
español	japonés
francés	portugués

See **¿Por qué se dice así?,** *page G30, section 2.4.*

G. Fiesta internacional. Conociste a estas personas en una fiesta internacional. Identifícalas.

MODELO **Ellas se llaman Margaret y Christy. Son canadienses.**

Margaret y Christy

1. Ricardo

2. María

3. Tomás

4. Tereza

H. ¿Mi nacionalidad? ¿De dónde eres? Tu profesor te va a asignar un país pero no te va a decir cuál es. Hazles preguntas a tus compañeros para descubrir tu nacionalidad.

MODELO *Tú:* ¿Soy boliviano(a)?
Compañero(a): **No, no eres de Bolivia.** o **Sí, eres de La Paz.**

CHARLEMOS UN POCO MÁS

A. Hecho en el Japón. En grupos de cuatro decidan cuántas prendas de ropa u objetos en sus bolsos son hechos en el extranjero. Preparen una lista de los objetos y su origen.

EJEMPLO **zapatos: argentinos** **bolígrafo: coreano**

B. ¿Eres danés? Tu profesor(a) te va a dar una tarjeta de identidad y un mapa de Europa. La tarjeta indicará tu nuevo nombre y país de origen.

- Preséntate a varios compañeros de clase.
- Diles tu nuevo nombre.
- Pregúntales el suyo.
- Pregúntales su nacionalidad y diles la tuya.
- Pregúntales si viajaron a otro país este verano.
- Diles que tú viajaste a [*nombre de un país vecino a tu país de origen*].
- Escribe tu nombre en el mapa en tu país de origen y en el país que visitaste. Haz lo mismo con los nombres de tus compañeros de clase.

C. ¿Quién hizo esto? Tu profesor(a) te va a dar una cuadrícula con una actividad indicada en cada cuadrado. Pregúntales a tus compañeros de clase si hicieron estas actividades durante el verano. Cada vez que recibas una respuesta afirmativa, pídele a esa persona que firme en el cuadrado apropiado. Recuerda que no se permite que la misma persona firme más de un cuadrado.

Dramatizaciones

A. ¡Yo también! Tu compañero fue de vacaciones con su familia por una semana durante el verano. Tú no saliste de tu ciudad en todo el verano. Pregúntale a tu amigo sobre sus vacaciones: ¿adónde fue?, ¿con quién?, ¿qué hizo?, ¿qué vio?, etc. Al contestar sus preguntas, trata de impresionarlo con todas las actividades que hiciste tú. Dramaticen esta situación. Usen su imaginación e inventen actividades creativas.

B. Contactos culturales. El gobierno federal quiere saber cuántos productos del extranjero usan los jóvenes en Estados Unidos. Tú eres un(a) investigador(a) de la C.I.A. que está entrevistando a jóvenes en tu escuela. Entrevista a dos personas. Dramatiza la situación con dos compañeros de la clase.

IMPACTO CULTURAL

Nuestra lengua

Antes de empezar

A. Jerga. Cada país o región tiene su lenguaje especial o jerga. Por ejemplo, en algunas partes de EE.UU. los jóvenes dicen *bad* cuando algo es muy bueno.

1. ¿Cuáles son algunas palabras en inglés que usas tú para referirte o dirigirte directamente a un(a) amigo(a) pero no a un adulto?
2. ¿Cuáles son algunas palabras en inglés que tú y tus amigos usan entre ustedes cuando quieren decir que algo es muy bueno o muy especial?

B. Direcciones. Prepara una lista en español de varias maneras de dar direcciones cuando no recuerdas el número exacto o no sabes el nombre de la calle.

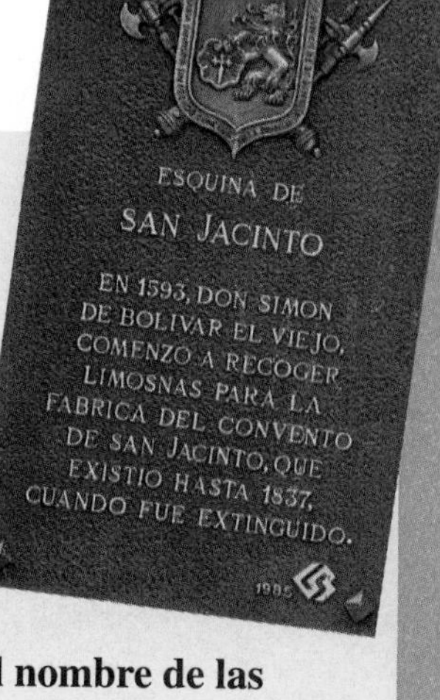

Peligro a Descanso. Pedro Valera, un estudiante venezolano, conversa con Steve, su nuevo amigo norteamericano. ¿De qué hablan?

Steve: **Hola, Pedro. ¿Cómo estás?**
Pedro: **Bien, mi vale, ¿y tú?**
Steve: **Pues, no muy bien. Estoy preocupado por el examen de mañana.**
Pedro: **¿Tú también? Memo y yo vamos a estudiar juntos esta noche. ¿Quieres acompañarnos?**
Steve: **¡Por supuesto! ¿Dónde van a estar?**
Pedro: **En casa de Memo. Vive cerca de mí, en Perico a El Muerto #320.**
Steve: **¡Ay! Siempre me pierdo en esa parte de la ciudad. ¿Por qué no usan el nombre de las calles? Es mucho más fácil.**
Pedro: **Es que es la parte más antigua de Caracas. Y es tradicional nombrar las esquinas. Todas las esquinas en esa sección tienen nombres: Angelitos, Peligro, Descanso, Las Monjas, San Jacinto . . .**
Steve: **Sí, es interesante, pero confuso.**
Pedro: **Bueno, entonces te esperamos a eso de las nueve.**
Steve: **Bien, mi vale. Hasta más tarde.**

Verifiquemos

A. ¿Qué dijo? Contesta estas preguntas para mostrar que entendiste el diálogo.

1. ¿Qué quiere decir "mi vale"?
2. ¿Por qué siempre se pierde Steve en la parte de Caracas donde viven Pedro y Memo?
3. La dirección de Memo no es como las direcciones en Estados Unidos. ¿Por qué no?
4. "Perico" y "El Muerto" no son nombres de calles. ¿De qué son nombres?
5. Con un(a) compañero(a), selecciona uno de los nombres mencionados en el diálogo. Luego usen su imaginación para explicar por qué creen ustedes que recibió este nombre el lugar.
   Perico   El Muerto   Angelitos   Peligro   Descanso   Las Monjas
6. ¿Por qué dice Steve "mi vale" al despedirse?

LECCIÓN 3

¡Pirañas!

ANTICIPEMOS

¿Qué piensas tú?

1. ¿Dónde hay selvas tropicales? ¿Dónde crees que está esta selva tropical? ¿Por qué crees eso?
2. ¿Por qué hay tanto interés actualmente en preservar las selvas tropicales?
3. ¿Reconoces estos animales y plantas? ¿Son muy comunes? ¿Qué tienen en común?
4. ¿Se preocupan tú y tus amigos por el medio ambiente? ¿Por qué?
5. En tu opinión, ¿qué preocupaciones sobre el medio ambiente tienen los jóvenes en otras partes del mundo?
6. ¿Qué soluciones propones tú para estos problemas?
7. En esta lección,vamos a leer la composición que escribió Chela para su clase de geografía sobre su viaje por el río Amazonas. ¿Qué crees que vamos a repasar en la lección?

PARA EMPEZAR

Escuchemos un cuento boliviano

En el siglo veinte, empezamos a darnos cuenta que tenemos que proteger la tierra—los ríos, lagos y costas, las plantas y los animales.

1

El cuento "El león y las pulgas" nos ayuda a entender lo que puede pasar si no cuidamos nuestro mundo.

3

Desafortunadamente, con el pasar del tiempo, el león se volvió orgulloso y tiránico. A tal extremo llegó su tiranía, que del respeto y la admiración inicial, los animales pasaron a sentir miedo y terror de su monarca.

La única excepción fueron las pulgas, esos fastidiosos insectos que no sentían ni miedo ni respeto por el rey, ni por ningún otro animal.

4
Pues bien, las pulgas decidieron demostrarles a todos los demás animales que ellas eran más poderosas que el invencible león. Con esta idea, una pequeña colonia de pulgas se estableció en el lustroso y elegante pelaje dorado del león.

5
Con la excelente y noble sangre del león, la pequeña colonia empezó a crecer rápidamente y se extendieron por todas las partes del cuerpo del rey. Las pulgas vieron en el león un magnífico y delicioso banquete que les permitió tener una fiesta continua, día tras día.

9

Hay una moraleja en este cuento para todas las gentes del mundo, ¿no? ¿Puedes ver algunos paralelos con tu vida personal? ¿con el bienestar de tu ciudad? ¿de tu país?

¿QUÉ DECIMOS AL ESCRIBIR...?

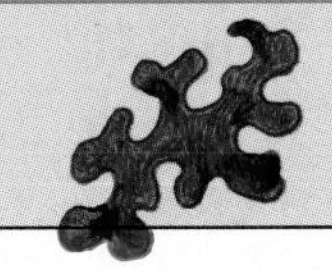

De una excursión

Chela acaba de escribir su informe para la clase de geografía. Antes de pasar a la próxima página para leerlo, mira el mapa y examina su ruta por el río Amazonas. ¿Qué te parece?

1

Durante las vacaciones hice un viaje con mi familia por el río Amazonas. Mi padre es científico ambiental y tuvo que hacer algunas investigaciones sobre el estado de la selva y el pantano del río. Esta área es muy importante porque la selva produce oxígeno y absorbe contaminantes. La salud de la selva afecta el bienestar del mundo entero.

2

No sabía que el río Amazonas era tan interesante. Es el río más largo de Sudamérica (6.450 kilómetros) y el segundo más largo del mundo. Sólo el río Nilo es más largo. Nosotros desembarcamos en uno de los tributarios más importantes, el río Negro, que desemboca en la ciudad de Manaus.[1]

[1]

[2]

[3]

3

Me gustó mucho la ciudad de Manaus. Es el puerto más grande de esa región. De allí se exportan muchos productos de la selva, como la nuez[2] del Brasil, el caucho[3] y varias clases de madera dura.[4]

[4]

4

Fue una sorpresa encontrar a diversas poblaciones a lo largo del río. Además de los indígenas,[5] vimos a personas de varios grupos étnicos—norteamericanos, europeos, negros, japoneses y gente de raza mixta.[6] La riqueza del país atrae a personas de negocio, de distintas partes del mundo, interesadas en establecer sus negocios allí. Pero el desarrollo de la selva tropical ya está causando problemas ambientales.

5

Los científicos se preocupan por el efecto de la explotación de la selva tropical en el medio ambiente. Por ejemplo, la minería del oro y otros metales contamina el agua.[7] Además, muchos agricultores cortan y queman los árboles para criar ganado y cultivar la tierra.[8] Estas prácticas sostienen la economía de la región, pero destruyen el equilibrio natural y amenazan algunas poblaciones indígenas.

6

Muchas especies de plantas y animales que vimos en nuestro viaje sólo viven en las selvas del Amazonas y hoy se encuentran en peligro de extinción por la destrucción de la selva. Sería terrible verlos desaparecer—¡aun las anacondas[9] y las pirañas![10]

CHARLEMOS UN POCO

A. **PARA EMPEZAR . . .** Pon las siguientes oraciones en orden cronológico según la leyenda ''El león y las pulgas''.

1. Las pulgas tuvieron una gran fiesta para celebrar su victoria.
2. El león se volvió orgulloso y tiránico.
3. Pronto, las pulgas se dieron cuenta de que al matar al león, perdieron su fuente de alimentación.
4. Las pulgas decidieron demostrar que ellas eran más poderosas e invencibles que el león.
5. Los animales de la selva proclamaron al león ''rey de todos los animales''.
6. Pero las pulgas perdieron el espléndido banquete de todos los días y empezaron a morir.
7. Las pulgas picaron tanto al león que se enfermó y se murió.
8. Los animales pasaron a sentir miedo y terror de su monarca.

B. **¿QUÉ DECIMOS . . .?** Completa estas frases según el informe de Chela.

1. El río más largo de Sudamérica es . . .
   a. el río Amazonas.
   b. el río Orinoco.
   c. el río Nilo.

2. El río más largo del mundo es . . .
   a. el río Amazonas.
   b. el río Orinoco.
   c. el río Nilo.

3. Un puerto importante en el Amazonas es . . .
   a. Maracaibo.
   b. Guayaquil.
   c. Manaus.

4. Tres productos de la selva son . . .
   a. el plástico, el cristal y la madera.
   b. el caucho, la madera y las nueces.
   c. las nueces, la madera y el cristal.

5. El desarrollo de la selva pone en peligro . . .
   a. las ciudades grandes.
   b. a la población indígena.
   c. la industrialización.

6. Unos animales salvajes del río Amazonas son . . .
   a. las pirañas y las anacondas.
   b. los leones y los elefantes.
   c. los tigres y las gorilas.

C. ¡Qué diferentes! ¿Cómo se comparan estos animales de la selva?

MODELO ser / largo
El caimán es más largo que el tucán.

1. ser / grande
2. tener / colores
3. ser / fuerte
4. tener / dientes
5. ser / pequeño
6. ser / lindo
7. tener ojos / grandes
8. ser / feroz

CH. Amigas. Éstas son Manuela y Carmen. Compara sus edades y di cuál de ellas es mejor o peor en estas actividades.

Carmen, 15 años **Manuela, 16 años**

EJEMPLO **Manuela juega fútbol mejor que Carmen.**

REPASO

Unequal comparisons:
más que/menos que

Tú eres **más** alto **que** yo.
Epi tiene **menos** dinero **que** yo.

See **¿Por qué se dice así?,** *page G32, section 2.5.*

Unequal comparisons:
mayor/menor, mejor/peor

Tú eres **mayor que** yo.
Sí, pero soy **menor que** Francisco.
Eva habla español **mejor que** yo.
Sí, pero habla inglés **peor que** tú.

See **¿Por qué se dice así?,** *page G32, section 2.5.*

Equal comparisons:
tan/como, tanto/como

1. **tan** + adj. + **como**

   Ella es **tan** alta **como** tú.
   Ellos son **tan** inteligentes **como** nosotros.

2. **tanto (-a, -os, -as)** + noun + **como**

   No tengo **tanto** dinero **como** ustedes.
   Leí **tantas** novelas **como** tú.

See **¿Por qué se dice así?,** *page G32, section 2.5.*

D. Parecen gemelos. Pedro y Paco no son parientes pero son increíblemente parecidos. Compáralos.

MODELO ser guapo
Pedro es tan guapo como Paco.

tener libros
Pedro tiene tantos libros como Paco.

1. ser delgado
2. tener zapatos
3. ser simpático
4. tener camisetas
5. ser estudioso
6. ser alto
7. tener discos
8. ser fuerte

E. Materiales escolares. Meche necesita comprar materiales escolares para sus clases. ¿Cómo se comparan los precios en este almacén y esta papelería?

MODELO lápices
Los lápices del almacén son más baratos que los lápices de la papelería.

o

Los lápices de la papelería son más caros que los lápices del almacén.

	Almacén Bolívar	Papelería Torres
lápices	5 Bs	10 Bs
reglas	25 Bs	20 Bs
cuadernos	60 Bs	60 Bs
carpetas	20 Bs	25 Bs
bolígrafos	35 Bs	40 Bs
papel	160 Bs	150 Bs
borradores	30 Bs	30 Bs
mochila	725 Bs	715 Bs
papel de computadora	480 Bs	485 Bs

1. reglas
2. cuadernos
3. carpetas
4. bolígrafos
5. papel
6. borradores
7. mochila
8. papel de computadora

F. ¡Qué impresionante! Gabi acaba de regresar de un viaje al pantano del Amazonas. ¿Cómo describe su experiencia?

EJEMPLO **Los productos de la selva tropical son importantísimos.**

el río Amazonas	lindo
las plantas	rico
los animales	alto
la selva	largo
los problemas	importante
las frutas	interesante
la gente	feroz
los árboles	malo
los productos	simpático
	largo

G. Es el más . . . ¿Conoces estos animales salvajes? Asocia los dibujos con la palabra que mejor describe cada animal.

MODELO rápido
El leopardo es el animal más rápido de la selva.

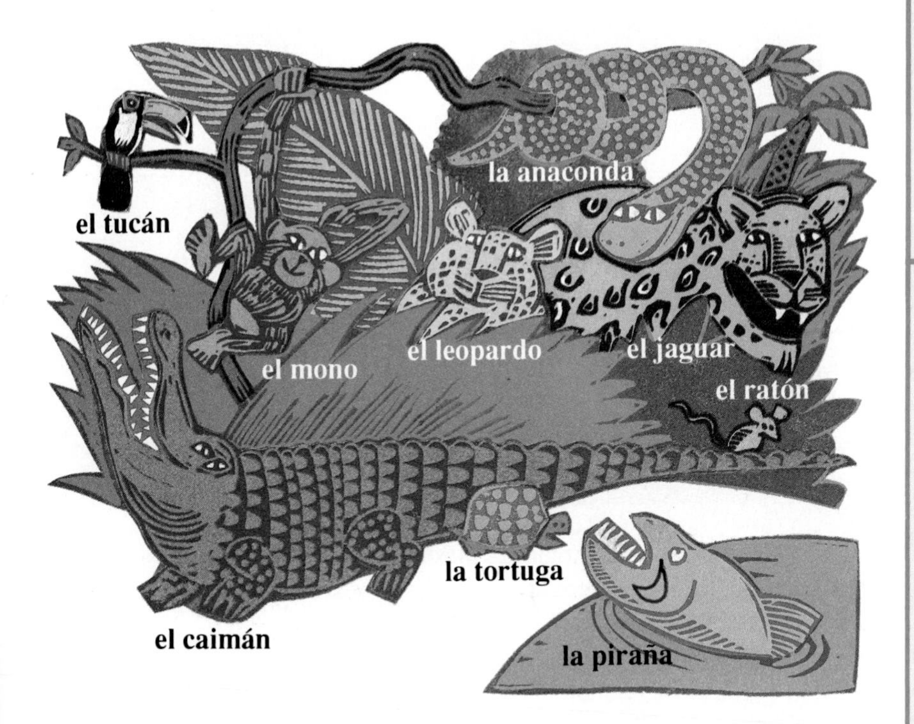

1. bonito
2. pequeño
3. largo
4. grande
5. feo
6. lento
7. peligroso
8. fuerte

REPASO

Superlatives: *-ísimo*

Spanish uses the **-ísimo(-a, -os, -as)** endings on adjectives to express a *very high* degree of quality. The English equivalent is *really, extremely,* or *very, very.*

Brasil es **grandísimo.**
Las plantas en la selva tropical son **hermosísimas.**

See **¿Por qué se dice así?,** *page G34, section 2.6.*

Superlatives

To express the *highest* degree of quality, Spanish uses the definite article (**el, la, los, las**) before the comparative construction.

Brasil es **el** país **más grande** de Sudamérica.
Es **el más** variado también.

See **¿Por qué se dice así?,** *page G34, section 2.6.*

H. Sudamérica. Mañana tu compañero(a) va a tener un examen sobre Sudamérica en la clase de geografía. Ayúdalo(la) a prepararse para el examen.

MODELO ¿Cuál es el país con costas en dos océanos?
Colombia

1. ¿Cuáles son las montañas más importantes de Sudamérica?
2. ¿Qué río pasa entre dos capitales al desembocar en el Océano Atlántico?
3. ¿Cuál es el país más grande de Sudamérica?
4. ¿Qué países tienen una costa en el Océano Pacífico?
5. ¿Cómo se llama el río que pasa por toda Venezuela?
6. ¿Cuál es el país más largo de Sudamérica?
7. ¿Cómo se llama el lago que está entre dos países?
8. ¿Qué países no tienen costa?
9. ¿Qué países están en el ecuador?
10. ¿Cuál es el pico más alto de los Andes?

CHARLEMOS UN POCO MÁS

A. El Orinoco. Tú y tu compañero(a) están mirando las fotos en el álbum de Jacinto. Él y su familia hicieron un viaje por el río Orinoco durante el verano. Escriban subtítulos para cada foto explicando lo que Jacinto y su familia vieron en su viaje. Compartan sus subtítulos con otros compañeros de clase.

B. Nuestro continente. Con un(a) compañero(a) de clase, compara Sudamérica con el mapa de Norteamérica que tu profesor(a) les va a dar. Menciona el tamaño, número de países, cordilleras y ríos principales, etc.

C. Un informe. Con un amigo o una amiga, prepara un informe sobre un país de habla española. Comparen el país con Estados Unidos: tamaño, población, características físicas, ciudades principales, etc. Será necesario buscar información en la enciclopedia o en otras fuentes. Presenten su informe a la clase.

CH. Países. Tu profesor(a) te va a dar el mapa de un país de Sudamérica o Centroamérica. Tú tienes que identificar el país, escribir el nombre del país y su capital en el lugar apropiado y luego localizar el país en el mapa del (de la) profesor(a).

Dramatizaciones

A. Un viaje a Brasil. Tú eres reportero(a) del periódico de tu escuela. Ahora tienes que entrevistar a Chela Fuentes o a su hermano. Tu compañero(a) hará el papel de Chela o su hermano. La entrevista es para conseguir toda la información posible sobre su viaje de este verano a Brasil. Dramatiza esta situación con tu compañero(a). Usa tu imaginación para recrear el viaje de Chela.

B. Otro viaje. Ahora, como reportero(a) del periódico de tu escuela, tienes que entrevistar al (a la) profesor(a) de geografía sobre su viaje a México este verano. Pasó una semana en la capital y otra en Guadalajara. Pídele que compare las dos ciudades o una de las dos con una ciudad en EE.UU. Tu compañero(a) hará el papel del (de la) profesor(a). Dramaticen esta situación.

LEAMOS AHORA

Estrategias para leer: Ojear y anticipar

A. Ojear. Ojear es mirar rápidamente una lectura para encontrar información específica. Cuando ojeamos, siempre es necesario saber exactamente qué información necesitamos. Ojea ahora los primeros dos párrafos de esta lectura para encontrar la siguiente información.

1. Prepara una lista de todas las acciones o actividades mencionadas en los primeros dos párrafos.
2. Mira el cuarto y el quinto párrafo ahora. ¿Hay algunas palabras que se repiten más de dos o tres veces? ¿Cuáles son?
3. Las palabras en esta lista son palabras afines con el inglés. ¿Cuál es su significado? Todas estas palabras caen en dos categorías principales, *Plantas y sus productos* y *Medicinas y enfermedades.* Ponlas en la categoría apropiada.

anticoagulante	filodendro
aspirina	medicina
cafeína	músculos
cáncer	planta
cirugía	SIDA
coco	sufrir
cola	tropical
fibra	vainilla

B. Ojear y comparar. Ahora lee las siguientes preguntas. Luego ojea los últimos dos párrafos de la lectura y compáralos con los primeros dos.

1. ¿Qué tipo de verbos se usan en los primeros dos párrafos que no se usan en los últimos dos?
2. ¿Para qué se usan estos verbos usualmente?

C. Anticipar el tema. Considera toda la información que ya tienes: la repetición de ciertas palabras en la lectura, las categorías de vocabulario en la lectura y el tipo de verbos o actividades que hay en los primeros párrafos.

1. ¿Qué relación hay entre todas estas cosas y el título de la lectura?
2. En tu opinión, ¿qué crees que vas a aprender en esta lectura? Sé específico(a).

La selva tropical y yo

Por la mañana te levantas rápidamente y te bañas. Luego te pintas (si eres chica) y te vistes. Tomas un cafecito, cereal y fruta antes de coger el autobús escolar. La mañana pasa rápidamente y al mediodía un amigo te invita a ir a almorzar en su coche. Tú pides una hamburguesa, una Cola y, de postre, un helado de vainilla. Regresan al colegio y al terminar las clases, decides caminar a casa con otros amigos. En camino tú compras un dulce de chocolate y tus amigos compran chicle. 1

En casa, haces la tarea después de cenar y luego ves la televisión un rato. Tu madre te pide que le des un poco de agua a la planta en tu cuarto antes de acostarte. Tú tienes un pequeño dolor de cabeza y decides tomar una aspirina. Luego te acuestas y te duermes en seguida.

CHICLE

1

2

3

¿Es una descripción representativa de tu vida diaria? Es probable que tú no tomes café por la mañana, o a lo mejor tú no vas al colegio en el autobús escolar sino en tu propio coche. Fuera de eso, es probable que no haya grandes diferencias.

Bueno, pero ¿qué tiene que ver todo esto con la selva tropical?, te preguntas. Es una pregunta válida . . . y la respuesta es bien sencilla. Tiene todo que ver con la selva tropical. ¿Cómo? ¿Dices que no entiendes? Pues veamos. Examinemos tu rutina diaria.

Probablemente duermes en una cama pintada de laca o barniz, 2 pinturas hechas de la resina de varios árboles de la selva tropical. Es probable también, que duermas en una almohada 3 rellena de fibra de los *árboles kapok* que crecen sólo en la selva tropical. En el

Verifiquemos

A. Decide qué palabra o frase mejor completa estas oraciones.

1. *Barniz* y *laca* son (camas / pinturas / árboles tropicales).
2. Muchas *almohadas* están rellenas de (jabón / palo de rosa / productos de árboles tropicales).
3. El *palo de rosa* se usa para producir (aroma / color / fibra).
4. El *annatto* es un árbol que se usa para producir (aroma / color / fibra).
5. El *caucho* es esencial para el buen funcionamiento de (bicicletas / restaurantes / televisores).

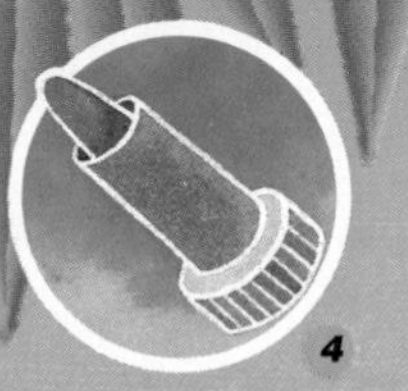

baño, te lavaste con jabón perfumado con *palo de rosa,* otro árbol de la selva tropical, y te pintaste con lápiz de labio [4] teñido rojo con *annatto,* que viene de otro árbol de la selva tropical.

Si para el desayuno comes "granola", ésta consiste de *coco y anacardo* [5] que también vienen de la selva tropical, como la *banana* que le pusiste encima. El *café* que tomas y el *azúcar* que le pones, también son productos de la selva tropical. El autobús que te lleva a la escuela, o tu propio coche, viaja en llantas [6] de *caucho,* producto de otro árbol de la selva tropical, como también lo son las suelas [7] de zapatos deportivos que probablemente llevas hoy mismo.

La carne en tu hamburguesa es *carne de res* [8] *barata* que viene de ganado [9] criado en la selva tropical recientemente destruida. La *cola* que bebes viene de una planta rica en cafeína y la *vainilla* en tu helado también viene de la selva tropical. Y sí, tienes razón. El *chocolate* y el *chicle* también. El *chocolate* viene de productos del *árbol cacao* y el otro del *árbol chicle.*

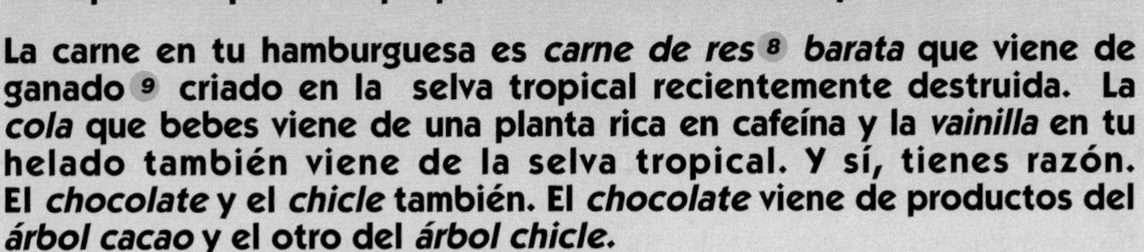

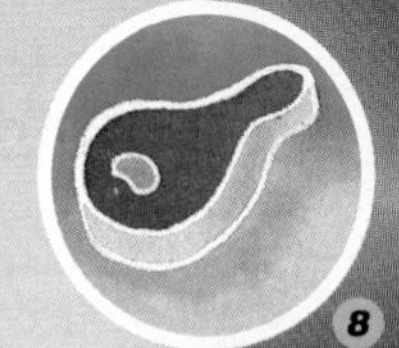

Pero hay más. La planta en tu cuarto probablemente es un *filodendro* de la selva tropical y la *aspirina* que tomaste viene de otra planta tropical. Y no es todo. En la televisión viste, tal vez, un programa sobre grandes avances que se están haciendo en el campo de medicina relacionados a plantas y animales de la selva tropical. Éstos incluyen *liana,* una planta que produce un anticoagulante; *curare,* otra planta que relaja los músculos durante cirugía del corazón; otras tres plantas que parecen tener buen efecto en personas que sufren de SIDA; y varias otras plantas que parecen ser buenas para los pacientes de cáncer.

Ahora, ¿cómo contestas tu propia pregunta? ¿Cómo afecta la selva tropical a tu vida diaria?

B. Contesten estas preguntas en grupos pequeños e informen a la clase de sus conclusiones.

1. ¿Qué relación hay entre las selvas tropicales y la medicina?
2. ¿Cuáles son cinco ejemplos de contacto diario que todas las personas en su grupo tienen en común con la selva tropical?

ESCRIBAMOS AHORA

Estrategias para escribir:
Obtener información y preparar un informe

A. Empezar. En esta unidad, Chela y sus compañeros de clases tuvieron que pensar en todos los contactos que tuvieron con otras culturas durante el verano. ¿Cuáles son algunos contactos que mencionaron? ¿Cuáles son algunos contactos que tú tuviste con otras culturas durante el verano?

B. Torbellino de ideas. En grupos de cuatro, preparen una lista de todos los contactos que ustedes tuvieron con otras culturas durante el verano.

C. Organizar. Ahora usa la información de tu lista de ideas para preparar un cuestionario similar al que sigue pero con un mínimo de diez preguntas. Usa tu cuestionario para entrevistar a tus compañeros de clase y obtener información acerca de los contactos que ellos tuvieron con otras culturas durante el verano.

Actividad	¿Quién?	¿Dónde?	¿Cuánto tiempo?	¿Qué cultura?
¿Visitaste un país extranjero?				
¿Viste una película francesa / alemana / japonesa?				
¿ . . . ?				

CH. Primer borrador. Ahora, usa la información que obtuviste en tu encuesta y prepara un informe escrito. Incluye conclusiones en categorías apropiadas, según la información que tengas: un contraste entre hombres y mujeres, el porcentaje de individuos que participaron en la encuesta, los contactos más y menos comunes, interesantes, etc.

D. Compartir. Comparte el primer borrador de tu informe con dos compañeros de clase. Pídeles sugerencias. Pregúntales si hay algo más que desean saber sobre tu encuesta, si hay algo que no entienden, si hay algo que puede o debe eliminarse. Dales la misma información sobre sus informes cuando ellos(as) te pidan sugerencias.

E. Revisar. Haz cambios en tu informe a base de las sugerencias de tus compañeros. Luego, antes de entregar el informe, compártelo una vez más con dos compañeros de clase. Esta vez pídeles que revisen la estructura y la puntuación. En particular, pídeles que revisen el uso de verbos en el pretérito.

F. Versión final. Escribe la versión final de tu informe incorporando las correcciones que tus compañeros(as) de clase te indicaron. Entrega una copia en limpio a tu profesor(a).

G. Publicar. Cuando tu profesor(a) te devuelva el informe, léeselo a tus compañeros en grupos de cuatro. Luego cada grupo debe preparar una lista de la información más interesante y válida que escuchó.

UNIDAD 3

Queridos televidentes . . .

RADIO CARACAS TELEVISION

VENEZOLANA DE TELEVISION

LECCIÓN 1

Hoy va a llover y . . .

NOTICIAS TV1

ISLA DE MARGARITA 32°
COSTA CENTRAL 28°
MARACAIBO 38°
BARQUISIMETO 29°
CARACAS 25°
PUERTO LA CRUZ 32°
MÉRIDA 12°
CIUDAD BOLÍVAR 42°
PUERTO AYACUCHO 42°

CARACAS
ESTA NOCHE 19°
MAÑANA 24°

DESPEJADO

NUBLADO

LLUVIA

LLOVIZNA

ANTICIPEMOS

¿Qué piensas tú?

1. ¿En qué parte(s) del mundo crees que se sacaron estas fotos? ¿Por qué crees eso?
2. Si te decimos que todas las fotos se sacaron el 15 de julio, ¿van a cambiar tus respuestas a la primera pregunta? ¿Cómo? ¿Por qué?
3. ¿Crees que todos los lugares representados en las fotos están poblados? ¿Por qué? En tu opinión, ¿cómo es el estilo de vida en todos estos lugares? ¿Por qué crees eso?
4. ¿Qué efecto tiene el tiempo en el estilo de vida de una gente? ¿Qué influencia tiene el tiempo en la cultura de una gente? ¿Por qué crees eso?
5. ¿Cómo puedes explicar la gran extensión de influencia hispana por todo el mundo? ¿Te sorprende esta extensión? ¿Por qué?
6. En esta lección, vamos a repasar mucho de lo que aprendiste en **¡DIME! UNO.** ¿Puedes decir cuáles son tres cosas que vamos a repasar?

PARA EMPEZAR

Escuchemos un cuento sudamericano

1

Los cuentos de Tío Tigre y Tío Conejo están entre los más populares de la tradición oral de las Américas. Se dice que tienen su origen con los trabajadores de las grandes haciendas y plantaciones. En estos cuentos, el pequeño y astuto Tío Conejo siempre vence al grande, fuerte y bobo Tío Tigre.

2

Ese día, el primer día de invierno, hizo mucho frío durante el día. También hizo viento y llovió continuamente. "¡Ay!" pensó Tío Conejo mientras pensaba en preparar la cena, "éste va a ser un invierno horroroso. Va a hacer un frío de mil demonios".

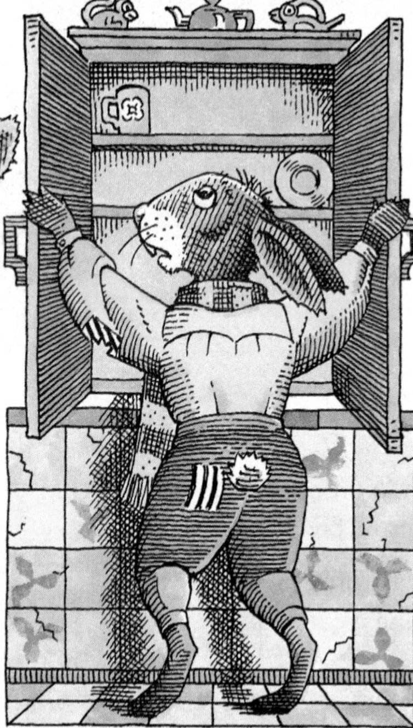

Buscó algo que comer en el aparador pero no encontró nada. "Y voy a sufrir mucha hambre también".

Pero como a Tío Conejo no le gustaba trabajar, "el trabajo es para los bobos" decía, tuvo que pensar cuidadosamente en cómo iba a sobrevivir el invierno.

3
Tío Conejo salió a caminar y pensar en su dilema. En el camino descubrió un abrigo de lana muy elegante.
"Con este hermoso abrigo, voy a estar muy cómodo durante el invierno".
Y como no vio a nadie en el camino, se puso el abrigo y siguió caminando.

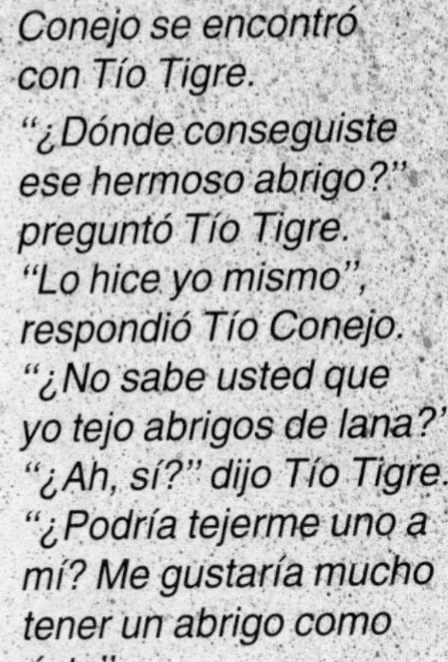
4
Un poco más tarde, Tío Conejo se encontró con Tío Tigre.
"¿Dónde conseguiste ese hermoso abrigo?" preguntó Tío Tigre.
"Lo hice yo mismo", respondió Tío Conejo. "¿No sabe usted que yo tejo abrigos de lana?"
"¿Ah, sí?" dijo Tío Tigre. "¿Podría tejerme uno a mí? Me gustaría mucho tener un abrigo como éste".

5
Tío Conejo se quedó pensando un rato, luego dijo que sí, pero con una condición...
"Usted tiene que traerme toda la lana que voy a necesitar y también algo de comer mientras trabaje en su abrigo", dijo al ingenuo tigre. "No voy a tener tiempo para ir de compras y tejer también".
ARROZ
FRIJOLES NEGROS
Tío Tigre quedó contentísimo. "Voy a tener el abrigo más hermoso de todos", se dijo.

Y así pasaron los días con Tío Conejo tejiendo y Tío Tigre trayéndole más y más lana y comida. Día tras día durante todo el invierno Tío Tigre le llevaba lana, huevos, salchichas, pan y otras comidas a Tío Conejo. Y todas las tardes el pobre bobo salía de la casa de Tío Conejo sin su abrigo de lana. Los días pasaron a semanas, las semanas a meses, y pronto, sin darse cuenta Tío Tigre, llegó la primavera.

7 *Sí, terminó el invierno y llegó la primavera. Y el pobre Tío Tigre flaco y cansado de tanto trabajar todo el invierno, ya no necesitaba un abrigo. Y Tío Conejo, gordito y calientito bajo toda esa lana, sobrevivió un invierno más. ¡Pobre Tío Tigre!, ¿verdad? ¡Nunca gana! ¡Así es la vida!*

¿QUÉ DECIMOS...?

Al hablar de un incidente

1 Vamos a leerlos en la radio.

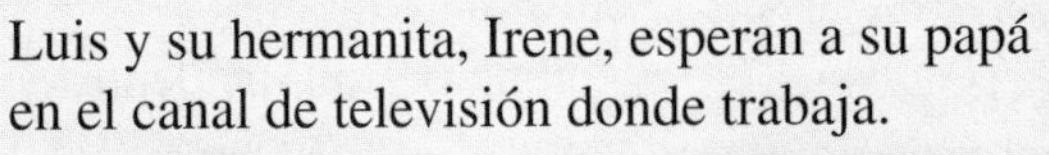

2 Descubrió algo insólito.

Y ahora el reporte del tiempo. Hoy hacia el oriente del país hizo una temperatura de 32° centígrados. En el occidente hizo aún más calor con temperaturas que llegaron hasta los 38° en la zona de Maracaibo.

Por el contrario, en la ciudad de Mérida hizo frío, registrándose una temperatura mínima de 12°. El sur del país estuvo nublado y con lluvias aisladas.

Aquí en la zona metropolitana de Caracas, la temperatura llegó a los 25° por la tarde. Esta noche va a hacer más fresco, bajando hasta los 19°. Mañana se anticipa una temperatura máxima de 24° con posibilidades de llovizna.

Y ahora más noticias. Primero quiero contarles un incidente muy curioso que ocurrió hoy día. Un empleado municipal, José Rivera, descubrió algo insólito al vaciar un basurero en el Parque los Caobos. Entre la basura encontró una bolsa con cien mil bolívares. Entrevisté a José Rivera después de su descubrimiento.

3 ¡No lo pude creer!

Se cayó de una bolsa de papel común y corriente. ¡Imagínese!

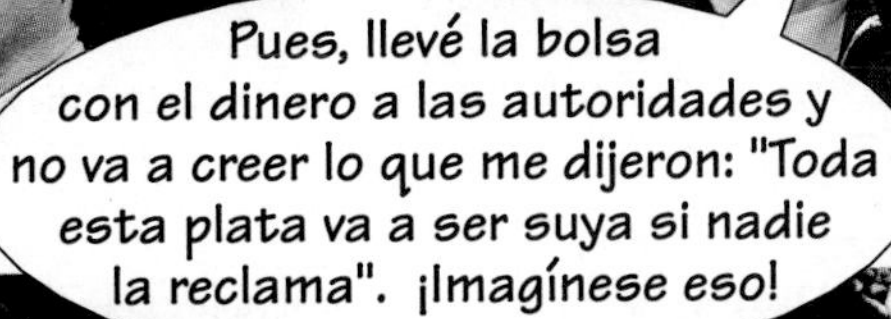

4 ¡Irene, espera!

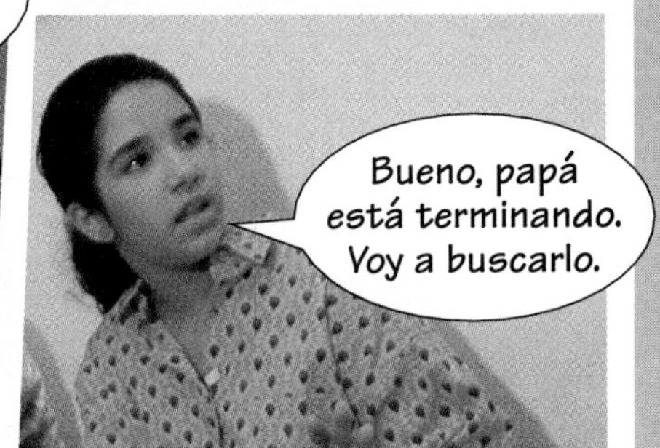

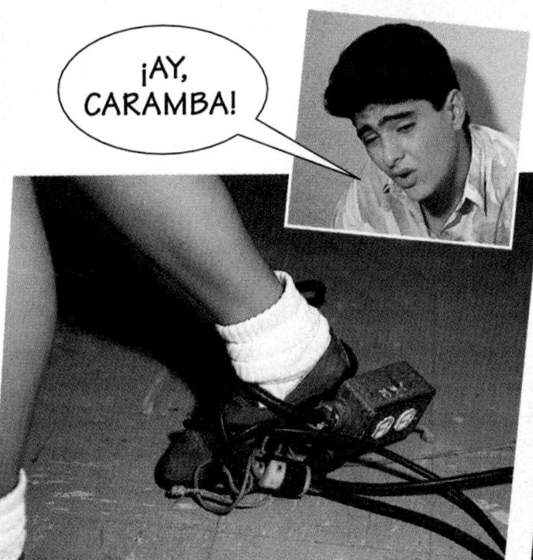

CHARLEMOS UN POCO

A. **PARA EMPEZAR . . .** Pon los siguientes incidentes en el orden que ocurrieron en el cuento "Tío Tigre y Tío Conejo".

1. "¿Dónde conseguiste ese hermoso abrigo?" preguntó Tío Tigre.
2. "Sí, pero con una condición . . ."
3. En el camino, descubrió un abrigo de lana muy elegante.
4. "Voy a tener el abrigo más hermoso de todos".
5. "Lo hice yo mismo", respondió Tío Conejo.
6. "Usted tiene que traerme toda la lana y algo de comer mientras trabaje".
7. Ese día hizo mucho frío, hizo viento y llovió continuamente.
8. Y Tío Conejo, gordito y calientito, sobrevivió un invierno más.
9. "¿Podría tejerme uno a mí?"
10. Pronto terminó el invierno y llegó la primavera.
11. "Éste va a ser un invierno horroroso. Va a hacer un frío de mil demonios y voy a sufrir mucha hambre".
12. Se puso el abrigo y siguió caminando.

B. **¿QUÉ DECIMOS . . .?** ¿Quién hizo estos comentarios: Irene, Luis, Diego Miranda o José Rivera?

Irene

Luis

Diego

José

1. ¿Cuánto tiempo falta?
2. Díganos cuándo descubrió el dinero.
3. Mañana se anticipa una temperatura máxima de 24 grados.
4. ¡Tanta plata! ¿Y por qué aquí?
5. Bueno, papá está terminando. Voy a buscarlo.
6. El sur del país estuvo nublado.
7. Tengo que escribir un cuento policíaco.
8. Se cayó de una bolsa de papel.
9. ¿Y ya tiene planes para el dinero?
10. Esta noche va a hacer más fresco.

C. ¿Qué tiempo hace? Describe el tiempo que hace hoy en estas ciudades.

MODELO Los Ángeles 27°C (80°F)
En Los Ángeles hace veintisiete grados. Hace calor.

1. Caracas 23°C (72°F)
2. Chicago 7°C (45°F)
3. la Ciudad de México 20°C (68°F)
4. San Francisco 24°C (75°F)
5. Madrid 13°C (55°F)
6. Quebec 0°C (32°F)
7. San Juan 31°C (88°F)
8. Guadalajara 18°C (65°F)

CH. Pronóstico. ¿Qué tiempo va a hacer mañana en estas ciudades?

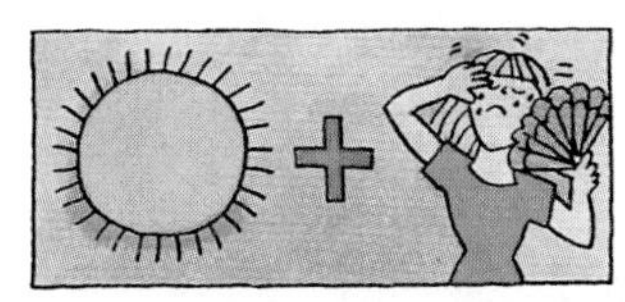

Miami

MODELO **En Miami va a hacer sol y mucho calor.**

1. París

2. Managua

3. Moscú

4. Londres

5. Santiago

6. Cairo

7. Tokio

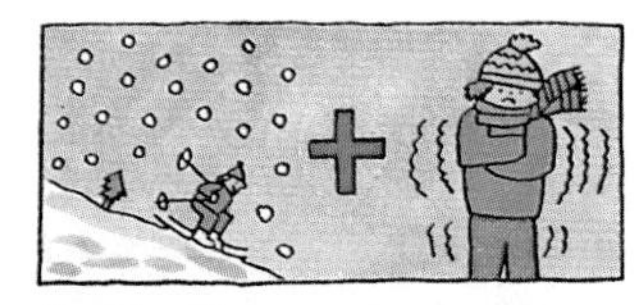

8. Berlín

9. Nueva York

10. nuestra ciudad ¿ . . . ?

REPASO

Weather expressions

hace calor

hace frío

hace fresco

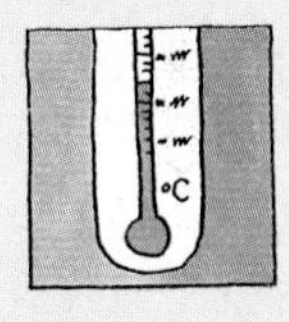

hace ___ grados

hace sol

hace buen tiempo

hace mal tiempo

hace viento

Llueve.
Está lloviendo.
(Va a llover.)

Llovizna.
Está lloviznando.
(Va a lloviznar.)

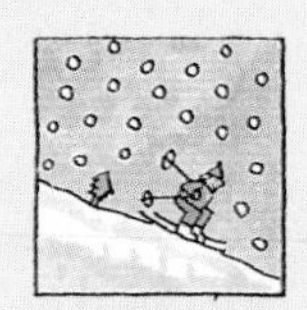

Nieva.
Está nevando.
(Va a nevar.)

Está nublado.

D. Los sábados. Según Pepita, ¿qué hizo su familia el sábado pasado?

mamá

MODELO Por la mañana . . .
Por la mañana, mamá tomó café.

Por la mañana . . .

1. yo

2. mi hermano

3. todos nosotros

Por la tarde . . .

4. papá

5. papá y mi hermano

6. mamá

Por la noche . . .

7. mis amigas y yo

8. mamá y papá

E. Concierto. El director de la escuela acaba de aprobar un concierto de rock para este fin de semana y todos ya están informados. ¿Cuándo lo supieron?

MODELO Pablo: durante la clase de geografía
Pablo lo supo durante la clase de geografía.

1. Héctor y Lisa: después de la clase de álgebra
2. tú: durante el almuerzo
3. yo: en el trabajo
4. el profesor Rubio: entre la clase de español e inglés
5. Mario y yo: después de las clases
6. los señores Flores: ayer por la mañana
7. Martín: en la clase de arte
8. el profesor de historia: antes de las clases

F. Gustos diferentes. Hoy es el almuerzo del Club de español. Todos los socios y todos los profesores trajeron algo para comer. ¿Qué trajeron estas personas?

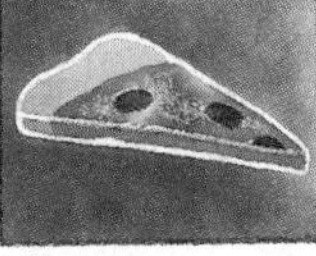

MODELO **Óscar trajo pizza.** Óscar

1. mi hermana y yo

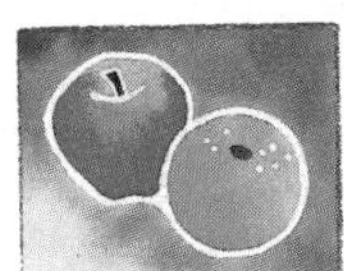

2. profesora Valdivia

3. tú

4. profesor de español

5. Jorge y Ana

6. Beto

7. Silvia

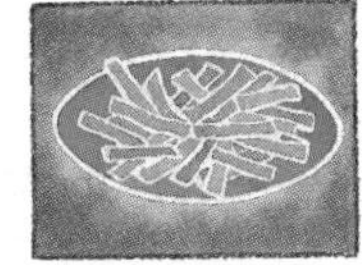

8. Marta y tú

G. Una familia aburrida. La familia de Sergio nunca quiere hacer nada. ¿Qué dice Sergio del fin de semana pasado?

MODELO papá / no querer / ir / cine
Papá no quiso ir al cine.

1. mis abuelos / no querer / asistir / concierto
2. mamá / no querer / alquilar / video
3. mis hermanas / no querer / cantar / nuevo / canción
4. Norberto y Miguel / no querer / ir / partido / fútbol
5. mi prima Luisa / no querer / tocar / piano
6. mi hermano y yo / no querer / aprender / nuevo baile
7. ustedes / no querer / ver / programa / televisión
8. tú / no querer / asistir / clase / karate

Preterite of *saber* - to find out

supe	supimos
supiste	
supo	supieron

Lo **supimos** esta mañana.
No **supe** tu dirección.

See **¿Por qué se dice así?,** *page G37, section 3.1.*

Preterite of *traer*

traje	trajimos
trajiste	
trajo	trajeron

¿Quién **trajo** los discos?
Yo los **traje**.

See **¿Por qué se dice así?,** *page G37, section 3.1.*

Preterite of *querer*

quise	quisimos
quisiste	
quiso	quisieron

Ellas no **quisieron** hacerlo.
Yo no **quise** venir.

See **¿Por qué se dice así?,** *page G37, section 3.1.*

REPASO

Preterite tense: Irregular verb endings and stems

-e	-imos
-iste	
-o	-ieron

-u stem:	andar	**anduv-**
	estar	**estuv-**
	haber	**hub-**
	tener	**tuv-**
	poder	**pud-**
	poner	**pus-**
	saber	**sup-**
-i stem:	querer	**quis-**
	venir	**vin-**
-j stem:	decir	**dij**eron
	traer	**traj**eron

See **¿Por qué se dice así?**, *page G37, section 3.1.*

REPASO

Demonstratives

cerca:	**este**	**esta**
	estos	**estas**
lejos:	**ese**	**esa**
	esos	**esas**
más lejos:	**aquel**	**aquella**
	aquellos	**aquellas**

See **¿Por qué se dice así?**, *page G39, section 3.2.*

REPASO

Demonstrative pronouns

Demonstratives require written accents when they replace a noun.

Esta lámpara es más grande que **ésa**.
Me gustan esos sofás pero prefiero **aquéllos.**

See **¿Por qué se dice así?**, *page G39, section 3.2.*

H. ¡Qué fiesta! ¿Por qué salió mal la fiesta de Paulina?

MODELO Graciela / no traer / refrescos
Graciela no trajo los refrescos.

1. Gerardo / no poder / encontrar / casa
2. los invitados / no querer / bailar
3. Florencia / andar / y llegar tarde
4. no haber / bastante pizza
5. Paulina / no poner / discos / favorito
6. comida / estar / malísimo
7. hermanos de Paulina / no decir / nada / invitados
8. Mateo / no saber de / fiesta
9. Daniela y Pilar / venir tarde
10. mamá de Paulina / no tener tiempo para preparar / nachos

I. ¡Mejor! Los dependientes de Galería Azul están comparando la ropa que venden con la de una tienda rival. ¿Qué dicen?

MODELO **Esta blusa es mejor que aquélla.** o
Esta blusa es más grande que ésa.

mejor	**peor**	**más [??] que . . .**

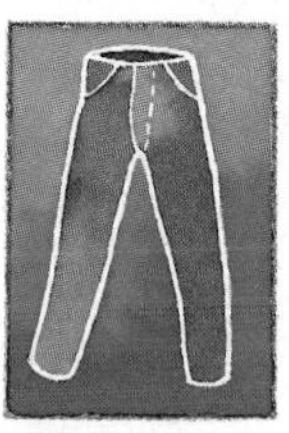
1.

2.

3.

4.

5.

6.

7.

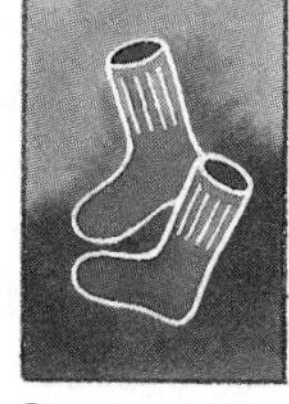
8.

9.

10.

J. En la mueblería. Tu familia quiere comprar nuevos muebles. ¿Qué comentarios hacen tú y tu hermano(a)?

MODELO sofá: largo
Tú: **¿Te gusta ese sofá?**
Hermano(a): **Sí (No), es más largo que aquél.**

1. cama: duro
2. silla: moderno
3. mesitas: bajo
4. lámpara: bonito
5. estante: alto
6. sillones: cómodo
7. mesa: elegante
8. televisor: grande
9. alfombra: hermoso

CHARLEMOS UN POCO MÁS

A. El sábado pasado. Prepara por escrito una lista de lo que hiciste el sábado pasado a las 9:00 y las 11:00 de la mañana, a la 1:00, las 3:00, las 5:00 y las 7:00 de la tarde y a las 9:00 y las 10:00 de la noche. Pregúntales a dos compañeros lo que hicieron ellos a esas horas. Luego díganle a la clase qué actividades todas las personas en su grupo hicieron al mismo tiempo.

B. Hoy en la costa . . . Todos los domingos un canal de televisión en tu ciudad invita a estudiantes del colegio a ser locutores. Hoy tú y un(a) compañero(a) van a dar el reporte del tiempo. Prepara la presentación con tu compañero(a). Usen el pronóstico que su profesor(a) les va a dar o uno de un periódico local.

C. ¡Caricaturistas! Tú y tu compañero(a) son famosos caricaturistas. Acaban de crear esta tira cómica y ahora van a escribir el diálogo. Cuando lo completen, léanle su diálogo a la clase.

CH. ¿Ésta o ésa? Tú y tu compañero(a) van de compras para el regreso a la escuela. Decidan qué van a comprar. Comenten sobre todos los objetos en el dibujo. Digan lo que les gusta y lo que deciden comprar.

EJEMPLO *Tú:* **Me gusta esta mochila negra.**
Compañero(a): **Prefiero ésa amarilla.**

Dramatizaciones

A. Entrevista. Hace un mes, alguien se robó una famosa máscara de oro del Museo de Antropología. Tu compañero(a), un(a) detective célebre, acaba de encontrar la máscara. Entrevístalo(la) y consigue todos los detalles de cómo la encontró. Dramaticen la entrevista.

B. ¡Qué fracaso! Anoche su equipo de béisbol perdió. ¡Fue un fracaso total! Ahora tú y tus amigos están discutiendo el partido, tratando de decidir por qué perdieron tan mal. Cada persona ofrece distintas razones por el fracaso. Dramaticen la discusión.

Vocabulario útil

receptor(a)
lanzador(a)
primera base
segunda base
tercera base
jardinero(a) corto(a)
jardinero(a)
guardabosque

IMPACTO CULTURAL

Excursiones

Antes de empezar

A. El mapa. Estudia el mapa de Chile y contesta estas preguntas. Revisa tus respuestas después de leer la lectura.

1. El gran desierto de Atacama está en el . . .
- **a.** norte de Chile.
- **b.** sur de Chile.
- **c.** este de Chile.
- **ch.** oeste de Chile.

2. El valle central de Chile representa . . .
- **a.** una mitad del país.
- **b.** un tercio del país.
- **c.** un cuarto del país.
- **ch.** una parte insignificante del país.

3. Hay muchos lagos y volcanes en el . . .
- **a.** norte de Chile.
- **b.** sur de Chile.
- **c.** este de Chile.
- **ch.** oeste de Chile.

4. La cordillera de los Andes está en el . . .
- **a.** norte de Chile.
- **b.** sur de Chile.
- **c.** este de Chile.
- **ch.** oeste de Chile.

5. Chile tiene fronteras con . . .
- **a.** Perú, Bolivia y Brasil.
- **b.** Bolivia, Paraguay y Argentina.
- **c.** Argentina, Bolivia y Perú.
- **ch.** Bolivia, Perú, Argentina y Uruguay.

B. Impresiones. Antes de leer esta lectura, indica cuáles son tus impresiones sobre Chile. Luego, después de leer la selección, vuelve a estas preguntas y decide si necesitas cambiar algunas de tus impresiones iniciales.

1. Chile está en . . .
- **a.** Norteamérica.
- **b.** Sudamérica.
- **c.** Centroamérica.
- **ch.** Europa.

2. Chile es tan largo como . . .
- **a.** California y Arizona.
- **b.** Texas, Nuevo México, Arizona y California.
- **c.** Nuevo México y Texas.
- **ch.** Arizona y Nuevo México.

3. La población chilena consiste principalmente en . . .
- **a.** indios.
- **b.** indios y negros.
- **c.** mexicanos.
- **ch.** europeos.

4. El clima en Chile es . . .
- **a.** muy consistente en todo el país, frío.
- **b.** muy consistente en todo el país, tropical.
- **c.** muy similar al clima de California y la Florida.
- **ch.** muy variado como en EE.UU.

Chile

Tierra de contrastes

1

2

3

Chile, un país que mide unas dos mil seiscientas millas de largo, una distancia mayor que la que hay entre Chicago y San Francisco, se extiende desde Perú y Bolivia en el norte hasta Tierra del Fuego en el punto sur de Sudamérica. En el este, su frontera con Argentina está formada por la majestuosa cordillera de los Andes, y la del oeste por el Océano Pacífico.

Dentro de esos bordes hay cuatro regiones que verdaderamente forman una tierra de contrastes: el desierto en el norte, el valle central, las montañas y lagos en el sur y la cordillera de los Andes en el este.

El desierto de Atacama en el norte es el desierto más árido del mundo entero. La atmósfera es tan clara y pura allí que acaba por ser el sitio ideal para los astrónomos. Han construido varios observatorios en el desierto, el más famoso siendo el observatorio Cerro La Silla, el segundo más grande y más sofisticado del mundo. 1

En la cordillera de los Andes, a unas 80 millas (129 km) está Portillo, uno de los centros de esquí más populares con esquiadores profesionales. 2 Es aquí donde los mejores esquiadores del mundo pasan la temporada, que dura de mayo a octubre, manteniéndose en forma para las competencias mundiales de enero y febrero.

En contraste, en el valle central se dice que existe el mejor clima y la tierra más fértil del mundo entero. El promedio de la temperatura en el valle es 59°F (15°C) y es allí donde se produce y de dónde exportan unos de los vinos más exquisitos del mundo. Tres cuartos de la población de Chile vive en el valle central. 3

4

5

Al sur del valle central está una región de Chile llamada "la Suiza de Sudamérica". Es una región montañosa, de hermosos lagos y bosques. Es difícil decidir cuál de los muchos lagos de está región es el más hermoso. ¿Será el lago Laja, con la impresionante reflección del volcán Antuco, o tal vez es el lago Esmeralda con el volcán Osorno a la distancia?[4] ¿Qué opinas tú? En esta región también viven los araucanos, los indios nativos de Chile.

Esta tierra de contrastes está habitada por una gente muy variada.[5] Basta con ver sólo los nombres de algunos de sus líderes nacionales como O'Higgins, el héroe de la independencia de Chile y Cochrane, el fundador de la marina chilena. Entre los últimos presidentes de esta república están Alessandri (origen italiano), Frei (origen suizo), Allende Gossens (origen alemán), Pinochet (origen francés) y Aylwin (origen inglés). En Santiago, la capital, es común que las tiendas o fábricas lleven nombres como Küpfer, Haddad, Bercovich, Luchetti y Mackenzie. Todos son chilenos.

Y todo hace que Chile sea de veras una tierra de muchos contrastes.

Verifiquemos

1. Pasa a la pizarra y dibuja el mapa de Chile. Indica las cuatro secciones principales de este país.
2. ¿Por qué es ideal el desierto de Atacama para el estudio de astronomía?
3. ¿Por qué van tantos de los mejores esquiadores del mundo a esquiar en Portillo?
4. ¿Por qué vive tres cuartos de la población chilena en el valle central?
5. ¿Por qué se le llama al sur de Chile "la Suiza de Sudamérica"?
6. Describe a la población de Chile.
7. Explica el título de esta lectura.

LECCIÓN 2

Después de unos avisos comerciales

ANTICIPEMOS

Venezuela
Tierra nuestra

Para conservar un grato recuerdo de tu viaje . . .

- Conserva el ambiente: Cuida tus playas.
- Conserva la limpieza: Cuida tus paisajes.
- Conserva la belleza: Cuida tus parques.
- Conserva tu vida: Maneja con cuidado.
- Conserva el orden: Cumple las leyes.
- Conserva amistades: Respeta a los demás.

turismo para todos

¿Qué piensas tú?

1. ¿Para quién es el cartel de Venezuela? ¿Qué recomienda que las personas hagan? ¿Cómo sabes esto?
2. ¿Cómo sería un cartel para atraer a turistas a tu ciudad? ¿Qué dibujos o fotos tendría?
3. Es probable que no entiendas cada palabra en las fotos, el cartel y el anuncio para *Piel perfecta.* ¿Puedes adivinar lo que dicen? ¿Qué te ayuda a entender las palabras que no conoces?
4. ¿Qué atracciones se mencionarían en propaganda para atraer a turistas a Venezuela que no se mencionarían en anuncios para tu estado? ¿Por qué no se mencionarían en tu estado?
5. ¿Qué tipo de lenguaje se usa en letreros, en anuncios para viajeros y en anuncios para vender objetos? ¿Qué tipo de lenguaje se usa para dar consejos o hacer recomendaciones?
6. En esta lección, vamos a repasar mucho de lo que aprendiste el año pasado. ¿Puedes nombrar dos o tres cosas que vamos a repasar y practicar en esta lección?

PARA EMPEZAR

Escuchemos un cuento mexicano

Este cuento es muy popular en los Estados Unidos, en México y en Sudamérica. Relata lo importante que es seguir los consejos de los ancianos.

Había una vez un hombre muy pobre que tuvo que dejar a su esposa y a su hijo para buscar trabajo. Pasó muchos años caminando de pueblo en pueblo buscando trabajo y fortuna.

Un día, en el camino a otro pueblo, encontró a un viejecito. Decidió hacerle una consulta. "Usted parece ser un hombre muy sabio", le dijo. "Por favor, déme algún consejo para mejorar mi situación".
"Bueno", dijo el viejo. "Más vale dar que recibir, si te lo puedes permitir. Los consejos nos cuestan poco a nosotros, los viejos. Escúchame. Hay tres consejos que te puedo dar".

"Primero, no dejes camino principal por vereda".

"Segundo, no preguntes lo que no te importa".

"Y tercero, no hagas nada sin considerar las consecuencias."

Se despidieron, y el hombre pobre continuó el camino al siguiente pueblo donde pasó la noche.

Al día siguiente, empezó su viaje a otro pueblo con otros tres caminantes. Pero cuando ellos decidieron tomar una vereda para acortar el camino, el hombre recordó el primer consejo del viejo sabio, "No dejes camino principal por vereda", y decidió seguir por el camino principal.

Cuando llegó al pueblo, le dijeron que unos bandidos habían matado a sus compañeros de camino. El hombre dio gracias a Dios que siguió el consejo del viejito.

Unos meses más tarde, después de haber visitado varios pueblos más, el hombre llegó a un rancho muy próspero. El propietario lo recibió cortésmente y le dio trabajo.

Al día siguiente, cuando el hombre conoció a la dama de la casa, vio que era muy, muy flaca y parecía estar muy triste. Pero otra vez, el hombre recordó el consejo del anciano, "No preguntes lo que no te importa", y no preguntó nada acerca de la dama.

Con ese hecho, el propietario decidió que este hombre tenía que ser el hombre de más confianza en el mundo entero. Lo puso a cargo del rancho y ofreció pagarle una fortuna.

Años después, cuando ya había acumulado una pequeña fortuna, el hombre decidió regresar a casa por su mujer y su hijo. Ya hacía más de diez años que no los veía.

Su mujer y su hijo, ya todo un hombre, estaban contentísimos de verlo. Él les contó de su puesto en el rancho y les enseñó toda su fortuna.

Al día siguiente los tres se fueron a vivir al rancho que el hombre dirigía. En camino, el hombre le dijo a su hijo, "Siempre presta atención a los consejos de los ancianos, porque ellos son muy sabios".

¿QUÉ DECIMOS...?

Al dar mandatos

1 ¡Compre *Doña Arepa*!

Perdone, señora. Usted necesita . . .

¡DOÑAAAAA AREPAAAAA! ¡La mejor harina para hacer arepas en casa!

Cómalas con mantequilla o rellénelas con jamón . . .

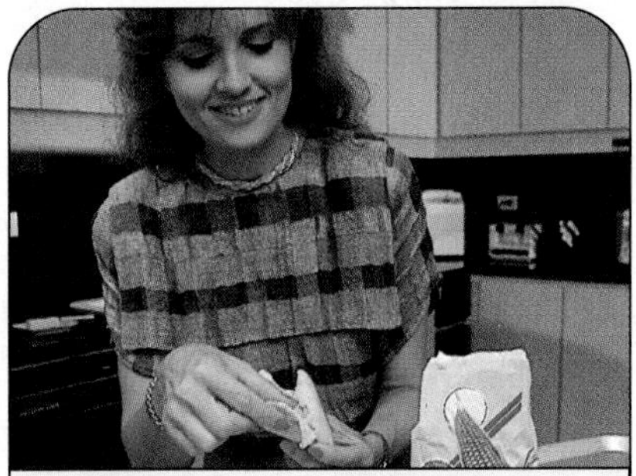

. . . con queso o con lo que a sus niños más les apetezca.

Déles arepas *Doña Arepa*.

Tienen un sabor incomparable.

¡Nunca queda ni una sola miguita con arepas hechas con *Doña Arepa*!

Busque *Doñaaaa Arepaaaa* en su tienda favorita hoy mismo. ¡Compre lo mejor! ¡Compre *Doñaaaa Arepaaaa*!

2 ¡Pónganse *Piel perfecta*!

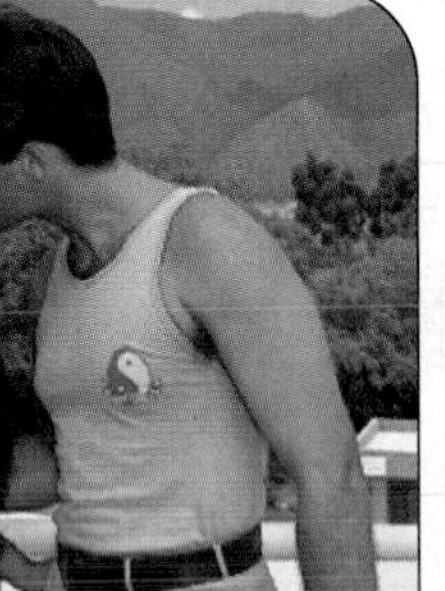
Lourdes y César se encuentran por casualidad.

3 Mira lo que hiciste.

4 Permanezcan con nosotros.

CHARLEMOS UN POCO

A. **PARA EMPEZAR . . .** ¿A cuál(es) personaje(s) del cuento "Tres consejos" se refiere cada comentario?

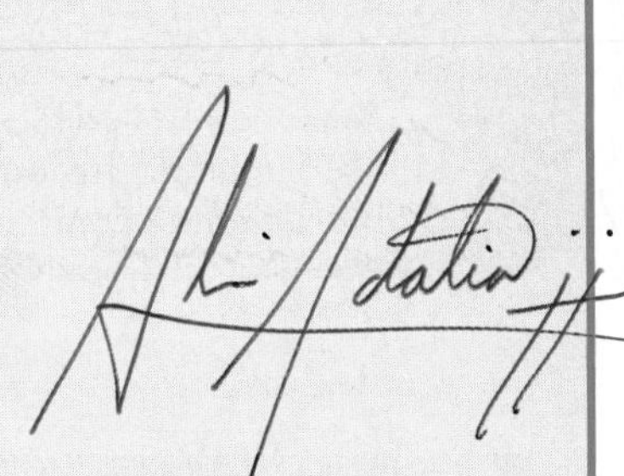

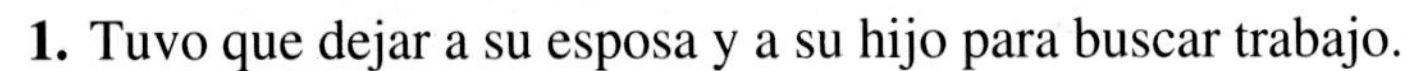

1. Tuvo que dejar a su esposa y a su hijo para buscar trabajo.
2. "Usted parece ser un hombre muy sabio".
3. Caminó de pueblo en pueblo buscando trabajo y fortuna.
4. "Más vale dar que recibir, si te lo puedes permitir".
5. Decidieron tomar una vereda para acortar el camino.
6. "No dejes camino principal por vereda".
7. Unos bandidos los habían matado.
8. Lo recibió cortésmente y le dio trabajo.
9. "No preguntes lo que no te importa".
10. Lo puso a cargo del rancho y ofreció pagarle una fortuna.
11. Al acumular una pequeña fortuna, decidió regresar a casa.
12. "No hagas nada sin considerar las consecuencias".

B. **¿QUÉ DECIMOS . . .?** Siempre oímos muchos mandatos en la televisión. Completa los mandatos que acabas de escuchar.

1. Rellene sus arepas con . . .
2. Usa *Piel perfecta* . . .
3. Perdonen ustedes . . .
4. No se pierdan . . .
5. Busque *Doña Arepa* en . . .
6. Pónganse . . .
7. Permanezcan con nosostros para . . .
8. Esta noche juegen a . . .

- el último noticiero.
- *Piel perfecta.*
- jámon y queso.
- "Venezuela y punto".
- para protegerte de los rayos dañinos.
- su tienda favorita.
- nuestra excelente programación.
- la interrupción.

REPASO

Regular affirmative *tú* commands

Infinitive	*Command*
-ar	**-a**
-er, -ir	**-e**

Recuerda llamarme esta tarde.
Come las arepas. Son excelentes aquí.
Pide un refresco para mí.

See **¿Por qué se dice así?,** *page G41, section 3.3.*

C. ¡Escucha y obedece! Tienes que cuidar a un niño difícil. ¿Qué le dices?

MODELO **Ponte la chaqueta ahora mismo.**

1.

2.

3.

4.

5.

6.

7.

8.

9.

10.

REPASO

Irregular affirmative *tú* commands

digo	**di**
pongo	**pon**
salgo	**sal**
tengo	**ten**
vengo	**ven**
hago	**haz**
voy	**ve**
soy	**sé**

See **¿Por qué se dice así?,** *page G41, section 3.3.*

REPASO

Pronouns and affirmative commands

Object and reflexive pronouns always follow and are attached to affirmative commands.

Teresa, **dame** los libros.
Pepito, **ponte** los zapatos.

See **¿Por qué se dice así?,** *page G41, section 3.3.*

Regular negative *tú* commands

Infinitive	*Command*
-ar	**-es**
-er, -ir	**-as**

These endings are added to the **yo** form of present tense verbs.

No llam**es** a casa todos los días.
No hag**as** eso.
No pid**as** dinero constantemente.

See **¿Por qué se dice así?,** *page G43, section 3.4.*

Irregular negative *tú* commands

Infinitive	*Negative* ***tú*** *command*
dar	**no des**
estar	**no estés**
ir	**no vayas**
ser	**no seas**

See **¿Por qué se dice así?,** *page G43, section 3.4.*

Pronouns and commands

In negative commands, object and reflexive pronouns always precede the verb, but they follow and are attached to affirmative commands.

Memo, no **me** llames.
No **la** leas ahora.

Teresa, da**me** los libros.
Pepito, pon**te** los zapatos.

See **¿Por qué se dice así?,** *pages G41–G45, sections 3.3 and 3.4.*

CH. La primera cita. Pablo está dándole consejos a su hermanito que va a salir por primera vez en una cita. ¿Qué le dice?

MODELO no ponerse nervioso
No te pongas nervioso.

1. no llegar tarde
2. no entrar en el restaurante primero
3. no sentarse primero
4. no decir cosas tontas
5. no pedir el plato más barato
6. no comer con la boca abierta
7. no poner los brazos en la mesa
8. no dejar una propina muy pequeña
9. no salir del restaurante primero
10. no volver a casa muy tarde

D. Examencito. ¿Qué consejos recibes antes de un examen?

MODELO no perder / autobús
No pierdas el autobús.

1. no hablar / durante / examen
2. no olvidar / lápiz
3. no ser / deshonesto
4. no mirar / papeles / otro / estudiantes
5. no dar / respuestas a / tu / amigos
6. no salir / antes de la hora
7. no ir / baño / durante / examen
8. no estar / nervioso

E. Nuevo(a) amigo(a). Un(a) nuevo(a) compañero(a) de clase acaba de mudarse a una casa cerca de ti. ¿Qué dice cuando tú le ofreces ayuda?

MODELO ayudarte (sí)
Tú: **¿Te ayudo?**
Compañero(a): **Sí, ayúdame.**

traer unos sándwiches (no)
Tú: **¿Traigo unos sándwiches?**
Compañero(a): **No, gracias, no los traigas.**

1. preparar limonada (sí)
2. poner la lámpara allí (no)
3. cambiar el reloj (sí)
4. sacar estas cosas de las maletas (no)
5. hacer la cama (no)
6. arreglar los libros (sí)
7. limpiar el piso (no)
8. llamarte más tarde para salir (sí)

F. ¿Qué hago? Tú estás teniendo muchos problemas y decides hablar con un(a) consejero(a) en tu escuela. Dile tus problemas. ¿Qué consejos te da?

EJEMPLO *Tú:* **Siempre hago las mismas cosas.**
Consejero(a): **Cambia de rutina.**

Problemas

Sacar malas notas.
No saber bailar.
Ser muy tímido(a).
Siempre estar cansado(a).
No tener amigos.
Estar aburrido(a).
Estar triste.
Tener muy poco dinero.
Nunca querer levantarme.
Siempre hacer las mismas cosas.
No poder dormir.
¿. . . ?

Consejos

Leer un libro interesante.
No pensar en tus problemas.
Ver una película.
Hacer ejercicio.
Salir más.
No ver tanta televisión.
Asistir a una clase.
No beber café en la noche.
No trabajar tanto.
Trabajar más.
Poner música tranquila.
Participar en más actividades sociales.
Cambiar de rutina.
No ir directamente a casa después de las clases.
No acostarse tan tarde.
¿. . . ?

G. Me duele. Tú eres paciente en la oficina de un(a) doctor(a), tu compañero(a). Escucha lo que te dice y hazlo.

MODELO levantar los brazos
Compañero(a): **Levante los brazos.**
Tú: *(You raise your arms.)*

1. levantar el brazo derecho, el brazo izquierdo
2. bajar el brazo izquierdo, el brazo derecho
3. levantar y doblar la pierna derecha, la pierna izquierda
4. saltar en el pie derecho tres veces, en el izquierdo
5. bajar la cabeza, levantarla
6. abrir la boca, cerrarla
7. tocar el pie izquierdo, el pie derecho
8. doblar la cabeza a la izquierda, a la derecha
9. tocar la nariz con la mano izquierda, con la derecha
10. saltar en el pie izquierdo diez veces, en el derecho

Regular *Ud.* / *Uds.* commands

Infinitive	*Command*	
	Ud.	**Uds.**
-ar	**-e**	**-en**
-er, -ir	**-a**	**-an**

Estudi**en** esto para mañana.
No beb**a** el agua allí.
No abr**an** la boca.

See **¿Por qué se dice así?,** *page G45, section 3.5.*

Dramatizaciones

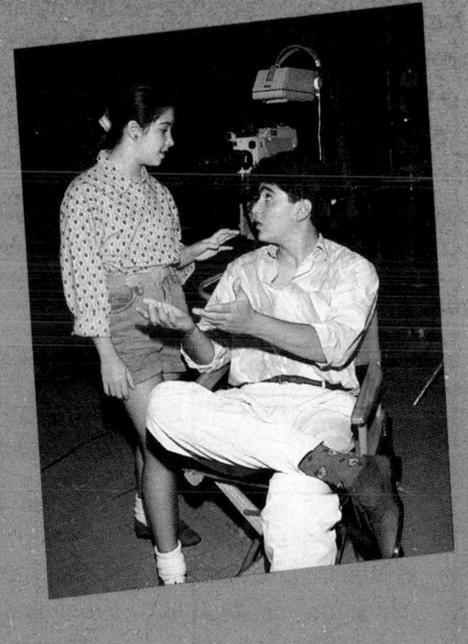

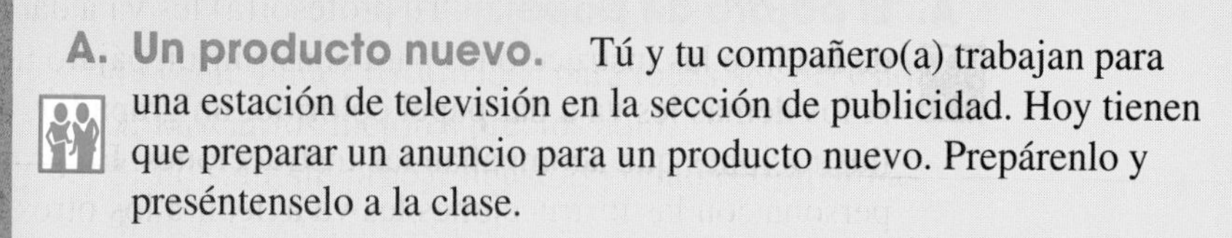

A. Un producto nuevo. Tú y tu compañero(a) trabajan para una estación de televisión en la sección de publicidad. Hoy tienen que preparar un anuncio para un producto nuevo. Prepárenlo y preséntenselo a la clase.

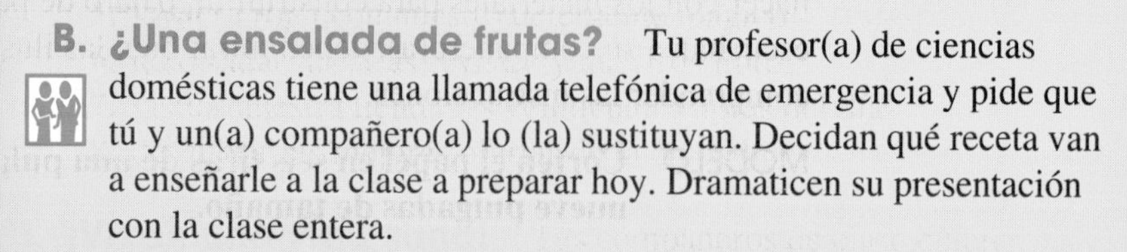

B. ¿Una ensalada de frutas? Tu profesor(a) de ciencias domésticas tiene una llamada telefónica de emergencia y pide que tú y un(a) compañero(a) lo (la) sustituyan. Decidan qué receta van a enseñarle a la clase a preparar hoy. Dramaticen su presentación con la clase entera.

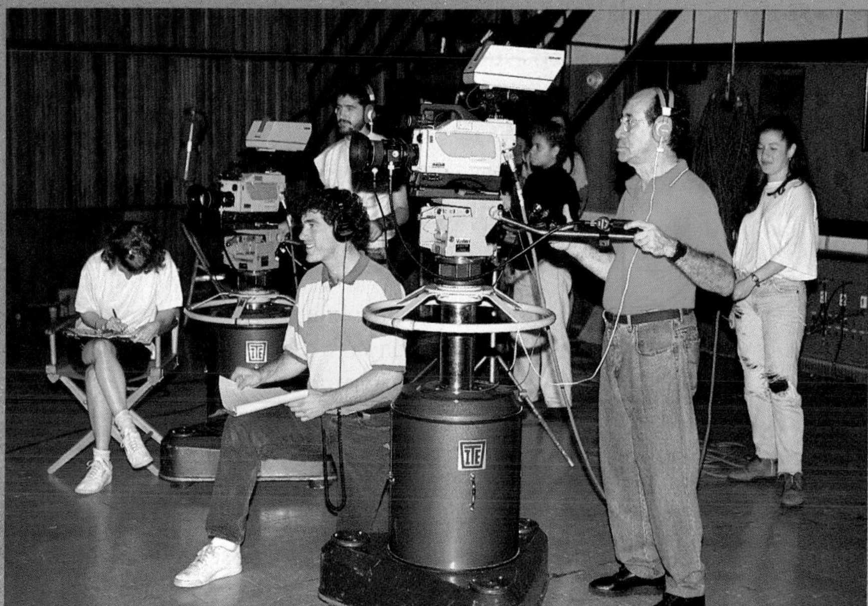

IMPACTO CULTURAL

Tesoros nacionales

Antes de empezar

A. Hojeando. Lee rápidamente al buscar esta información en la lectura. No es necesario que entiendas o recuerdes toda la información. Sólo concéntrate en encontrarla.

1. ¿Cómo se llama la maestra?
2. ¿Dónde enseñó?
3. ¿Quién es José Vasconcelos?
4. ¿De qué fue amante la maestra?
5. ¿Cuál fue el incidente más trágico de su vida?
6. ¿Quién es Gabriela Mistral?
7. ¿Cuántos libros escribió?
8. ¿Cuál fue el premio más prestigioso que ella recibió?

B. La idea principal. Selecciona la frase que mejor exprese la idea principal de cada párrafo.

Párrafo 1
- **a.** el norte de Chile
- **b.** la juventud chilena
- **c.** dedicación a la enseñanza
- **ch.** las señoritas de Santiago

Párrafo 2
- **a.** los 31 años
- **b.** fama internacional
- **c.** José Vasconcelos
- **ch.** reforma educacional

Párrafo 3
- **a.** éxito en educación
- **b.** excelente trabajo como maestra
- **c.** manera de expresar amor
- **ch.** amor a Dios

Párrafo 4
- **a.** amor trágico
- **b.** los 17 años
- **c.** suicidio
- **ch.** tristeza y soledad

Párrafo 5
- **a.** triunfos literarios
- **b.** "Los sonetos de la muerte"
- **c.** *Desolación, Ternura, Tala* y *Lagar*
- **ch.** Amor intenso e íntimo

Párrafo 6
- **a.** Premio Nóbel de Literatura
- **b.** tres escritores
- **c.** una escritora de Hispanoamérica
- **ch.** honor

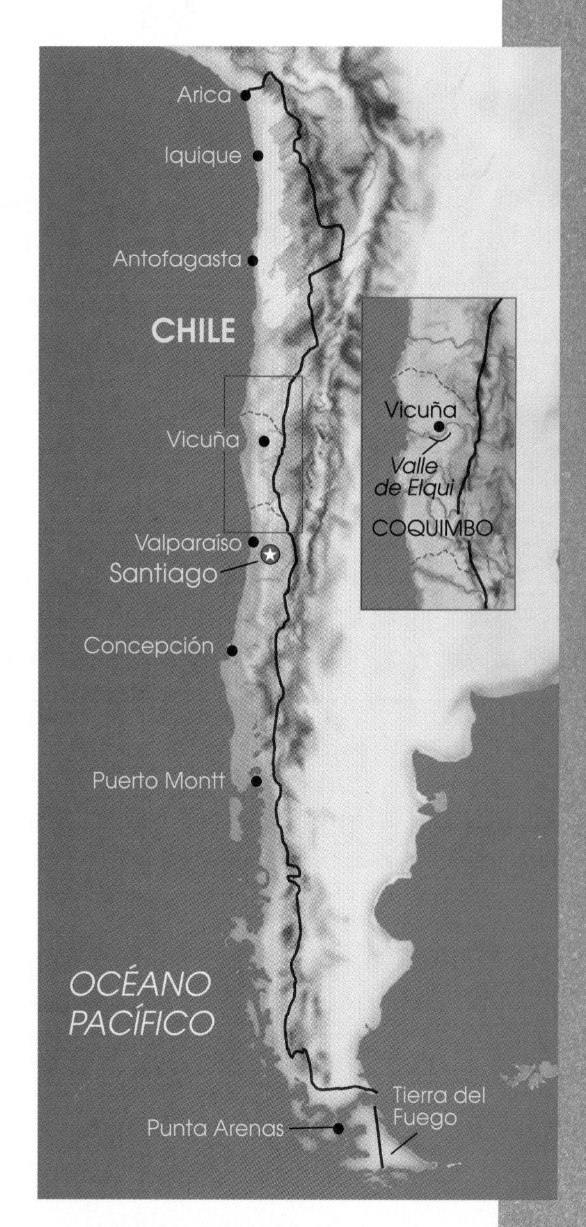

Maestra y amante de la humanidad

Nació en 1889 en el Valle de Elqui, provincia de Coquimbo, en el norte central de Chile. Su verdadero amor era la enseñanza, y se dedicó a educar a la juventud chilena. Fue maestra rural. Enseñó en escuelas primarias y secundarias. Sirvió como directora de escuelas y llegó a ser directora del Liceo de Señoritas de Santiago.

A los treinta y un años ya tenía fama internacional como educadora. En 1922, el famoso reformista de la educación mexicana, el Ministro de Educación José Vasconcelos, la invitó a México para cooperar en la reforma educacional de ese país.

Pero a pesar de todos estos éxitos en educación, Lucila Godoy Alcayaga es recordada no tanto por su excelente trabajo como maestra sino por la manera en que expresó su amor: amor al hombre, al universo, a Dios, a la naturaleza, a la justicia, a los humildes, a los abandonados y a los niños.

Este amor nació de un incidente trágico en la vida de la joven Lucila. Cuando ella sólo tenía diecisiete años, amó a un hombre que se suicidó, al parecer, por honor. Ella pudo haberse consumido en la tristeza de este trágico amor, tan trágico que ella nunca se casó. Pero la manera en que Lucila Godoy Alcayaga pudo sobrevivir el dolor, la tristeza y la soledad que sentía fue por expresarlos en poesía, bajo el nombre literario de Gabriela Mistral.

La poeta chilena Gabriela Mistral tuvo su primer gran triunfo literario ocho años después de la muerte de su amado cuando, en 1914, recibió el primer premio de los Juegos Florales de Santiago por "Los sonetos de la muerte". En 1922, se publicó su mejor libro, *Desolación*. En él expresa la tristeza y soledad que siente por la pérdida de su amado. En su segundo libro, *Ternura* (1924), canta el amor al hombre, a los niños, los humildes, los perseguidos y los abandonados. En su tercer libro, *Tala* (1938), se vuelve hacia el hombre, la humanidad, Dios y la naturaleza. En su último libro, *Lagar* (1954), el amor hacia todo lo creado es más intenso e íntimo.

Gabriela Mistral recibió el Premio Nóbel de Literatura en 1945. Antes de ella, sólo dos escritores de la lengua española habían recibido este honor, y ninguno había sido de Hispanoamérica.

Verifiquemos

1. Describe a Gabriela Mistral, la maestra.
2. Describe a Gabriela Mistral, la poeta.
3. ¿Por qué crees que Lucila Godoy Alcayaga usó el nombre literario Gabriela Mistral?
4. ¿Qué efecto tuvo la muerte de su amante en Gabriela Mistral?
5. ¿Por qué es especialmente significativo que Gabriela Mistral recibió el Premio Nóbel de Literatura en 1945?
6. Explica el título de esta lectura.

LECCIÓN 3

Había una vez . . .

ANTICIPEMOS

¿Qué piensas tú?

1. ¿Conoces algunos de estos lugares? ¿Cuáles? ¿Dónde están? ¿Qué sabes de ellos?
2. Imagínate que acabas de regresar de una excursión a uno de estos lugares. ¿Cómo lo describirías a tus amigos?
3. ¿Conoces otros monumentos o lugares misteriosos como éstos? ¿Cuáles? ¿Dónde están? Descríbelos.
4. ¿Cuáles son algunas explicaciones de lugares como éstos? ¿Son creíbles estas explicaciones? ¿Las crees tú? ¿Por qué sí o por qué no?
5. ¿Qué explicación puedes dar tú de estos tres lugares?
6. ¿Hay algunos lugares u objetos misteriosos en tu ciudad? ¿en tu estado?
7. ¿Por qué interesan tanto estos lugares misteriosos?
8. En esta lección, van a leer un cuento misterioso que escribió Luis para un programa de radio en su escuela. ¿Qué crees que vas a aprender en esta lección?

PARA EMPEZAR

Escuchemos un cuento peruano

1 *Los cuentos de casas embrujadas con tesoros enterrados abundan por todo el mundo. Este cuento es de Perú.*

2 *Había una vez una casa embrujada en la plaza central de un pueblo peruano. Todos los habitantes del pueblo le tenían mucho miedo a esa casa.*

3 *¿Por qué?*
Porque constantemente oían gemidos y quejidos.

Con frecuencia aparecían objetos volando por la casa.

También se rompían las cosas sin ninguna razón.

Y lo peor de todo, aunque nadie vivía en la casa, se oían los pasos de alguien que subía y bajaba las escaleras...

Un día, una joven costurera con su sirvienta Ildefonsa y un perrito enfermizo, Salguerito, llegaron al pueblo. Buscaban una casa que alquilar. Como ni la costurera ni Ildefonsa creían en fantasmas, decidieron alquilar la casa embrujada porque se alquilaba a muy buen precio.

4
En seguida, empezaron los problemas. ¡El pobre perro! No importaba si dormía dentro o fuera, a medianoche el fantasma de la casa le tiraba de la cola y de las orejas.
Tanto lo asustaba que sólo en la cocina quería dormir, siempre al pie de la estufa.
5
RRR
RRR
Pero no se limitaba al perro el fantasma. Malicioso como era, se pasaba mucho tiempo en el taller de la costurera. Jugaba con la máquina de coser. Se perdían las tijeras u otras cosas.
6
Las dos mujeres sentían la presencia de una persona que las seguía a todas partes de la casa.
7
El cura del pueblo vino y les dijo a las señoras que el fantasma no era asunto del diablo, sino del previo dueño de la casa.
8
Entonces, las mujeres invitaron a su casa a un hombre de nombre Florián, que era experto en encontrar a los fantasmas.
Florián se puso a buscar al fantasma por todas partes. Buscó de rincón en rincón. Dos años enteros estuvo buscando al fantasma y no lo encontró.
Durante todo ese tiempo, Salguerito siempre lo miraba, ladraba y corría a la cocina a echarse al pie de la estufa.
Al final, Florián se fue diciendo que en esa casa no había fantasmas.

9
Poco después, un día domingo cuando Ildefonsa estaba en la cocina preparando la comida y Salguerito dormía en su lugar favorito, al pie de la estufa, Ildefonsa vio algo raro donde estaba Salguerito.
10
Intrigada, Ildefonsa se puso a escarbar con un cuchillo... Y Salguerito escarbó con sus patitas.
11
De repente, apareció una olla llena de un magnífico tesoro—una olla repleta de monedas de oro y plata, de joyas y piedras preciosas.
12
Dicen que ese domingo, a medianoche, la costurera, Ildefonsa y Salguerito salieron del pueblo no sólo llevándose el tesoro, sino también al fantasma, porque después de ese día, no volvió a verse ni a oírse el fantasma en la casa.
Nadie sabe adónde se fueron.

¿QUÉ DECIMOS AL ESCRIBIR...?

Un cuento

Éste es el cuento policíaco que escribió Luis para leer en la radio. ¿Puedes resolver el misterio?

Había una vez una viejita que no confiaba en nadie. Tenía mucho dinero ahorrado que guardaba en su colchón porque no confiaba en los bancos y no quería entregarles su dinero. Todos los días se levantaba temprano, se sentaba a la mesa y contaba su dinero.

Un día, su nieta supo que guardaba una fortuna en un lugar secreto y se puso muy agitada. Le dijo: —¡Abuelita! ¡Tienes que poner tu dinero en un lugar seguro! ¿Por qué no lo llevamos al banco?

La abuelita le contestó: —¡Paciencia, hija! Yo no llegué a los 75 años sin haber aprendido algo. Ese dinero era de tu abuelo y tengo que guardarlo con mucho cuidado. Pero, . . . sí voy a considerar tu sugerencia.

La nieta añadió: —Por favor, abuelita. Piénsalo bien.

La abuela pensó y pensó. —Tal vez mi nieta tenga razón. Tal vez deba meter mi dinero en el banco—. Entonces un día cuando hacía muy buen tiempo, la abuela tomó una decisión. Decidió ir al banco a depositar su dinero. Con mucho cuidado, lo sacó del colchón y lo metió en una bolsa de papel. Salió camino al banco, pero como hacía tan buen tiempo, se sentó a comer en el parque. Mientras comía, tomaba el sol y pensaba en su decisión.

Cuando terminó de comer, siguió al banco. Al llegar, entró y se acercó a una caja. Saludó al cajero y le presentó la bolsa de papel, diciendo:

—Ésta es toda mi fortuna. Quiero guardarla aquí en su banco.

—Cómo no, señora—, respondió el cajero y abrió la bolsa.

¡Y qué sorpresa tuvo cuando en la bolsa no encontró nada más que los restos del almuerzo de la abuelita! Cuando le mostró la bolsa a la abuelita, ésta empezó a gritar:

—¡Ave María purísima! ¡Mi dinero! ¡Mi dinero! ¿Qué pasó con mi dinero? ¡Dios mío! ¿Qué voy a hacer?

CHARLEMOS UN POCO

A. **PARA EMPEZAR . . .** Indica a quién(es) o a qué se refieren estas descripciones del cuento "La casa embrujada".

1. Hacía gemidos y quejidos constantemente.
2. Buscaba una casa que alquilar.
3. Tan asustado estaba que sólo quería dormir a pie de la estufa.
4. Jugaba con la máquina de coser.
5. Era experto en encontrar a los fantasmas.
6. Se oían sus pasos cuando subía y bajaba las escaleras.
7. Vio algo raro donde estaba Salguerito.
8. Salieron del pueblo y no volvieron.
9. Dos años estuvo buscando al fantasma y no lo encontró.
10. Se puso a escarbar con sus patitas.

B. **¿QUÉ DECIMOS . . .?** Pon en orden cronológico los sucesos del cuento de la viejita.

1. Decidió ir al banco con su dinero.
2. Hacía muy buen tiempo.
3. Había una viejita que no confiaba en nadie.
4. No encontró el dinero.
5. La abuela pensó y pensó.
6. Guardaba mucho dinero en un colchón.
7. El cajero abrió la bolsa.
8. Su nieta le dijo: "¿Por qué no lo llevamos al banco?"
9. Comió en el parque.
10. Dijo que quería abrir una cuenta.

Imperfect tense: *-ar* verbs

-aba	-ábamos
-abas	
-aba	-aban

De niño, yo **estudiaba** mucho.
Nosotros nunca **comprábamos** nada allí.

See **¿Por qué se dice así?,** *page G48, section 3.6.*

Imperfect tense: *-er / -ir* verbs

-ía	-íamos
-ías	
-ía	-ían

Primero **leíamos** el periódico.
¿Dónde **vivías?**

See **¿Por qué se dice así?,** *page G48, section 3.6.*

imperfect irregular are on G51
- ser
- ir
- ver

C. ¿Quieres ir al cine? ¿Qué hacían tú y tus amigos cuando llamó Mario para invitarlos a salir?

MODELO Beto: trabajar
Beto trabajaba.

1. Marisol: limpiar su cuarto
2. tú y Alfredo: preparar la cena
3. Lorena y Martín: estudiar para un examen
4. tú: mirar un video
5. Pilar: lavarse el pelo
6. Chavela y yo: no estar en casa
7. Alonso: hablar con su abuela
8. yo: pasear en bicicleta
9. Elisa: escuchar la radio
10. nosotros: jugar fútbol

CH. Entrevista. Cuando eras niño(a), ¿hacías estas cosas? Contesta las preguntas de tu compañero(a).

MODELO correr mucho
Compañero(a): **¿Corrías mucho?**
Tú: **Sí, corría todos los días.** o **No, no corría mucho.**

1. beber leche
2. comer pizza
3. salir a jugar
4. aprender muchas cosas nuevas
5. recibir cartas
6. escribir tarjetas
7. dormirse en clase
8. hacer ejercicio
9. leer cuentos
10. subir a los carros chocones
11. vivir en esta ciudad
12. asistir a conciertos de rock

D. ¡El tiempo pasa volando! Solé está describiendo unas viejas fotos de su familia. ¿Qué dice?

EJEMPLO abuelos / vivir / esta casa
Mis abuelos vivían en esta casa.

1. nosotros / vistarlos / todos los veranos
2. padre / llevarnos / playa todos los días
3. hermanas y yo / nadar y / jugar / playa todo el día
4. yo / tener / cinco años / esa foto
5. mamá / no gustarle / playa
6. ella siempre / llevar sombreros / grandes
7. abuela y mi mamá / preferir / sombreros grandes

E. El sábado. ¿Qué hacían estas personas el sábado a las tres?

Maribel

MODELO **Maribel tocaba el piano.**

1. nosotros

2. Luisa y Pablo

3. Ramón y Gerardo

4. Gloria

5. yo

6. la familia Bravo

7. el secretario

8. mis amigos y yo

9. Dolores

10. Lucas y Anita

REPASO

Reflexive pronouns

me acuesto	**nos** acostamos
te acuestas	
se acuesta	**se** acuestan

Nos acostamos muy tarde anoche.
¿**Te** peinaste esta mañana?

See **¿Por qué se dice así?,** *page G49, section 3.7.*

F. Todos los días. Tu compañero(a) está haciéndote preguntas de una encuesta que encontró en una revista. ¿Qué le respondes?

MODELO afeitarse / peinarse
Compañero(a): **¿Qué haces primero, te afeitas o te peinas?**
Tú: **Me afeito antes de peinarme.** o **Me peino antes de afeitarme.**

1. oír la radio / despertarse
2. tomar café / levantarse
3. ponerse la bata / ponerse las zapatillas
4. lavarse los dientes / cepillarse el pelo
5. arreglarse / vestirse
6. bañarse / peinarse
7. desayunar / arreglarse
8. ponerse los pantalones / ponerse los calcetines
9. acostarse / dormirse
10. lavarse los dientes / quitarse la ropa

G. Cuando era niño . . . El abuelo de Andrea está contándole lo que hacían él y su familia los domingos cuando era niño. ¿Qué dice?

EJEMPLO **Mamá se acostaba tarde.**

yo	desayunar	a las 10:30
mamá	levantarse	temprano
mis hermanitos	acostarse	rápidamente
mis padres	bañarse	a las 9:00
mi hermana	afeitarse	tarde
papá y yo	vestirse	lentamente
	almorzar	al mediodía
		a las 8:00

CHARLEMOS UN POCO MÁS

A. Nuestro álbum. Tú y un(a) compañero(a) están viendo las fotos que sacaron el verano pasado. Escriban subtítulos para cada foto. Digan quiénes son las personas en las fotos y qué hacían estas personas. Luego en grupos de 4 a 6, lean los subtítulos a las otras personas en su grupo.

EJEMPLO **Son mamá y papá. Preparaban unas hamburguesas para nosotros el cuatro de julio.**

Ejemplo

1.

2.

3.

4.

5.

6.

7.

B. Encuesta. Usa el cuestionario que te va a dar tu profesor(a) para entrevistar a varias personas de la clase. Pregúntales si hacían estas cosas cuando eran estudiantes en la escuela primaria. Pídeles a las personas que contesten afirmativamente que firmen el cuadrado apropiado. Recuerda que no se permite que una persona firme más de una vez.

MODELO **¿Visitabas a tus abuelos en el verano?**

C. Me levanto a las seis. Prepara una lista de cinco actividades de tu rutina diaria al prepararte para ir a la escuela. Luego compara tu lista con la de dos compañeros. Escribe en la pizarra las actividades en tu lista que no aparecen en las listas de tus compañeros.

CH. ¡Al revés! Tu profesor(a) dice que cuando era estudiante de secundaria, siempre tenían una ''Semana Loca'' en su colegio. Según el (la) profesor(a), ¿qué hacían durante esa semana?

Dramatizaciones

A. ¿Más fácil o más difícil? Tú y tu compañero(a) están tratando de decidir si hace cinco años su vida era más fácil o más difícil de lo que es ahora. Dramaticen su conversación.

B. Probablemente jugaba a . . . Tú y tus compañeros están tratando de imaginarse cómo era y qué hacía su profesor(a) de español cuando era estudiante de secundaria. Dramaticen esta discusión.

LEAMOS AHORA

Estrategias para leer: Predecir el contenido

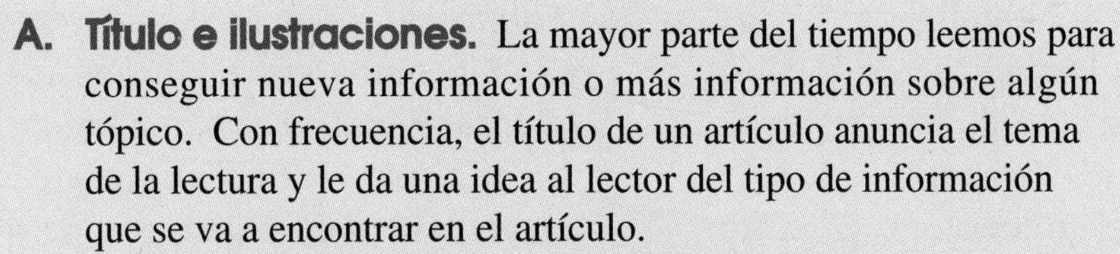

A. Título e ilustraciones. La mayor parte del tiempo leemos para conseguir nueva información o más información sobre algún tópico. Con frecuencia, el título de un artículo anuncia el tema de la lectura y le da una idea al lector del tipo de información que se va a encontrar en el artículo.

1. Hay dos palabras afines en el título de esta lectura. Estas dos palabras te dicen que la lectura es de una ____ y que hay algún ____ relacionado a este lugar.
2. Ahora mira las fotos que acompañan la lectura. Es probable que no sepas el significado de la palabra *Pascua* en el título, pero en las fotos hay objetos que tú ya conoces. ¿Dónde están estas gigantescas esculturas? Bien. Entonces ya sabes que el artículo contiene información sobre ____ .

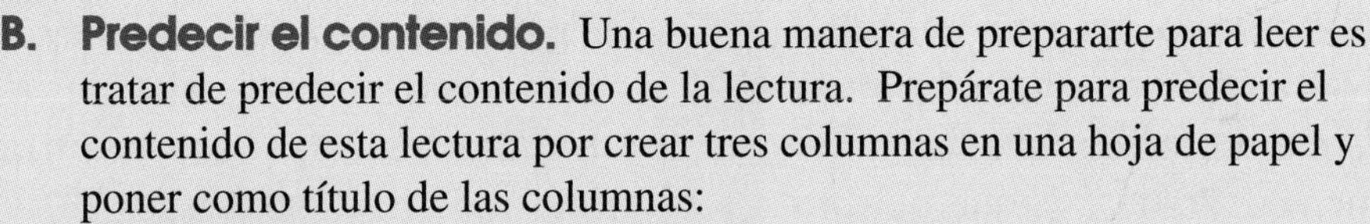

B. Predecir el contenido. Una buena manera de prepararte para leer es tratar de predecir el contenido de la lectura. Prepárate para predecir el contenido de esta lectura por crear tres columnas en una hoja de papel y poner como título de las columnas:

1. **Lo que sé**
2. **Lo que no sé.**
3. **Lo que aprendí.**

Luego sigue este modelo al completar el formulario con toda la información que ya tienes a mano sobre la Isla de Pascua y la información que te gustaría saber.

Lo que sé	Lo que no sé	Lo que aprendí
1. La Isla de Pascua está en Sudamérica.	1. ¿De qué país es la Isla de Pascua?	

C. ¡A confirmar! Ahora lee el artículo dos veces, por lo menos. La primera vez, léelo sin parar, para tener una buena idea del mensaje principal. La segunda vez, llena la tercera columna en el formulario que preparaste en el ejercicio **B**. Una parte de lo que leíste va a confirmar lo que ya sabías, otra parte va a contestar algunas de las preguntas que escribiste en la segunda columna y otra parte va a incluir información que no anticipaste del todo.

La Isla de Pascua y sus misterios . . .

La Isla de Pascua—un lugar remoto y lleno de misterio, en el Océano Pacífico—continúa siendo un punto de interés para los arqueólogos e historiadores . . . ¡Allí se encuentra el secreto de sus antiguos habitantes, de los constructores de los formidables *moais* . . . esos gigantescos monolitos de piedra, dispersos por toda la isla, que constituyen uno de los misterios más grandes de todos los tiempos!

Según comenta el arqueólogo Eduardo Edwards, "el primer contacto que tuvieron los pascuenses con los hombres blancos europeos fue en 1722 en un domingo de Pascua de Resurrección de ese año, el navegante holandés Jacob Roggeween descubrió la isla y sus grandes estatuas de piedra . . . ¡pero ya en aquel entonces los nativos no sabían nada de ellas . . . desconocían su origen!

Poco a poco los científicos fueron concibiendo la idea de que los habitantes de la Isla de Pascua no eran en realidad descendientes de la cultura original que la habitó, sino que era un pueblo que había llegado posteriormente. Pero . . . ¿qué pueblo fue el primero en habitar la isla? Muchos historiadores se inclinan a creer que fueron los de la Polinesia, pues entre los habitantes de la isla existía una leyenda que narraba episodios de una guerra entre dos grupos humanos, en la que los polinesios exterminaron al grupo anterior. Además, los misioneros y los primeros europeos en llegar a Pascua encontraron mucha similitud entre sus habitantes y los del resto de la Polinesia . . . incluso hasta en el lenguaje.

Sin embargo, no todos los científicos piensan igual. Por ejemplo, en el año 1956 el famoso especialista noruego Thor Heyerdahl planteó la teoría de que el origen de los pascuenses era peruano. Según él, "algún grupo peruano-incaico podría haber partido de Perú en una balsa, llegado a la Isla y subyugado a sus habitantes hasta convertirlos en trabajadores que, bajo sus órdenes, tallaban las gigantescas estatuas". No obstante, las corrientes actuales de la ciencia parecen aceptar el origen polinesio de los habitantes del lugar . . . lo que todavía deja muchas preguntas sin contestar.

Según los estudios del polen realizados por el paleontólogo John Slenley de Inglaterra, "en la parte interior alta de la isla existían abundantes bosques, mientras que en la zona más baja—entre los 50 y 200 metros de altura—se encontraba una extensa sabana". Otras exploraciones permitieron suponer que los antiguos pascuenses cortaban madera para la construcción de botes.

Ni la historia, ni la arqueología han descubierto quiénes fueron los creadores de los aproximadamente 600 *moais* en la Isla de Pascua. ¡Algunos pesan más de 60 toneladas!

"Los Siete *Moais*", como los identifican los nativos. ¿Por qué si todos los demás *moais* fueron ubicados de espaldas al mar, únicamente éstos recibieron una orientación diferente?

Todo esto parece indicar que los antiguos habitantes de la isla fueron destruyendo los bosques, y a medida que lo hacían, la tierra se fue secando, el clima fue cambiando y la gente que vivía en el interior ya no tuvo agua, viéndose obligados a regresar a la costa.

Nada se sabe de certeza al respecto, pero sin duda los *moais* son prueba del nivel tecnológico de aquellos hombres que fueron capaces de elevar esos gigantescos monolitos de piedra. ¡Y mientras los científicos continúan trabajando para responder todas las preguntas que hoy nos seguimos haciendo sobre la Isla de Pascua y sus misterios . . . los *moais* siguen allí, en su sitio, ¡como testigos del pasado, que los hombres de hoy se esfuerzan por conocer!

¿Qué representará la corona de este *moai*?

El único *moai* sentado en toda la isla.

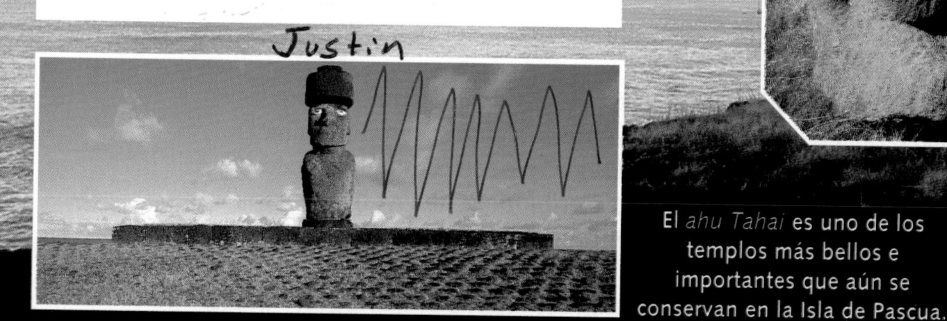

El *ahu Tahai* es uno de los templos más bellos e importantes que aún se conservan en la Isla de Pascua.

Verifiquemos

A. Formulario. Ahora repasa la información en el formulario que preparaste en los ejercicios **B** y **C** y contesta estas preguntas.

1. ¿Confirmó el artículo toda la información que habías escrito en la primera columna? ¿Resultó incorrecto algo que escribiste en la primera columna?
2. ¿Contestó la lectura todas tus preguntas en la segunda columna? Si no, ¿dónde podrías encontrar más información sobre la Isla de Pascua?
3. ¿Qué aprendiste en esta lectura que no habías anticipado del todo?

B. ¡A compartir! Ahora compara tu formulario con el de dos o tres compañeros de clase. Escribe en la tercera columna de tu formulario todo lo que aparezca en la tercera columna de sus formularios que no aparece en la tuya.

UNIDAD 4

Era una ciudad muy. . .

Caracas, 1940

LECCIÓN 1

¿Era de abuelita la cajita?

ANTICIPEMOS

¿Qué piensas tú?

1. Compara las fotos de esta página. ¿Qué están haciendo en cada foto? ¿Cuándo crees que las sacaron? ¿Por qué crees eso?
2. ¿Qué semejanzas y diferencias observas en el lugar? ¿en la gente? ¿en la actividad?
3. ¿Qué están haciendo la abuela y las dos chicas en la foto a la izquierda? ¿Qué estará diciéndoles la abuela? ¿Por qué crees eso?
4. ¿Hay reuniones a las cuales asisten varias generaciones de tu familia? En estas reuniones, ¿de qué hablan tus padres, tíos y abuelos por lo general?
5. ¿Recuerdas algo específico de cuando tenías cinco años? ¿diez años? ¿Qué hacías a esas edades? ¿Qué te gustaba y no te gustaba? ¿Cómo te comportabas cuando te sentías contento(a)? ¿triste? ¿Cómo te comportabas cuando tenías visitas?
6. ¿Cuál es tu memoria más temprana? ¿Cuántos años tenías en aquel entonces?
7. Piensa en todo lo que hemos dicho y di qué crees que vas a aprender en esta lección.

PARA EMPEZAR
Escuchemos un cuento guatemalteco

Los guatemaltecos nos cuentan esta triste historia del Sombrerón.

Dicen que hace muchos años que no lo ven, gracias a Dios, pero que en otros tiempos sí lo veían de vez en cuando; aunque nadie quería verlo porque inevitablemente, les traía mala suerte.

Era un hombrecito muy pequeño—tan pequeñito que cabía en la palma de una mano. Llevaba un sombrero enorme y zapatitos con espuelas de plata . . .

. . . y tenía una guitarra que tocaba cuando cantaba para despertar la admiración de las niñas bonitas. Y siempre iba acompañado de sus cuatro mulas de carga.

En un pequeño pueblo vivía Celina, una niña muy buena y muy bonita. Aun cuando tenía no más de cinco años, la gente no se cansaba de admirarla cada vez que la veían. Cuánto más crecía, más linda se ponía. ¡Sus ojos eran tan grandes y hermosos!

¡Y su pelo era tan largo y ondulado!

Además de ser bonita, Celina era muy trabajadora. Siempre ayudaba a su mamá a hacer tortillas para vender.

Una tarde, aparecieron cuatro mulas amarradas al poste del alumbrado eléctrico. "¡Dios nos libre!" comentó una mujer. "¡Debemos esconder a las niñas! ¡Son las mulas del Sombrerón!"

Pero esa noche, y noche tras noche, Celina no podía dormir bien porque oía una música muy linda—la voz de alguien que cantaba acompañado de una guitarra. Lo raro era que la madre de Celina no oía nada.

Celina ya no podía controlar su curiosidad. Tenía que conocer al dueño de esa voz. Una noche salió a espiar y vio que era el Sombrerón. Mientras él bailaba y cantaba tocando su guitarra, enamoraba a la niña.

Los vecinos la aconsejaron que llevara a la niña lejos de la casa y que la encerrara en una iglesia. Todo el mundo sabía que los fantasmas no podían entrar en las iglesias.

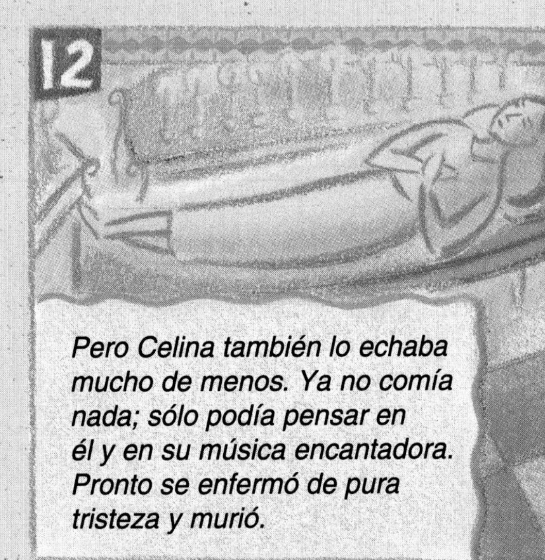

La noche antes del entierro, cuando la mamá de Celina y todo el pueblo estaban en el velorio de la niña, todos oyeron un llanto espantoso. Era el Sombrerón llorando el dolor que sentía por la pérdida de su Celina.

14

Por la mañana, cuando salieron de la casa, la gente del pueblo vio una maravilla. ¡Era como un milagro! ¡Había un reguero de lágrimas cristalizadas, como diamantes, sobre las piedras de la calle!

¿QUÉ DECIMOS...?

Al hablar de la niñez

1 Son cosas del pasado.

2 ¿Te acuerdas de esto?

3 Allí guardaba mis cosas.

4 Parece una jaula.

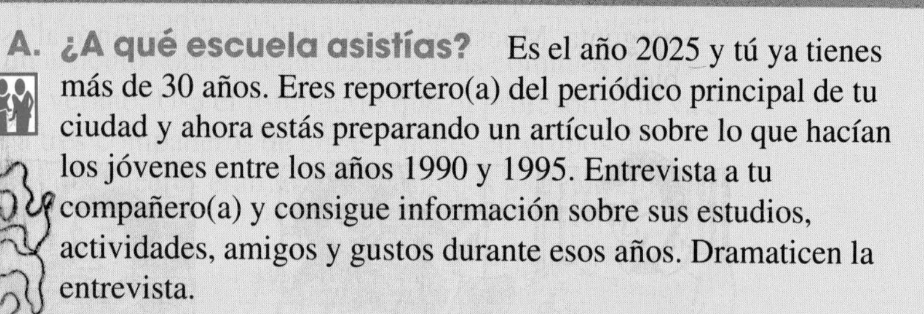

Dramatizaciones

A. ¿A qué escuela asistías? Es el año 2025 y tú ya tienes más de 30 años. Eres reportero(a) del periódico principal de tu ciudad y ahora estás preparando un artículo sobre lo que hacían los jóvenes entre los años 1990 y 1995. Entrevista a tu compañero(a) y consigue información sobre sus estudios, actividades, amigos y gustos durante esos años. Dramaticen la entrevista.

B. ¿Mejor o peor? Tú y un(a) amigo(a) están comparando sus vidas cuando asistían a la escuela primaria. Hablan de sus personalidades, profesores, clases favoritas y actividades. Dramatiza la conversación con un(a) compañero(a).

C. ¿Qué es? Tú descubriste una caja grande en el patio de la casa de tu amigo(a). La caja tiene algo que hace muchos años era muy importante para tu amigo(a). Claro, tú quieres saber todos los detalles de por qué era tan importante este objeto. Dramatiza la situación con un(a) compañero(a).

IMPACTO CULTURAL

Excursiones

Antes de empezar

A. Mapa y fotos. Estudia las fotos y el mapa sobre la cultura de los incas. Luego contesta y completa estas frases. No es necesario leer la lectura todavía.

1. ¿Por cuáles países de Sudamérica se extendía el Imperio de los Incas?
   - **a.** Ecuador, Perú, Bolivia, Argentina y Chile
   - **b.** Brasil, Paraguay y Uruguay
   - **c.** Colombia, Venezuela y Brasil
   - **ch.** Perú, Ecuador, Venezuela y Colombia
2. Un *quipu* probablemente es para . . .
   - **a.** llevar dinero.
   - **b.** llevar algo para comer.
   - **c.** calentarse las manos.
   - **ch.** contar.
3. Los edificios que construyeron los incas eran muy . . .
   - **a.** pequeños.
   - **b.** abiertos.
   - **c.** sólidos.
   - **ch.** frágiles.
4. Los incas construyeron las terrazas para . . .
   - **a.** jugar deportes.
   - **b.** construir más edificios.
   - **c.** sembrar flores y decorar sus edificios.
   - **ch.** cultivar diferentes comidas.
5. Machu Picchu probablemente fue . . .
   - **a.** una fortaleza.
   - **b.** un centro religioso.
   - **c.** la capital de los incas.
   - **ch.** un refugio para el Inca y sus nobles.

B. Impresiones. Antes de leer del Imperio de los Incas, indica si en tu opinión estos comentarios son ciertos o falsos. Si no sabes, usa tu sentido común para decidir.

C F 1. El Imperio de los Incas estaba en Centro y Sudamérica.
C F 2. En 1500, los españoles encontraron toda la historia de los incas en tres volúmenes muy impresionantes.
C F 3. Machu Picchu son las ruinas de una cultura muy civilizada.
C F 4. Los incas fueron excelentes agricultores.
C F 5. Los incas no tenían buenos ingenieros ni buenos arquitectos.
C F 6. Muchas tradiciones incaicas se practican actualmente en Perú.

EL IMPERIO DE LOS INCAS

El Imperio de los Incas empezó con Manco Capac, el primer Inca, en el año 1100 y terminó con la muerte de Atahualpa en el año 1533. Se extendió en los Andes por una distancia de más de 2,500 millas (la distancia de Phoenix a Nueva York, más o menos), por los actuales territorios de Ecuador, Perú, Bolivia, Chile y Argentina. Cuando llegaron los españoles, el imperio incaico tenía entre 3.5 y 7 millones de habitantes. Entre ellos, había muchas tribus diferentes que habían sido conquistadas por los incas. Y todas las tribus en el imperio incaico tenían que aprender a hablar quechua, la lengua oficial de los incas. En efecto, *Inca* era el nombre del rey y *quechua* el nombre de su gente.

La capital de los incas fue la ciudad de Cuzco (1) que está situada casi en medio del imperio, en la parte sudoeste de Perú. En esta ciudad se encuentran los restos más impresionantes de lo que fue este gran imperio. Allí se pueden ver restos de edificios, casas, templos, fortalezas y andenes o terrazas para la agricultura incaica. Los incas no tuvieron una escritura verdadera, pero desarrollaron el *quipu,* un sistema de números que usa nudos en cuerdas de diferentes colores. (2) El *quipu* también se usó para grabar historia y versos. Esa tradición vive todavía entre la población quechua de Perú y Bolivia.

Los incas fueron excelentes arquitectos e ingenieros. Ellos planificaron muy cuidadosamente sus ciudades. Hicieron edificios de piedras de distintas formas: cuadradas, rectangulares y poligonales como la famosa Piedra de los doce ángulos. (3) Tan superior fue la arquitectura de los incas que, después de 500 años o más, todavía se conservan muchas de sus estructuras, a pesar de los muchos terremotos que occuren en el área.

Alrededor de la ciudad de Cuzco, los incas construyeron fortalezas para defenderse de sus enemigos. La fortaleza de Sacsahuamán es una de las fortalezas más impresionantes. (4) Los incas utilizaron piedras inmensas para construirla, pero no usaron ni cemento ni mortero para unir estas piedras. A pesar de esto, es imposible meter el filo de un cuchillo entre estas piedras.

1

2

3

4

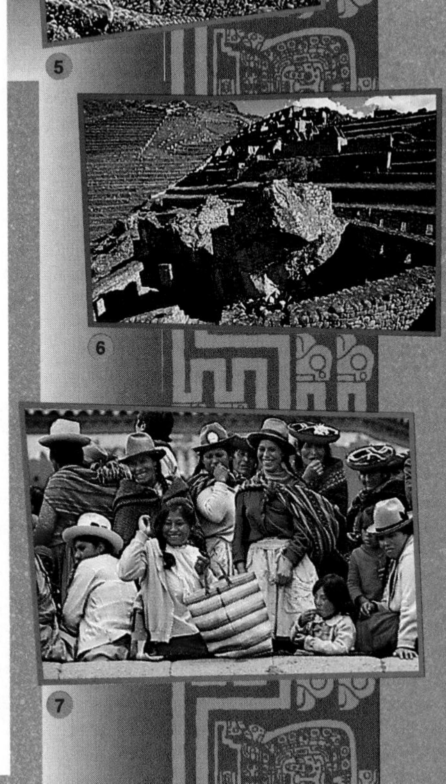

Unos de los más famosos restos arqueológicos del mundo entero son las ruinas de Machu Picchu.[5] Estas ruinas están en la selva a tres horas de la ciudad de Cuzco, muy cerca de la zona del Río Urubamba, una de las fuentes del Amazonas. Machu Picchu no fue descubierta hasta el año 1911 por el profesor estadounidense Hiram Bingham. No se sabe definitivamente qué fue esta maravilla incaica. Una teoría dice que fue una fortaleza, otra que fue un centro religioso y todavía otra, que sirvió de refugio a los últimos incas que huían de los españoles.

La economía de los incas dependía intensamente de la agricultura. Cultivaban maíz, papas, calabazas, frijoles, chiles, cacahuates, tomates, camotes, aguacates y otras plantas. Por todo Cuzco, y en particular en Machu Picchu se conservan los más hermosos andenes o terrazas que los incas construyeron para poder trabajar la tierra montañosa.[6]

Actualmente, la ciudad de Cuzco está habitada por los descendientes de los incas. Los cuzqueños son *mestizos* como casi todos los habitantes del Perú.[7] Pero los cuzqueños han conservado la antigua cultura indígena. Su lengua es el *quechua*, la lengua de los antiguos peruanos. Su religión es una mezcla de catolicismo con viejas creencias religiosas indígenas. Los cuzqueños, como los descendientes más directos de los incas, conservan sus viejas tradiciones y costumbres.

Verifiquemos

1. Vuelve a las actividades **A** y **B** de **Antes de empezar** y decide si tus respuestas originales fueron correctas o no.
2. Dibuja la Piedra de los doce ángulos. ¿Por qué usaron los incas este tipo de piedra para construir sus edificios?
3. Prepara un diagrama del Imperio de los Incas, como el siguiente, e incluye toda la información posible bajo cada categoría.

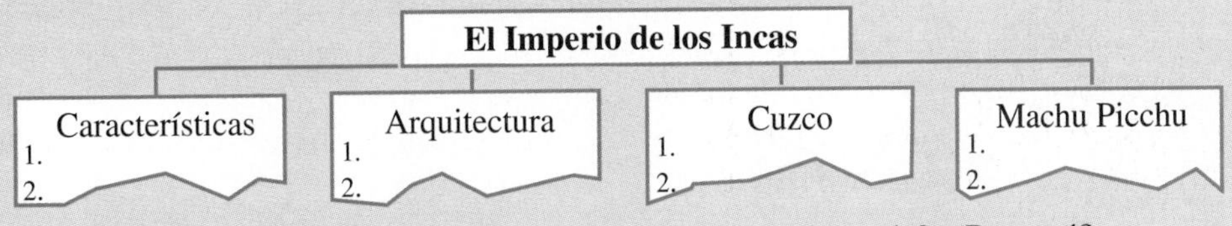

4. ¿Qué aspecto del imperio incaico te gustaría estudiar más? ¿Por qué?

LECCIÓN 2

Ahora les voy a contar.

ANTICIPEMOS

¿Qué piensas tú?

1. Las fotos a la izquierda son de un periódico venezolano. Cada una es de incidentes que ocurrieron la semana pasada. Descríbele una de las fotos a tu compañero(a) y luego que él o ella te describa la otra a ti. Incluyan todos los detalles posibles sobre el sitio y lo que pasaba antes, durante y después del incidente.

2. ¿Qué hacías tú esta mañana antes de la primera clase, cuando sonó el timbre? ¿Dónde y con quién estabas? ¿Había otras personas cerca de ustedes? ¿Qué hacían?

3. Imagínense que hubo simulacro contra incendios ayer, poco antes del almuerzo. Describe detalladamente lo que tú y tus amigos hacían antes de empezar el simulacro y lo que hicieron cuando oyeron el timbre.

4. Compara las fotos de Caracas. ¿Cuáles son las diferencias? ¿Cómo explicas esas diferencias?

5. ¿Hay diferencias de este tipo en tu ciudad? ¿en otras ciudades del estado?

6. Piensa en todo lo que hemos dicho y di qué crees que vas a aprender en esta lección.

PARA EMPEZAR

Escuchemos un cuento venezolano

Este cuento venezolano es semejante a un cuento popular de Estados Unidos.

Había una vez unos viejitos muy, muy pobres. Lo único que tenían era su ranchito. La viejita un día sembró una mata de tomate, porque cuando no hay mucho de comer, los tomates siempre son buenos.

Inmediatamente la mata de tomate empezó a crecer y al día siguiente ya llegaba al techo. Al tercer día, la mata llegó a las nubes.

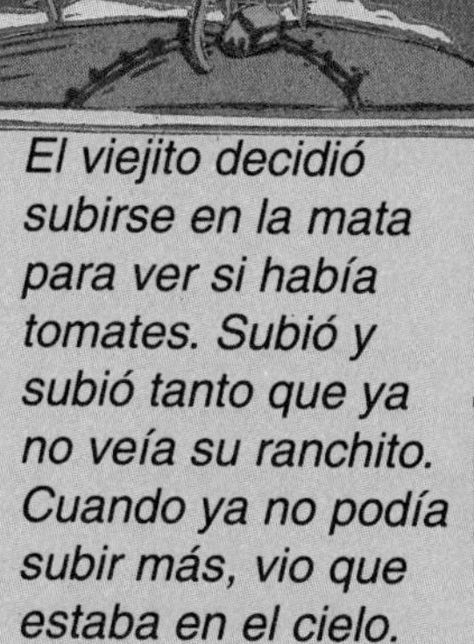

El viejito decidió subirse en la mata para ver si había tomates. Subió y subió tanto que ya no veía su ranchito. Cuando ya no podía subir más, vio que estaba en el cielo.

Miró alrededor y no vio nada más que unas piedritas y un gallo con la cresta de oro. Recogió las piedritas y al gallo también y volvió al ranchito.

4
A la viejita le gustaron mucho las piedritas porque eran perfectas para moler la masa. Cuando se puso a moler, ¡algo mágico pasó! Cada vez que molía con las piedritas, salían toda clase de comidas buenas. Los viejitos estaban contentísimos, pues ya no tendrían que pasar hambre.
5
Un día llegó un señor y pidió posada. Los viejitos lo invitaron a pasar la noche y a cenar con ellos.
6
Cuando llegó la hora de comer, la viejita sacó sus piedritas mágicas y se puso a moler. El hombre vio que salía todo tipo de comida: arepas, pollo frito, guayaba y toda clase de dulces. El hombre, muy impresionado, quería comprar las piedritas mágicas pero los viejitos no querían venderlas.
7
Esa noche, mientras los viejitos dormían, el hombre se robó las piedritas mágicas y se fue corriendo. Por la mañana, los viejitos se dieron cuenta del robo y se pusieron muy tristes. Pero el gallo de la cresta de oro vio todo y siguió al hombre.
8
Cuando el hombre llegó a su casa, inmediatamente puso a su señora a moler con las piedritas mágicas. Y sí, cada vez que la mujer molía, salían comidas ricas y elegantes. Orgullosos de su buena fortuna, invitaron a muchos amigos y vecinos a comer.

Mientras todos comían un sabrosísimo banquete de comida elegantísima, apareció el gallo de la cresta de oro y gritó: "¡Quiquiriquí, ladrón! ¡Danos las piedras que nos robaste!"

El hombre, enfurecido, cogió al gallo del cuello y lo tiró en una olla llena de agua.

Pero el gallo se tomó toda el agua, salió de la olla y otra vez denunció al hombre. "¡Quiquiriquí, ladrón, ladrón!"

El hombre se enojó tanto que otra vez cogió al gallo del cuello y lo tiró en el horno. Pero el gallo de la cresta de oro era muy astuto y simplemente botó toda el agua que había tomado en la olla y apagó el fuego. Luego salió del horno y, como antes, denunció al hombre diciendo: "¡Quiquiriquí, ladrón, ladrón!"

Los invitados veían y oían todo y no lo podían creer. Asustados, todos salieron corriendo, hasta el señor y su mujer.

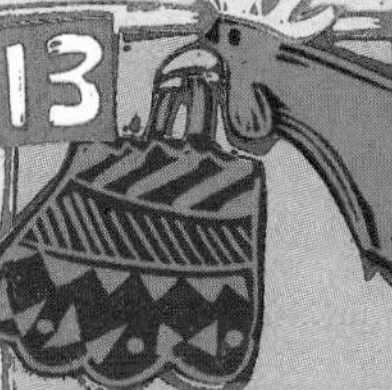

Entonces, el gallito de la cresta de oro cogió las piedritas mágicas y se fue volando hasta la casa de los viejitos.

Allí los tres, el gallito de la cresta de oro y los dos viejitos, vivieron felices muchos, muchos años.

¿QUÉ DECIMOS...?

Al hablar del pasado

1 Mira lo que apareció.

2 ¿Tenías un ratón?

Papá y yo le construimos la jaula y yo le puse el nombre de "Miguelín".

3 Lo quería mucho.

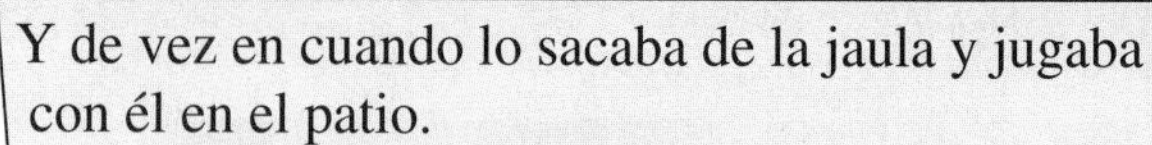
Y de vez en cuando lo sacaba de la jaula y jugaba con él en el patio.

Era muy suave. Yo lo quería mucho y lo cuidaba muy bien.

Cada dos días le limpiaba la jaula y le cambiaba la paja. Me divertía mucho con él.

4 La jaula estaba vacía.

CH. Lo pasábamos muy bien. Con un compañero, prepara una lista de todo lo que ustedes y sus familias hacían en el parque cuando eran más jóvenes. Si no iban al parque, describan lo que hacían estas personas.

Dramatizaciones

A. ¡Era mi favorito! Tú y un(a) amigo(a) están conversando del objeto favorito que más recuerdan de su niñez. Tu amigo(a) te hace muchas preguntas para saber la importancia de tu objeto y tú le haces muchas preguntas a tu amigo(a). Dramaticen esta conversación.

B. Animales domésticos. Tú y un(a) amigo(a) están hablando de los animales domésticos que tenían cuando eran niños. Dramaticen la conversación.

IMPACTO CULTURAL

Tesoros nacionales

Antes de empezar

A. Al anticipar. Estudia cuidadosamente las fotos de la fortaleza, del camino y del puente en las siguientes páginas. ¿Cuánto puedes decir de la gente que los construyó? ¿Qué conocimientos debían tener para poder construirlos? ¿Qué habilidades necesitaban los trabajadores? ¿Qué herramientas usaron?

B. La idea principal. Identifica la idea principal de los primeros cuatro párrafos al hojear la lectura y selecciona la frase que mejor la exprese.

Párrafo 1
- **a.** la caída del imperio incaico
- **b.** la grandeza del imperio incaico
- **c.** el terreno difícil de los Andes
- **ch.** los grandes líderes del imperio incaico

Párrafo 2
- **a.** el noveno Inca
- **b.** Alejandro Magno
- **c.** Napoleón
- **ch.** la extensión del imperio incaico

Párrafo 3
- **a.** la importancia de los caminos y puentes que se siguen usando
- **b.** las fortalezas de Koricancha y Sacsahuamán
- **c.** la importancia de Cuzco
- **ch.** lo impresionante del imperio incaico

Párrafo 4
- **a.** la leyenda de una hermosa mujer de Ica
- **b.** la honestidad de la mujer nativa peruana
- **c.** los canales de irrigación
- **ch.** las terrazas o andenes de agricultura

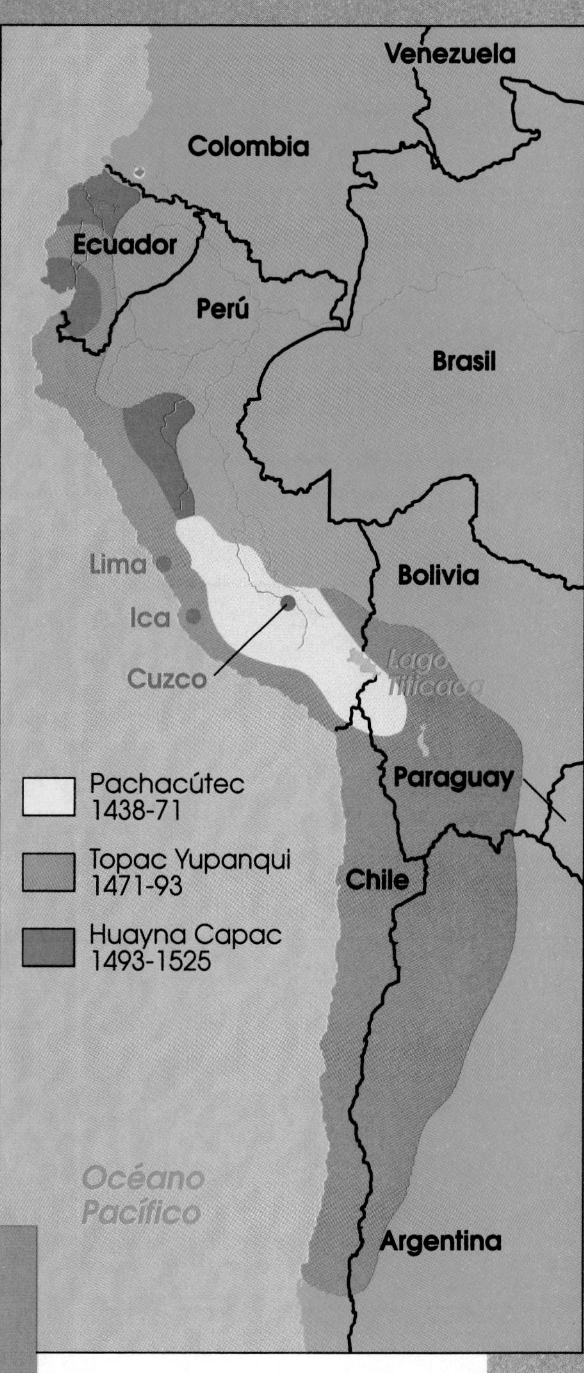

Pachacútec el gran Inca

El Imperio de los Incas tuvo trece reyes o Incas

MANCO CAPAC

SINCHI ROCA

LLOQUE YUPANQUI

MAYTA CAPAC

CAPAC YUPANQUI

INCA ROCA

YAHUAR HUACA

VIRACOCHA INCA

PACHACÚTEC (1438-71)

TOPAC YUPANQUI (1471-93)

HUAYNA CAPAC (1493-1525)

HUASCAR (1525-32)

ATAHUALPA (1532-33)

En cierto sentido, la ascendencia y caída de la civilización incaica es más impresionante que la de las grandes civilizaciones de Mesopotamia o del Egipto. ¿Por qué? Porque los incas crearon su imperio, no de extensos valles con magníficos ríos, sino de difíciles montañas con vastos cañones y de tierras casi imposibles de conquistar y cultivar. Sin embargo, bajo estos grandes líderes, el imperio se fue expandiendo, poco a poco, hasta cubrir los Andes desde más allá de Quito en Ecuador hasta más allá de Santiago de Chile.

De los muchos grandes líderes, el más responsable por las grandezas que todavía sobreviven en Perú es Pachacútec, el noveno Inca.[1] Tan grandes e impresionantes fueron las conquistas y hazañas de este Inca que se dice que Pachacútec es el nativo americano más grande en toda la historia del continente. Aun se le ha comparado con el macedonio, Alejandro Magno, y con el emperador francés, Napoleón. Cuando Pachacútec llegó a ser el Inca, su reino se extendía no más de 80 millas; cuando murió en 1471, el imperio ya tenía una extensión de más de 500 millas.

Fue Pachacútec quien hizo reconstruir la capital de Cuzco hasta que llegó a ser la imponente ciudad que encontraron los españoles. Bajo su dirección, se construyeron imponentes fortalezas, como las de Sacsahuamán y Koricancha,[2] y grandes templos y palacios como los de las hermosas ciudades de Cuzco y Machu Picchu. Bajo Pachacútec también se construyeron los primeros caminos del imperio,[3] caminos que transcurren en lo alto de los Andes y que incluyen puentes[4] que todavía siguen renovándose y usándose.

Pachacútec mandó construir canales de irrigación⑤ para proveer de agua las terrazas o andenes para la agricultura. Estos canales eran perfectas obras de ingeniería. Una leyenda dice que Pachacútec se enamoró de una hermosa mujer de Ica, una ciudad en la costa de Perú. Pero esta mujer amaba a otro hombre. Cuando ella le confesó a Pachacútec que amaba a otro, el Inca se impresionó por la honestidad de la mujer y le ofreció lo que deseara. Ella pidió un canal de irrigación para su pueblo y Pachacútec lo mandó a construir. El impresionante canal de Pachacútec todavía se usa en la ciudad de Ica.

Pachacútec conquistó muchos pueblos⑥ y tenía fama de ser muy severo con sus enemigos. Pero también protejó a todos en su imperio y respetó las tradiciones y creencias de su gente.

3

4

5

6

Verifiquemos

1. Prepara un esquema araña, como el modelo, de las dificultades, la importancia mundial y las grandes hazañas en arquitectura, ingeniería y agricultura del noveno Inca, Pachacútec.

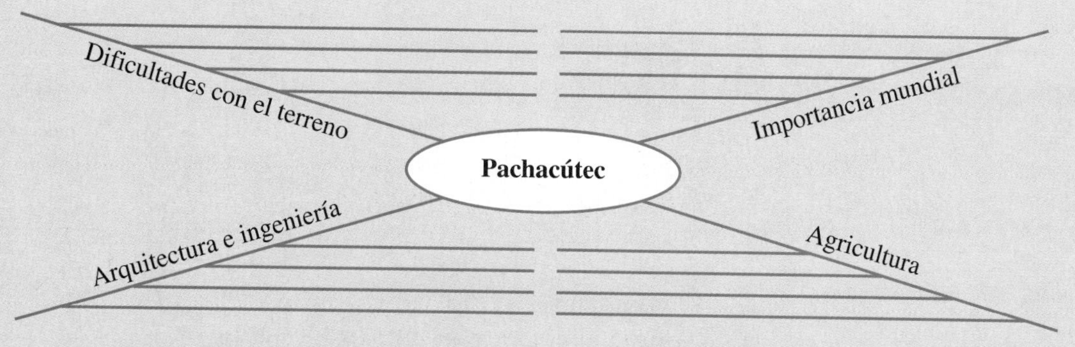

2. Con un(a) compañero(a) de clase, escribe un minidrama de la conversación de Pachacútec y la mujer de Ica, cuando ésta le confesó que tenía otro amante. Presenten su minidrama a la clase.

LECCIÓN 3

¡...y todo cambió!

TRAYECTORIA CRONOLÓGICA

	800 a. de J.C.–1200 d. de J.C.	1400	1500	1600	1700
DEL MUNDO	**753 a. de J.C.** La fundación de Roma	**1492** Cristóbal Colón llega a las Antillas		**1620** El *Mayflower* llega a Nueva Inglaterra	
DE PERÚ	**1200** La fundación de la dinastía de los incas	**1438 – 1532** Extensión del Imperio de los Incas	**1531** La llegada de los españoles **1535** Fundación de Lima		

Caracas

Lima

Buenos Aires

ANTICIPEMOS

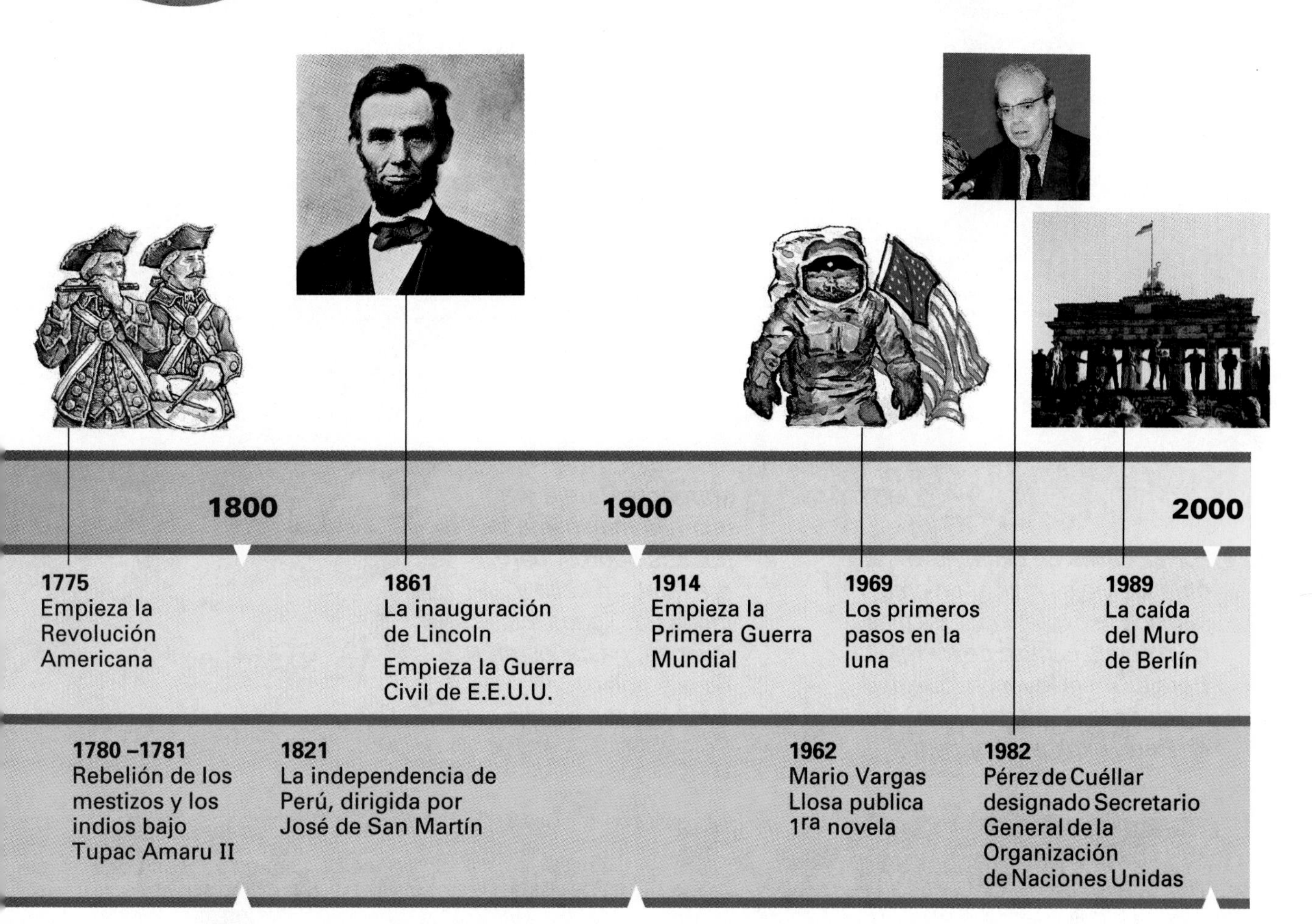

¿Qué piensas tú?

1. Con un(a) compañero(a), estudia la trayectoria cronológica de Perú y prepara una narración breve sobre la historia de Perú.
2. Ahora con tu compañero(a), estudia la trayectoria cronológica del mundo entero y prepara una narración breve de lo que pasaba en el resto del mundo durante los momentos históricos que mencionaste en tu narración sobre la historia de Perú.
3. Compara las tres ciudades en las fotos. ¿Cuáles son algunas semejanzas? ¿algunas diferencias?
4. Localiza las tres ciudades en un mapa y explica por qué crees que estas tres ciudades importantes sudamericanas se fundaron en ese local. En tu opinión, ¿por qué llegaron a ser ciudades de gran importancia en sus países?
5. ¿Cuáles son las ciudades principales de tu estado? ¿Puedes contar algo sobre la historia de tu ciudad o sobre la capital de tu estado? ¿Cuándo y cómo se fundaron? ¿Por qué se fundaron allí?
6. Piensa en todo lo que hemos dicho y di qué crees que vas a aprender en esta lección.

PARA EMPEZAR

Escuchemos un cuento peruano

En las calles de Lima, no es raro oír a los viejos criticar un precio alto con la expresión: "¡Es más caro que la camisa de Margarita Pareja!" Esta leyenda, que nos viene de la Ciudad de los Reyes en Perú, explica su origen.

Margarita Pareja era una hija muy mimada por sus padres, pero era también bella y modesta. Todos los jóvenes, hasta los más ricos y nobles, se enamoraban de ella.

Vivía en Lima en esos tiempos, un don Honorato, el hombre más rico, más avaro y más orgulloso de toda la ciudad.

Don Honorato tenía un sobrino que se llamaba Luis Alcázar. Este joven esperaba heredar toda la fortuna de su tío, pero en los tiempos de que hablamos, Luis Alcázar vivía más pobre que una rata.

Cuando en una procesión por la ciudad, Luis vio a la linda, la hermosa Margarita, se enamoró de ella al instante; a ella le pasó lo mismo. Tan enamorados estaban que no les importaba nada más. Ni la pobreza en la cual vivía Luis tenía importancia para los dos enamorados.

Luis le pidió al padre de Margarita la mano de su hija. Pero el padre se puso furioso. No quería tener como yerno a tal pobretón.

El tío de Luis—tan orgulloso como era—se puso aún más furioso. "Este don Raimundo insultó a mi sobrino, ¡el mejor joven de toda la ciudad de Lima!"

Y la hermosa Margarita también se puso furiosa. Se arrancó el pelo . . . y dijo que ya no quería ni comer ni beber absolutamente nada. Con el pasar de los días, la hermosa Margarita se ponía más y más pálida y flaca. ¡Parecía que iba a morir!

El padre de la joven consultó a médicos y a curanderos, pero todos le dijeron que no había remedio para un corazón destrozado. Pero tanto amaba don Raimundo a su hija, que por fin decidió aprobar la boda de Luis y la hermosa Margarita.

Antes de consentir de su parte, don Honorato, el tío de Luis, insistió en una condición: don Raimundo tenía que prometer que ni ahora ni nunca le daría ni dote ni dinero a su hija. Margarita tendría que ir a casa de su marido con sólo la ropa que llevaba puesta y nada más.

Don Raimundo no estaba del todo contento con esta condición. Pidió, por lo menos, poder regalar a su hija una camisa de novia.

Don Honorato consintió y don Raimundo así tuvo que jurar: "Juro no dar a mi hija más que la camisa de novia".

Al día siguiente tuvo lugar la boda. La hermosa Margarita llevaba su camisa nueva y su padre cumplió su juramento. Ni en vida ni en muerte dio a su hija nada más.

13

Pero, ¡Dios mío! ¡Qué camisa! La bordadura que adornaba la camisa era de puro oro y plata. Y el cordón que ajustaba el cuello era una cadena de brillantes que valía una fortuna.

Y por eso es que todavía ahora, cuando se habla de algo caro, dicen los viejitos de Lima: "¡Es más caro que la camisa de Margarita Pareja!"

¿QUÉ DECIMOS AL ESCRIBIR...?

De un incidente en el pasado

Éste es el cuento de Miguelín que escribió el padre de Meche y Diana.

MIGUELÍN

Miguelín era un ratoncito muy aventurero. Vivía en una jaula muy cómoda y estaba bastante contento. Pero quería conocer el mundo. Un día, el muchacho que lo cuidaba no cerró bien la puerta. Entonces, Miguelín sacó el hocico y miró a su alrededor. No vio a nadie y decidió salir. Se fue a la calle donde encontró a un ratón anciano y muy sabio.

—Perdone, señor. Tengo ganas de conocer el mundo. ¿Adónde debo ir? —preguntó Miguelín.

—Pues, mira, chico. Aquí estás muy bien. La vida es tranquila y segura. Pero si insistes en conocer el mundo, no hay como Caracas. Súbete a ese carro y puedes llegar fácilmente.

Así fue como Miguelín llegó a la gran ciudad de Caracas. Quedó asombrado. Había gente por todas partes y edificios enormes. Tenía mucho cuidado porque había muchísimo tráfico. Pero también había muchos cafés al aire libre donde encontraba migajas debajo de las mesas.

Imperfect: Description of an ongoing situation

The imperfect is used when describing past situations that are viewed as in-progress.

Había un sillón grande en la sala de familia.
La lámpara **estaba** en la mesita.

See **¿Por qué se dice así?,** *page G61, section 4.7.*

C. ¡Qué desastre! Máximo acaba de limpiar su cuarto y ahora todo está en su lugar. ¿Dónde estaban estas cosas antes de limpiarlo según el dibujo?

EJEMPLO libros
Los libros estaban en el piso. o
Había libros en el piso.

1. suéter
2. camisa
3. camiseta
4. sombrero
5. mochila
6. libros
7. cuadernos
8. calcetines

Imperfect: Description of emotional states

The imperfect is used when describing emotional states in the past.

Todos nos **sentíamos** muy contentos.
Él me **amaba** locamente.

See **¿Por qué se dice así?,** *page G61, section 4.7.*

CH. ¡Qué emoción! ¿Cómo se sentían estas personas en las situaciones indicadas?

EJEMPLO nosotros: perder los partidos de fútbol
Cuando perdíamos los partidos de fútbol, nos sentíamos muy tristes.

VOCABULARIO ÚTIL:

contento	triste	furioso	aburrido
emocionado	nervioso	preocupado	tranquilo
desesperado	asustado	cansado	asombrado

1. papá: comprar un caro nuevo
2. mamá: encontrar una serpiente en la casa
3. abuelitos: pasar la semana en el campo
4. yo: recibir una carta de amor
5. hermanos: no haber buenos programas en la televisión
6. mi mejor amigo y yo: hacer mucho ejercicio
7. tú: encontrar un perro feroz
8. papá: tener una cita con el dentista
9. Miguelín: unos gatos atacarlo
10. amigos: recibir una mala nota

D. ¡Qué diferente! ¿Cómo eran estas personas cuando tenían ocho años?

Manuel Manuela

EJEMPLO **Manuel y Manuela eran bajos y morenos. Los dos eran delgados. Les gustaba jugar tenis y jugaban todos los días.**

1. Jaime

2. Rafael

3. Adela

4. Paulina

5. Lorenzo

6. Melinda

7. ¿tú?

8. ¿tu amigo(a)?

Imperfect and preterite

Imperfect	Preterite
• Continuous, in progress • Habitual	• Completed • Focus: beginning or end

See **¿Por qué se dice así?,** *page G64, section 4.8.*

E. Un cuento. ¿Qué les pasó a estos cochinillos aventureros?

MODELO haber una vez / familia / cochinillos
Había una vez una familia de cochinillos.

1. todos vivir / contento / rancho
2. un día / 3 cochinillos / salir / casa
3. ver / lancha / cerca / río
4. 2 cochinillos / subir / lancha
5. de repente / lancha / empezar a separarse de la orilla
6. todos / cochinillos / gritar / gritar / pero nadie / oír
7. cochinillo que / estar / la orilla / correr a buscar / abuelo
8. abuelo / ser / sabio
9. abuelo y cochinillo / regresar / río
10. cuando / 2 cochinillos / ver / abuelo / saltar al agua / salvarse

F. Había una vez . . . Éste es el cuento de una chica que se llamaba Adriana. Con tu compañero(a), describe cada dibujo para completar el cuento.

 EJEMPLO ser / día
hacer / tiempo
Era un día de octubre y hacía muy buen tiempo. o
Era un día muy bonito y hacía sol.

1. Adriana / estar en casa
estar / aburrido

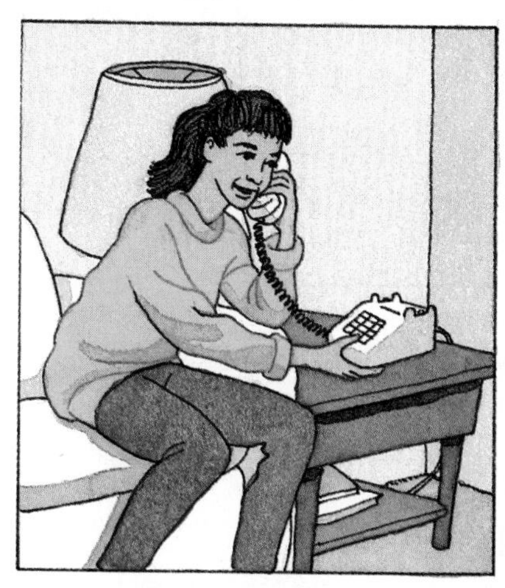

2. llamar / amiga Emi
decidir pasear / bicicleta

3. ir / parque
haber / mucha gente

4. en / parque / tomar helados
mirar / lago / lanchas

5. de repente / empezar a llover
decidir regresar / casa

6. en casa / jugar a las damas
divertirse / la tarde

CHARLEMOS UN POCO MÁS

A. En agosto viajaba por . . . ¿Cómo pasaban el verano cuando eran niños tus compañeros de clase? Usa la cuadrícula que tu profesor(a) te va a dar para entrevistarlos. Pregúntales si de costumbre hacían estas actividades en el verano. Pídeles a las personas que contesten afirmativamente que firmen el cuadrado apropiado. Recuerda que no se permite que una persona firme más de un cuadrado.

MODELO *Tú:* **¿Ibas al cine?**

B. La familia Elgorriaga. Los fines de semana siempre eran muy interesantes en la familia Elgorriaga. Tu profesor(a) te va a dar un dibujo de las actividades de la familia Elgorriaga pero no aparecen los nombres de todos los miembros de la familia. Dile a tu compañero(a) qué hacían las personas y los animales indicados en tu dibujo y pídele que te diga lo que hacían las personas en su dibujo. Escribe los nombres que faltan en tu dibujo en el blanco apropiado.

C. La vida de . . . Con un compañero(a), crea y escribe una descripción de una semana típica el año pasado en la vida de uno de tus personajes favoritos. Puedes escoger a un personaje histórico, una estrella de cine, un cantante, un deportista o una caricatura cómica, o puedes inventar a un personaje original. Si quieres, incluye dibujos del personaje.

CH. ¿Era muy diferente? ¿Cómo era la vida social de tu profesor(a) cuando era un(a) joven de quince o dieciséis años? ¿Era similar o muy diferente de tu vida ahora? Con tu compañero(a), prepara por escrito una lista de ocho a diez preguntas para hacerle a tu profesor(a).

Dramatizaciones

A. Todos los veranos íbamos a . . . Tú y tu compañero(a) están hablando del lugar favorito adonde iba toda la familia para pasar las vacaciones. Mencionen por qué iban allá y qué hacían para divertirse. Dramaticen esta conversación.

B. ¡Era ideal! Imagínate que antes de venir a este colegio tú vivías en un lugar ideal donde la escuela y la vida eran muy diferentes. Tú le estás explicando a tu compañero(a) cómo era tu vida antes de venir acá. Claro, tu compañero(a) quiere hacerte muchas preguntas. Dramaticen la conversación.

LEAMOS AHORA

Estrategias para leer:
Hacer un resumen

Sumarios. Generalmente cuando leemos lecturas informativas, tratamos de recordar lo que leímos. Los resúmenes nos ayudan a hacer esto.

La forma más fácil de hacer un sumario es empezar por tomar buenos apuntes al leer. Luego, hay que escribir una oración que resuma la lectura entera y una oración que resuma cada párrafo de la lectura.

Para hacer un resumen de la lectura ***Los enigmáticos diseños del Valle de Nasca***, el lector probablemente empezó por sacar estos apuntes muy generales:

Tema	Comienzo	Desarrollo	Conclusiones
diseños nascas	enormes diseños geométricos y de animales	descubiertos por Kroeber y Mejía en 1926 y estudiados por Reiche en los años 1940	creados por una gran civilización precolombina

Luego el lector escribió el siguiente sumario en una oración:

> Los diseños nascas, enormes dibujos geométricos y de animales, fueron descubiertos en 1926 por Alfred Kroeber y Toribio Mejía y estudiados en 1940 por María Reiche. Fueron creados por una de las más grandes civilizaciones precolombinas.

Ahora para preparar un sumario, empieza por leer el artículo una vez sin parar para tener una idea general del contenido. Luego, prepara un cuadro de cuatro columnas como el anterior. Completa el cuadro al leer cada párrafo detenidamente, haciéndote estas preguntas cada vez: (1) ¿De qué se trata el párrafo? (2) ¿Cómo comienza? (3) ¿Cómo se desarrolla? (4) ¿Cómo termina?

Usa la información en tu cuadro para escribir un sumario de una oración para cada uno de los seis párrafos de la lectura. Luego, compara tus sumarios con los de dos o tres compañeros. Revísalos si encuentras que no incluiste alguna información importante o si incluiste información insignificante.

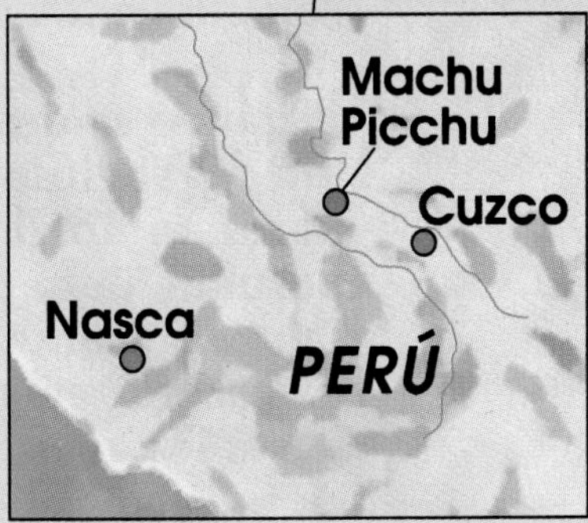

LOS ENIGMÁTICOS DISEÑOS DEL VALLE DE NASCA

La figura de este mono es de dimensiones tan grandes como las de un terreno de fútbol.

Sabemos que el pueblo nasca, como las grandes civilizaciones precolombinas de regiones situadas más al norte: los mochicas, los maya y los aztecas, fue caracterizado por la construcción de templos, pirámides y complejos acueductos subterráneos. Sabemos también que sus habitantes crearon cerámicas que son obras de exquisita belleza y a la vez fueron feroces guerreros que les cortaban la cabeza a sus enemigos y las exhibían como trofeos.

Pero no es por eso que recordamos la cultura nasca. No. Es por los fabulosos diseños trazados en las rocas y arenas del desierto . . . enormes triángulos, trapecios y espirales que cubren incontables hectáreas de una tierra tan árida como la de un paisaje lunar . . . animales estilizados de tamaños tan inmensos que sólo pueden ser contemplados desde un avión.

¿Cuándo se descubrieron las líneas de Nasca? Sabemos que en 1926, dos prestigiosos arqueólogos—el norteamericano Alfred Kroeber y el peruano Toribio Mejía—observaron algunas líneas en el desierto peruano pero pensaron que eran intentos prehistóricos de irrigación. Luego, durante la década de los años treinta, unos pilotos comenzaron a observar en sus vuelos que las líneas formaban figuras. Pero no fue hasta los años cuarenta que el mundo comenzó a tomar conciencia de estos dibujos, gracias en parte a los esfuerzos de María Reiche, una maestra escolar de matemáticas, de origen alemán. Tanto se interesó María Reiche en estas figuras que dedicó el resto de su vida a estudiarlas.

¿Dónde vivieron los nascas? ¿En el desierto? El descubrimiento en la región sudeste de Perú de una ciudad perdida de 2,000 años de antigüedad está arrojando una nueva luz sobre los famosos dibujos del desierto peruano. "Indudablemente ésta fue una gran civilización . . . En muchos aspectos, los nascas fueron verdaderos genios", dice la arqueóloga Helaine I. Silverman (de la Universidad de Illinois, en Estados Unidos), quien descubrió los restos de lo que ella considera "el mayor núcleo de población de la cultura nasca".

Ahora sabemos que el trazado de los diseños nascas no dependió de un alto nivel de habilidades tecnológicas. Niños de las escuelas peruanas han duplicado algunas de las mayores figuras geométricas, utilizando estacas, cuerdas y montañas de rocas. Una explicación para las elaboradas figuras de animales es que ellas fueron ampliadas a base de los diseños familiares encontrados en los tejidos, utilizando para ello el mismo sistema de rejillas.

La arqueóloga Silverman no tiene duda de que "las figuras fueron elaboradas para rendir culto a los dioses . . . básicamente pienso que todo el mundo nasca se entregaba con dedicación al trazado de estas líneas y figuras que hoy tanto admiramos".

Esta ave mide más de 200 metros de largo. ¿Sabes cuántos pies hay en 200 metros?

¿Son las figuras nascas diseños de tejidos familiares ampliados?

Los nascas crearon cerámicas de exquisita belleza.

Verifiquemos

Estudia el esquema que sigue sobre el pueblo nasca. Luego prepara un esquema similar sobre cada uno de los siguientes temas.

I. El pueblo nasca
II. Las líneas nascas
III. Descubrimiento de las líneas de Nasca
IV. El trazado de los diseños nascas

I. El pueblo nasca
  A. Vivieron hace 2000 años
  B. Fue una gran civilización
    1. Templos
    2. Pirámides
    3. Acueductos subterráneos
  C. Practicaron diferentes profesiones
    1. Artistas
      a. Cerámica de exquisita belleza
      b. Dibujos de nasca
    2. Guerreros
      a. Feroces
      b. Les cortaban la cabeza a enemigos
      c. Exhibian cabezas como trofeos

ESCRIBAMOS AHORA

Estrategias para escribir:
Decidir en un punto de vista

A. Empezar. Un buen escritor siempre piensa cuidadosamente antes de decidir en el punto de vista que va a representar. Por ejemplo, en un artículo sobre un partido de fútbol, ¿crees que el equipo que ganó va a describir el partido de una manera diferente de la del equipo que perdió? ¡Claro que sí! Cada equipo va a describirlo de su propio punto de vista.

Ahora repasa todos los cuentos y leyendas que has escuchado y leído en **¡DIME! DOS**. Piensa en los personajes indicados aquí y escribe una oración sobre lo que tú crees que cada personaje opina de lo ocurrido en el cuento. Los comentarios de ***La familia Real*** ya están escritos.

Cuento/Leyenda	Personaje 1	Personaje 2
1.2 Bailó con un bulto	**El joven soldado**	**Crucita Delgado**
1.3 La nuera	**El abuelo**	**El nieto**
2.1 La familia Real	**Papá Real:** Somos una familia muy simpática y amistosa. Nos encanta charlar pero la gente del pueblo no es muy amistosa.	**Gente del pueblo:** Son muy raros, aburridos y chismosos. Tuvimos que dejar de invitarlos porque hablan constantemente y no dicen nada.
2.2 El pájaro de los siete colores	**El hijo mayor**	**El hijo menor**
2.3 El león y las pulgas	**El león**	**El líder de las pulgas**
3.1 Tío Tigre y Tío Conejo	**Tío Tigre**	**Tío Conejo**
3.2 Los tres consejos	**Esposo**	**Esposa**
3.3 La casa embrujada	**La costurera**	**El perro**
4.1 El Sombrerón	**El Sombrerón**	**Madre de Celina**
4.2 El gallo de la cresta de oro	**El gallo**	**El ladrón**
4.3 La camisa de Margarita Pareja	**Margarita Pareja**	**El padre de Margarita**

B. Planear. Ahora tú vas a escribir uno de los cuentos mencionados en la actividad **A** desde el punto de vista de uno de los personajes. Al empezar a planear tu cuento, selecciona uno de los cuentos y el personaje que tú vas a representar. Luego en dos columnas, prepara una lista de todos los eventos principales en tu cuento y cómo ve esos eventos tu personaje.

Cuento: ______________________________

Personaje: ______________________________

Eventos:	**Punto de vista de mi personaje:**

C. Primer borrador. Ahora, usa la información de las listas que preparaste en la actividad **B** para escribir el primer borrador de tu cuento. No olvides que estás relatando el cuento desde el punto de vista de un personaje particular.

CH. Compartir. Comparte el primer borrador de tu cuento con dos compañeros de clase. Pídeles sugerencias. Pregúntales si es lógico tu cuento, si hay algo que no entienden, si hay algo que puedes o debes eliminar. Dales la misma información sobre sus cuentos cuando ellos te pidan sugerencias.

D. Revisar. Haz cambios en tu cuento a base de las sugerencias de tus compañeros. Luego, antes de entregar el cuento, compártelo una vez más con dos compañeros de clase. Esta vez pídeles que revisen la estructura y la puntuación. En particular, pídeles que revisen el uso de los verbos en el pretérito y el imperfecto.

E. Versión final. Escribe la versión final de tu cuento incorporando las correcciones que tus compañeros de clase te indicaron. Entrega una copia en limpio a tu profesor(a).

F. Publicar. Junten todos los cuentos en un solo volumen titulado, **¡DIME! DOS: Otro punto de vista.** Guarden su primer ''libro'' en la sala de clase para leer cuando tengan un poco de tiempo libre.

UNIDAD 5

Recomiendo que . . .

CONTENIDO DE GRASA Y CALORÍAS EN LAS COMIDAS

ALIMENTO	PORCIÓN	GRASA (Gm.)	CALORÍAS
FRUTAS Y VEGETALES			
Maíz	1 mazorca	1.0	100
Manzana	1 mediana	00.5	80
Uvas	10	00.07	15
CEREALES, GRANOS Y PASTA			
Arroz blanco, cocido	1/2 taza	0.13	100
Avena	3/4 taza	1.8	110
Granola	1/3 taza	0.0	88
Pasta, cocida	1/2 taza	0.0	80
CARNES, PESCADO, HUEVOS Y AVES			
Chuletas de cerdo	3 oz.	15.8	233
Huevo	1 grande	5.6	80
Langosta	3 oz.	0.46	83
Pollo, carne oscura	3 oz.	8.3	76
PANES Y GALLETAS			
Pan	1 pedazo	1.0	75
Galletas de trigo	4	1.4	36
LECHE Y PRODUCTOS DE LA LECHE			
Leche	1 taza	8.1	150
Queso parmesano	1 cda.	1.5	33

LECCIÓN 1

¡ Hagan más ejercicio !

ANTICIPEMOS

Valle Arriba Centro Atlético

- Las más modernas instalaciones: circuito de máquinas Body Master, sala de pesas libres, centro cardiovascular, canchas múltiples, gimnasia olímpica, sauna vapor
- Supervisión profesional
- Asesoramiento médico especializado
- Restaurante
- Tienda de deportes
- Peluquería unisex

Visítenos en la Av. Principal Colinas de Valle Arriba (frente al segundo retorno), Urb. Colinas de Valle Arriba

telfs. 238.35.46/238.38.66/238.50.28

El ejercicio aeróbico

Primer paso para una vida mejor

El ejercicio aeróbico desarrollado hace relativamente pocos años por un especialista norteamericano, el doctor Kenneth Cooper, no sólo ha demostrado ser un elemento clave para mejorar nuestra condición física, sino una valiosa herramienta para adquirir una mejor calidad de vida

¿Qué piensas tú?

1. ¿Para qué son estos anuncios?
2. ¿Qué resultados prometen los anuncios?
3. ¿Qué hacen los jóvenes en la foto del parque? ¿Cómo crees que se sienten los padres o los profesores de estos jóvenes sabiendo que están allí, en el parque?
4. Si un(a) amigo(a) se pasa todo el día frente al televisor comiendo y viendo la tele, ¿qué consejos podrías darle?
5. ¿Qué recomendaciones puedes darle a una persona para que tenga buena salud?
6. Por todo el mundo, nosotros, los estadounidenses, tenemos la reputación de estar obsesionados por la buena salud y un buen estado físico. En tu opinión, ¿tienen las mismas actitudes hacia esto en otros países? ¿Por qué crees eso?
7. ¿Qué vocabulario se necesita para hacer sugerencias o recomendaciones?
8. ¿Qué crees que vas a aprender a decir en esta lección?

PARA EMPEZAR

Escuchemos un cuento guatemalteco

En este cuento guatemalteco, vamos a ver cómo un ladrón se convirtió en sub-alcalde protector de su pueblo.

En un pueblecito guatemalteco vivía una viuda honrada. Era madre de cuatro hijos, varones todos y de temperamento muy diferente. Uno era sastre, otro zapatero, otro carpintero y el menor . . . era ladrón. Era inteligente el más joven, pero nada le interesaba y prefería la vida fácil del robo. La viuda sufría mucho por este hijo. Siempre le decía, "Hijo, es necesario que trabajes como tus hermanos. No es bueno que seas ladrón".

Un día el alcalde del pueblo publicó este anuncio:

La Honorable Alcaldía Municipal busca un hombre muy inteligente que pueda proteger al pueblo de ladrones y asesinos. La persona que desee ocupar este puesto debe pasar tres pruebas pertinentes.

Cuando vio el anuncio, el hijo ladrón le preguntó a su madre, "¿No es lógico que un ladrón como yo sea el mejor candidato?" Su madre contestó, "Es posible que tengas razón, mi hijo". Inmediatamente el hijo ladrón reaccionó diciendo, "Pues, mamá, ve y pregunta cuáles son las tres pruebas". Y así lo hizo la buena mujer.

Para probar si el sistema de seguridad del pueblo era adecuado, el futuro sub-alcalde tenía que intentar robar cuatro mulas cargadas de plata y protegidas por un capitán y cuatro soldados.

El hijo ladrón se fue a hablar inmediatamente con su hermano, el zapatero. "Es preciso que tú me hagas un par de botas de primera categoría. Es importante que sean excelentes". Y así lo hizo su hermano.

Cuando los soldados salieron con las mulas cargadas de plata, el ladrón los esperaba oculto. Puso una de las hermosas botas en medio del camino. Los soldados la encontraron y dijeron, "¡Es curioso que sólo una bota esté aquí! ¡Qué lástima, porque es una maravilla!" Y la dejaron en el camino.

Al poco rato, se encontraron con la segunda bota y el capitán dijo, "¡Dios mío! ¡La otra bota! El que llegue primero a la primera bota se hace dueño de las dos". Y todos se fueron corriendo a buscar la primera bota.

Y en ese momento el hijo ladrón aprovechó para robarse las mulas y la plata.

El alcalde se enfureció tanto que puso, como segunda prueba, una segunda carga de mulas protegidas esta vez por diez soldados fuertes y valientes.

El ladrón fue de prisa a ver a su hermano, el sastre. "Es preciso que tú me hagas una sotana de fraile".
Y así lo hizo su hermano.

Los soldados encontraron al falso fraile en el camino diciendo a grandes gritos, "El fin del mundo está muy cerca. Arrepiéntanse".

Los soldados oyeron esto y aterrorizados, le pidieron la bendición al falso fraile. Éste les dio una botella de agua bendita para beber inmediatamente. Los soldados pidieron otra, porque les gustó, y luego una botella más para cada uno.

No sabían que en realidad el "agua bendita" era un té para dormir y pronto todos se quedaron profundamente dormidos.

Otra vez el hijo ladrón robó fácilmente la valiosa carga.

Esta vez el alcalde se puso furioso, pero empezó a admirar la inteligencia del ladrón. Como tercera prueba, dijo que el ladrón tenía que entrar en su propia casa y robar las sábanas de la cama en que dormía.

Esta vez el ladrón fue a ver a su hermano, el carpintero. "Hermano mío, es necesario que tú me hagas un muñeco grande como un hombre".

Y así lo hizo el carpintero.

Esa noche, cuando todos en casa del alcalde estaban dormidos, el ladrón subió al segundo piso, al dormitorio del alcalde mismo, y puso el muñeco contra la ventana para dar la impresión de ser un hombre a punto de entrar en el dormitorio. Entonces se ocultó a un lado del balcón e hizo un ruido muy fuerte. El alcalde se despertó y cuando vio al "hombre" en la ventana, pensó que alguien lo quería matar. Salió de la casa gritando y pidiendo ayuda.

El ladrón entró en el dormitorio por la ventana, quitó las sábanas de la cama, las dobló cuidadosamente y se las llevó.

El alcalde se dio cuenta de los talentos del joven y lo invitó a ser sub-alcalde protector del pueblo. El nuevo protector tuvo mucho éxito en su puesto durante muchos años.

¿QUÉ DECIMOS...?

Al dar consejos y expresar opiniones

1 ¡Despiértate!

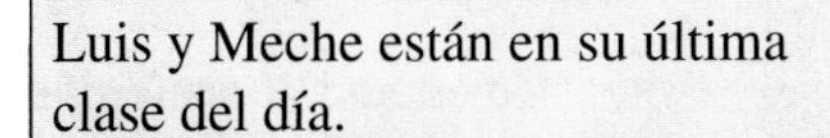

Luis y Meche están en su última clase del día.

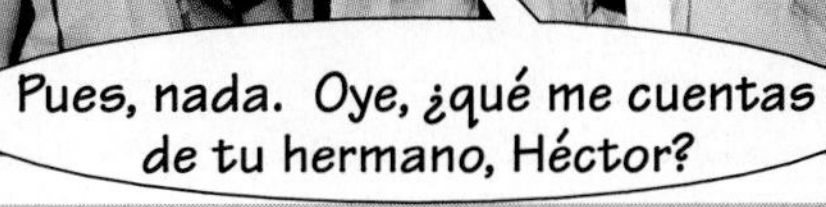

2 ¡No seas así!

Meche y Diana están en camino a casa.

3 ¡Es necesario que hagas ejercicio!

Meche está dormida en su cuarto.

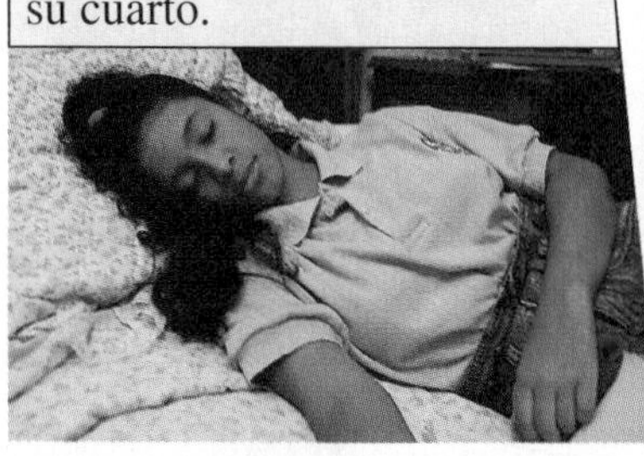

4 ¡No comas eso!

Luis está con su mamá en la cocina.

CHARLEMOS UN POCO

A. **PARA EMPEZAR . . .** Pon las oraciones en orden cronológico según el cuento de ''El hijo ladrón''.

1. El hijo ladrón le preguntó a su madre, ''¿No es lógico que un ladrón como yo sea el mejor candidato?''
2. Como prueba, dijo que el ladrón tenía que entrar en su propia casa y robarse las sábanas de la cama en que dormía.
3. El futuro sub-alcalde tenía que intentar robar cuatro mulas cargadas de plata y protegidas por un capitán y cuatro soldados.
4. En un pueblecito guatemalteco vivía una viuda con sus cuatro hijos.
5. El alcalde del pueblo anunció que buscaba un sub-alcalde.
6. El hijo ladrón robó fácilmente la carga valiosa.
7. En realidad el ''agua bendita'' era un té para dormir y pronto todos se quedaron dormidos.
8. Los soldados encontraron una sola bota en el medio del camino.
9. ''Mamá'', dijo el hijo, ''ve y pregunta cuáles son las tres pruebas''.
10. El alcalde invitó al ladrón a ser sub-alcalde del pueblo.
11. Como segunda prueba tenía que robar una segunda carga de mulas protegidas esta vez por diez soldados.
12. Uno era sastre, otro zapatero, otro carpintero y el menor . . . era ladrón.
13. ''El que llegue primero a la primera bota se hace dueño de las dos''.

B. **¿QUÉ DECIMOS . . .?** ¿Quién recibe estos consejos? ¿Meche o Luis?

Meche

Luis

1. No es bueno que veas tanta televisión.
2. Es necesario que hagas más ejercicio.
3. No te comas ese chocolate ahora.
4. Es mejor que salgas de casa por la tarde.
5. Es importante comer comida nutritiva.
6. No es bueno que comas tantos dulces.
7. ¿Por qué no te haces socio del Club Atlético?
8. ¿Por qué no me acompañas a la clase de ejercicios aeróbicos?

C. El futuro. ¿Cómo reaccionas a estos pronósticos sobre tu futuro?

MODELO Vas a trabajar en otro país.
¡Chévere! Ojalá que trabaje en otro país. o
¡Ay, no! Ojalá que no trabaje en otro país.

1. Vas a recibir honores en la universidad.
2. Vas a practicar muchos deportes.
3. Vas a salir con personas importantes.
4. Vas a vivir en una mansión.
5. Vas a tener que trabajar mucho.
6. Vas a participar en los Juegos Olímpicos.
7. Vas a casarte pronto.
8. Vas a inventar algo nuevo.
9. Vas a descubrir una nueva medicina.
10. Vas a comer en restaurantes elegantes todos los días.

CH. Esperanzas. ¿Qué esperanzas tienen Yolanda y Rafael para el Año Nuevo?

MODELO nosotros / ganar / todo / partidos
Ojalá que nosotros ganemos todos los partidos.

1. tú / tener / bueno / suerte
2. entrenador / escogerme para / equipo / béisbol
3. yo / aprender a tocar / guitarra
4. profesores / no exigir / mucho / tarea
5. tú y yo / asistir a / mucho / conciertos
6. nuestro / familias / hacer / viaje / interesante
7. Trini / prestarme / más atención
8. todo / estudiantes / sacar / bueno / notas

D. ¿Bueno o malo? Estás en una nueva escuela. ¿Qué esperas?

MODELO clases no ser difíciles
Ojalá que las clases no sean difíciles.

1. profesores dar buenas notas
2. haber un club de español
3. estudiantes ir al patio a comer
4. padres no ir a hablar con el director
5. clases no ser difíciles
6. mejor amigo(a) y yo estar en la misma clase
7. profesores saber hablar español
8. haber bailes todos los fines de semana
9. nadie verme llegar tarde
10. saber todo lo que me pregunte la profesora
11. director ser muy simpático
12. estar muy contento(a) en esta escuela

Present subjunctive: Regular verb endings

-ar	-er, -ir
-e	-a
-es	-as
-e	-a
-emos	-amos
-en	-an

Ojalá que mamá lo **compre**.
Ojalá que me **escriba** hoy.
Ojalá que **tengan** el dinero.

See **¿Por qué se dice así?**, *page G66, section 5.1.*

Present subjunctive: Verbs with irregular stems

dar	estar	ir
dé	esté	vaya
des	estés	vayas
dé	esté	vaya
demos	estemos	vayamos
den	estén	vayan

saber	ser	ver
sepa	sea	vea
sepas	seas	veas
sepa	sea	vea
sepamos	seamos	veamos
sepan	sean	vean

haber: haya

Ojalá que no **sepa** mi número.
Ojalá **estemos** todos aquí.
Ojalá que **haya** más boletos.

See **¿Por qué se dice así?**, *page G68, section 5.2.*

Impersonal expressions

Certainty:

Es cierto — Es seguro
Es claro

Es cierto que hace mucho frío.
Es claro que vamos a ganar.

Other impersonal expressions:

Es bueno	Es necesario
Es curioso	Es posible
Es dudoso	Es preciso
Es fantástico	Es probable
Es importante	Es terrible
Es mejor	Es triste

Es bueno que hagas tanto ejercicio.
Es terrible que vean tanta televisión.

See **¿Por qué se dice así?,** *page G69, section 5.3.*

E. Recomendaciones. Tu amigo(a) no tiene mucha energía. ¿Qué le recomiendas?

EJEMPLO **Es malo que tomes mucho helado.**

1. **2.** **3.** **4.**

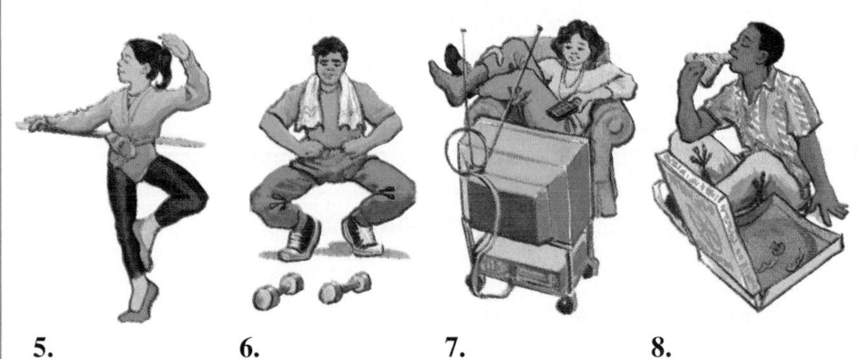

5. **6.** **7.** **8.**

F. Invitados. Tus padres están limpiando la casa porque hoy vienen unos invitados a cenar. ¿Qué sugieres hacer tú para ayudarles y qué te contestan?

MODELO limpiar el cuarto de baño
Tú: **¿Limpio el cuarto de baño?**
Mamá (Papá): **Claro. Es necesario que limpies el cuarto de baño.**

1. pasar la aspiradora
2. hacer las camas
3. cortar el césped
4. barrer el patio
5. lavar las ventanas
6. poner la mesa
7. pasar un trapo a los muebles de la sala
8. preparar los entremeses
9. sacar la basura

G. ¡Qué talento! Tu clase de español va a hacer un programa cultural. ¿Cómo van a participar todos?

MODELO tocar la guitarra
Es probable que [. . . y . . .] toquen la guitarra. o
Es probable que [. . .] y yo toquemos la guitarra.

1. bailar
2. escribir el programa
3. tocar el piano
4. recibir al público
5. hacer los anuncios
6. organizar el programa
7. comprar los refrescos
8. traer las sillas
9. estar en el programa
10. ir por la comida

H. Problemas. Toda tu familia dice que tú das muy buenos consejos. ¿Qué consejos das cuando tus parientes te dicen sus problemas?

MODELO no dormir bien
ser / importante hacer ejercicio
Pariente: **No duermo bien.**
Tú: **Es importante que hagas ejercicio.**

1. necesitar perder peso
   ser / recomendable ponerse a dieta
2. no tener energía
   ser / mejor nadar todos los días
3. siempre tener sueño
   ser / importante descansar bastante
4. no poder meter goles
   ser / recomendable practicar más
5. no conocer a nadie
   ser / importante hacerse socio de un club
6. no saber bailar
   ser / recomendable ir a una clase de baile
7. estar aburrido(a)
   ser / preciso salir más

I. El mundo. ¿Qué opinas tú de estas situaciones mundiales?

EJEMPLO Hay mucha contaminación en el mundo.
Es lástima que haya mucha contaminación en el mundo.

1. Pocas personas en Estados Unidos hablan otra lengua.
2. Muchas personas europeas hablan dos o tres lenguas.
3. Algunos países no practican la democracia.
4. Muchas personas no saben nada de la política.
5. Las familias latinoamericanas son muy unidas.
6. Muchas personas no prestan atención al medio ambiente.
7. Cada año hay menos árboles en la selva.
8. Hay poco crimen en algunas ciudades mundiales.

CHARLEMOS UN POCO MÁS

A. Galletitas de fortuna. Tú trabajas en una panadería china donde tu responsabilidad es escribir fortunas para poner en las galletitas de fortuna. Es importante siempre escribir fortunas positivas y negativas. Escribe unas quince fortunas. Luego léeselas a un(a) compañero(a) para ver si reacciona positiva o negativamente.

EJEMPLO *Tú escribes y lees:* **Hoy vas a conocer a un millonario.**
Tu compañero(a): **Ojalá que conozca a un millonario hoy.**

B. ¡Necesito sus consejos! ¿Tienes algún problema ahora? Pues, ésta es tu oportunidad para recibir consejos de tus compañeros de clase. Escribe una breve descripción de tu problema en media hoja de papel pero no firmes tu nombre — todos los problemas deben ser anónimos. Tu profesor(a) va a recoger todos los problemas y va a leerlos uno por uno. Entonces, toda la clase va a dar consejos.

EJEMPLO *Problema:* **Mis padres no me permiten salir de noche durante la semana.**
Clase: **Es mejor que pidas permiso para salir una o dos veces al mes, nada más.** o **Es posible que tus padres tengan razón. Debes quedarte en casa a estudiar.**

C. ¡Un desfile! La semana que viene la banda de la escuela va a marchar en un desfile por las calles principales de tu ciudad. Tú y tu amigo(a) son los directores estudiantiles de la banda. Ahora están preparando una lista de consejos que van a tener que darles a los miembros de la banda. Preparen su lista y léansela a la clase.

EJEMPLO **Es importante que todos los músicos practiquen mucho.**

Dramatizaciones

A. ¡Ojalá ganemos! Tú y tu amigo(a) son candidatos en las elecciones de su escuela. Ahora están haciéndose recomendaciones sobre lo que deben hacer si van a ganar. Dramaticen su discusión.

B. Una excursión a . . . Tú y dos amigos son el(la) presidente, el(la) vice-presidente y el(la) secretario(a) del club de español. Ahora están planeando una excursión para todos los miembros. Decidan adónde van, qué van a hacer y todo lo que es necesario hacer antes de salir en su viaje. Dramaticen su conversación.

IMPACTO CULTURAL

Excursiones

Antes de empezar

A. Probablemente . . . Antes de leer la lectura, indica cuáles de las siguientes posibilidades es la más probable, en tu opinión.

1. Los musulmanes conquistaron y controlaron gran parte de la Península Ibérica por casi 800 años, desde 711 hasta 1492.
- **a.** Obviamente, hay mucha influencia árabe en la cultura española.
- **b.** Hay muy poca influencia árabe en España por falta de tolerancia religiosa de parte de los musulmanes tanto como los cristianos.

2. Durante los 800 años de la época musulmana, tres diferentes grupos étnicos y religiosos tuvieron que convivir, o vivir juntos.
- **a.** Fue una época muy difícil durante la cual hubo muy poco progreso en España porque los tres grupos constantemente estaban guerreando.
- **b.** Gracias a la tolerancia de los árabes, los tres grupos pudieron trabajar juntos y lograron hacer grandes avances en educación, ciencias y literatura.

3. Fuera de España, los árabes no tuvieron buenas relaciones con los países europeos.
- **a.** Por eso, los musulmanes nunca compartieron sus conocimientos científicos y técnicos con los países del occidente.
- **b.** Sabían mucho de las ciencias y el comercio y compartían sus conocimientos con los muchos visitantes de otros países europeos a España.

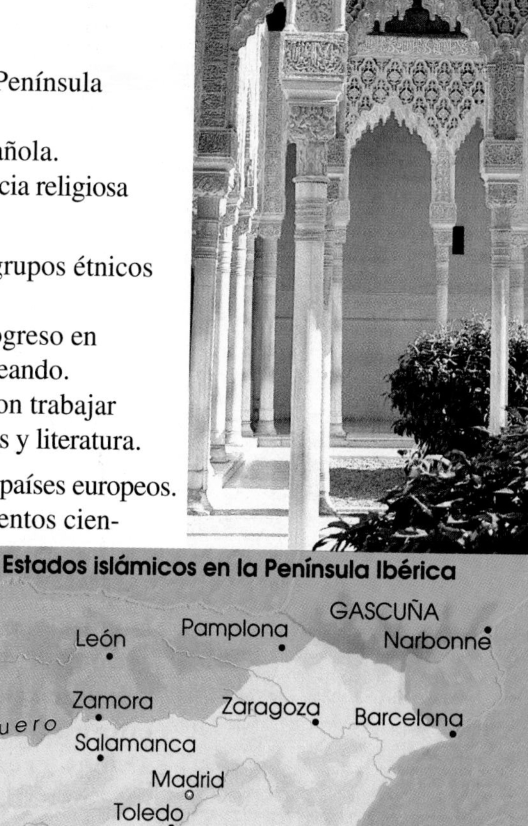

4. En la arquitectura árabe de esa época son notables los motivos florales, geométricos o caligráficos, el arco de herradura y las paredes cubiertas de azulejos.
- **a.** Pero cuando los reyes católicos, Fernando e Isabel, reconquistaron España en 1492, destruyeron todos los edificios árabes, en particular los palacios y templos musulmanes.
- **b.** Por eso en la España de hoy podemos ver grandes mezquitas y hermosos palacios musulmanes.

B. ¡Por siglos y siglos! Los árabes invadieron y controlaron la mayor parte de España por casi 800 años. Trata de imaginar cómo cambiaría EE.UU. si un país hispano, digamos México, invadiera y controlara nuestro país por 800 años.

1. ¿Por qué no podría México invadir EE.UU. hace 800 años? ¿Cuántos años tiene EE.UU.?
2. ¿Cómo era México hace 800 años? ¿Cómo era Estados Unidos?
3. ¿Sería diferente EE.UU. después de 800 años de dominación mexicana? ¿Cómo? Sé específico(a); menciona la religión, la educación, las comidas, la arquitectura, las artes, etc.

España, tierra de moros*

Grupos musulmanes* de Asia y África invadieron y conquistaron la Península Ibérica en el año 711 d. de J.C. trayendo con ellos su gran cultura, sin duda una de las más extraordinarias en la historia del mundo. En un largo período que duró ocho siglos, es decir, hasta 1492, los árabes dejaron en la Península una riquísima herencia de conocimientos* científicos, filosóficos y artísticos. Durante este período se fundaron las primeras universidades de la Península y de Europa, y varias ciudades españolas, como Granada, 1 Sevilla, 2 y Toledo, 3 se convirtieron en las ciudades más avanzadas del continente europeo.

Gracias a la tolerancia religiosa de los árabes, esta etapa* de dominio árabe en España se caracterizó por la convivencia* entre principalmente tres diferentes grupos étnicos y religiosos: los judíos,* los musulmanes y los cristianos. En muchos casos hubo fusión de culturas, como la de los españoles cristianos y los árabes, creando un nuevo grupo: los hispanoárabes.

Los sabios* hispanoárabes imitaron a sus maestros árabes y crearon bibliotecas y escuelas como la famosa escuela de traductores de la ciudad de Toledo. En ésta se reunían musulmanes, judíos y cristianos para traducir al latín y al hebreo los conocimientos de matemáticas, astronomía, medicina, física y química aprendidos de la cultura árabe. Hacia 1218, el rey cristiano Alfonso IX de León fundó la Universidad de Salamanca, 4 la primera de España.

Esta etapa de la historia española significó una apertura* hacia el resto del mundo debido en parte al florecimiento agrícola e industrial y de actividad comercial. Por medio de estas relaciones comerciales, empezaron a propagarse* rápidamente numerosos adelantos* científicos y técnicos que llegaban a la Península del Oriente musulmán.

* musulmanes
1
árabes que creen en Islam
entendimientos
período
vivir juntos
israelitas
eruditos/personas que saben mucho
entrada y salida
reproducirse
progresos

2

3

4

En las letras, la cultura árabe fue una de las más literarias de todos los tiempos. Cultivaron la poesía y el canto,* los cuales eran muy importantes para la educación. En la poesía hispanoárabe se incorporaron elementos de la poesía árabe como los temas de guerra y amor. En poemas bilingües llamados *muwashshahas,* intercalan versos árabes y *jarchas*.* En prosa, los escritores hispanoárabes tuvieron mucho interés por los cuentos y fábulas orientales. Aun en la lengua española, el árabe ha tenido una gran influencia, empezando con la expresión "ojalá" (*Washah Allah* = quiera Dios) y continuando a un sinnúmero de palabras de agricultura, ciencias y arquitectura: *alfalfa, algodón, acequia, albaricoque, almendra, alcohol, alquimia, álgebra, alhaja, alcázar, alfombra, almohada . . .*

En la arquitectura, los hispanoárabes también se inspiraron en ejemplos orientales. En los edificios construidos en esta época se pueden notar los motivos florales, geométricos o caligráficos. (5) También el arco de herradura* y las paredes cubiertas de azulejos.* Los ejemplos más hermosos de arquitectura son la mezquita* de Córdoba (6) y el palacio de Medina az-Zahra de los siglos VII y IX. De los siglos XI y XII están la mezquita de Sevilla con su famosa Giralda y, en la misma ciudad, la llamada Torre de Oro (7) junto al río Guadalquivir. De los siglos XIII–XIV se conserva en Granada el famoso palacio de la Alhambra (8) y el Generalife.

*canto: el arte de cantar
*jarchas: canciones cortas en español
*arco de herradura: horseshoe
*azulejos: ladrillo de colores
*mezquita: edificio religioso

5

6

7

8

Verifiquemos

1. Vuelve a la actividad **A** de **Antes de empezar** y decide si tus respuestas originales fueron correctas o no.
2. Dibuja una puerta en la forma de arco de herradura. ¿Por qué crees que los árabes construyeron estos tipos de puertas? ¿Crees que fue por motivos de seguridad o artísticos?
3. Haz un esquema araña, como el de la página 201 de **Unidad 4**, indicando las contribuciones de los árabes en *(a)* educación *(b)* arquitectura *(c)* literatura y *(ch)* lengua.
4. ¿Qué aspecto de la civilización árabe te interesa más? ¿Por qué?
5. Compara la convivencia de los distintos grupos étnicos de la España musulmana con la convivencia multicultural de Estados Unidos de hoy.

LECCIÓN 2

¡Recomiendo que comas aquí!

VERDELECHO Restaurante Naturista

ENTRADAS FRÍAS — CALORÍAS

TERRINA DE COLIFLOR Y BRÓCOLIS SOBRE ENSALADA DE VEGETALES CHINOS — Bs. 350 — 340

PLATO DE FRUTAS TROPICALES CON QUESO RICOTTA — Bs. 225 — 239

ENSALADA DE ATÚN "VERDELECHO" — Bs. 350 — 264

ENTRADAS CALIENTES

QUICHE PROVENÇALE SOBRE PURÉ DE TOMATES — Bs. 225 — 349

OMELETTE DE ESPÁRRAGOS U HONGOS — Bs. 250 — 289/279

CREPE DE ESPINACAS, BERROS E HIERBAS — Bs. 170 — 402

SOPAS

GAZPACHO ANDALUZ — Bs. 190 — 98

SOPA DE LENTEJAS CON PLÁTANOS — Bs. 170 — 163

CALDO DE POLLO CON LEGUMBRES — Bs. 170 — 165

PLATOS PRINCIPALES — CALORÍAS

PIMIENTOS RELLENOS CON LEGUMBRES Y ARROZ SALVAJE — Bs. 325 — 215

PECHUGA DE PAVO CON SALSA DE NUECES — Bs. 425 — 947

PECHUGA DE POLLO CON COULIS DE TOMATES — Bs. 375 — 448

GULASH DE LEGUMBRES CON SPAETZLI — Bs. 300 — 945

FILETE DE ATÚN CON SALSA "NAIGUATA" — Bs. 450 — 320

LOS PLATOS ANTERIORES SON SERVIDOS CON VEGETALES FRESCOS, ARROZ O PAPAS — 56 / 103 Cada Ración

POSTRES

TORTA DE PIÑA — Bs. 165 — 143

TORTA DE FRUTAS — Bs. 165 — 283

COCTEL DE FRUTAS CON QUESO RICOTTA — Bs. 130 — 115

GELATINA DE FRESAS — Bs. 125 — 24

Restaurante Naturista VERDELECHO

ANTICIPEMOS

¿Qué piensas tú?

1. ¿Cuáles comidas reconoces en este menú? ¿Puedes adivinar qué son algunas de las otras comidas?

2. Tu mejor amigo está a régimen porque quiere perder peso. ¿Qué comidas del menú le recomendarías? Otro amigo sólo quiere comer comida saludable. ¿Qué comidas le recomendarías a él? ¿Por qué?

3. Si un amigo venezolano viene a visitarte, ¿cuáles son algunas cosas de la "cultura norteamericana" que vas a tener que explicarle? ¿Qué le puedes recomendar que vea y haga en tu ciudad? ¿Qué restaurante le puedes recomendar? ¿Cuáles selecciones del menú le recomendarías? ¿Por qué?

4. ¿A quién le pides consejos cuando los necesitas? ¿A quién le das consejos, aun cuando no te los piden?

5. ¿De qué país crees que son estos tres edificios? ¿Por qué crees eso? ¿Para qué crees que se usaron los edificios originalmente? ¿Por qué crees eso? ¿Por qué crees que hay diferencias tan grandes en la arquitectura de estos edificios? ¿Qué puede haber causado estas diferencias?

6. ¿Qué sabes tú de la invasión de España por los árabes? ¿Cuándo ocurrió? ¿Cuánto tiempo estuvieron los árabes en España? ¿Qué más puedes decir de esta época?

7. Piensa en cómo contestaste estas preguntas y di qué crees que vas a aprender en esta lección.

PARA EMPEZAR

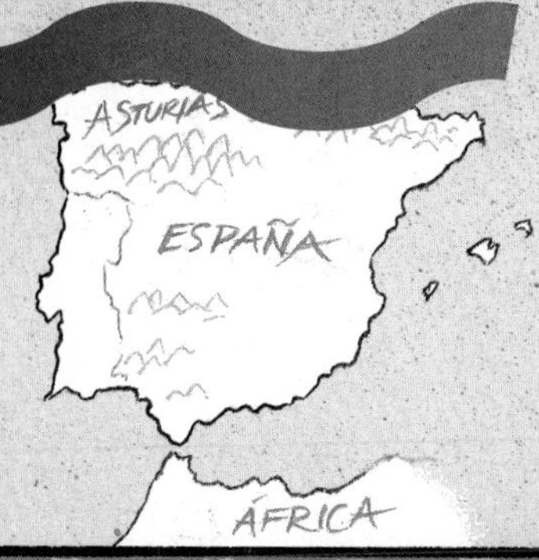

Escuchemos una leyenda española

Entre las leyendas españolas hay muchas que tratan del largo conflicto entre los moros, del norte de África, y los habitantes de la Península Ibérica, que hoy se llama España. Este cuento del siglo VIII, es del príncipe moro, Abd al-Aziz. Relata como se salvó de los soldados de don Pelayo, un noble que vivía en lo que hoy es la provincia de Asturias.

Era el año 718 y continuaba en el norte de la Península Ibérica, el conflicto entre los soldados de don Pelayo, un noble cristiano, y los del príncipe moro, Abd al-Aziz.

En esta batalla, el ejército de don Pelayo acababa de ganar su primera batalla contra el príncipe moro, Abd al-Aziz.

Todos los soldados moros que no murieron en la batalla fueron hechos prisioneros por don Pelayo. Sólo el príncipe y su criado escaparon.

Los dos moros estaban casi muertos de fatiga, de hambre y de sed. Pero por miedo de ser descubiertos, decidieron no buscar ayuda, sino escaparse a las montañas donde podrían pasar la noche.

Después de caminar hasta la noche, llegaron a una montaña donde descubrieron una cueva inmensa.

El criado dijo, "Ya está bastante oscuro. Sugiero que nos quedemos aquí. Es difícil que nos encuentren".

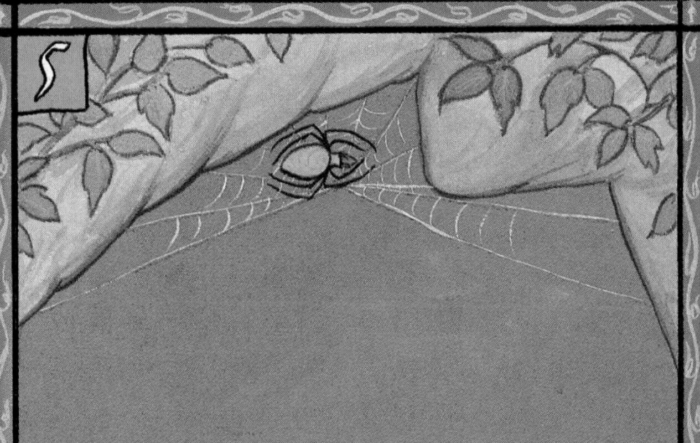

El príncipe miró la entrada de la cueva dudosamente, hasta que vio una araña. "Bien", dijo, "con esta araña aquí, estoy seguro que Alá nos va a proteger".

"¿Quizás pienses que estoy loco?" continuó el príncipe. "No, amigo. Es que todavía recuerdo lo que me dijo una gitana en Granada hace seis meses".

"¿Y qué le dijo la gitana?" preguntó el criado.

Ella me dijo, "Recomiendo que siempre cuides a las arañas. Sí, sí . . . ¡Insisto en que siempre las respetes y las protejas!"

Como era un consejo algo raro, le pregunté a la gitana por qué me recomendaba eso. Ella contestó, "Porque algún día una araña te va a salvar la vida".

Pero el criado estaba tan cansado que se durmió mientras el príncipe hablaba. Viendo eso, el príncipe también se acostó y se durmió.

A la mañana siguiente los dos hombres se despertaron al oír voces y pasos cerca de su cueva. "¡Los soldados de don Pelayo!" dijo el príncipe en voz baja.

"Vamos a buscar aquí", gritó uno de los soldados.

"Es inútil", contestó otro. "¡Nadie ha entrado allí!"

"¿Y cómo lo sabes?" dijo el primero y empezó a caminar hacia la entrada de la cueva.

"¿No tienes ojos? ¿No ves la telaraña que cubre la entrada de un lado al otro? ¡Es imposible que alguien haya entrado aquí!"

"Tienes razón", dijo el primero.

"Vámonos".

Y los soldados empezaron a bajar la montaña diciendo, "Tenemos que confesarle a don Pelayo que el príncipe moro y su fiel criado son más listos que nosotros".

El príncipe y su compañero, dentro de la cueva, no podían creerlo. "Es la araña providencial de la gitana", dijo el príncipe. "Es un milagro".

Durante la noche, la araña había construido una cortina que cubría la entrada de la cueva.

¿QUÉ DECIMOS...?

Al sugerir o recomendar algo

1 No tengo ganas.

2 Es un buen comienzo.

3 Recomiendo que sigas mis consejos.

4 Clara Consejera lo sabe todo.

CHARLEMOS UN POCO

A. **PARA EMPEZAR . . .** Di si las siguientes frases son ciertas o falsas, según el cuento ''La profecía de la gitana''. Si son falsas, corrígelas.

1. Don Pelayo vivió a fines del siglo VIII.
2. Don Pelayo protegió el norte de la península contra la invasión de los moros.
3. El príncipe moro, Abd al-Aziz, ganó una batalla muy importante contra don Pelayo y sus soldados.
4. Los soldados del príncipe Abd al-Aziz que no murieron en la batalla fueron hechos prisioneros.
5. Sólo el príncipe y su criado escaparon.
6. El príncipe y su criado le pidieron ayuda a una familia que vivía en el campo.
7. Los dos moros decidieron pasar la noche en una cueva en las montañas de Asturias.
8. Una gitana le había dicho a Abd al-Aziz que iba a morir de picada de araña.
9. Los soldados de don Pelayo encontraron la cueva donde estaban el príncipe y su criado.
10. Abd al-Aziz y su criado fueron capturados en la cueva.
11. Los soldados no pudieron ver al príncipe y a su criado porque ellos cubrieron la entrada de la cueva con una cortina de metal.
12. En efecto, una araña les salvó la vida al príncipe y a su criado.

B. **¿QUÉ DECIMOS . . .?** ¿Qué le aconseja Diana a su clase de ejercicios aeróbicos?

1. El café puede . . .
2. El sueño es . . .
3. El ejercicio no es suficiente . . .
4. Es bueno beber . . .
5. Es recomendable que duerman . . .
6. Es importante . . .
7. Les recomiendo que sigan todos . . .
8. Sugiero que eviten comidas . . .

- **a.** dos litros de líquido cada día.
- **b.** grasosas y los dulces.
- **c.** importantísimo para la salud.
- **ch.** la nutrición.
- **d.** una dieta balanceada.
- **e.** para la buena salud.
- **f.** quitarles el sueño.
- **g.** ocho horas.

C. ¿Eres buen consejero? ¿Qué aconsejas que estas personas hagan ahora en preparación para su futura carrera?

Mario quiere ser mecánico.

EJEMPLO **Aconsejo que Mario trabaje en una gasolinera.**

1. Román quiere ser veterinario.

2. Tomasina quiere ser ingeniera.

3. Bárbara y Carlos quieren ser maestros.

4. Miriam y Rafael quieren ser cocineros.

5. Pablo quiere ser jugador de fútbol.

6. Paco y Matilde quieren ser reporteros.

7. Mi amiga quiere ser escritora.

8. Matías y Germán quieren ser músicos.

Expressions of persuasion

aconsejar
insistir en
pedir (e → i)
preferir (e → ie, i)
querer (e → ie)
recomendar (e → ie)
sugerir (e → ie, i)

Aconsejamos que ustedes no vean esa película.
Mamá **insiste en** que no salga contigo.
Prefiero que tú me llames.

See **¿Por qué se dice así?,** *page G73, section 5.4.*

Present subjunctive: Stem-changing -ar and -er verbs

empezar	poder
e → ie	o → ue
empiece	**pueda**
empieces	**puedas**
empiece	**pueda**
empecemos	podamos
empiecen	**puedan**

Quiero que **empieces** esta tarde.
No creo que **podamos** hacerlo.

See **¿Por qué se dice asi?,** *page G75, section 5.5*

Present subjunctive: Stem-changing -ir verbs

pedir	servir
e → i	e → i
pida	**sirva**
pidas	**sirvas**
pida	**sirva**
pidamos	**sirvamos**
pidan	**sirvan**

Recomiendo que **pidas** las arepas.
Es probable que **sirvan** arepas de pollo hoy.

See **¿Por qué se dice así?,** *page G77, section 5.6.*

Present subjunctive Stem-changing -ir verbs

divertir	dormir
e → ie, i	o → ue, u
divierta	**duerma**
diviertas	**duermas**
divierta	**duerma**
divirtamos	**durmamos**
diviertan	**duerman**

Quiero que te **diviertas.**
Es imposible que **duerman** aquí.

See **¿Por qué se dice así?,** *page G77, section 5.6.*

F. ¡Terrible! ¡Fantástico! ¡Importante! El(La) director(a) está anunciando algunos cambios en tu escuela para el año que viene. ¿Qué opinas de los cambios?

MODELO Los estudiantes no van a poder venir a la escuela en autobús.
Es terrible que no podamos venir a la escuela en autobús.

1. Las clases van a empezar a las 7:00 de la mañana.
2. Todos vamos a almorzar en casa.
3. Todos vamos a perder peso al hacer más ejercicio.
4. Los profesores van a jugar fútbol con los estudiantes.
5. Todos vamos a sentarnos en sillones en la biblioteca.
6. Los estudiantes van a volver a la escuela por la noche.
7. Los materiales escolares van a costar más dinero.
8. Los estudiantes van a poder hacer más recomendaciones.

G. ¡A comer! Acabas de comer en un nuevo restaurante. ¿Qué les recomiendas a tus amigos?

EJEMPLO **Sugiero que pidan la especialidad de la casa.**

(no) recomendar	servir	la carne asada
(no) aconsejar	conseguir	la especialidad de la casa
sugerir	pedir	una mesa cerca de la cocina
es posible	almorzar	el gazpacho
es bueno		los entremeses variados
		un(a) camarero(a) cortés

H. Consejos locos. Tú y un(a) amigo(a) tienen varios problemas y le piden consejos al señor Bocaloca. ¿Qué le dicen y qué consejos les da?

MODELO siempre terminar tarde / comenzar más tarde
Tú: **Siempre terminamos tarde.**
Bocaloca: **Comiencen más tarde.**
Amigo(a): **¿Usted quiere que comencemos más tarde?**

1. no poder dormir / dormir en el piso
2. sacar malas notas / no pensar tanto
3. no poder despertarse / acostarse más tarde
4. estar aburridos(as) / no divertirse tanto
5. querer hacer algo nuevo / repetir su rutina
6. ser muy flacos(as) / perder peso
7. querer llamar la atención / seguir mis consejos
8. preferir recibir buenos consejos / conseguir otro consejero

CHARLEMOS UN POCO MÁS

A. Sugiero que tú . . . Tú y tu compañero(a) tienen que ayudar a limpiar la sala de clase. Antes de empezar, van a dividir el trabajo. Usen el dibujo que les va a dar su profesor(a) para decidir lo que cada uno quiere que el otro haga.

B. En el café. Un(a) amigo(a) de Venezuela está visitándote en EE.UU. Tú lo (la) llevas a comer a tu restaurante favorito. Recomiéndale varias cosas para comer. Él (Ella) va a decirte si le gusta o no le gusta lo que recomiendas o si prefiere comer otra cosa.

EJEMPLO *Tú:* **Recomiendo que pidas el melón.** o **Sugiero que pruebes el melón.**
Compañero(a): **Pues, no me gusta ¿Qué más hay?** o **Bueno, lo voy a probar.**

C. Comida saludable. ¿Normalmente comen ustedes comida saludable? Para saberlo, prepara una lista de toda la comida saludable que puedes nombrar. Tu compañero(a) va a preparar una lista de todo lo que los jóvenes típicos comen durante la semana. Luego su profesor(a) les va a dar un esquema como el siguiente, para que combinen las dos listas.

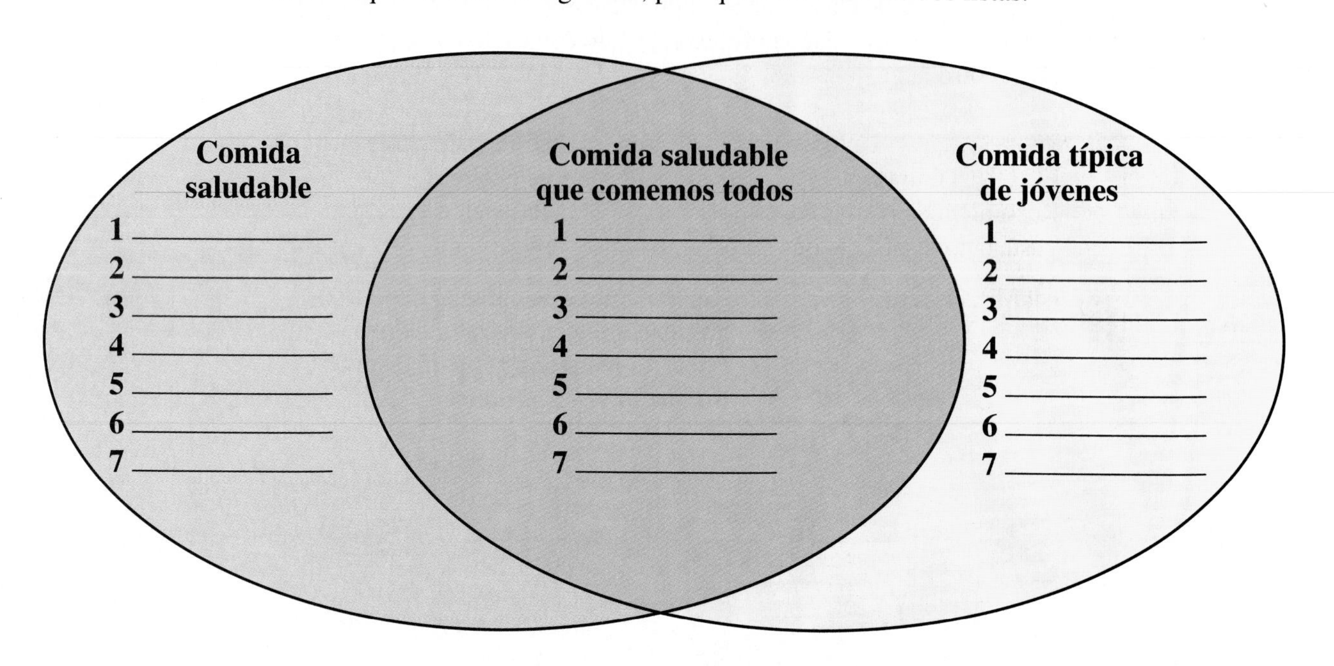

Dramatizaciones

A. Tú puedes recomendarle que . . . Su profesor quiere darles un examen mañana pero tú y dos compañeros quieren convencerle que no les dé el examen. Ahora están hablando de cómo van a convencerle. Dramaticen su conversación.

B. Quiero que vayas conmigo. Tú estás tratando de convencer a tu amigo(a) a acompañarte a una clase de baile. Pero tu amigo no quiere ir. Dramaticen su conversación.

C. ¡Por favor! Tú y tu amigo(a) están discutiendo cómo pueden convencer a sus padres que les den permiso de ir al cine esta noche. Dramaticen la conversación.

IMPACTO CULTURAL

Tesoros nacionales

Antes de empezar

A. Impresiones. ¿Cuánto sabes de la España de la segunda mitad del siglo XX? Indica si en tu opinión, estos comentarios son ciertos o falsos. Luego, después de leer la lectura, revisa tus respuestas.

C F 1. Actualmente el Generalísimo Franco es el rey de España.
C F 2. Franco es considerado un dictador.
C F 3. La España de Franco fue muy liberal y progresista.
C F 4. Franco creía que España era única y superior moralmente.
C F 5. El gobierno militar del General Franco afectó todos los aspectos de la vida de los españoles: la educación, la política y la vida social.
C F 6. Las costumbres y modas de otros países eran bien recibidas en la España de Franco.
C F 7. Desde 1975, la vida en España cambió mucho.
C F 8. Ahora no se permite criticar al gobierno en España.
C F 9. Hoy en día en España, sólo se permite la música clásica y la música tradicional española; no se permite ni música rock ni salsa.
C F 10. Ahora, los españoles tienen la responsabilidad de seleccionar entre lo bueno y lo malo que la vida les ofrece.

B. Sumarios. Ahora lee el tercer párrafo y el último de **La España de Franco y la España de hoy** y selecciona el mejor sumario de los siguientes.

Tercer párrafo:

1. El gobierno de Franco fue una dictadura sumamente autoritaria y católica.
2. En las escuelas primarias, durante la época de Franco, los niños aprendían que España era única y superior moralmente.
3. El gobierno militar de Franco impuso la religión católica en todas las escuelas españolas.

Último párrafo:

1. Lamentablemente, el gobierno español actual no controla el crimen tan bien como lo controlaba Franco.
2. La libertad permite escoger entre lo bueno y lo malo y, desafortunadamente, algunas personas van a escoger lo malo.
3. En la época de Franco todo era bueno, ahora todo es malo porque los españoles no son responsables.

IMPACTO CULTURAL

La España de Franco y la España de hoy

1

2

3

El Generalísimo Francisco Franco (1892-1975), (1) participó en 1936 en un movimiento militar (2) que empezó la Guerra Civil en España. Tras* el triunfo de 1939, llegó a ser jefe de Estado y se mantuvo en este puesto hasta que murió en 1975.

Soy Roberto R. y soy testigo* de los años que gobernó el Generalísimo Francisco Franco. Nací en 1939 , el mismo año en que terminó la Guerra Civil Española y Franco y la Falange, su partido político, empezaron a gobernar España. Alrededor de 4.000.000 españoles se exiliaron* en 1939, entre ellos maestros, artistas famosos como Pablo Picasso, escritores y políticos. Por 35 años España vivió un estado de estancamiento* político, cultural y económico.

El gobierno militar del General Franco constituyó una dictadura. La ideología falangista era sumamente autoritaria y católica, y se impuso en todos los aspectos de la vida de los españoles, desde la educación en las escuelas y universidades hasta el comportamiento* y actividades políticas y sociales. Cuando yo estaba en la escuela primaria, nosotros teníamos un libro llamado *España es así.* Este libro decía que España era católica desde el año 589 y siempre sería así. Decía que España era diferente al resto de los países de Europa porque España era única y superior moralmente. Por esta razón recitábamos "España Grande y Libre" y teníamos una clase de religión obligatoria.

La moral era muy importante en la época de Franco y por esta razón sus seguidores* desempeñaron un papel paternalista. Nuestros profesores nos enseñaban que las costumbres y modas de otros países eran malas para España. Debíamos evitar las malas tentaciones para mantener la pureza de nuestras mujeres. Por eso, había policías en las playas (3) y piscinas públicas para dar multas a las personas que usaban trajes de baño impropios. Las piscinas públicas tenían diferentes horarios para hombres y mujeres. Se estableció la Censura para las revistas, periódicos y películas. Aun prohibió el divorcio. La mujer debía quedarse en casa y representar fielmente* su papel de esposa y madre.

Por medio de

observador

salieron

paralización

manera de actuar

personas que siguen

con devoción

¡Qué diferente es la España de hoy! En 1975 Francisco Franco murió y España volvió a abrir sus puertas al mundo. Ahora España participa con el resto de los países de Europa en acontecimientos* culturales, políticos, sociales y económicos. Muchas ciudades de España se han convertido en capitales de acontecimientos internacionales importantes en las artes, los deportes (4) y las ferias. Ahora la educación en las escuelas y universidades es más abierta. La crítica, incluso del propio gobierno español actual, forma parte importante de la educación. Durante el gobierno de Franco, la crítica del falangismo era algo inconcebible.*

Libres de la Censura falangista, la libertad de expresión y acción se ha generalizado en todos los aspectos. Ahora nosotros los españoles podemos adoptar las modas* en el vestido y la música como todos los europeos. Las mujeres pueden usar el traje de baño de su gusto sin ningún problema. (5) Podemos escuchar rock y salsa, y no solamente música clásica sino también música tradicional española.

En la época de Franco todo esto estaba muy bien controlado. Ahora el español tiene derecho de escoger* entre lo bueno y lo malo que la vida le ofrece en una España libre. Lamentablemente, siempre hay personas que se aprovechan* de esa libertad y optan por lo malo. Es responsabilidad de todo español usar los derechos que la libertad les otorga,* para su propio bien y el bien de su país.

acontecimientos: actividades
inconcebible: imposible
modas: usos más recientes
escoger: el privilegio de seleccionar
aprovechan: abusan
otorga: ofrece

Verifiquemos

1. Vuelve a las actividades **A** y **B** de **Antes de empezar** y decide si tus respuestas originales fueron correctas o no.
2. Compara mediante un esquema la España de Franco y la España de hoy en los siguientes aspectos:

	España de Franco	España de hoy
La educación	1. 2.	1. 2.
Las modas	1. 2.	1. 2.
La mujer	1. 2.	1. 2.
La música	1. 2. . . .	1. 2. . . .

3. ¿Crees que la dictadura de Franco tuvo algunos aspectos positivos? Explica tu respuesta.

LECCIÓN 3

¡Temo que esté enamorado de mí!

ANTICIPEMOS

¿Qué piensas tú?

1. Piensa en los jóvenes en estas dos páginas. ¿Qué están pensando? ¿De qué se preocupan? ¿Qué los contenta?
2. En tu opinión, ¿qué esperanzas tienen?
3. ¿De qué crees que tienen miedo estos jóvenes? ¿Qué les enoja? ¿Qué los entristece?
4. ¿Crees que estos jóvenes son muy diferentes de ti y de tus amigos? ¿Por qué y cómo?
5. Toma el tiempo necesario para preparar una lista de todas las expresiones que usas para expresar tus sentimientos y emociones. Compara tu lista con las de dos compañeros de clase y añade expresiones que te falten.
6. ¿De qué vas a poder hablar al terminar esta lección?

PARA EMPEZAR

Escuchemos una leyenda española

Esta leyenda española trata de un indiano que se hizo muy rico con el oro y la plata de las Américas.

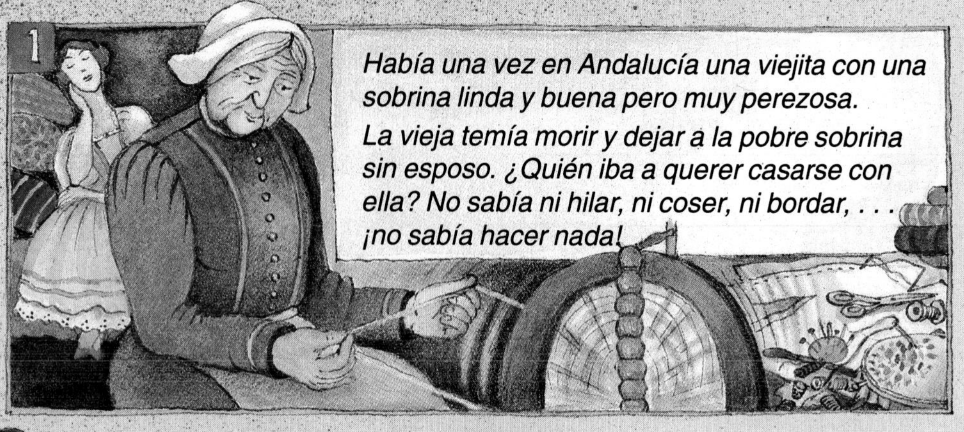

1

Había una vez en Andalucía una viejita con una sobrina linda y buena pero muy perezosa.

La vieja temía morir y dejar a la pobre sobrina sin esposo. ¿Quién iba a querer casarse con ella? No sabía ni hilar, ni coser, ni bordar, . . . ¡no sabía hacer nada!

2

Un día llegó al pueblo un indiano muy rico y guapo, que quería casarse. La tía fue inmediatamente al caballero y le dijo que ella tenía una sobrina con tantos talentos que tendría que escribir un libro para contarlos. Él le contestó que le gustaría mucho conocerla.

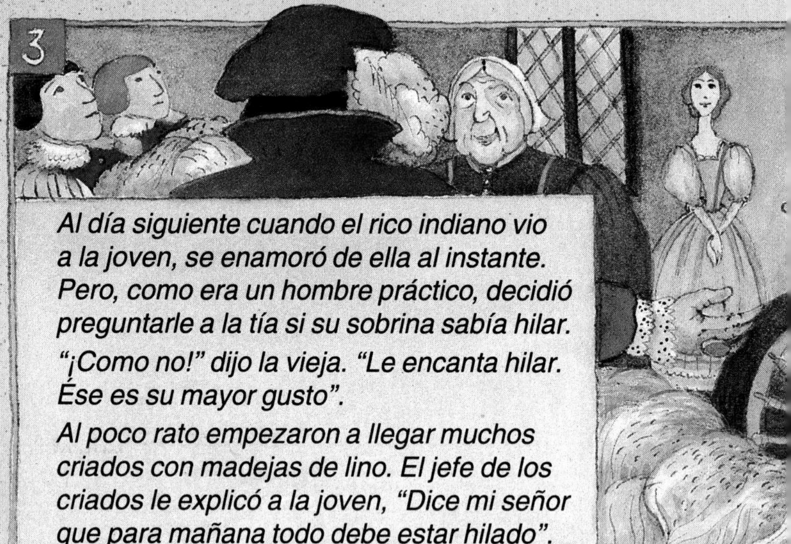

3

Al día siguiente cuando el rico indiano vio a la joven, se enamoró de ella al instante. Pero, como era un hombre práctico, decidió preguntarle a la tía si su sobrina sabía hilar.

"¡Como no!" dijo la vieja. "Le encanta hilar. Ése es su mayor gusto".

Al poco rato empezaron a llegar muchos criados con madejas de lino. El jefe de los criados le explicó a la joven, "Dice mi señor que para mañana todo debe estar hilado".

4

La muchacha se puso a llorar porque ella no sabía hilar.

"Ay. Cuánto siento no saber hilar", dijo, porque ella también se había enamorado del guapo indiano.

En ese instante aparecieron tres ánimas buenas, vestidas de blanco, y se pusieron inmediatamente a trabajar. Cuando todo el lino estaba transformado en hilo fino, desaparecieron.

Cuando a la mañana siguiente llegó el rico caballero indiano, quedó muy impresionado.

Pero luego decidió que debía saber si su futura esposa sabía coser. Le preguntó a la viejita y ella le afirmó, "Coser es un placer para ella y lo hace bien y muy rápido".

Y otra vez, esa tarde, los criados del caballero llegaron cargados con piezas de lienzo diciendo, "Dice mi señor que la señorita debe hacer chaquetas y camisas de lienzo para él".

Y otra vez la muchacha que no sabía nada de cortar ni coser se puso a llorar.

Pero por la noche las tres ánimas volvieron y en poco tiempo todo el lienzo estaba transformado en chaquetas y camisas.

El caballero indiano no podía creer que tenía una novia tan lista.

Pero luego el rico caballero quería saber si la joven sabía bordar. Con este fin, mandó docenas de chalecos con sus criados, diciendo uno de ellos, "Mi señor los quiere bordados, todos diferentes y de todos los colores".

Y otra vez la muchacha comenzó a llorar. No sabía bordar tampoco.

Y como en las otras ocasiones las tres ánimas aparecieron y en poco tiempo tenían todos los chalecos bordados.

"Nos gusta mucho hacer este trabajo", dijeron las ánimas, "pero queremos que usted nos invite a la boda".

"¡Sí, con mucho gusto!" contestó la muchacha.

Cuando el indiano vio todos los chalecos bordados y en tan poco tiempo, pensó que tenía la novia más capaz de toda España y decidió casarse al instante.

Pero la muchacha, aunque contenta de que su novio la amaba, se sentía muy triste.

"¿Cómo puedes estar triste?" le preguntó su tía.

"Estoy preocupada de que mi futuro marido no sepa la verdad". Su tía le contestó, "Sí, hija. A mí también me inquieta que él piense que tú puedes hacerlo todo".

Llegó el día de la boda. Cuando todos estaban sentados disfrutando de un banquete espléndido, llegaron las tres ánimas. Eran tan viejas y feas que todos los invitados las miraron con la boca abierta.

La muchacha las presentó a su nuevo marido diciendo, "Son tres tías mías muy especiales".

El novio les habló con mucho cariño. A la primera le dijo, "Debo preguntarle, ¿por qué tiene un brazo corto y un brazo largo?"

"Los tengo así por lo mucho que he hilado", le contestó.

A la segunda le preguntó, "¿Por qué tiene los ojos tan saltones y colorados?"

Ésta le contestó, "He pasado la vida cortando y cosiendo".

Y a la tercera, "¿Por qué tiene el cuerpo tan torcido?"

Ella le contestó, "Estoy así de tanto inclinarme para bordar".

El novio, tan enamorado de su nueva esposa, le dijo, "De aquí en adelante, no quiero que tú hiles, ni cortes, ni cosas, ni bordes jamás en tu vida".

Y al decir esto, las tres ánimas desaparecieron y el caballero y su esposa fueron muy felices.

¿QUÉ DECIMOS AL ESCRIBIR...?

De nuestras emociones

¿Qué opinas de estas cartas que recibió Clara Consejera?

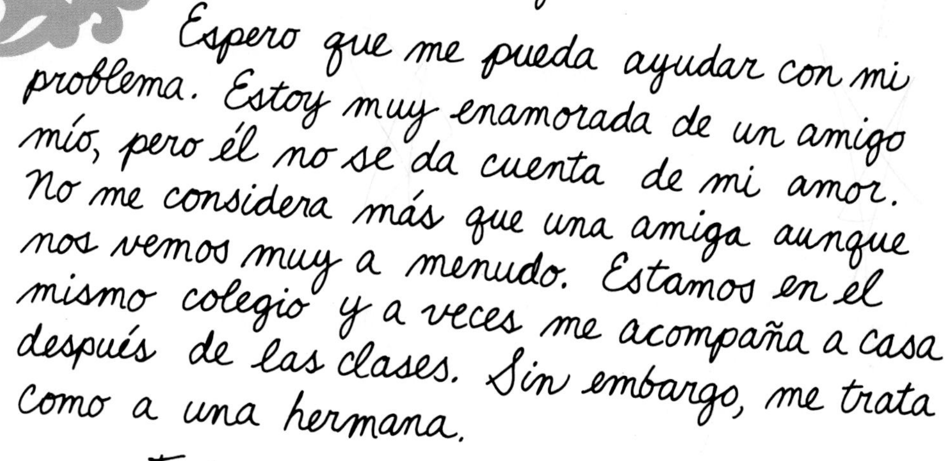

Querida Clara Consejera:

Espero que me pueda ayudar con mi problema. Estoy muy enamorada de un amigo mío, pero él no se da cuenta de mi amor. No me considera más que una amiga aunque nos vemos muy a menudo. Estamos en el mismo colegio y a veces me acompaña a casa después de las clases. Sin embargo, me trata como a una hermana.

Fui a una clase de ejercicios aeróbicos y ahora estoy poniéndome en línea, pero el muchacho de mis sueños no se fija en mí. ¿Qué debo hacer? Ayúdeme. Temo que nunca me vaya a hacer caso. ¿Qué me aconseja, Clara Consejera? Yo sé que me puede ayudar.

Sola y triste

Querida Clara Consejera:

Tengo un problema romántico. Estoy enamorado de la hermana de una amiga mía. Ella es mayor que yo y me trata como a un niño. Me molesta que no me vea como hombre. Asisto a su clase de ejercicios aeróbicos (ella es instructora) y sigo todos sus consejos pero no me da resultados con ella.

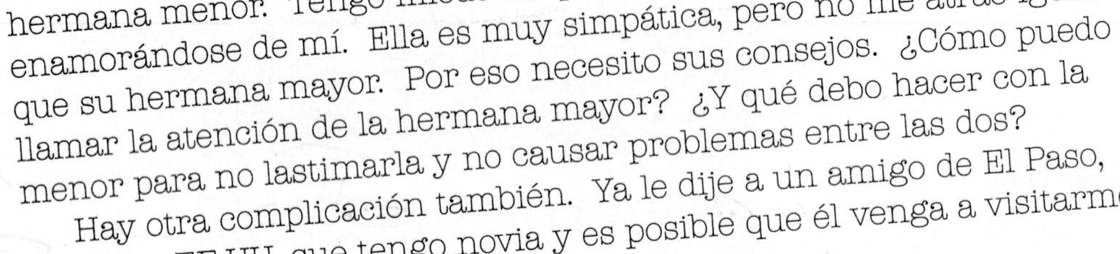

Además, cuando trato de hablar a solas con ella, siempre está su hermana menor. Tengo miedo de que su hermana esté enamorándose de mí. Ella es muy simpática, pero no me atrae igual que su hermana mayor. Por eso necesito sus consejos. ¿Cómo puedo llamar la atención de la hermana mayor? ¿Y qué debo hacer con la menor para no lastimarla y no causar problemas entre las dos?

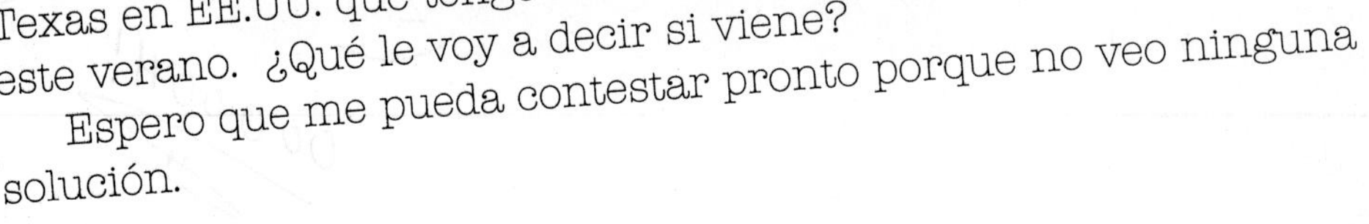

Hay otra complicación también. Ya le dije a un amigo de El Paso, Texas en EE.UU. que tengo novia y es posible que él venga a visitarme este verano. ¿Qué le voy a decir si viene?

Espero que me pueda contestar pronto porque no veo ninguna solución.

Desesperado

Querida Clara Consejera:

Tengo un problema un poco complicado. Pero estoy segura que Ud. me puede ayudar.

Éste es mi problema. Un joven, estudiante universitario, me interesa mucho, pero nunca lo veo porque estudio en el colegio todavía. Conozco a su hermano menor y siempre le pregunto por mi amor, pero él nunca me dice mucho.

Además, temo que el hermano menor esté enamorado de mí. Esto a pesar de que mi hermana menor está loca por él. ¿Qué puedo hacer para desenredar esta situación?

¿Cómo puedo interesar al hermano mayor? ¿Debo escribirle una carta y declarar mis sentimientos? ¿O debo hablar con el hermano menor? ¿Qué recomienda que haga? Ayúdeme, por favor.

Confundida

CHARLEMOS UN POCO

A. PARA EMPEZAR . . . Combina las tres columnas con hechos de la leyenda de "Las ánimas".

La tía	tenía un brazo corto y uno largo	en poco tiempo bordaron todo.
La sobrina	ni hilaba, ni cosía, ni bordaba;	cargados de lienzo.
El indiano	fue al caballero diciendo	de cortar ni de coser.
El ánima	empezaron a llegar	la joven sabía bordar.
Las tres viejitas	aparecieron vestidas de blanco y	fueron muy felices.
Los criados	quería saber si	más capaz de toda España.
	dijo que no sabía nada	por lo mucho que hilaba.
	pensó que tenía la novia	se pusieron a trabajar.
	desaparecieron y el caballero y su esposa	que tenía una sobrina muy hábil.
	volvieron a aparecer y	no sabía hacer nada.

B. ¿QUÉ DECIMOS . . .? ¿Quién tiene estos problemas?

Sola y triste

Desesperado

Confundida

1. ¿Debo escribirle una carta y declarar mis sentimientos?
2. ¿Y qué debo hacer con la menor para no lastimarla?
3. El chico de mis sueños no se fija en mí.
4. Me molesta que no me vea como hombre.
5. Me trata como a una hermana.
6. Sigo todos sus consejos pero no me da resultados.
7. Temo que el hermano menor esté enamorado de mí.
8. Un joven, estudiante universitario, me interesa mucho.

Present subjunctive: With and without a subject change

With subject change:
Me alegro de que todos **estén** aquí.
Siento que no **puedas** venir.

Without subject change:
Me alegro de **estar** aquí.
Siento no **poder** venir.

See **¿Por qué se dice así?,** *page G80, section 5.7.*

C. En el autobús. Al viajar en autobús escuchas varias conversaciones. Selecciona el comentario en la segunda columna que mejor complete cada comentario de la primera columna.

A

1. Perdí cinco kilos.
2. Vi una serpiente en el parque.
3. Invité a muchas personas a cenar.
4. Andrés tuvo un examen difícil hoy.
5. Perdí todo mi dinero.
6. El equipo rival ganó el partido.

B

- **a.** ¡Tengo miedo de que saque una mala nota!
- **b.** Me molesta que siempre perdamos.
- **c.** ¡Ay! Espero que no haya más.
- **ch.** Me alegro de que estés más delgado. ¡Estás guapísimo!
- **d.** Buena suerte. A mí no me gusta preparar la comida.
- **e.** Siento no poder darte nada.

Present subjunctive: Expressions of anticipation or reaction

alegrarse de	sentir
esperar	temer
gustar	tener miedo (de)

Mis padres **temen** que yo **sufra** un accidente.
Papá **espera** que yo **haga** mis quehaceres.

See **¿Por qué se dice así?,** *page G80, section 5.7.*

CH. ¡Lo teme! ¿Qué opinan tus padres cuando tú haces estas cosas? ¿Cómo reaccionan?

EJEMPLO **Mamá teme que yo viaje en avión.** o
Le gusta a mamá que yo vuele.

1.

2.

3.

4.

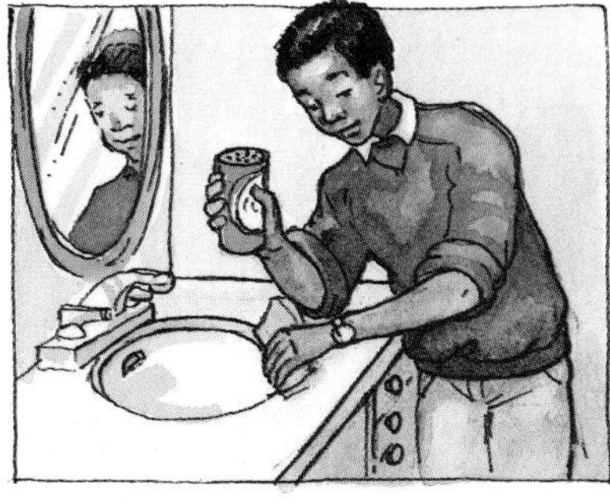

5.

6.

7.

8.

D. Chismes. Tú y tu compañero(a) están hablando de personas que conocen. ¿Qué dicen?

MODELO la profesora / furioso (calmarse)
Tú: **La profesora está furiosa.**
Compañero(a): **Tienes razón. Espero que se calme.**

1. Susana / cansado (dormir más)
2. Ramón / gordo (perder peso)
3. Gloria y Carlota / aburrido (salir más)
4. Marcos / triste (pensar en algo alegre)
5. Esteban y Yolanda / nervioso (calmarse)
6. muchos estudiantes / preocupado por sus notas (estudiar más)
7. el director / flaco (comer más)
8. Timoteo / enfermo (guardar cama)

Present subjunctive: Expressions with *estar*

Anticipation or reaction with ***estar:***

estar alegre (de)
estar contento(a) (de)
estar furioso(a) (de)
estar preocupado(a) (de)
estar triste (de)

Estoy muy **contento de** que vengas.
Estamos tristes de que tengan que hacerlo otra vez.

See **¿Por qué se dice así?,** *page G80, section 5.7.*

E. Las noticias. Estás leyendo los titulares del periódico. ¿Cómo reaccionas?

EJEMPLO Hay miles de habitantes sin casa.
Estoy preocupado(a) de que haya miles de habitantes sin casa.

1. Hay más contaminación en el lago.
2. Va a nevar todo el día mañana.
3. El equipo local va a tener un nuevo entrenador.
4. La directora del colegio quiere cancelar las clases mañana.
5. El ballet folklórico viene a nuestra ciudad.
6. El cine local da una nueva película romántica.
7. El almacén más grande tiene grandes ofertas este fin de semana.
8. La situación económica está peor.

F. Yo, ¿consejero(a)? ¿Qué les aconsejas a estas personas cuando te cuentan sus problemas?

EJEMPLO Mis hermanos siempre me molestan y no puedo estudiar en casa.
(Recomiendo que . . .)
Recomiendo que estudies en la biblioteca. o
Recomiendo que les expliques tus sentimientos.

1. Mis padres no me permiten salir cuando yo quiero. (Sugiero que . . .)
2. Me interesa una chica en mi clase de inglés. (Recomiendo que . . .)
3. Quiero romper con mi novio pero temo lastimarlo. (Aconsejo que . . .)
4. Mis padres me tratan como un bebé. (Sugiero que . . .)
5. El chico de mis sueños no se fija en mí. (Recomiendo que . . .)
6. Mis padres insisten en que limpie mi cuarto pero yo odio limpiarlo. (Aconsejo que . . .)
7. Estoy loco por mi profesora de arte. (Sugiero que . . .)
8. Tengo una familia muy grande y nunca estoy a solas. (Recomiendo que . . .)
9. Mis padres insisten en que mi hermanito siempre me acompañe. (Sugiero que . . .)
10. Papá nunca me permite usar su carro. (Recomiendo que . . .)
11. Mamá insiste en que siempre regrese a casa a las diez de la noche. (Aconsejo que . . .)

CHARLEMOS UN POCO MÁS

A. Temo que. . . Pregúntales a tres compañeros de clase qué temen en estos lugares.

EJEMPLO en la calle

Tú: **¿Qué temes en la calle?**

Compañero(a): **Temo que alguien me robe la cartera.** o **Tengo miedo que mi coche no funcione.**

1. en la escuela
2. en las fiestas
3. en la oficina del médico
4. en un restaurante elegante
5. en un carro
6. en la clase de español
7. en la oficina de la directora
8. en la clase de matemáticas
9. en el parque
10. en la ciudad

B. El problema es que . . . ¿Qué les dices a tus amigos cuando hablas con ellos y se presentan estas situaciones? Con un(a) compañero(a), prepara un minidrama para cada una de estas situaciones.

EJEMPLO Tú invitaste a una amiga a ir al parque a comer contigo hoy día. El problema es que ya es hora de ir por ella pero hace mucho viento y parece que va a llover.

Tú: ***(Rin, rin.)*** **¡Hola, Patricia! Mira, es probable que no podamos ir al parque hoy.**

Compañero(a): **¿No? ¿Por qué? ¿No te sientes bien?**

Tú: **No, no es eso. Es que hace mucho viento y temo que vaya a llover.**

1. Estás con unos amigos en casa y te piden un helado. El problema es que no hay helado en la heladera.
2. Hablas con tu mejor amigo(a) por teléfono y te dice que tiene una cita con tu amiga(o) el sábado. El problema es que tú ibas a invitarlo(la) al cine el sábado.
3. Tus amigas vienen por ti para ir a la fiesta. El problema es que tus padres dicen que tú no puedes salir esta noche.
4. Tú le dijiste a tu novia(o) que sabes tocar la guitarra. Él (Ella) te pide que la toques para su papá. El problema es que no sabes tocar ningún instrumento.
5. Hablas con un(a) amigo(a) por teléfono. Te invita a salir a pasear en su carro. El problema es que tienes un examen de matemáticas mañana.
6. Estás comiendo en casa de una buena amiga. Su mamá te sirve rosbif. El problema es que tú eres vegetariano(a).
7. Esta noche después del partido de fútbol todos tus amigos van a una pizzería. El problema es que tú tienes que adelgazar.
8. Dos hermanas te invitan a pasar el fin de semana con su familia en las montañas. El problema es que es el fin de semana que tus abuelos vienen a visitarte.

C. Querida Clara Consejera. Tú tienes un problema serio y necesitas consejos. Escríbele una carta a Clara Consejera explicándole el problema. Menciona lo que temes y lo que te alegra de tu situación. Luego léele la carta a tu compañero(a) y él (ella) te va a dar consejos. Cuando él (ella) te lea su carta, dale consejos tú.

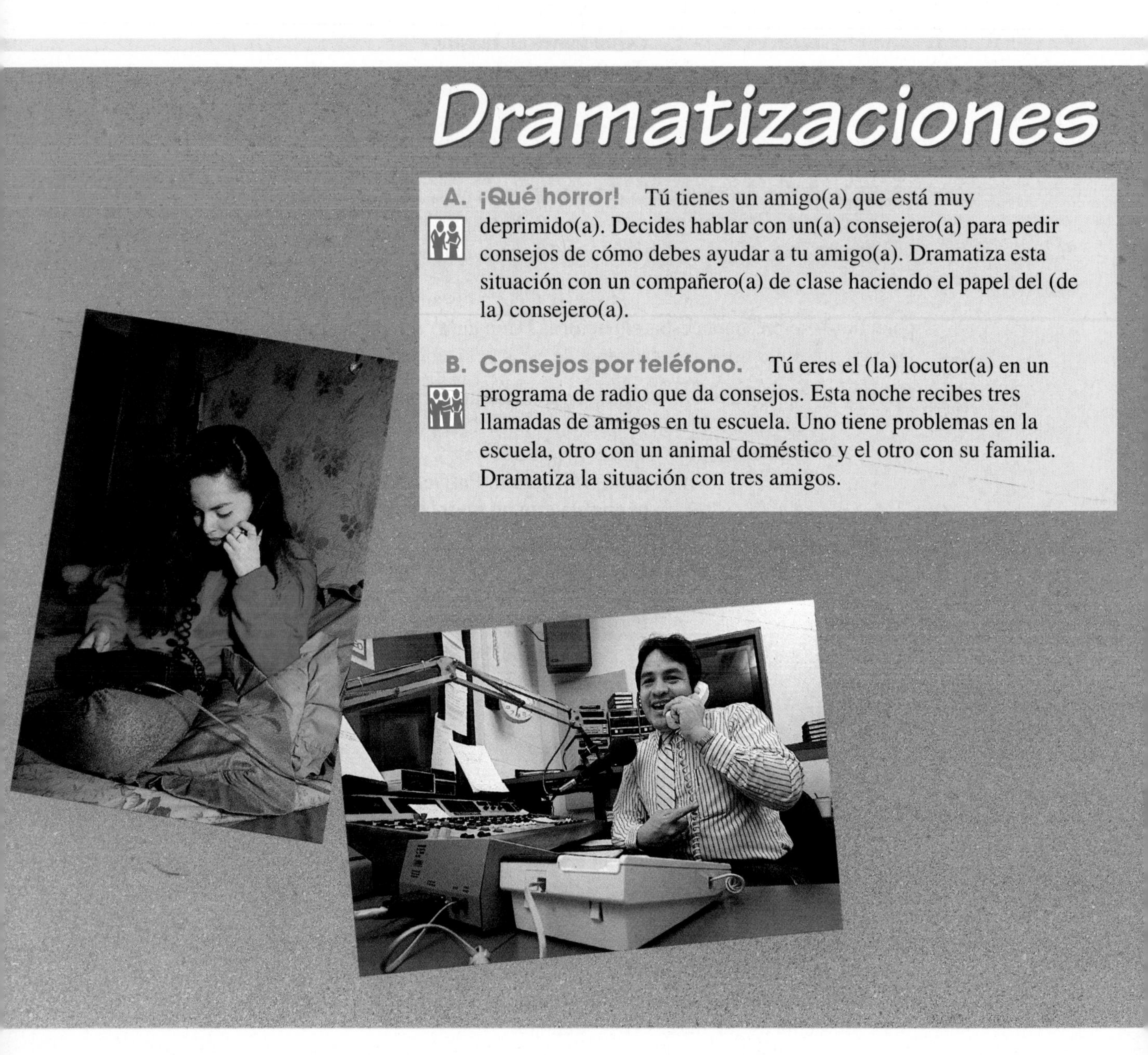

Dramatizaciones

A. ¡Qué horror! Tú tienes un amigo(a) que está muy deprimido(a). Decides hablar con un(a) consejero(a) para pedir consejos de cómo debes ayudar a tu amigo(a). Dramatiza esta situación con un compañero(a) de clase haciendo el papel del (de la) consejero(a).

B. Consejos por teléfono. Tú eres el (la) locutor(a) en un programa de radio que da consejos. Esta noche recibes tres llamadas de amigos en tu escuela. Uno tiene problemas en la escuela, otro con un animal doméstico y el otro con su familia. Dramatiza la situación con tres amigos.

LEAMOS AHORA

Estrategias para leer:
El pensar al leer

A. El pensar al leer. Los buenos lectores siempre piensan al leer. Piensan al anticipar o predecir, al hacer comparaciones y al crear imágenes visuales imaginarias. También piensan al explicar o interpretar el texto, al confirmar sus interpretaciones y al arreglar o reajustar sus interpretaciones.

Para reflexionar en cómo piensas tú al leer, prepárate para sacar apuntes de lo que piensas al leer este artículo. Tendrás que expresar tus pensamientos en frases como las que siguen.

Al anticipar o predecir:	"El título me hace anticipar que este artículo va a ser de . . ."
	"En la siguiente parte creo que va a explicar cómo . . ."
Al describir:	"Creo que esto describe a . . ."
	"Ahora lo veo en mi imaginación. Hay . . ."
Al comparar:	"Esto es como cuando yo / nosotros / mi hermano . . ."
	"Esto me hace pensar en . . ."
Al interpretar:	"Otra manera de decir esto es . . ."
	"Esto probablemente quiere decir . . ."
Al confirmar la comprensión:	"No entiendo esto porque . . ."
	"Creo que esto quiere decir que . . ."
Al reajustar:	"Necesito leerla otra vez porque . . ."
	"Esta palabra nueva probablemente quiere decir . . ."
	"Necesito buscar esta palabra . . ."

B. ¡A sacar apuntes! Ahora al leer este artículo sobre Antonio Banderas, hazlo con papel y lápiz en mano. Usa las sugerencias en el margen al anotar lo que piensas. Éstas son sugerencias y nada más. Tú debes sacar apuntes de todo lo que estés pensando al leer el artículo.

Antonio Banderas

Un galán latino en Hollywood

Anticipar
Confirmar comprensión

Comparar
Describir

Con su película *Los reyes del mambo*, Antonio Banderas se convirtió en el nuevo galán latino de Hollywood. ¿Cómo era de niño y cómo reacciona Antonio ahora frente a tanto éxito? Esto fue el tema de una entrevista que tuvo Lola Díaz de *Cambio 16* con Antonio.

Predecir

Según Lola, Antonio dice que de niño era muy tímido. "Miedoso y extremadamente tímido". Dice que en el colegio siempre hablaba bajito porque tenía la sensación de que su voz sonaba rara y diferente. Nunca quería sobresalir, prefería estar al fondo, perdido en las masas. Sin embargo, ¡ahora es actor por excelencia en Hollywood!

Comparar
Describir

A pesar de parecer tenerlo todo: amor, belleza, juventud y éxito, Antonio dice que a veces le da miedo estar tan feliz. En su propia percepción, Antonio se siente muy inseguro en el fondo, y es precisamente esa inseguridad que le causa el miedo.

Comparar
Describir

Lola Díaz le preguntó si no le daba cierto miedo el hacer una película en Hollywood. "Yo siempre tuve mucho miedo antes de ir allí", dijo, pero fue "mucho más fascinante de lo que uno se pueda imaginar. Ellos me alquilaron un chalé en un barrio pegado a Beverly Hills, me pusieron un coche con chófer y me traían y me llevaban a todo tipo de fiestas y de cenas y siempre me trataron a cuerpo de rey. Luego, después de siete meses, me fui acostumbrando bastante a ese mundo. Hollywood no me da ningún miedo, todo lo contrario. Lo que estoy deseando es que me ofrezcan algo".

Comparar
Describir

Según Antonio, lo único que ha querido durante toda su vida es conquistar un espacio de libertad. "Mi espacio de libertad", dice, "comienza cuando el director en escena dice *acción*, y termina cuando dice *corte*. Ésa es la única verdad . . . que debo trabajar. Todo lo que hay alrededor, el dar o recibir un Óscar, el que te admiren, el que te consideren especial o el que te inviten a las fiestas más importantes no significa nada".

Confirmar comprensión
Reajustar
Interpretar

El popular actor dice que lo único que es importante para él es que "cuando salgo a la pantalla la gente me crea". En otras palabras, lo más importante para este joven actor es que en los ojos de su público siempre pueda dejar de ser Antonio Banderas y llegar a ser el personaje que representa.

Confirmar comprensión
Reajustar

Los hermanos César y Néstor Castillo (Armand Assante y Antonio Banderas) con Desi Arnaz (Desi Arnaz hijo), en el centro. De la película *Los reyes del mambo*.

Verifiquemos

A. ¿Cómo piensas tú? Compara tus apuntes con los de dos o tres compañeros de clase. ¿Son los apuntes de tus compañeros más completos que los tuyos a veces? ¿Cuándo son más completos los tuyos?

B. Título. Explica el título de esta lectura.

C. Cambios. Según este artículo, Antonio Banderas cambió mucho en algunos aspectos y no cambió en otros. Prepara un diagrama como el que sigue e indica cómo era Antonio antes, cómo es ahora y en qué aspectos no ha cambiado.

ANTONIO BANDERAS

Antes	**Todavía**	**Ahora**
1.	1.	1.
2.	2.	2.
3.	3.	3.
. . .	. . .	. . .

ESCRIBAMOS AHORA

Estrategias para escribir:
Entrevistas

A. Empezar. El artículo sobre Antonio Banderas es interesante porque nos permite verlo no sólo como estrella de Hollywood pero como una persona común y ordinaria. Nos dice algunas cosas que recuerda de su juventud y de cómo se siente ahora que es estrella. Es un poco sorprendente saber que de niño era muy tímido y es fascinante cuando dice que, a pesar de ser tan famoso, sólo se siente libre mientras actúa.

Lola Díaz, la escritora del artículo, consiguió toda esta información en una entrevista, después de planear las preguntas que le quería hacer a Antonio.

Antes de escribir un artículo corto sobre un hispano en tu escuela o comunidad, vas a tener que entrevistar a la persona que seleccionaste. Como Lola Díaz, tienes que planear tu entrevista cuidadosamente. Vas a necesitar hacer preguntas sobre actividades específicas y también sobre lo que piensa y siente la persona que seleccionaste. En preparación para tu entrevista, estudia el artículo de Antonio Banderas con un(a) compañero(a) de clase y traten de adivinar qué preguntas le hizo Lola Díaz a Antonio para conseguir toda la información. Preparen una lista por escrito de todas las preguntas que creen que preparó Lola Díaz.

B. Planear. Lo primero que tienes que hacer es hablar con la persona que vas a entrevistar para decidir la fecha, la hora y el lugar de la entrevista. Luego debes preparar un formulario similar al que sigue para ayudarte a organizar tus preguntas.

Información	Necesito confirmar. . .	Necesito preguntar. . .
Nombre		
Edad		
Profesión		
Descripción		
Familia		
Experiencias . . .		
Lo que piensa de . . .		
Lo que siente . . .		

C. Para sacar apuntes. Al entrevistar a la persona que seleccionaste, debes sacar muchos apuntes en la entrevista. Es importante ser lo más exacto posible, en particular al citar *(escribir exactamente)* lo que la persona dice. Durante la entrevista lo más importante es sacar muchos apuntes. Ahora puedes organizar tus apuntes y decidir si vas a usar toda la información o sólo parte de la información. Por ejemplo, si todos tus lectores ya saben los datos biográficos de la persona que seleccionaste, probablemente es mejor que no incluyas esa información en tu artículo.

CH. Primer borrador. ¿Cómo empezó Lola Díaz su artículo? Empezó por hacer algunos comentarios sobre Antonio Banderas ahora, el estrella de Hollywood. Luego habló de sus recuerdos del pasado y finalmente, volvió a hablar de los éxitos de Antonio actualmente. Al repasar tus apuntes y organizar tu primer borrador, recuerda que no es siempre necesario escribir la información cronológicamente. Con frecuencia hay otras maneras más interesantes de presentar la información.

D. Compartir. Comparte el primer borrador de tu artículo con dos compañeros de clase. Pídeles sugerencias. Pregúntales si es lógico tu artículo, si hay algo que no entienden, si hay algo que puedes o debes eliminar. Dales la misma información sobre sus artículos cuando ellos te pidan sugerencias.

E. Revisar. Haz cambios en tu artículo a base de las sugerencias de tus compañeros. Luego, antes de entregar el artículo, compártelo una vez más con dos compañeros de clase. Esta vez pídeles que revisen la estructura y la puntuacíon. En particular, pídeles que revisen el uso del subjuntivo y la concordancia: verbo / sujeto y sustantivo / adjetivo.

F. Versión final. Escribe la versión final de tu artículo incorporando las correcciones que tus compañeros de clase te indicaron. Si es posible, incluye una foto de la persona que entrevistaste. Entrega una copia en limpio a tu profesor(a).

G. Publicar. Junten todos los artículos en un solo volumen. En grupos de cuatro, decidan en un título apropiado para el volumen. Luego, cada grupo puede sugerir un título y la clase puede votar para decidir cuál van a usar. Guarden su segundo ''libro'' en la sala de clase para leer cuando tengan un poco de tiempo libre.

UNIDAD 6

¡Hagamos una excursión!

AGUIRRE SPRING
Recreation Area
STOP
Mark III

LECCIÓN
1
¡Vamos a Aguirre Springs!

ANTICIPEMOS

¿Qué piensas tú?

1. Los dos muchachos en la foto son Martín y su hermano Daniel. ¿Qué está haciendo Martín ahora? ¿Tiene todo lo que necesita? ¿Qué le falta? ¿Qué está haciendo su hermano Daniel? ¿Cuál es la manera más fácil para que Martín consiga lo que necesita?
2. Imagínate la conversación entre los dos hermanos. ¿Qué crees que va a decir Daniel si quiere descansar y no tiene ganas de hacer nada?
3. ¿Qué está haciendo el padre de los muchachos? ¿Qué crees que está diciendo?
4. ¿Qué está leyendo la chica en el dibujo? ¿Cómo sabes? ¿Qué va a decir si acepta la invitación? ¿Qué va a decir si quiere ir pero no puede? ¿si puede ir pero no quiere?
5. ¿Qué dices al extender una invitación informal, por ejemplo al cine o a un partido de baloncesto? ¿Qué dices al extender una invitación más formal, como a salir con una chica o un chico a una fiesta? ¿Hay diferencias en los dos tipos de invitaciones?
6. ¿Qué dices cuando te invitan a hacer algo que quieres hacer? ¿a hacer algo que no quieres hacer? ¿a hacer algo que sospechas que tus padres no te vayan a permitir hacer?
7. ¿Qué crees que vas a aprender a hacer y decir en esta lección?

PARA EMPEZAR

Escuchemos un cuento de Nuevo México

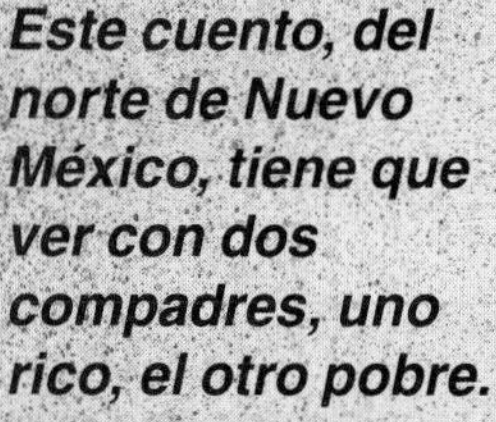

Este cuento, del norte de Nuevo México, tiene que ver con dos compadres, uno rico, el otro pobre.

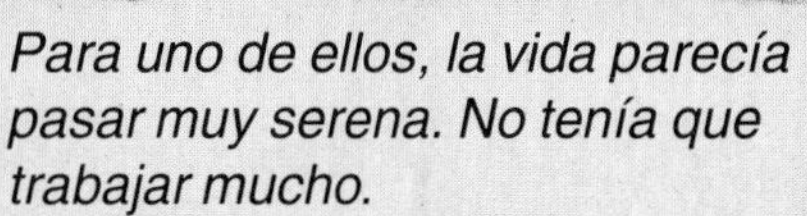

Para uno de ellos, la vida parecía pasar muy serena. No tenía que trabajar mucho.

El otro compadre tenía una vida muy difícil. Trabajaba de sol a sol, pero ganaba muy poco.

Un día, el compadre pobre y su esposa estaban discutiendo sus problemas.

"¿Por qué no vas a ver a nuestro compadre?" sugirió la mujer.

"Es posible que pueda decirte el secreto–cómo mejorar nuestra fortuna".

"¡Lo dudo!", dijo su marido. "¡No creo que él quiera ayudarnos! Pero, sí, puedo hablar con él".

Y el compadre pobre se fue a visitar a su compadre rico. "Trabajo muy duro todo el día", le dijo, "pero la mayor parte del tiempo mi esposa y yo nos acostamos con hambre. Quiero vivir como tú. ¿Es posible que me digas tu secreto? ¿Cómo puedo hacerme rico?"

El compadre rico le contestó, "Sólo porque eres tú, te voy a ayudar. Voy a decirte mi secreto. Yo me hice rico vendiendo ceniza. Tú debes hacer lo mismo". (Por supuesto, el compadre rico no estaba diciendo la verdad, pero el pobre se lo creyó todo.)

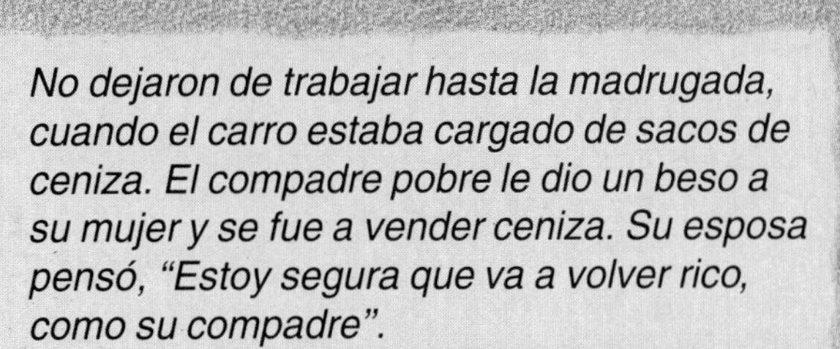

Pero la mayoría se reía de él. "Es probable que esté loco", decían. Pero aunque no vendía ni siquiera un puñado de ceniza, el pobre hombre seguía de puerta en puerta por días, luego por semanas y aún por meses.

No salió de la cárcel hasta un año después. El pobre hombre estaba muy cambiado y se sentía totalmente fracasado. Pensaba, "¿Cómo es posible que sea tan desafortunado?"

Cuando una señora vio al pobre hombre en la calle, le dio lástima y le regaló un **nicle** para ayudarlo.

Con el nicle el pobre compró una máscara de diablo pensando, "Creo que mis hijos deben saber cómo es el diablo".

En el largo camino a casa, el pobre hombre se preparaba para pasar la noche cuando oyó acercarse unos caballos.

No queriendo ser visto por nadie, se puso la máscara de diablo y se subió a un árbol. Dos ladrones a caballo se detuvieron debajo del árbol y empezaron a enterrar unos sacos llenos de monedas de oro.

El compadre los veía con tanta curiosidad que perdió el equilibrio y se cayó al suelo.

"¡El diablo!", gritó uno. "Creo que viene por nosotros", dijo el otro y los dos ladrones se fueron corriendo horrorizados.

El pobre hombre no sabía qué hacer. Por fin decidió cargar los sacos de monedas de oro en los caballos y llevárselos a casa.

Así es que el compadre pobre llegó a casa hecho un hombre rico—con dos caballos finos y sacos de oro.

Cuando el compadre rico vino a ver a su compadre, éste quería saber cómo llegó a ser tan rico tan pronto. El compadre que había sido pobre simplemente señaló la ceniza en la hoguera y sonrió.

¿QUÉ DECIMOS...?

Al prepararnos para una excursión

1 Vamos a acampar.

El Sr. Galindo y sus hijos se preparan para una excursión.

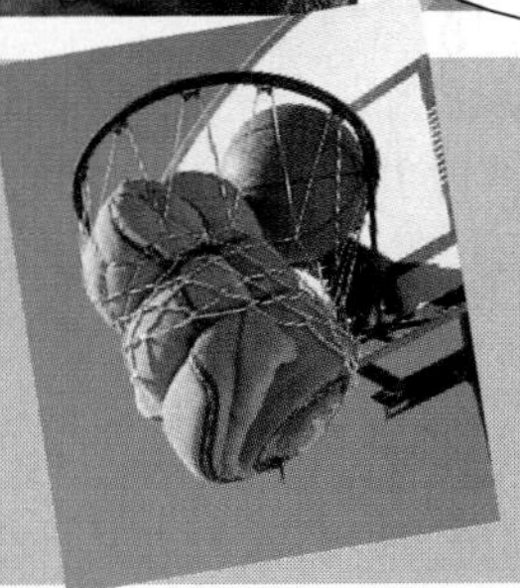

2 ¡Que les vaya bien!

3 ¿Por qué no vamos nosotras?

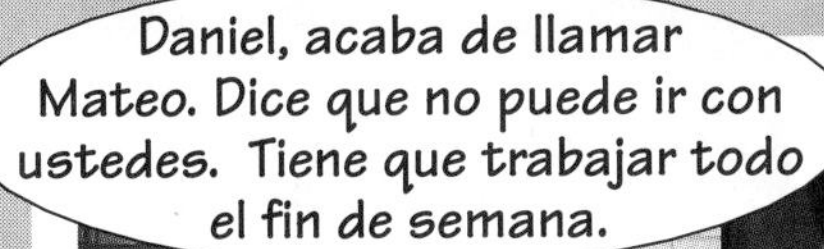

4 ¡Eres un genio!

Double object pronouns with commands

When used with commands, object pronouns follow and are attached to affirmative commands, and they precede negative commands.

Vénde**melas.**
Dá**melo** por favor.
No **te las** pongas.
No **me los** traigas.

See **¿Por qué se dice así?,** *page G84, section 6.2.*

Double object pronouns with infinitives

Object pronouns precede conjugated verbs or may follow and be attached to infinitives.

¿**Te** dio su dirección?
Va a dár**mela** más tarde.
Me la va a dar más tarde.

See **¿Por qué se dice así?,** *page G84, section 6.2.*

Object pronouns with *-ndo* verb forms

Object pronouns may precede the conjugated verb or follow and be attached to the **-ndo** verb form of the present progressive.

Ernesto está haciéndo**melo.**
¿**Te las** están preparando ahora mismo?

See **¿Por qué se dice así?,** *page G84, section 6.2.*

H. ¡Qué generoso! Estás de compras con tu tío(a) que quiere comprarte muchas cosas. ¿Qué le dices?

MODELO *Tío(a):* **¿Te compro ese libro?**
Tú: **Sí, cómpramelo.** o
No, gracias, no me lo compres.

I. De visita. Tú y tu hermano(a) acaban de llegar al pueblo de tu prima Angélica. ¿Cómo contestan ustedes las preguntas que les hace su tío(a)?

MODELO monumentos
Tío(a): **¿Ya les enseñó Angélica los monumentos?**
Tú: **No, nos los va a enseñar mañana.** o
No, va a enseñárnoslos mañana.

1. iglesia
2. colegios
3. biblioteca
4. teatros
5. plazas
6. parque
7. centro comercial
8. fuentes

J. Ahora mismo. Tú amigo(a) es candidato(a) para presidente del Club de español. Tú y varios amigos están ayudándole. ¿Qué le dices cuando te pregunta cuándo se van a hacer estas cosas?

MODELO escribir la carta (Rafael)
Presidente: **¿Cuándo me va a escribir la carta Rafael?**
Tú: **Te la está escribiendo ahora mismo.** o
Está escribiéndotela ahora mismo.

1. buscar la información (Alicia)
2. escribir el artículo para el periódico (Teodoro)
3. conseguir los números de teléfono (Blanca)
4. preparar los cheques (Gonzalo)
5. hacer la lista de miembros (Flora)
6. traer los casetes (Adán)

CHARLEMOS UN POCO MÁS

A. ¿Me acompañas? Hay muchas cosas que quieres hacer este fin de semana. Dile a tus compañeros qué vas a hacer e invítalos a acompañarte. Tus compañeros van a responder que sí a tres o cuatro de tus invitaciones.

B. Excusas. Tus amigos van a invitarte a acompañarlos a varios lugares el sábado. Tú no quieres salir el sábado. Por eso tienes que darles excusas.

C. Es dudoso. Usa el cuestionario que tu profesor(a) te da para entrevistar a tus compañeros de clase. Pídeles que firmen la línea apropiada. Recuerda que no se permite que una persona firme más de una vez.

EJEMPLO *Tú:* **¿Vas a vivir en Europa?**
Compañero(a): **Es probable que viva en Europa.**

CH. ¿Por qué? Después de mirar estos dibujos, tú y tu compañero(a) deben decidir por qué ocurre cada situación.

Sergio

EJEMPLO **Es obvio que Sergio se levanta tarde.** o
Es probable que Sergio se levante tarde.

1. Susana

2. Tomás y Memo

3. Rodrigo

4. Conchita y Lupe

5. Rosario

6. Alegra

7. Diego

8. Eduardo

Dramatizaciones

A. El baile. Hay un baile en la escuela el viernes por la noche. Tu amigo(a) va a invitarte al baile. Pero como no sabes bailar, no quieres ir. Decidan qué van a hacer. Dramaticen esta situación.

B. ¿Qué pasa con Ricardo? Tú y tu amigo(a) están muy preocupados porque Ricardo, otro amigo, está haciendo cosas muy extrañas. Hoy, por ejemplo, lleva puesta una camisa amarilla con pantalones rojos y ahora, está comiendo sopa con tenedor. Traten de explicar las acciones raras de su amigo.

IMPACTO CULTURAL

Excursiones

Antes de empezar

A. Yo digo que . . . ¿Cuánto sabes de Costa Rica? Indica si crees que estos comentarios son ciertos o falsos. Si no estás seguro(a), adivina usando lo que ya sabes de Latinoamérica.

Yo digo que . . .				Los autores	
Sí	**No**	**1.**	Costa Rica, como los otros países latinoamericanos, tiene una historia muy violenta.	**Sí**	**No**
Sí	**No**	**2.**	En Costa Rica es posible nadar en el Océano Atlántico por la mañana y en el Pacífico por la tarde del mismo día.	**Sí**	**No**
Sí	**No**	**3.**	En Costa Rica, la mayor parte de la población vive en el Valle Central.	**Sí**	**No**
Sí	**No**	**4.**	El clima de Costa Rica varía mucho, frío en las montañas, calor en el Valle Central y templado en las costas.	**Sí**	**No**
Sí	**No**	**5.**	En Costa Rica hay selva tropical con toda especie de animales.	**Sí**	**No**
Sí	**No**	**6.**	La selva tropical en Costa Rica siempre ha sido protegida por el gobierno federal.	**Sí**	**No**
Sí	**No**	**7.**	El gobierno federal costarricense, como el de EE.UU., ha establecido un sistema de parques nacionales para proteger la ecología.	**Sí**	**No**
Sí	**No**	**8.**	Costa Rica tiene una larga tradición de democracia.	**Sí**	**No**
Sí	**No**	**9.**	La constitución de Costa Rica no permite tener ejército.	**Sí**	**No**
Sí	**No**	**10.**	En 1987 el presidente de Costa Rica recibió el Premio Nóbel de la Paz.	**Sí**	**No**

B. Los autores dicen . . . Ahora lee la lectura y vuelve al formulario de la actividad **A** e indica si los comentarios son ciertos o falsos según los autores.

COSTA RICA

Rica en todo sentido

En medio de una zona llena de conflictos y guerras, Costa Rica constituye un verdadero paraíso de gente alegre y pacífica y de bosques tropicales con una gran variedad de plantas y animales.

Costa Rica es un país muy pequeño, más o menos del tamaño de West Virginia. Una persona puede viajar a la capital, San José, que está en el Valle Central, y decidir si quiere nadar en el Atlántico o el Pacífico esa misma tarde. (1)

En Costa Rica se distinguen tres regiones naturales: las costas del Pacífico y el Atlántico, las zonas montañosas con sus volcanes como el Irazú (11.260 pies) y el Poas (2) (9.000 pies), y la región del Valle Central (3) donde vive la mayoría de los habitantes. (4) El país tiene una tierra muy fértil creada por la actividad de los volcanes. En estas diferentes regiones hay una variedad de climas pero sin llegar a los extremos, es decir, ni hace mucho frío ni mucho calor.

Debido a la gran variedad de terrenos y al buen clima, Costa Rica tiene una gran diversidad de especies de plantas y animales. Por ejemplo, por pequeño que es el país, hay más de ochocientas cincuenta especies de pájaros, muchos de ellos de bello plumaje, como los loros, los picaflores (5) y, claro, el quetzal, (6) el más famoso del país. También hay 1239 especies de mariposas de hermosos colores y una variedad de reptiles, gatos silvestres, primates y marsupiales. Entre los animales nativos americanos más curiosos están los perezosos (7) y los armadillos. También tiene una gran variedad de flora con sus más de ochocientas especies de helechos, mil doscientas especies de orquídeas (8) y dos mil variedades de árboles.

1

2

3

4

5 6 7 8

Lamentablemente todas estas especies de animales están en peligro de extinción debido a la deforestación de los bosques tropicales.(9) En 1950, el 72 por ciento de Costa Rica estaba cubierto de bosques. En 1973, era el 49 por ciento, en 1978 el 34 por ciento y en 1985 el 26 por ciento. Si continúa así, para el año 2000 todos los bosques de Costa Rica serán destruidos. Por eso, en un esfuerzo para mantener su riqueza natural, el gobierno ha creado un sistema de parques nacionales(10) que cubren el 11 por ciento de su territorio. En estos parques habitan por lo menos un ejemplar de cada especie de plantas y animales.

Además de sus riquezas naturales, Costa Rica se distingue por su fuerte tradición democrática. Sólo ha tenido dos períodos violentos en su historia: uno de 1917 a 1919 bajo un dictador militar y otro durante su Guerra Civil en 1948-49. En 1949, después de la Guerra Civil, se adoptó una nueva constitución en la que se prohibió el establecimiento de un ejército nacional. Sólo hay una Guardia Nacional con cuatro mil miembros y la Guardia de Asistencia Rural con tres mil miembros no profesionales.

Debido a este estado de paz, Costa Rica ha concentrado sus esfuerzos en la educación de sus ciudadanos. Así, esta nación goza de uno de los más altos índices de alfabetismo de Latinoamérica. También Costa Rica ha contribuido internacionalmente para lograr la paz en Centroamérica, especialmente su ex-presidente Óscar Arias.(11) Éste recibió el Premio Nóbel de la Paz en 1987, por su esfuerzo en traer la paz a los países de Centroamérica.

Verifiquemos

1. Prepara un esquema como el que sigue y compara Costa Rica a EE.UU. en las áreas indicadas.
2. ¿Crees que es importante que Costa Rica haya establecido un sistema de parques nacionales para proteger los bosques tropicales? ¿Por qué?
3. ¿Qué podrías hacer tú para protegerlos?

Costa Rica	Estados Unidos
1. gobierno	1. gobierno
2. geografía	2. geografía
3. educación	3. educación
4. ejército	4. ejército

LECCIÓN 2

He oído de «La cueva».

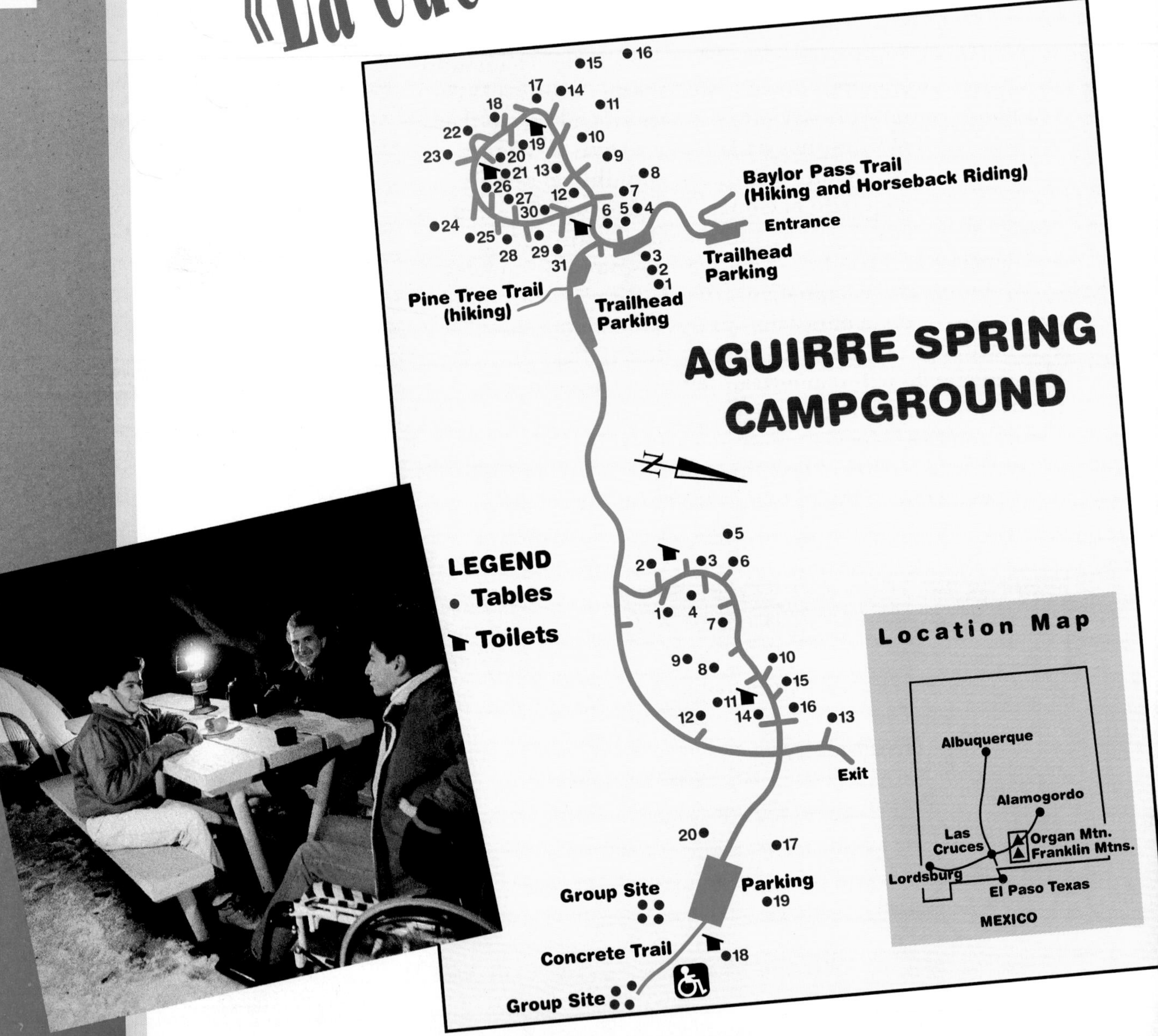

ANTICIPEMOS

¿Qué piensas tú?

1. ¿De qué es el mapa? ¿Puedes describir el área? ¿Es un desierto? ¿Hay montañas? ¿playas? ¿lagos? ¿Qué se puede hacer en este lugar? ¿Cómo lo sabes?
2. Si tú estuvieras en la entrada a este lugar, ¿qué dirías para dirigir a alguien al primer campamento número 1? ¿al número 7? ¿a los servicios más cercanos? ¿al comienzo del camino Pine Tree? ¿al camino para personas en sillas de ruedas?
3. ¿Qué busca el hombre en el dibujo? ¿Dónde ha buscado ya?
4. ¿Dónde sugieres que busque? ¿Por qué?
5. Cerca de donde tú vives, ¿adónde puede ir una familia a pasar el fin de semana? ¿Cuál es el atractivo de ese lugar?
6. ¿Conoces algunos cuentos, leyendas o misterios relacionados a algún lugar cerca de donde vives tú? Si conoces alguno, cuéntaselo a la clase.
7. ¿Qué crees que vas a aprender a hacer y decir en esta lección?

PARA EMPEZAR

Escuchemos un cuento de Nuevo México

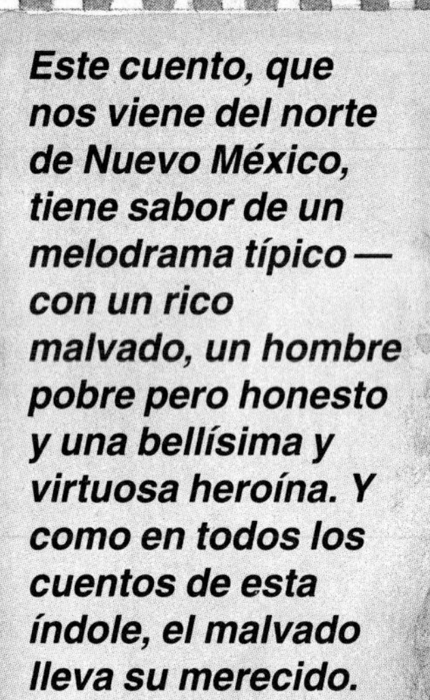

Este cuento, que nos viene del norte de Nuevo México, tiene sabor de un melodrama típico — con un rico malvado, un hombre pobre pero honesto y una bellísima y virtuosa heroína. Y como en todos los cuentos de esta índole, el malvado lleva su merecido.

Hace muchos años, en un pueblito tranquilo, vivía un joven que era dueño de la mayor parte de las propiedades de la región. También se le consideraba el hombre más rico del país. La gente lo llamaba "el rico". Lo único que le faltaba era una esposa.

Camino abajo, a una corta distancia, vivía otro hombre llamado don Gonzalo. Don Gonzalo le debía al rico una cantidad considerable de dinero.

Un día, el rico fue a visitar a don Gonzalo y le dijo, "He decidido casarme con tu hija, la bella Angelita". Pero antes de poder contestar don Gonzalo, Angelita reaccionó diciéndole a su padre, "¡Yo también he decidido! No tengo ninguna intención de casarme con ese malvado". El rico se puso furioso y le dijo a don Gonzalo, "Pues, yo he determinado que, si no me da la mano de su hija, les voy a quitar la casa y el terreno".

Cuando Angelita y su padre trataron de razonar con el rico, él reaccionó diciendo, "¿No han oído lo que he dicho? Yo pienso tomar lo que legítimamente es mío. Van a perder su ranchito y tendrán que vivir en la calle con los mendigos". Don Gonzalo se puso muy triste. No quería perder lo poco que tenía. Se vio obligado a firmar unos papeles en los que daba su consentimiento.

El día de la boda, el rico andaba algo nervioso. Quería tener una boda perfecta para impresionar a su nueva esposa. Él llamó al criado encargado de los otros criados y le preguntó, "¿Han hecho todo lo que les dije?" Éste le contestó, "Sí, señor. Hemos limpiado la casa de arriba abajo y hemos preparado el cochinillo asado. Y sí, la costurera ha hecho un hermosísimo túnico de novia y un velo".

Luego, el rico llamó a una criada y le dio una larga lista de instrucciones. La pobre muchacha salió volada e hizo exactamente lo que le pidió el rico.

7
Primero, fue a la casa de Angelita y le dijo, “Mi patrón me ha mandado por lo que le pertenece legalmente”. Como Angelita sabía que su padre le debía mucho dinero al rico, decidió empezar a pagarle mandándole su burra.
8
Cuando ya era hora de empezar la celebración y la novia todavía no llegaba, el criado encargado de los otros fue a hablar con la criada. Ésta le dijo, “He hecho exactamente lo que el patrón pidió. He metido lo que legalmente le pertenece al patrón por la puerta de los sirvientes para que nadie la vea”.
“La he subido a la alcoba en el piso de arriba”.
“La he vestido con el túnico y el velo de novia”.
“Y ya está lista para llevarla a la sala de baile”. En ese instante le gritó el rico a la criada que bajara con su novia. Claro, la criada sacó a la burra del dormitorio donde estaba y la llevó al baile.
9
Toda la gente se reía a carcajadas.
Había algunos que estaban desmorecidos de risa.
El rico se sentía como un idiota y no volvió a molestar a Angelita.

¿QUÉ DECIMOS...?

La primera noche en un campamento

1 ¿Por dónde vamos ahora?

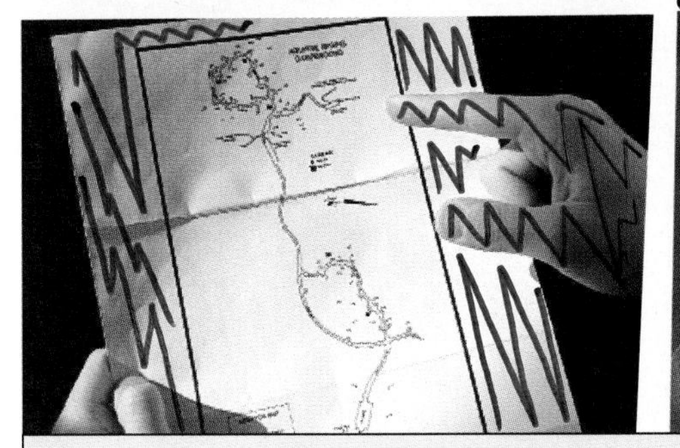

Para llegar al primero, hay que doblar a la derecha por el primer camino. Para el segundo y el tercero, sigue derecho en el camino principal. El primero parece el sitio más popular. Hay más de treinta lugares.

2 Ayúdame a armar la carpa.

3 Vamos a «La cueva».

4 Casi me muero de miedo.

CHARLEMOS UN POCO

A. **PARA EMPEZAR . . .** Pon en orden lo que dijo la criada cuando el criado encargado le preguntó si había seguido las instrucciones que le dio el patrón.

1. ''He metido lo que legalmente le pertenece al patrón por la puerta de los sirvientes para que nadie la vea''.
2. ''Y ya está lista para llevarla a la sala de baile''.
3. ''He hecho exactamente lo que el patrón pidió''.
4. ''La he subido a la alcoba en el piso de arriba''.
5. ''La he vestido con el túnico y el velo de novia''.

B. **¿QUÉ DECIMOS . . .?** ¿Quién dijo estas cosas: Daniel, Martín o papá?

Daniel

Martín

Papá

1. ''Por fin llegamos. ¿Por dónde vamos ahora?''
2. ''Hay que doblar a la derecha por el primer camino''.
3. ''¿Has visto las zanahorias y el apio?''
4. ''Mejor tráeme toda la hielera y así no te molesto más''.
5. ''Ah, también, pon la linterna ahí encima de la mesa''.
6. ''Ven acá. Ayúdame a armar la carpa''.
7. ''¿Qué vamos a hacer mañana?''
8. ''He oído hablar de la cueva, pero realmente no recuerdo los detalles''.
9. ''En la escuela hicimos una excursión al museo de la universidad''.
10. ''Pues, yo he oído otras cosas de la cueva''.
11. ''Lo único que vieron en lo oscuro de la cueva fueron los ojos brillantes de un puma''.
12. ''Casi me muero de miedo''.

C. ¿Por dónde vamos? La familia Galindo está en ''Aguirre Spring Campground''. Quieren visitar «La cueva» y almorzar allí. ¿Qué direcciones reciben? Pon las direcciones en orden cronológico según el mapa.

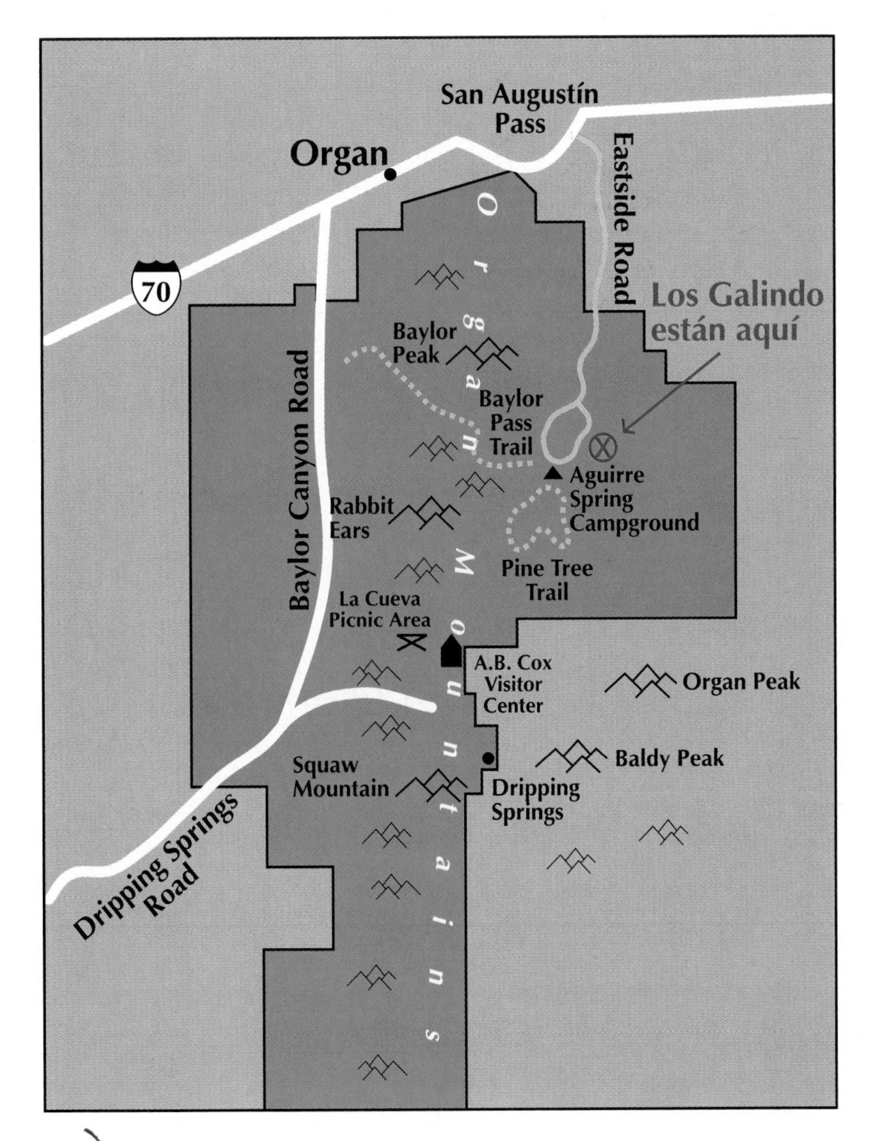

1. Entonces, doblen a la izquierda en el camino Baylor Canyon.
2. Doblen a la izquierda y sigan adelante unas millas.
3. Luego, doblen a la izquierda y sigan unas dos millas más y allí están las mesas.
4. «La cueva» está detrás de las mesas.
5. Pasando el pueblo de Organ, sigan una milla más.
6. Salgan por el camino principal del campamento y regresen a la carretera 70.
7. Sigan todo derecho unas seis millas hasta llegar a otro camino.

REPASO

Giving directions

Dobla a la derecha (izquierda).
Sigue derecho.
Camina media (una, dos, . . .) cuadra(s).
Toma el autobús (metro, tren).
Pasa por el parque.
Cruza la calle.

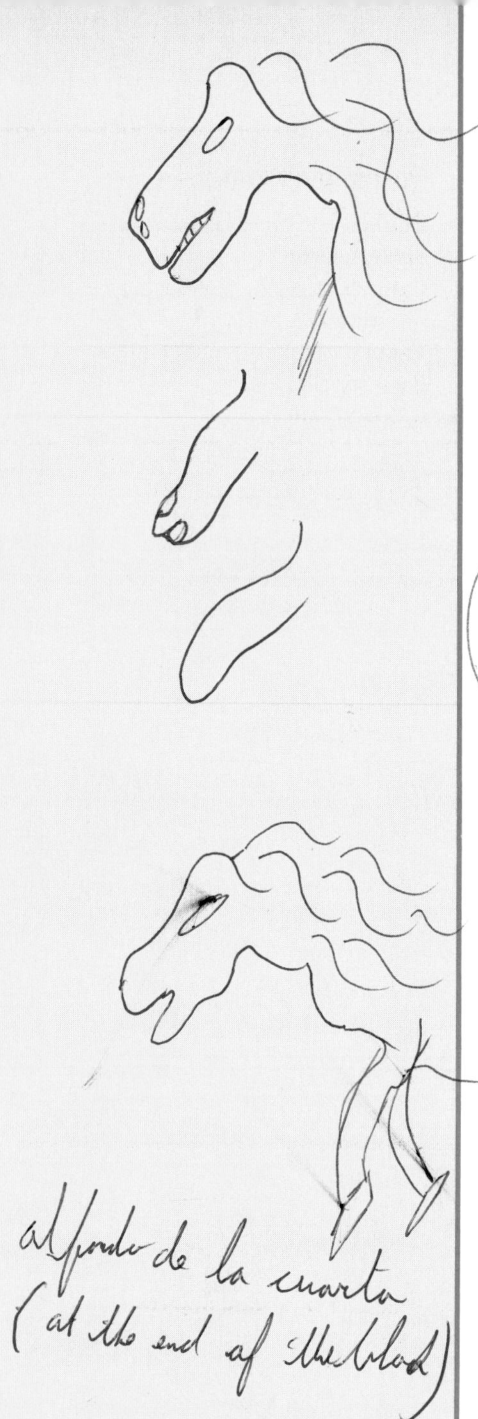

CH. ¿Cómo llego? Estás en el aeropuerto de una nueva ciudad y necesitas direcciones para llegar a varios lugares. Pregúntale a tu compañero cómo llegar a los lugares indicados.

EJEMPLO hotel

Tú: **¿Puedes decirme cómo llegar al hotel?**

Compañero(a): **Sal del aeropuerto por la Avenida de la Libertad. Dobla a la derecha y camina media cuadra. Dobla a la izquierda en la Avenida de las Flores. Sigue dos cuadras y dobla a la izquierda en el Paseo de la Justicia. El hotel está a la derecha en la esquina.**

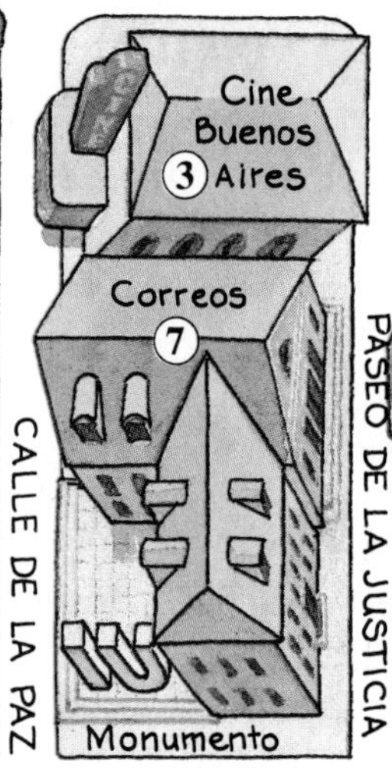

D. Quehaceres. Al volver de una excursión durante el fin de semana, tu madre o padre quiere saber los quehaceres que has hecho. ¿Qué te preguntan y qué les contestas?

MODELO limpiar la casa
Madre (Padre): **¿Ya limpiaste la casa?**
Tú: **Todavía no he limpiado la casa pero voy a hacerlo en seguida.**

1. lavar el carro
2. pasar la aspiradora
3. sacar la basura
4. limpiar los baños
5. cortar el césped
6. pasar un trapo
7. lavar los platos
8. preparar la cena

E. Para sobresalir, yo . . . ¿Qué han hecho tú y tus amigos para salir bien en la escuela este año?

MODELO Pedro y Mario: dormir ocho horas cada noche
Para sobresalir, Pedro y Mario han dormido ocho horas cada noche.

1. yo: leer todas las lecciones
2. Pepe y Hernando: responder a todas las preguntas
3. Federica: aprender los elementos químicos
4. Irma y yo: traer cosas interesantes a la clase
5. tú: asistir a todas las clases
6. tú y Constanza: comer un buen desayuno
7. nosotros: salir solamente los fines de semana
8. los hermanos Sánchez: pedir ayuda a los profesores

F. Ocupados. Estás de vacaciones en Centroamérica. Tu familia quiere saber qué han hecho tú y tus compañeros de viaje. ¿Qué les dices cuando les hablas por teléfono?

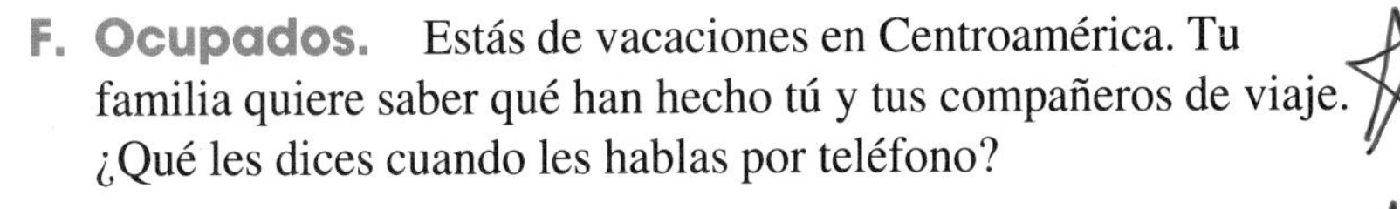

EJEMPLO **Yo he descubierto muchas cosas fascinantes.**

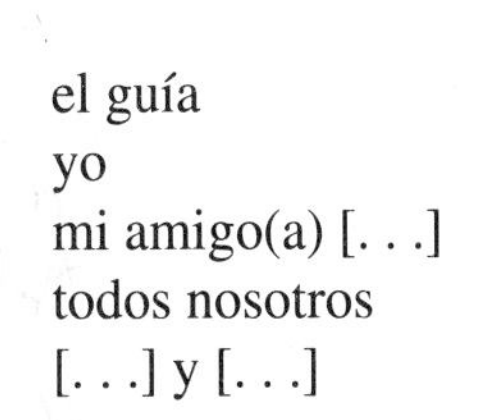

el guía	descubrir	mucha ropa nueva
yo	ponerse	unas películas
mi amigo(a) [. . .]	hacer	mucho ejercicio
todos nosotros	escribir	muchas cosas fascinantes
[. . .] y [. . .]	romper	un nuevo hotel
	ver	muchas cartas
		varios museos
		el brazo
		un tour de la capital

Present perfect tense: *-ar* verbs

he / has / ha / hemos / han + **-ado** verb form

No **hemos comprado** los regalos todavía.
¿**Has estudiado** para el examen?

See **¿Por qué se dice así?,** *page G86, section 6.3.*

Present perfect tense: *-er* and *-ir* verbs

he / has / ha / hemos / han + **-ido** verb form

No **he comido** todavía
¿**Has recibido** mi regalo?

See **¿Por qué se dice así?,** *page G86, section 6.3.*

Irregular past participles

abrir	**abierto**
decir	**dicho**
descubrir	**descubierto**
escribir	**escrito**
hacer	**hecho**
morir	**muerto**
poner	**puesto**
resolver	**resuelto**
romper	**roto**
ver	**visto**
volver	**vuelto**

Todavía no **han descubierto** al ladrón.
No **hemos visto** a Carlos.

See **¿Por qué se dice así?,** *page G86, section 6.3.*

CHARLEMOS UN POCO MÁS

A. Al salir de . . . Tu profesor(a) va a darles a ti y a tu compañero(a) un plano de una ciudad. Tú necesitas ir a ciertos lugares indicados en tu mapa y tu compañero(a) necesita ir a otros lugares indicados en el suyo. Pídele direcciones a los lugares indicados y dile cómo llegar a los lugares donde él o ella quiere ir. Marquen la ruta a cada destinación empezando cada vez desde la casa.

B. ¿Qué han hecho? Mira los dibujos aquí. Con un compañero(a) decidan qué ha pasado en cada dibujo. Luego escriban una breve descripción para cada dibujo.

1. Marcos

2. Pámela, David y Juan

3. Linda y Marcela

4. Luis

5. yo

6. tú

C. ¡De veras! ¿Hay algo que quieres saber de alguna persona en la clase? Con un(a) compañero(a), prepara de ocho a diez preguntas para hacerle a una persona en la clase [hasta puede ser su profesor(a)] sobre lo que ha hecho en los últimos cinco años. Luego entrevisten a la persona.

EJEMPLO **¿Ha(s) visitado México?**
¿Ha(s) vivido en otro estado?

Dramatizaciones

A. ¿Dónde está? Tu compañero(a) quiere ir a varios lugares en tu pueblo pero no sabe dónde están. Dile cómo llegar allí cuando te pida direcciones específicas. Dramaticen esta situación.

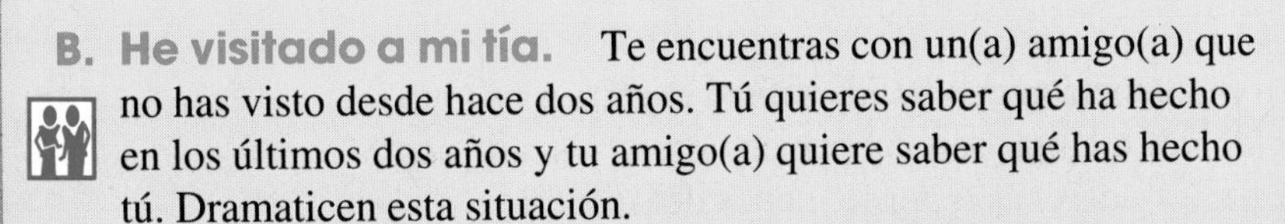

B. He visitado a mi tía. Te encuentras con un(a) amigo(a) que no has visto desde hace dos años. Tú quieres saber qué ha hecho en los últimos dos años y tu amigo(a) quiere saber qué has hecho tú. Dramaticen esta situación.

IMPACTO CULTURAL

Nuestra lengua

Antes de empezar

A. Diminutivo. En español, usamos el diminutivo, es decir, la terminación **-ito(s)/-ita(s)**, para expresar afecto o cariño. Por ejemplo, decimos *abuelita* en vez de *abuela* y *perritos* en vez de *perros.* ¿Puedes dar el diminutivo de estas palabras?

hermano	prima	abuelos
hermanas	perro	gata

¿Cuáles son algunas maneras que tú usas en inglés para expresar afecto o cariño con tus familiares?

B. ¡Es de Texas! Con frecuencia podemos identificar el origen de unas personas por su habla. Por ejemplo, si una persona dice "you all" con frecuencia sabemos que es de Texas o por lo menos del suroeste. ¿Cuáles son otras marcas lingüísticas en inglés que identifican el origen de ciertas personas?

Los "ticos"

Dos muchachos conversan en el patio de un colegio de San José. Luis es de Costa Rica y Miguel es de Colombia.

Luis: **Miguel, ¿puedes esperarme un momentico? . . . porque todavía tengo que llamar a mi primo para desearle "feliz cumpleaños".**

Miguel: **Sí, perfecto. No hay problema. Dime, Luis, ¿por qué no vamos a cenar algo antes de la película?**

Luis: **¡Qué buena idea! Conozco un sitio chiquitico que queda muy cerca del cine. Sé que te va a gustar.**

Miguel: **¡¡Chévere!! Pero dime, Luis, ¿qué es eso del "tico"? ¿Es una costumbre nueva de todos los jóvenes aquí? Suena muy bien, eh.**

Luis: **¡Qué va, Miguel! ¿No sabes que en mi país todos somos "ticos"?**

Verifiquemos

1. Luis usa dos palabras que le suenan un poco raro a Miguel. ¿Cuáles son? ¿Cuál es su significado?
2. ¿Es una nueva costumbre de todos los jóvenes en Costa Rica usar el "tico"? Explica tu respuesta.
3. ¿Qué diría Luis: poquito o poquitico, ratito o ratico, cortito o cortico? ¿Cómo lo sabes?
4. ¿Cuál es la regla que explica lo que dicen los costarricenses en comparación con el resto de los hispanohablantes?

LECCIÓN 3

¡Qué susto!

ANTICIPEMOS

¿Qué piensas tú?

1. Daniel le escribió una carta a un amigo, contándole lo que pasó en Aguirre Springs. ¿Qué crees que dice en su carta?
2. Si Martín escribe una carta describiendo el viaje a Aguirre Springs, ¿cómo va a variar su versión de la de su hermano? ¿de la versión de su padre?
3. Mira el dibujo ahora. ¿Qué pasó? ¿Qué está pasando ahora? ¿Quién creen los padres que es el culpable?
4. ¿Qué dice cada hijo para explicar su inocencia? ¿Quién crees tú que es el culpable? ¿Por qué?
5. ¿Has hecho algo ridículo alguna vez? ¿Cómo te sentiste? ¿Qué le dijiste a tus padres o a tus amigos cuando les contaste lo que te pasó?
6. ¿Qué crees que vas a aprender a decir y hacer en esta lección?

PARA EMPEZAR

Escuchemos un mito brasileño

1

Parece que todas las culturas del mundo tienen mitos y fábulas para explicar el gran poder de la naturaleza. Éste es el caso en el mito brasileño: Caipora, el Padremonte.

Cada mañana, muy temprano, dos compadres — uno se llamaba Toño y el otro Chico — iban juntos al monte a cortar leña.

El monte era una belleza: claro y oscuro, con matas y árboles de todo tipo . . . y además, el canto de los pájaros y las bandadas de mariposas de colores brillantes.

2

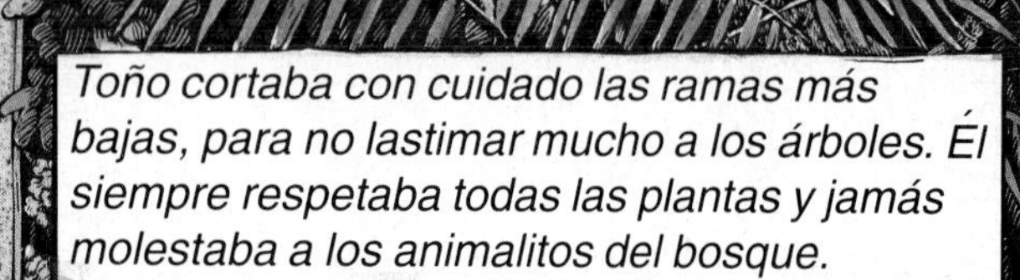

Toño cortaba con cuidado las ramas más bajas, para no lastimar mucho a los árboles. Él siempre respetaba todas las plantas y jamás molestaba a los animalitos del bosque.

El compadre Chico cortaba troncos. Él no respetaba la naturaleza. Quebraba ramas sin necesidad. Y a veces mataba un animal, sólo para practicar la puntería.

3

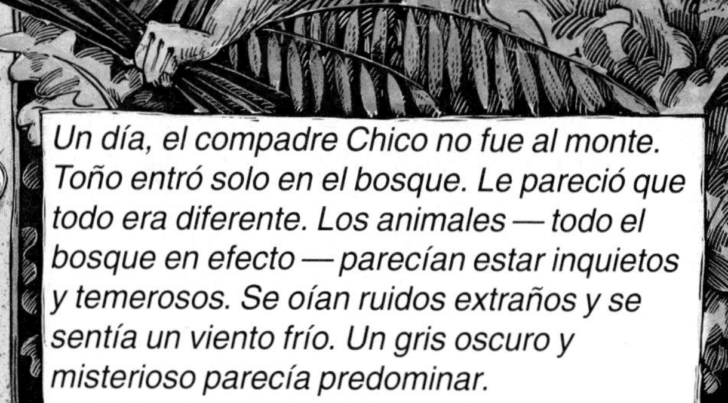

Un día, el compadre Chico no fue al monte. Toño entró solo en el bosque. Le pareció que todo era diferente. Los animales — todo el bosque en efecto — parecían estar inquietos y temerosos. Se oían ruidos extraños y se sentía un viento frío. Un gris oscuro y misterioso parecía predominar.

4
De repente, Toño vio en lo oscuro del bosque una aparición espantosa. ¡Era el Caipora, el Padremonte! El leñador se quedó paralizado de miedo. Era enorme, verde de pies a cabeza. Tenía las piernas fuertes y grandes, el cuerpo cubierto de pelos gruesos y los brazos tan largos que casi tocaban el suelo. Tenía también cabeza de zorro y lo peor de todo, tenía los pies volteados con los dedos hacia atrás.
5
De pronto, Caipora preguntó, "¿Tienes una pipa ahí, muchacho?" "¿Pipa? ¿Yo?", contestó el leñador. "Sí, aquí en mi mochila". Y le dio al monstruo su pipa. Caipora agarró la pipa y se fue trotando. El leñador se secó el sudor de la frente y dijo: "¡Uf! Tengo que trabajar para olvidar esta experiencia".

6
Ese día el compadre Toño volvió con la carreta cargada de leña de la mejor calidad.
Al día siguiente usó la leña como siempre, para fabricar carbón para vender en el pueblo. Cuando terminó el proceso, Toño decidió que sin duda esta leña produjo el mejor carbón que jamás había fabricado. Con este carbón, Toño muy pronto se hizo rico y no tuvo que ir más al bosque.

7
Cuando su compadre Chico supo de la buena fortuna de su compañero, insistió en saber el secreto de su riqueza. Toño decidió no darle muchos detalles de su encuentro con el monstruo del bosque. Simplemente le dijo, "Pienso que mi suerte fue por causa del encuentro, pero no estoy seguro . . ."
8
Un buen día el compadre Chico se encontró con el Caipora. En seguida le ofreció una pipa muy elegante, casi gritando de codicia. "Caipora, ¿puedes darme carbón? Mira, te doy mi mejor pipa".
9
El Caipora se enfureció. De sus ojos salían chispas verdes de odio.
"¡Eres tú — el matador de árboles y de animales!" Entonces el Padremonte agarró al codicioso violentamente.
10
Y desde ese día, apareció en el bosque un nuevo espanto: un hombre vuelto al revés que vaga entre los árboles como alma en pena.

¿QUÉ DECIMOS AL ESCRIBIR...?

Un cuento que nos contaron

Al regresar a casa, Martín les escribió una carta a sus primos en Monterrey, México.

Queridos primos:

Saludos de El Paso. Espero que todos estén bien. ¿Cómo está tía Gabriela? Mamá le manda recuerdos.

El fin de semana pasado mi papá, mi hermano y yo fuimos a Nuevo México a acampar en las montañas, los Órganos, cerca de Las Cruces. Nos divertimos muchísimo. Es un gran lugar para acampar. Ojalá algún día podamos ir allí todos juntos.

El segundo día fuimos a un sitio de excavaciones arqueológicas. Es una cueva que tiene una historia de siete mil años. Todo fue muy interesante, pero lo más fascinante fue lo que aprendimos sobre un señor del siglo pasado.

Era un señor bien excéntrico a quien todo el mundo llamaba el Ermitaño. Se pasó casi toda la vida viviendo solo en las montañas. Cuando el Ermitaño ya era viejo, se instaló en la cueva que visitamos.

La gente de Las Cruces le advirtió que era peligroso vivir solo allí, pero él no les hizo caso. Muchas personas del pueblo siguieron insistiendo hasta que, para complacerlos, dijo que iba a prender un fuego frente a la cueva cada noche para señalar que estaba bien. Una noche la gente del pueblo no vio la señal acostumbrada y todos se alarmaron. Al día siguiente salieron a buscarlo y lo encontraron muerto. Nadie sabe cómo murió, pero como te puedes imaginar, abundan las explicaciones.

Tengo que contarles una cosa chistosa que nos ocurrió la primera noche en el campamento. Después de cenar, mientras tomábamos chocolate, mi hermano nos empezó a contar otro cuento sobre esa misma cueva. Se trataba de un puma que vivía en la cueva y que una noche atacó a unos jóvenes universitarios.

El cuento era tan fantástico que yo sabía que él lo iba inventando. Sin embargo, los dos pasamos un gran susto cuando de repente, oímos unos ruidos extraños, como de un animal grande, cerca de nosotros. ¡Casi nos morimos de miedo! ¡Qué sorpresa llevamos cuando supimos que eran dos compañeras de clase! Ellas sabían que íbamos a estar allí, y vinieron al campamento con sus padres. Cuando oyeron a Daniel contar su cuento, decidieron asustarnos. ¡Qué malas!, ¿no?

¿Qué nos cuentan de nuevo? ¿Y cuándo vienen a visitarnos? Podemos ir a pasar la noche en « La cueva ». Escríbanos pronto.

Un fuerte abrazo de su primo,

Martín

CHARLEMOS UN POCO

A. PARA EMPEZAR . . . Pon estas oraciones en orden según el mito brasileño ''El Caipora, el Padremonte''.

1. Un día, Toño vio en lo oscuro del bosque, una aparición espantosa. ¡Era el Caipora!
2. Cuando su compadre Chico le ofreció su pipa, casi gritando de codicia, Caipora lo convirtió en un nuevo espanto: un hombre vuelto al revés.
3. El Caipora le pidió su pipa al leñador y éste se la dio.
4. Con el carbón que fabricó de la leña que cortó ese día, Toño se hizo rico, y no tuvo que ir más al bosque.
5. Toño cortaba con cuidado para no lastimar mucho a los árboles. Su compadre Chico cortaba los troncos.
6. Tenía también cabeza de zorro y lo peor de todo, tenía los pies volteados con los dedos hacia atrás.
7. Dos compadres, Toño y Chico, iban siempre al monte a cortar leña.
8. Tenía las piernas fuertes y grandes, el cuerpo cubierto de pelos gruesos y los brazos tan largos que casi tocaban el suelo.

B. ¿QUÉ DECIMOS . . .? Di si son ciertos o falsos estos comentarios sobre la carta que escribió Martín. Si son falsos, corrígelos.

1. Martín escribió una carta a sus abuelos en México.
2. Martín y su familia fueron a acampar a las montañas en Texas.
3. Lo pasaron bien.
4. La cueva que visitaron era muy vieja.
5. Muchas personas vivieron en «La cueva».
6. El Ermitaño llegó a la cueva cuando era joven.
7. El Ermitaño tenía miedo de vivir en la cueva.
8. Cada noche el Ermitaño les daba una señal a sus amigos.
9. El Ermitaño todavía vive en la cueva.
10. Daniel contó un cuento de espantos sobre la cueva.
11. Daniel y Martín se asustaron cuando oyeron los ruidos de un puma.
12. Dos compañeras de clase también fueron a acampar al mismo lugar.

The imperfect

-ar	-er, -ir
-aba	-ía
-abas	-ías
-aba	-ía
-ábamos	-íamos
-aban	-ían

De niño, yo **estudiaba** mucho.
Nosotros **vivíamos** en San Antonio.
Yo siempre **me dormía** inmediatamente.

See **¿Por qué se dice así?**, *page G92, section 6.5.*

C. En mi niñez. Cuando Isabel era niña, siempre iba al parque con su familia en el verano. Según ella, ¿qué hacían allí?

EJEMPLO **Angelita tomaba helado.**

CH. El verano pasado. El año pasado, la familia de Rosario pasó las vacaciones en México. Según ella, ¿qué hicieron?

MODELO mis hermanos y yo: bailar en una discoteca
Mis hermanos y yo bailamos en una discoteca.

1. Simón: tomar el metro por primera vez
2. mamá y yo: comer en la Zona Rosa el último día en la capital
3. toda la familia: ver el Ballet Folklórico un domingo por la tarde
4. mi hermano: asistir a un partido de jai alai con papá
5. mis abuelos: visitar el Museo de Antropología un domingo por la tarde
6. papá y Angelita: comprar artesanías en Puebla
7. yo: subir al restaurante de la Torre Latinoamericana con mi tía
8. Simón y José: escuchar un concierto en la universidad
9. toda la familia: cenar en Coyoacán
10. José: ir al museo de Frida Kahlo

D. ¡Los Canguros! ¿Qué pasó ayer cuando tú y un(a) amigo(a) vieron a su grupo rock favorito? Para contestar, completa este diálogo.

Tú: ¡Imagínate! Ayer (vi / veía) a Los Canguros en persona.
Amigo(a): ¡En persona! ¿Dónde (estuvieron / estaban)? ¿Qué (pasó / pasaba)? ¿Dónde (estuviste / estabas)?
Tú: Pues, (fui / iba) de compras al centro comercial con mi hermano. Él (necesitó / necesitaba) unos zapatos nuevos y yo (quise / quería) comprar una camiseta.
Amigo(a): Sí, sí. Pero ¿dónde (encontraron / encontraban) a Los Canguros?
Tú: Pues, (fuimos / íbamos) a entrar en el almacén cuando de repente (oímos / oíamos) su música.
Amigo(a): Ay, ¿sí? Y, ¿qué (hicieron / hacían) ustedes entonces? ¿(Supieron / sabían) dónde buscarlos?
Tú: ¡Claro que sí! (Salimos / Salíamos) a buscarlos en seguida. (Estuvimos / Estábamos) muy emocionados y . . .
Amigo(a): ¡Por favor! Finalmente, ¿dónde los (vieron / veían)?
Tú: (Estuvieron / Estaban) en frente de la tienda de música tocando para el público. Además, la tienda (vendió / vendía) sus discos a un precio muy reducido.
Amigo(a): ¿(Compraste / Comprabas) unos discos?
Tú: ¡Qué va! (Compré / Compraba) todos los discos de ellos que todavía no (tuve / tenía) en casa.
Amigo(a): ¡Caramba! ¿Cuánto (gastaste / gastabas)?
Tú: Pues, te puedo decir que no (compré / compraba) la camiseta.

REPASO

The preterite

-ar	-er, -ir
-é	-í
-aste	-iste
-ó	-ió
-amos	-imos
-aron	-ieron

Trabajé toda la noche.
¿Ya **comiste**?
Salió esta mañana a las 10:00.

See **¿Por qué se dice así?,** *page G92, section 6.5.*

REPASO

Preterite: Irregular verbs

Irregular endings

-e	**-imos**
-iste	
-o	**-ieron**

Irregular stems:

-u stem

andar	**anduv-**
estar	**estuv-**
haber	**hub-**
poder	**pud-**
poner	**pus-**
saber	**sup-**
tener	**tuv-**

-i stem

querer	**quis-**
venir	**vin-**

-j stem

decir	**dij-**
traer	**traj-**

See **¿Por qué se dice así?,** *page G92, section 6.5.*

E. Una fábula. Con un(a) compañero(a), decide el orden correcto de las oraciones de este cuento.

1. —Antes de matarme, —dijo ella, —déjenme gritar una cosa.
2. —Bueno, —le dijeron los ladrones, —pero rápido. Tenemos mucha prisa.
3. Al ver que ni su hija ni su perro venían, la viejita les pidió un favor a los ladrones.
4. Después de robar sus cosas, los ladrones entraron donde estaba la viejita y la iban a matar.
5. Ella gritó: —¡Ay, cuándo en mis Tiempos, Lucía!
6. Ese día su hija Lucía y su perro Tiempos estaban dormidos en otro cuarto y no oyeron nada.
7. Había una vez una mujer que era muy vieja.
8. Lucía y Tiempos oyeron y salieron pronto.
9. También tenía un perro que se llamaba Tiempos.
10. Tenía una hija que se llamaba Lucía.
11. Una vez vinieron a la casa de la vieja dos hombres malos que pensaban robarla.
12. Y el perro atacó a los ladrones.

F. Examen. Ernesto tuvo una experiencia muy interesante. ¿Qué pasó?

MODELO Ernesto / estar / muy preocupado.
Ernesto estaba muy preocupado.

1. tener / examen / clase de química al día siguiente
2. pasar / todo / tarde estudiando
3. a / siete / amigo Andrés / llamar
4. Andrés invitarlo / ir al cine, pero Ernesto / decir / que no
5. más tarde / amiga Valentina / venir / casa
6. ella invitar / Ernesto a salir para tomar / refresco
7. otra vez / Ernesto declinar / invitación
8. en la mañana / entrar / laboratorio de química
9. sentirse / bien preparado
10. haber / un mensaje / pizarra: ''No hay examen hoy''

G. Una caminata. Ramona y Jacobo Vargas fueron a acampar. Basándote en los dibujos, cuenta lo que pasó.

1. levantarse / hacer buen (mal) tiempo / sentirse

2. decidir caminar / montañas / caminar millas

3. de repente / comenzar / llover / hacer viento

4. ver cueva / decidir buscar refugio / correr

5. llegar / ver ojos / asustarse

6. (¿ . . . ?)

H. ¡Qué día! Tu compañero(a) te está describiendo el tiempo. ¿Qué opinas?

MODELO *Compañero(a):* **Hace viento.**
Tú: **¡Es un mal día!** o **¡Es un buen día!** o **¡Es un gran día!**

1.

2.

3.

4.

5.

6.

7.

8.

Adjectives: Shortened forms

bueno	**buen**
grande	**gran**
malo	**mal**
primero	**primer**
tercero	**tercer**
alguno	**algún**
ninguno	**ningún**

Éste es mi **primer** examen.
Simón Bolívar fue un **gran** hombre.

See **¿Por qué se dice así?,** *page G95, section 6.6*

I. Encuesta. Entrevista a tu compañero(a) sobre sus actividades de la semana pasada. Luego él (ella) te va a entrevistar a ti.

EJEMPLO ver programa de televisión
Tú: **¿Viste algún programa de televisión?**
Compañero(a): **No, no vi ninguno.** o **Sí, vi [. . .]**

1. recibir carta
2. tocar instrumento musical
3. oír cuento
4. conocer a persona nueva
5. hacer viaje
6. ir a restaurante
7. comprar cosa interesante
8. leer libro de aventura

CHARLEMOS UN POCO MÁS

A. Está enfrente de . . . Tu profesor(a) te va a dar un dibujo de una sala amueblada y uno de la misma sala sin muebles a tu compañero(a). Dile a tu compañero(a) exactamente dónde están todos los muebles para que él (ella) pueda dibujarlos. No se permite ver su dibujo antes de terminar esta actividad.

B. Encuesta. Tu profesor(a) te va a dar una cuadrícula con una actividad indicada en cada cuadrado. Pregúntales a tus compañeros de clase si hacían estas actividades durante su niñez. Pídeles a las personas que contesten afirmativamente que firmen en el cuadrado apropiado. Recuerda que no se permite que una persona firme más de un cuadrado.

EJEMPLO llorar
¿Llorabas mucho?

C. ¿Qué hicieron? Tú y tu amigo(a) van a entrevistar a otra pareja de estudiantes sobre sus actividades la semana pasada. Preparen por escrito de ocho a diez preguntas sobre las actividades más comunes de sus amigos. Luego háganselas a otra pareja y contesten las preguntas que ellos van a hacerles a ustedes.

EJEMPLO **¿Estudiaste química con [*nombre*]?** o
¿Estudiaron química tú y [*nombre*]?

CH. ¡Fue fascinante! Con tu compañero(a), escribe un cuento basado en estos dibujos del viaje de Mercedes y su familia a Los Ángeles.

lunes

martes

miércoles

jueves

viernes

sábado

domingo

Dramatizaciones

A. ¡Qué susto! Tu amigo(a) acaba de regresar de visitar a sus abuelos en otra ciudad. Durante su visita su abuelo tuvo un susto muy grande. Ahora tú quieres saber todos los detalles de la visita. Dramatiza la conversación con un compañero(a).

B. Íbamos a una cueva. El (La) director(a) de la escuela quisiera saber lo que pasó cuando tú y dos amigos fueron a acampar en la lluvia. Cada persona tiene una versión distinta de ese fin de semana. Dramatiza esta situación con dos compañeros. Uno puede hacer el papel de director(a).

C. ¿*Escargot* o caracoles? Tú y un(a) amigo(a) están discutiendo lo que ocurrió cuando los miembros del Club de francés fueron a un restaurante elegante y comieron una comida típica. Dramaticen su conversación.

LEAMOS AHORA

Estrategias para leer:
Leer un poema

A. ¡Es como la música! El leer poesía es, de varios puntos de vista, como escuchar música. En efecto, hay varias características de música en la poesía. Como una canción, un poema tiene palabras, imágenes, ritmo y significado. Los buenos lectores siempre escuchan la música dentro de un poema. También se hacen preguntas sobre el significado de las palabras en el poema y de cómo las usa el poeta. Para leer y entender *nocturno sin patria* por Jorge Debravo, un poeta costarricense, tu también tendrás que escuchar la música del poema y pensar sobre el significado de las palabras del poeta.

Escucha el poema y contesta estas preguntas:

1. ¿Tiene rima el poema?
2. ¿Cuáles palabras y sonidos se repiten en el poema?
3. ¿Dónde empieza y termina cada oración?
4. Describe el ritmo del poema. ¿Es lento o rápido? Es tranquilizante o vibrante?
5. Describe los sonidos del poema. ¿Son abruptos y fuertes o son lentos y suaves?
6. ¿Qué emociones te hacen sentir o te sugieren el ritmo y los sonidos de este poema?

B. El significado. Piensa en las palabras del poema. ¿Cuál es su significado? ¿Cómo las usa el poeta? ¿Literalmente? ¿Simbólicamente? ¿Qué sientes al ver estas palabras de *nocturna sin patria?* ¿Sabes su significado? ¿Sabes el significado que le da el poeta?

Palabra	Significado	Simbolismo	Lo que veo...	Lo que siento...
cuchillo	un utensilio para cortar	defensores de fronteras	el cuchillo corta y puede matar	miedo furia peligro
patria				
aire				
salvajes				
arrancar				
traje				
punta				

Este poema tiene cinco estrofas. Lee el poema ahora y trata de decir en pocas palabras el significado de cada estrofa. La primera ya está completada.

Estrofa	Significado según el poeta
1ra	Lo que al poeta no le gusta
2da	______________

¿Qué impresión tienes ahora en cuanto al mensaje principal del poeta? Contesta simplemente por completar una de estas dos frases:

1. En mi opinión, el poeta no cree que . . .
2. En mi opinión, el poeta cree que . . .

Jorge Debravo

gobierno — problemas

poeta social

Jorge Debravo, el poeta costarricense, publica su primer libro de poesía, *Milagro abierto,* en 1959. En los diez años que siguen, salen otras cinco colecciones, las cuales se publican de nuevo en un solo tomo en 1969 bajo el nombre de su primera publicación. Desde entonces, han salido cuatro más colecciones: *Nosotros los hombres,* 1966, *Canciones cotidianas,* 1967, *Los despiertos,* 1972, y *Antología mayor,* 1974.

Debravo es considerado uno de los poetas más involucrados en el drama social. Su poesía trata de temas sociales: la protesta, la miseria del pueblo, la angustia . . . Como él mismo ha dicho:

> *He tomado partido . . . Todos los hombres somos hermanos. Comprendo, sin embargo, que a algunos habrá de obligarlos a comportarse como hermanos. Porque hay hombres que todavía no son humanos. Debemos enseñarles a serlo . . .*
>
> *Mi poesía no se sujeta a ninguna norma ideológica preconcebida. Nace simplemente, dice lo que se ha de decir y no calcula los intereses que resultarán favorecidos o golpeados.*

nocturno sin patria

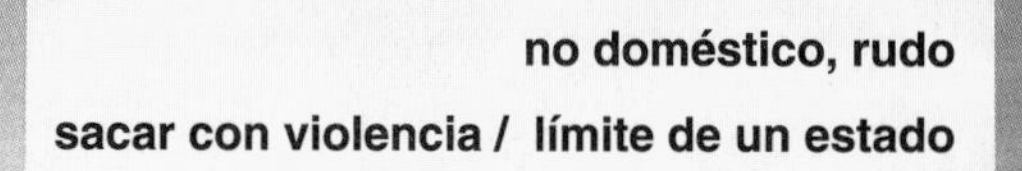

Yo no quiero un cuchillo en manos de la patria.
Ni un cuchillo ni un rifle para nadie:
la tierra es para todos,
como el aire.

Me gustaría tener manos enormes,
violentas y salvajes,*
para arrancar* fronteras* una a una
y dejar de frontera solo el aire.

Que nadie tenga tierra
como se tiene traje:
que todos tengan tierra
como tienen el aire.

Cogería* las guerras* de la punta*
y no dejaría una en el paisaje*
y abriría la tierra para todos
como si fuera el aire . . .

Que el aire no es de nadie, nadie, nadie . . .
Y todos tienen su parcela de aire.

Verifiquemos

1. Explica lo que el poeta quiere decir cuando dice "Yo no quiero un cuchillo en manos de la patria".
2. ¿Le gustan las fronteras al poeta? ¿Por qué sí o por qué no?
3. ¿Qué relación hace el poeta entre tierra y un traje? ¿entre tierra y aire?
4. ¿Cómo es posible "Que el aire no es de nadie, nadie, nadie . . .", pero sin embargo "todos tienen su parcela de aire"? Explica el último verso del poema.
5. La introducción dice que Jorge Debravo escribe sobre temas sociales. ¿Es verdad en *nocturno sin patria?* Explica.

ESCRIBAMOS AHORA

Estrategias para escribir:

Escribir un poema

A. Reflexionar. En *nocturno sin patria* de Jorge Debravo, el poeta habló de algo en el mundo que no está bien; dijo lo que haría para cambiarlo y, finalmente, habló de cómo sería el mundo después de este cambio. Aunque *nocturno sin patria* no rima, está lleno de imágenes vivas y el ritmo del poema ayuda a expresar los sentimientos del poeta. Ahora tú vas a escribir un poema corto sobre algo que quieres cambiar.

B. Empezar. Primero, debes pensar en un tema. Piensa en algo que te preocupa: la ecología, la escuela, la familia, los animales . . . No tiene que ser un asunto tan grande como ''la falta de fronteras en el mundo entero'' de Jorge Debravo. Sólo debe ser algo de interés personal para ti. Selecciona un tema que te permita describir lo que no está bien y lo que tú puedes cambiar.

C. Torbellino de ideas. Tu poema va a tener tres estrofas. En la primera vas a describir el problema y decir qué es lo que no está bien. En la segunda estrofa vas a decir lo que vas a cambiar o cómo vas a solucionar el problema. En la tercera hablarás del resultado después del cambio. Prepara listas de palabras que te ayudan a expresar cada una de estas ideas. Usa un marcador para seleccionar las palabras más vivas.

El problema	La solución	El resultado
No quiero . . . No me gusta . . .	Voy a . . .	Va a . . .
Palabras expresivas: 1. 2. 3. . . .	1. 2. 3. . . .	1. 2. 3. . . .

CH. Primer borrador. Escribe el primer borrador de tu poema. Si quieres, vuelve a mirar *nocturno sin patria* y estudia el formato. Fíjate que no hay una oración completa en cada verso o línea del poema. También nota que no es necesario tener rima, pero sí debe tener ritmo.

D. Compartir. Lee los poemas de tus compañeros y que ellos lean el tuyo. Pídeles que hagan un breve resumen de tu poema para ver si lo entendieron. También pídeles sugerencias para hacerlo más claro y más efectivo. Haz el mismo tipo de comentarios sobre sus poemas.

E. Revisar. Haz cambios en tu poema a base de las sugerencias de tus compañeros. Luego, antes de entregar el poema, dáselo a dos compañeros de clase para que lo lean una vez más. Esta vez pídeles que revisen la estructura y la puntuación. En particular, pídeles que revisen la concordancia: verbo / sujeto y sustantivo / adjetivo.

F. Versión final. Escribe la versión final de tu poema incorporando las correcciones que tus compañeros de clase te indicaron. Presta mucha atención al formato. Piensa en la versión final como una obra de arte que tiene atractivo visual tanto como auditivo.

G. Publicar. Cuando tu profesor(a) te devuelva tu poema, prepáralo para publicar. Dibuja una ilustración apropiada (o recorta unas de revistas) para cada estrofa de tu poema. Pongan todos los poemas en un cuaderno. ¡Éste será el primer libro de poemas de la clase! Denle un título a su primer libro de poesía.

Solicitud para empleo

Información personal

Nombre Valdez (apellido) Cristina (nombre)

Dirección 3225 E. Manzana Way (calle y número) El Paso, TX 79900 (ciudad, estado, código postal)

Teléfono (915) 555-7009

Edad (menor de 18) 16

Horas disponibles (número total de horas) 20 por semana

Horas cada día

	dom	lu	mar	mier	jue	vier	sab
de	1	4	4	4	4	4	10
a	8	8	8	8	8	10	7

Educación

Colegio El Paso High School

Último año completado 10

LECCIÓN 1

Si trabajo, puedo comprarme un . . .

ANTICIPEMOS

Exclusive Auto, c.a.
Su Garantía

Haga su sueño realidad. Le ofrecemos el Carro Importado de su preferencia, garantizado en talleres especializados. Y lo más importante: FINANCIAMIENTO AL 12% ANUAL.

ACCORD
Desde $14,000.00

MAZDA MX 3
Desde $18,000.00

Teléfonos: 376-1200
368-1400

Mercedes Benz
450 SLC

Se vende por motivo de viaje. Deportivo rojo, $7,000.00. Detalles: 612-1023 cualquier hora.

Vendo Camioneta Cherokee Limited

Año 92, color rojo atardecer, full equipo. Favor llamar por el precio: 396-2311, señor Mariátegui.

DODGE
EDICIÓN ESPECIAL

Tremenda ocasión, año 1978, poco uso, perfecto de motor, carrocería y cauchos. Con vidrios, maleta, asientos eléctricos. Teléfono: 432-1693 mañanas y tardes, Manuel Luis.

Se vende Toyota Samurai

$5,000.00.

Año 87, full equipo, como nueva.

Informes: ☎ 962-1798,
señora Sabanes.

¿Qué piensas tú?

1. ¿Tienes un carro? ¿Quién hace los pagos? Si no tienes carro, ¿te gustaría tener tu propio carro? ¿Quién te lo compraría?
2. ¿Cuál de los carros en estos anuncios te gustaría tener? ¿Por qué?
3. ¿Hay muchos gastos en mantener un carro? Explica. Prepara una lista de los costos mensuales para mantener tu carro o el que seleccionaste de estos anuncios. Compara tu lista con la de dos compañeros de clase. ¿Han sido realistas? ¿Han considerado el costo de gasolina, aceite y seguro?
4. ¿Recibes "dinero de bolsillo" de tus padres? ¿Qué haces para ganar dinero "extra"? ¿Te pagan tus padres cuando haces tareas adicionales en casa?
5. ¿Qué gastos esperan tus padres que pagues con tu propio dinero? ¿Ropa? ¿Diversiones? ¿Regalos de cumpleaños y de Navidad?
6. ¿Cómo ganan dinero los jóvenes en tu ciudad? ¿Qué tipo de trabajo hay para jóvenes? ¿Pagan estos puestos? ¿Cuánto pagan? ¿Ganarías suficiente en uno de estos puestos para pagar el carro que seleccionaste en la pregunta número 2?
7. ¿Qué crees que vas a aprender en esta lección?

PARA EMPEZAR

Escuchemos un cuento de Nuevo México

Unos cuentos tratan de lo mágico y de lo sobrenatural, otros del triunfo de la bondad sobre la maldad y otros de individuos listos e inteligentes que se burlan o aprovechan de personajes tontos. Este cuento de una bruja mala, su hija tonta y una joven buena e inteligente, trata de todos estos temas.

Hace muchos años, había un hombre y una mujer que tenían muchos hijos. Eran muy pobres, y muchas veces no había comida para todos y tenían que acostarse con hambre. Un día, el padre de la familia decidió enviar a su hija mayor a buscar trabajo. Zenaida, la hija, era muy trabajadora y siempre estaba lista para ayudar a la familia.

En aquellos días no era fácil conseguir trabajo, pero una vieja le ofreció trabajo a Zenaida. "Si trabajas bien", dijo la vieja, "voy a pagarte bien. Unos dos o tres reales por semana".

La vieja hacía trabajar a la muchacha todo el día y parte de la noche.

Tenía una hija que era tan mala y fea como su madre.

Después de escuchar sus conversaciones y observar sus ritos, Zenaida se dio cuenta de que podían ser brujas.

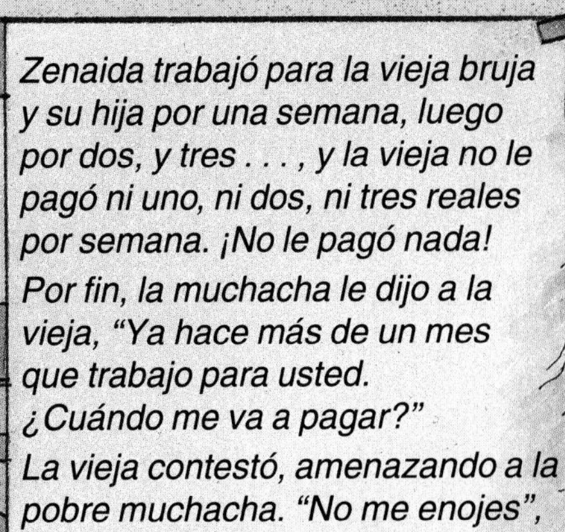

4

Zenaida trabajó para la vieja bruja y su hija por una semana, luego por dos, y tres . . . , y la vieja no le pagó ni uno, ni dos, ni tres reales por semana. ¡No le pagó nada!

Por fin, la muchacha le dijo a la vieja, "Ya hace más de un mes que trabajo para usted. ¿Cuándo me va a pagar?"

La vieja contestó, amenazando a la pobre muchacha. "No me enojes", dijo. "Si me enojas, te voy a castigar".

5

Esa noche, Zenaida encontró un collar de oro en el pasillo cerca de su cuarto. Se lo puso y a medianoche se fue de casa de las brujas.

6

Caminó la mayor parte del día y a punto de meterse el sol, llegó a un castillo muy grande. Tocó a la puerta y salió un viejito. Zenaida le explicó su situación y le dijo que andaba buscando trabajo. El viejito tenía muchos cuartos que necesitaban limpiarse y le dio trabajo.

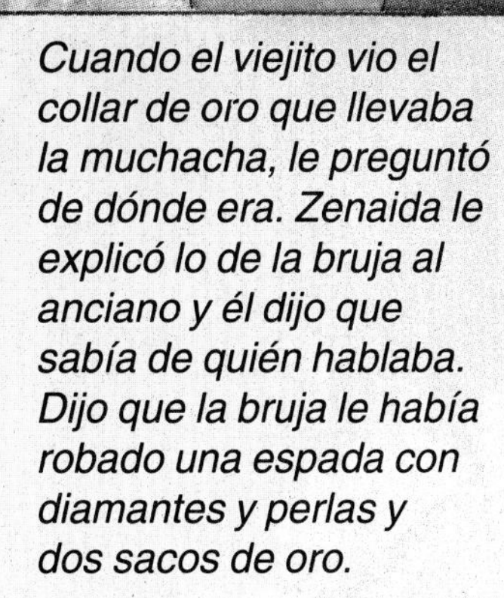

Cuando el viejito vio el collar de oro que llevaba la muchacha, le preguntó de dónde era. Zenaida le explicó lo de la bruja al anciano y él dijo que sabía de quién hablaba. Dijo que la bruja le había robado una espada con diamantes y perlas y dos sacos de oro.

7

Zenaida se puso furiosa y dijo que ella sabía exactamente dónde estaban. Dijo, "Yo misma voy por ellos en seguida".

Cuando llegó a la casa de la bruja, entró sin hacer ruido y encontró la espada y los sacos de oro. Ya estaba por salir cuando se topó con la vieja. La bruja agarró a Zenaida y gritó, "Ahora no te me escapas. Por robar mi collar, mis diamantes y mi oro, te voy a castigar".

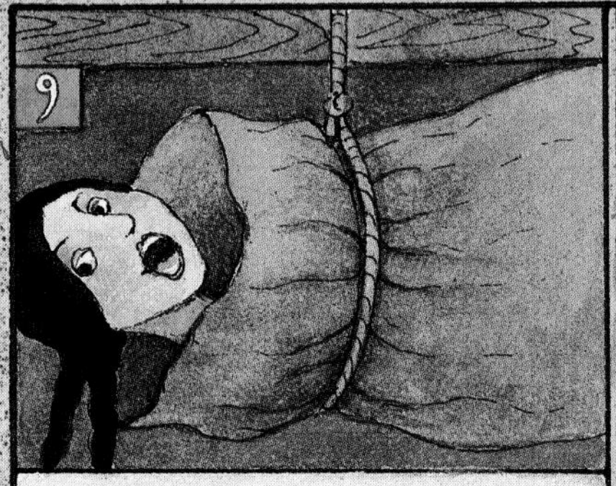

Zenaida tuvo que pensar pronto y sugirió, "¿Por qué no me mete en un saco y me cuelga de una de las vigas de la cocina? Entonces, puede irse al monte a buscar un buen palo para golpearme".
"¡Qué buena idea!", pensó la vieja y metió a Zenaida en un saco, la colgó de una viga en la cocina y se fue a buscar un buen palo.

Tan pronto salió la vieja, entró su hija al cuarto. Dentro del saco, Zenaida se puso a cantar, "¡Oh, si ves lo que yo veo, te va a fascinar! ¡Oh, si ves lo que yo veo, te va a fascinar!" Muy curiosa, la hija de la bruja insistió en ver lo que Zenaida veía. Pero Zenaida le dijo que para ver la maravilla, ella tenía que estar colgada del saco también. La hija no pudo controlar su curiosidad e insistió en cambiar de lugar con Zenaida.

Fuera del saco, por fin, Zenaida cogió la espada y el oro y se fue corriendo. Cuando la bruja llegó con su palo, ¡oyó a su hija gritando suspendida en el saco!

El viejito estaba tan contento de ver su espada y su oro, que le dio a Zenaida uno de los sacos de oro.
Zenaida regresó a su familia y todos, con excepción de la mala bruja y su hija, vivieron felices para siempre.

¿QUÉ DECIMOS...?

Al hablar de cómo ganar dinero

1 ¡Súbanse y damos una vuelta!

2 ¡Un convertible de lo más llamativo!

3 ¿Me puedes pagar algo?

4 ¡No te burles de mí!

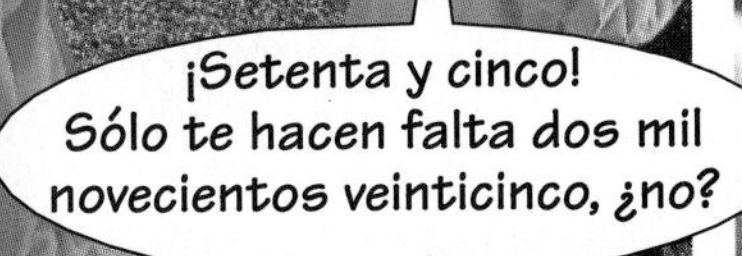

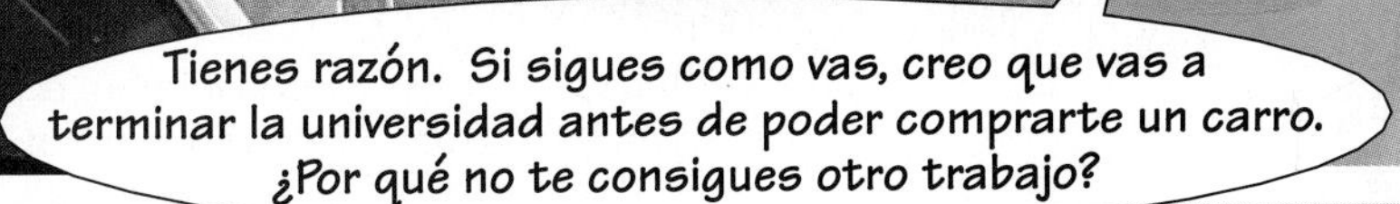

CHARLEMOS UN POCO

A. PARA EMPEZAR . . . Di si los siguientes comentarios son ciertos o falsos según el cuento, ''El collar de oro''. Si son falsos, corrígelos.

1. Zenaida tuvo que salir a buscar trabajo porque era la única hija y sus padres eran muy pobres.
2. Una vieja le ofreció trabajo a Zenaida diciendo, ''No puedo pagarte mucho si trabajas conmigo''.
3. La vieja hizo trabajar mucho a la muchacha, día y noche.
4. La vieja tenía una hija hermosa y muy inteligente.
5. La vieja y su hija eran brujas.
6. Cuando Zenaida pidió su salario, la vieja la amenazó diciendo, ''Si me enojas, te voy a castigar''.
7. Esa noche, Zenaida se escapó con un hermoso collar de perlas.
8. Zenaida consiguió trabajo con un viejito a quien le habían robado una espada y tres sacos de oro.
9. Zenaida intentó traerle la espada y el oro al viejito pero la vieja bruja la captó y la mató.
10. La bruja y su hija vivieron felices para siempre y la familia de Zenaida continuó en la pobreza.

B. ¿QUÉ DECIMOS . . .? Completa los comentarios de Tina, su mamá y sus amigos.

Tina

Mamá

Margarita

Mateo

1. ''¿Por todo eso? . . .
2. ''Estoy segura de poder . . .
3. ''Súbanse y las llevo . . .
4. ''No hay manera que tú compres tu carro . . .
5. ''¿Pagaste tres mil . . .
6. ''Nunca voy a tener . . .
7. ''Si hago más quehaceres en casa, . . .
8. ''Vas a terminar la universidad . . .

a. por un carro?''
b. a dar una vuelta''.
c. a menos que ahorres mucho dinero''.
ch. ¿me puedes pagar algo?''
d. Unos veinte dólares, tal vez''.
e. suficiente dinero''.
f. antes de poder comprarte un carro''.
g. conseguir un buen puesto''.

C. Consejos. Todos tus amigos te consideran un(a) excelente consejero(a) y siempre vienen a ti con sus problemas. ¿Qué consejos les das cuando vienen con estos problemas?

MODELO tener sueño
Compañero:(a): **Tengo sueño.**
Tú: **Si tienes sueño, debes dormir más.**

VOCABULARIO ÚTIL:

conseguir un trabajo
hacerte miembro de un club
dormir más
estudiar todas las noches
evitar el café
hacer más ejercicio
llamar a un(a) amigo(a)
salir
usar los anteojos
tomar clases
usar bronceador

1. estar aburrido
2. no saber bailar
3. dolerme los ojos
4. no tener amigos
5. no tener ganas de estudiar
6. sacar malas notas
7. no poder dormir
8. siempre quemarme al sol
9. no tener energía
10. querer un carro

CH. Esperanzas. Estas personas acaban de conseguir trabajo. ¿Qué piensan comprar con el dinero que van a ganar?

Leticia

MODELO **Si gana bastante dinero, Leticia piensa comprar zapatos.**

1. Pancho

2. Pepe

3. yo

4. Gregorio

5. tú

6. Luisa

7. Marcos y yo

8. Ana y Juan

9. Débora

10. Esteban y Lupe

Making speculations: *Si*

The expression **si** is followed by the indicative when used in the present tense:

Si quieres, puedo ir contigo.
Si llama Carlos, no estoy aquí.

See **¿Por qué se dice así?,** *page G96, section 7.1.*

D. Soñador(a). Tú eres un(a) gran soñador(a). ¿Qué te imaginas que va a pasar si haces estas cosas?

EJEMPLO sacar buenas notas
Si saco buenas notas, puedo asistir a la universidad. o
Si saco buenas notas, voy a conseguir un buen trabajo.

1. ganar mucho dinero
2. practicar muchos deportes
3. conseguir un trabajo en un restaurante
4. limpiar toda la casa
5. quedarme en casa
6. escribir muchas cartas
7. comprar un saco de dormir
8. viajar a Venezuela
9. comprar un carro
10. tomar clases de ejercicios aeróbicos

Negotiating: *Si*

The expression **si** is often used in negotiating:

Yo lavo el carro **si** tú limpias el interior.
Si tu sacas la basura, yo preparo los sándwiches.

See **¿Por qué se dice así?,** *page G96, section 7.1.*

E. Quehaceres. Tú y tu compañero(a) tienen que limpiar la escuela. Ahora tienen que negociar para ver quién va a hacer qué.

EJEMPLO **Yo lavo el piso de la cafetería si tú limpias los baños.**

limpiar los baños
barrer el pasillo
cortar el césped
lavar las pizarras
limpiar los borradores
arreglar los estantes
limpiar los pupitres
pasar un trapo a los escritorios de los profesores
sacar la basura
lavar las ventanas
limpiar el laboratorio
lavar el piso de la cafetería

F. ¿Cuántas veces? ¿Con qué frecuencia haces estas cosas?

EJEMPLO salir a comer / mes
Salgo a comer [*número*] veces por mes.

1. ir al cine / mes
2. asistir a la clase de español / semana
3. peinarse / día
4. practicar deportes / semana
5. ir a acampar / año
6. hablar por teléfono / día
7. alquilar un video / mes
8. lavarse los dientes / día

The preposition *por:* Per / By

Los tomates están a seis **por** un dólar.
Siempre alquilamos tres videos **por** semana.

See **¿Por qué se dice así?,** *page G97, section 7.2.*

G. Intercambios. Tú y tu compañero(a) tienen varias cosas que intercambiar. Decidan cómo van a hacer sus intercambios.

EJEMPLO *Tú:* **Te doy mi reloj por tu mochila.**
Compañero(a): **No, te doy mi collar por tu reloj.**

TÚ

COMPAÑERO(A)

H. ¿Tanto? ¿Sabes el valor de estas cosas? ¿Cuánto pagarías por cada una?

EJEMPLO un viaje a Europa
Pagaría dos mil dólares por un viaje a Europa.

1. una clase de baile
2. un radio
3. boleto para un concierto de rock
4. un viaje de esquí
5. un video
6. una cena con tu artista favorito(a)
7. una excursión a Disneylandia
8. un carro
9. una semana en San Juan, Puerto Rico
10. una bicicleta

The preposition *por:* In exchange for

Me dio cinco dólares **por** la mochila.
¡Pagué demasiado **por** este carro!

See **¿Por qué se dice así?,** *page G97, section 7.2.*

The preposition *por*: Duration of time

Vamos a estar allá **por** un mes.
No comí nada **por** días.

See **¿Por qué se dice así?,** *page G97, section 7.2.*

I. Vacaciones. Tú y tus amigos van a viajar durante las vacaciones de verano. ¿Cuánto tiempo van a estar de vacaciones?

EJEMPLO **Mario va a estar en Italia por tres semanas.**

mi familia y yo	Italia	3 semanas
yo	India	1 semana
mi amigo(a) . . .	Egipto	1 mes
mis amigos . . . y . . .	Australia	2 meses
tú	Guatemala	3 meses
	Paraguay	10 días
	Rusia	2 semanas
	¿ . . . ?	5 días
		¿ . . . ?

CHARLEMOS UN POCO MÁS

A. Si gano la lotería . . . Usa la encuesta que tu profesor(a) te va a dar para entrevistar a tus compañeros de clase. Haz cada pregunta a tres personas y anota sus respuestas. No hagas más de una pregunta a la misma persona. Al terminar, compara tu información con la de tus compañeros de clase.

EJEMPLO ganar la lotería
Compañero(a): **¿Qué vas a hacer si ganas la lotería?**
Tú: **Si gano la lotería, voy a viajar a España.**

B. Entrevista. Prepara una lista de diez situaciones problemáticas y típicas. Luego, pregúntale a un compañero(a) qué hace en cada situación en tu lista. Informa a la clase las respuestas más creativas que recibes.

EJEMPLO *Tú escribes:* **Ves al novio de tu mejor amiga con otra persona.**
Tú preguntas: **¿Qué haces si ves al novio de tu mejor amiga con otra persona?**
Compañero(a) dice: **Si veo al novio de mi mejor amiga con otra persona, inmediatamente se lo digo a mi amiga.** o
Si veo al novio de mi mejor amiga con otra persona no digo nada. o . . .

C. Subtítulos. Con un(a) compañero(a), escribe subtítulos para estos dibujos. Después en grupos de seis, lean sus subtítulos, decidan cuáles son los mejores y leánselos a la clase.

1. Sergio

2. Luisa y Paco

3. los hermanos

4. Rosario y Sra. Ortiz

5. Gloria y Beatriz

6. Ricardo

Dramatizaciones

A. Si ganamos diez mil . . . Tú y dos compañeros son finalistas en la lotería y tienen la posibilidad de ganar 10, 25, 50, 75, 100 mil o 1 millón de dólares. Hablen de lo que piensan hacer si ganan cada cantidad de dinero. Todos tienen que estar de acuerdo. Dramaticen su conversación.

B. El carro. Tú quieres usar el carro de tu hermano(a) este fin de semana pero él (ella) no quiere prestártelo. Tú mencionas varias razones por las cuales lo necesitas pero tu hermano(a) siempre tiene una excusa para no prestártelo. Dramaticen esta situación. Tu compañero(a) va a tomar el papel de tu hermano(a).

IMPACTO CULTURAL

Excursiones

Antes de empezar

A. Mi ciudad. ¿Cuánto sabes de tu ciudad? Contesta estas preguntas con un(a) compañero(a) de clase para saber cuánto saben del lugar donde viven.

1. ¿Cuándo se fundó su ciudad? ¿Por qué se fundó en ese sitio? ¿Cuál era la industria principal?
2. ¿De dónde viene el nombre de su ciudad?
3. ¿Cuál es la importancia de tu ciudad en el estado? ¿Es la más grande? ¿la más pequeña?
4. ¿Cuáles son las industrias principales en tu ciudad ahora?
5. ¿Cuáles son las atracciones turísticas de tu ciudad?
6. ¿Te gusta vivir donde vives o preferirías vivir en otra ciudad? ¿Por qué?

B. Ciudad vecina. Muchas ciudades en EE.UU. tienen ciudades vecinas. Con un(a) compañero(a), contesta estas preguntas para ver cuáles son las ventajas o desventajas de tener una ciudad vecina.

1. ¿Tiene tu ciudad una ciudad vecina? Si no, ¿cuáles son dos ciudades vecinas en tu estado?
2. ¿Cuál de las dos ciudades es la más grande?
3. ¿Cuál de las dos ciudades tiene las mejores diversiones? ¿los mejores restaurantes? ¿los mejores centros comerciales? ¿las mejores escuelas?
4. ¿Cuál ofrece más oportunidad de empleo? Explica por qué.
5. ¿En cuál de las dos ciudades te gustaría vivir? ¿Por qué?

Palacio Municipal, Ciudad Juárez

Ciudad Juárez: ¿Ciudad gemela?

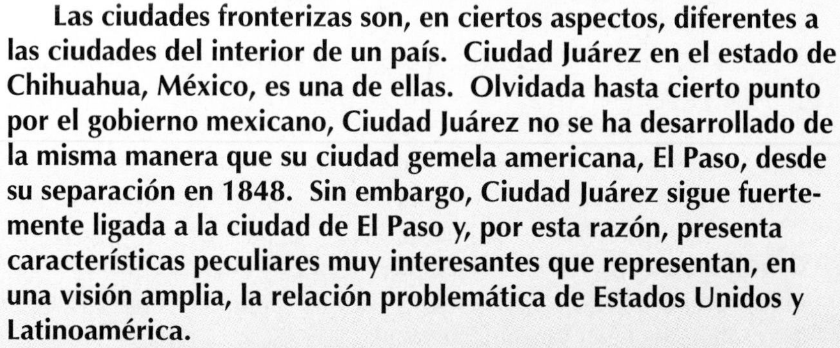

Las ciudades fronterizas son, en ciertos aspectos, diferentes a las ciudades del interior de un país. Ciudad Juárez en el estado de Chihuahua, México, es una de ellas. Olvidada hasta cierto punto por el gobierno mexicano, Ciudad Juárez no se ha desarrollado de la misma manera que su ciudad gemela americana, El Paso, desde su separación en 1848. Sin embargo, Ciudad Juárez sigue fuertemente ligada a la ciudad de El Paso y, por esta razón, presenta características peculiares muy interesantes que representan, en una visión amplia, la relación problemática de Estados Unidos y Latinoamérica.

Gobernada por distintos gobiernos desde 1848, el desarrollo de Ciudad Juárez y El Paso ha sido desigual. El Paso se ha convertido en una ciudad americana moderna con una economía muy diversificada. Ciudad Juárez impresiona por sus contrastes de extrema pobreza de la mayoría de la población que vive en los barrios o las "colonias", [1] y de extrema riqueza de los ricos que viven en áreas exclusivas como Campestre. [2] Esta brecha entre ricos y pobres se ha cerrado un poco desde los años cincuenta, debido al desarrollo gradual de la clase media.

Para incentivar el desarrollo de Ciudad Juárez, el gobierno mexicano ha invertido millones de pesos para desarrollar el turismo en el área. Miles de turistas americanos cruzan la frontera para visitar los modernos centros comerciales, [3] museos de arte e historia, restaurantes y hoteles que se han construido en toda la frontera.

Así como miles de turistas americanos cruzan la frontera hacia Ciudad Juárez, miles de mexicanos visitan El Paso. [4] (En 1991, más de 42 millones de mexicanos cruzaron la frontera entre El Paso y Ciudad Juárez legalmente.) Indudablemente, el comercio entre las dos ciudades es muy intenso. Como dice un prominente ciudadano de esta ciudad americana, "El Paso y Ciudad Juárez son dos gemelas que se encuentran en la caja registradora".

A pesar de todos los mexicanos que cruzan la frontera por turismo o por comercio,[5] cientos de ellos llegan a El Paso para quedarse. Ellos son los "ilegales" que van en busca de una vida mejor en Estados Unidos. Éste es un problema muy serio en la frontera y muy difícil de controlar por el intenso tráfico que existe en el área. El problema se hace peor debido a que en invierno, el Río Grande—o Río Bravo, como se llama en México—no consta más de un chorrito de agua. Esto permite que los ilegales puedan saltar sin aun mojarse los zapatos.

Una solución parcial para el problema de la migración a EE.UU. ha sido el desarrollo industrial en la frontera de El Paso—Ciudad Juárez. En 1965 se estableció la industria "maquiladora" ***(twin plant program)*** en esta área. De acuerdo a este plan de desarrollo industrial, compañías americanas se establecen en la frontera, en suelo mexicano, y dan trabajo a miles de trabajadores mexicanos. Ambos países se han beneficiado hasta cierto punto, pero también existen serios problemas como la explotación de los trabajadores mexicanos por las industrias americanas y la pérdida de trabajos en EE.UU. cada vez que una compañía americana se establece en suelo mexicano.

¿Cómo va a afectar la situación de las ciudades gemelas el Tratado de Libre Comercio entre Canadá, EE.UU. y México?[6] Esto es difícil de predecir. Lo único que es seguro es que estas dos ciudades siempre vivirán la una para la otra, buscándose siempre, como dos hermanas gemelas separadas por la fuerza.

Verifiquemos

1. Con un(a) compañero(a), preparen un diagrama como el siguiente. Hagan una comparación entre su ciudad, Ciudad Juárez y su ciudad gemela, El Paso, Texas. Decidan primero qué es o qué van a comparar, e indiquen cuáles serán las subcategorías. La primera, industria, ya está señalada.

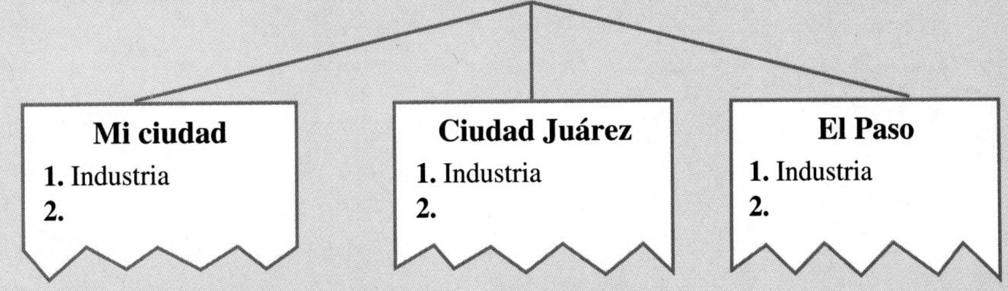

2. Explica el título de la lectura.
3. ¿Cuáles son las razones principales por las cuales Ciudad Juárez y El Paso se desarrollaron desigualmente?
4. ¿Conoces tú otras ciudades fronterizas? ¿Cuáles son?

LECCIÓN 2

¡Tal vez pueda trabajar!

ANTICIPEMOS

Club de deportes solicita Instructor de natación para cursos sabatinos

Requisitos:
- Experiencia comprobada
- Disponibilidad inmediata
- Conocimientos del idioma español

Ofrecemos:
- Remuneración competitiva
- Grato ambiente de trabajo

Favor dirigirse con referencias comprobables a Club Deportivo La Onda.

Se solicita Cajero

Requisitos:
- Nacionalidad estadounidense
- Edad comprendida entre 16 y 21 años
- Experiencia mínima de un año de trabajo como cajero

Ofrecemos:
Remuneración acorde con la experiencia laboral y excelentes condiciones de trabajo.

Interesados favor presentarse con currículum vitae a la siguiente dirección: 1015 Scenic Drive.

Conjunto de rock solicita Guitarrista

Con experiencia y dispuesto a "trabajar duro" para tocar la buena música.

Interesados favor de llamar al 396-0231

Preguntar por Gisela o Jaime.

Trabaja con Turismo

Oportunidad de trabajo se presenta en compañía de Programación Turística

Debes reunir los siguientes requisitos:
- Entre 15 y 18 años
- Disponibilidad de hacer trabajos de investigación breves
- Conocimiento en procesador de palabras (no indispensable)
- Capacidad para mantener relaciones interpersonales

Interesados dirigirse a 2032 Sacramento Blvd.

¿Qué piensas tú?

1. ¿Crees que todos los jóvenes en estas fotos reciben un salario por lo que están haciendo? Si no, ¿cuáles sí y cuáles no? ¿Cuánto crees que gana cada uno? ¿Te interesaría hacer algunos de estos trabajos? ¿Cuáles? ¿Por qué?
2. ¿Estás capacitado(a) para hacer algunos de estos trabajos? ¿Cuáles? ¿Por qué crees que no estás capacitado(a) para todos?
3. En la primera lección, preparaste una lista de todos los gastos que tendrías si tuvieras carro. Ahora prepara una lista de tus otros gastos mensuales: ropa, materiales escolares, diversión, etc. Combina este total con el de tener carro. ¿Ganarías lo suficiente en cualquiera de estos puestos *(trabajos)* para pagar todos tus gastos? ¿Cuántas horas tendrías que trabajar por semana?
4. ¿Dónde crees que vas a estar y qué crees que estarás haciendo en diez años? ¿Serán tus gastos mensuales iguales a lo que son ahora? ¿Por qué crees eso?
5. ¿Qué condiciones influyen el costo de vida?
6. ¿Qué tipo de puesto esperas tener cuando ya seas un adulto? ¿Qué habilidades debes tener para conseguir tal puesto? ¿Qué puede influir en tu preferencia de puesto? ¿Tus padres? ¿Tus notas en la escuela? ¿La manera en que quieres vivir? ¿. . . ?
7. ¿Qué crees que vas a aprender en esta lección?

PARA EMPEZAR

Escuchemos unos refranes

Todas las culturas tienen un sinnúmero de dichos populares que expresan la verdad o el conocimiento de algún sabio del pasado. Estas perlas de la lengua, llamadas "refranes" en el mundo hispanohablante, siempre son vivas, con frecuencia sencillas y todas creativas. Escuchemos ahora algunos refranes de México y del suroeste de Estados Unidos.

Quizás conozcas a algunas personas que creen que lo saben todo. Sí, los que llamamos "sabelotodos" porque siempre se rehusan a ver o escuchar la evidencia. Simplemente insisten en que ya lo saben todo. Pues, dos buenos refranes para estas personas son:

No hay peor ciego que el que no quiere ver. y...
El peor sordo es el que no quiere oír.

O tal vez tengas algún amigo que habla continuamente. Sí, uno de esos que "habla hasta por los codos". A pesar de hablar incesantemente, estas personas nunca tienen nada que decir. Son aburridísimas. De estas personas se puede decir:

Habló el buey y dijo mu.

Y quizás sepas de alguna persona que lo critica todo. Son las personas que llamamos "criticones" porque constantemente se la pasan criticando. En inglés se dice de estas personas que "el que vive en una casa de vidrio no debe tirar piedras". En español decimos:

El que al cielo escupe, en la cara le cae.

4
Tal vez tengas amigos que son inteligentes pero que tienden a no pensar antes de actuar. Son las personas que siempre parecen atraer algún desastre. A veces los llamamos "bobos". De estas personas se puede decir:
La mala suerte y los tontos caminan del brazo.
5
Cuando nos encontramos con un amigo o un conocido en un lugar inesperado, en inglés decimos que "el mundo es muy pequeño". En Nuevo México se dice:
Las piedras rodando se encuentran.
6
Tal vez tengas algunos conocidos que se creen la gran cosa. Un buen refrán que los pinta como de veras son es el que dice:
La mona, aunque se vista de seda, mona se queda.

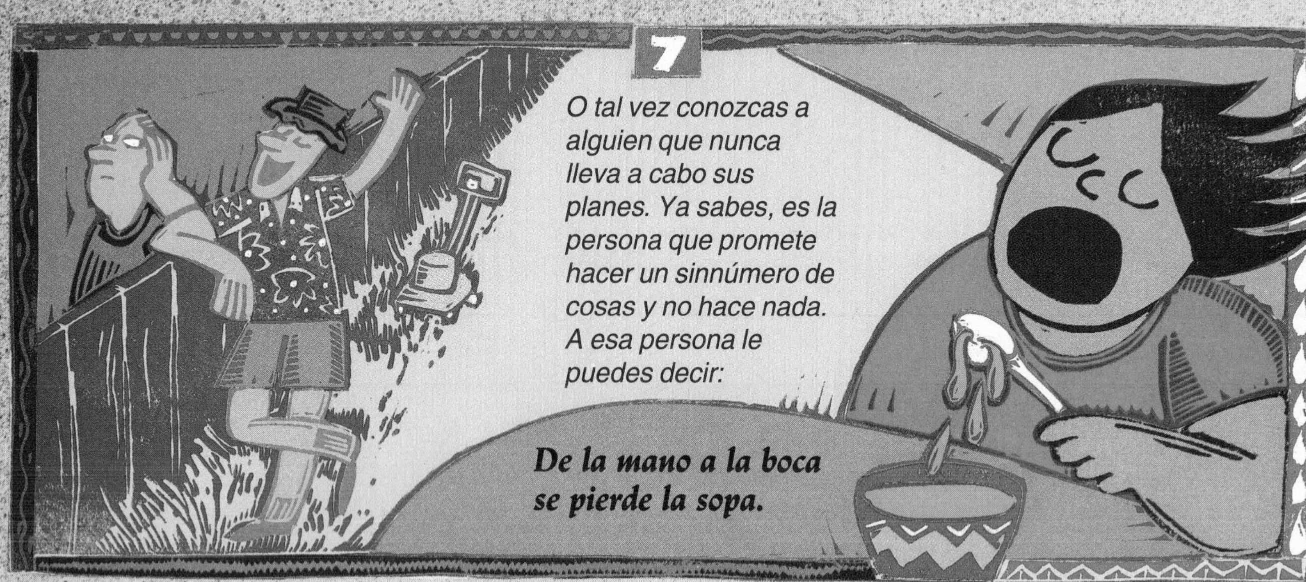
7
O tal vez conozcas a alguien que nunca lleva a cabo sus planes. Ya sabes, es la persona que promete hacer un sinnúmero de cosas y no hace nada. A esa persona le puedes decir:
De la mano a la boca se pierde la sopa.

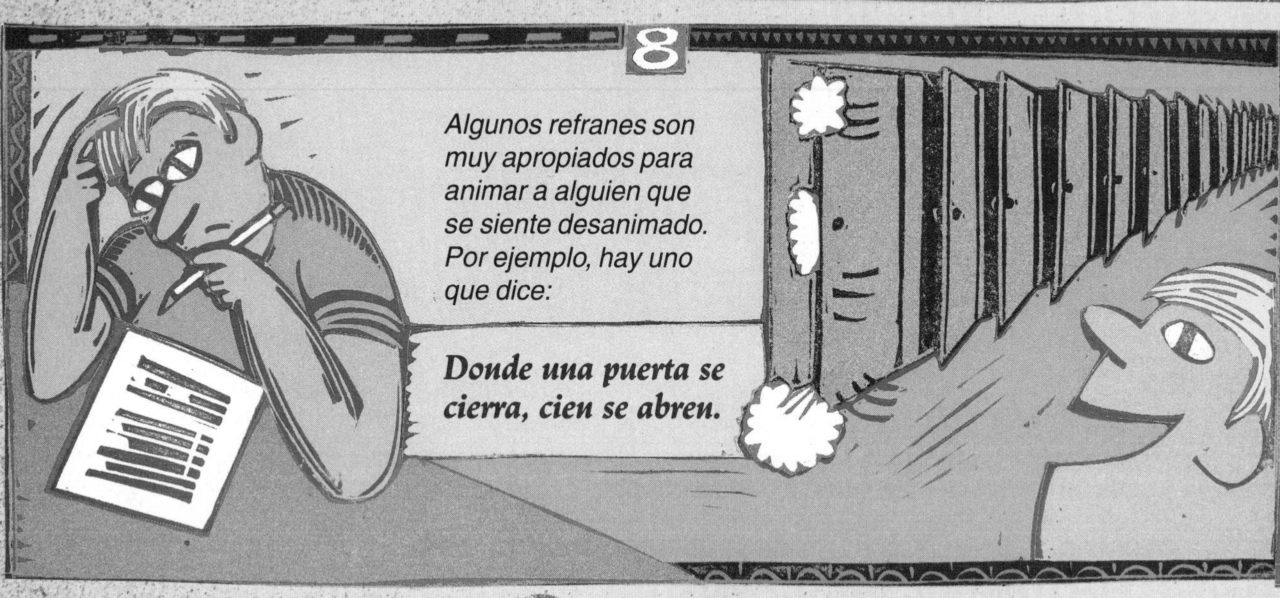
8
Algunos refranes son muy apropiados para animar a alguien que se siente desanimado. Por ejemplo, hay uno que dice:
Donde una puerta se cierra, cien se abren.

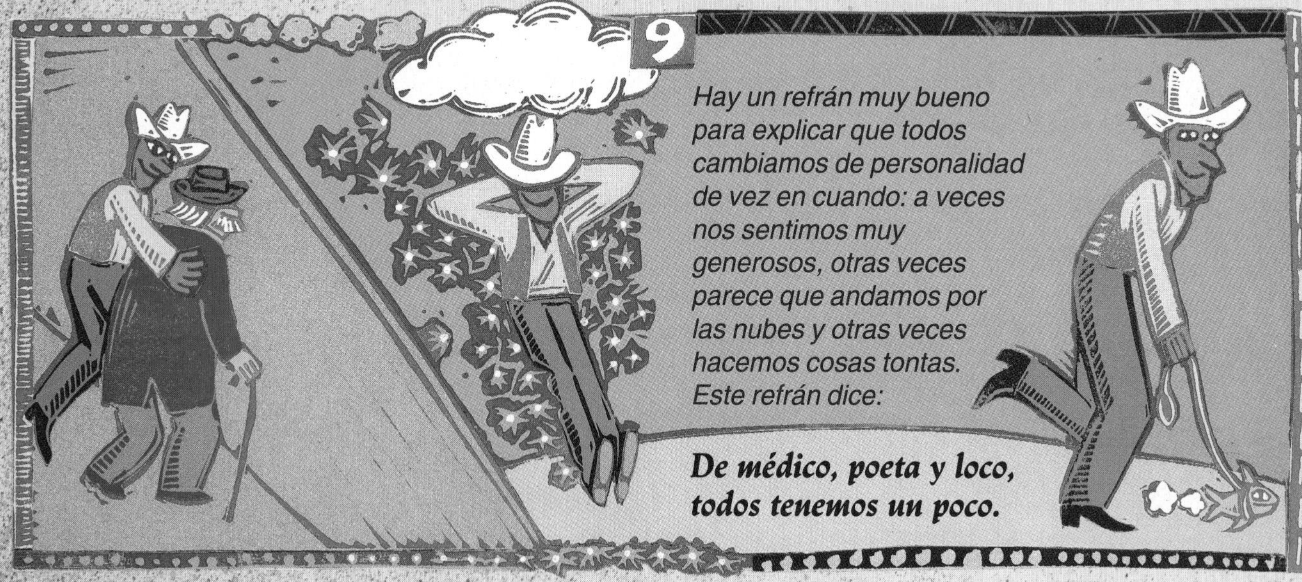
9
Hay un refrán muy bueno para explicar que todos cambiamos de personalidad de vez en cuando: a veces nos sentimos muy generosos, otras veces parece que andamos por las nubes y otras veces hacemos cosas tontas. Este refrán dice:
De médico, poeta y loco, todos tenemos un poco.

¿QUÉ DECIMOS...?

Al hablar de posibilidades de empleo

1 Un trabajo que pague bien.

Mamá, lo he pensado mucho y he decidido que debo tratar de conseguir trabajo fuera de casa. Si no lo hago, voy a ser una viejita cuando compre mi carro.

Vamos, hija. No es para tanto. Pero, estoy de acuerdo. Si tanto quieres un carro, es mejor que busques trabajo. ¿Qué clase de trabajo quieres?

No sé, mamá—uno que pague bien. ¿Qué me recomiendas?

Ay, no sé, hija. Es bien difícil conseguir trabajo estos días. ¿Por qué no hablas con tus amigos? Quizás uno de ellos sepa de un buen puesto. Ah, y también puedes mirar los anuncios clasificados del periódico.

Es cierto. Mateo trabaja. Quizás necesiten a alguien allí.

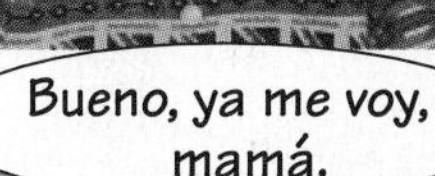

Bueno, ya me voy, mamá.

Adiós, hija.

2 Quizás pueda ser gerente de ventas.

Mateo, busco trabajo. Yo también pienso comprarme un carro tan pronto como tenga suficiente dinero. ¿Necesitan personas donde tú trabajas?

Lo dudo, Tina, porque acaban de despedir a varias. ¿Qué quieres hacer?

Algo interesante—donde pueda usar mi talento creativo.

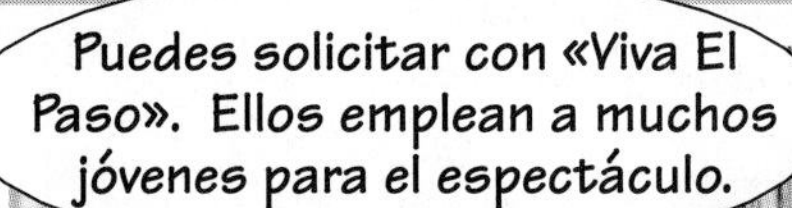

3 Buscan personas que hablen español.

4 ¿Has encontrado algo?

F. En el mercado.

La familia de María va de compras a un mercado al aire libre. Según ella, ¿qué buscan todos?

MODELO hermano / buscar / suéter / ser / de su talla
Mi hermano busca un suéter que sea de su talla.

1. Luisa / querer / bicicleta / andar bien
2. yo / buscar / saco de dormir / servir para el frío
3. Everardo / necesitar / guitarra / tener / bueno / tono
4. papás / desear / televisor / estar en / bueno / condiciones
5. Pablo y Diana / querer comprar / discos compactos / no ser / viejo
6. abuelita / buscar / joyas / combinar con / su nuevo / blusa
7. hermanita / necesitar / jaula / servir / para un canario
8. papá / querer encontrar / carpa / ser / bastante grande para todos

G. ¿Quiénes?

Pregúntale a un(a) compañero(a) si conoce a personas con estas características.

Describing known entities: Adjective clauses

The indicative is used when referring to known entities.

Mis padres conocen a **un hombre** que **tiene** 102 años.
Busco a **un niño** que **lleva** una chaqueta roja. Es mi hijo.

See **¿Por qué se dice así?,** *page G100, section 7.4.*

MODELO saber hablar ruso
Tú: **¿Conoces a alguien que sepa hablar ruso?**
Compañero(a): **No conozco a nadie que sepa hablar ruso.** o
Sí, conozco a alguien que sabe hablar ruso. Se llama [*nombre*].

1. vivir en México
2. jugar jai alai
3. trabajar de noche
4. hablar tres lenguas
5. tener familia en otro país
6. repartir periódicos
7. manejar muy rápido
8. ahorrar dinero
9. ser famoso
10. contar cuentos de espantos

H. Anuncios.

Tú y un(a) amigo(a) están mirando los anuncios clasificados para encontrar un empleo. Dile a tu compañero(a) qué tipo de persona buscan estos lugares.

MODELO **Servicio Varela busca un(a) mecánico(a) que tenga cinco años de experiencia.**

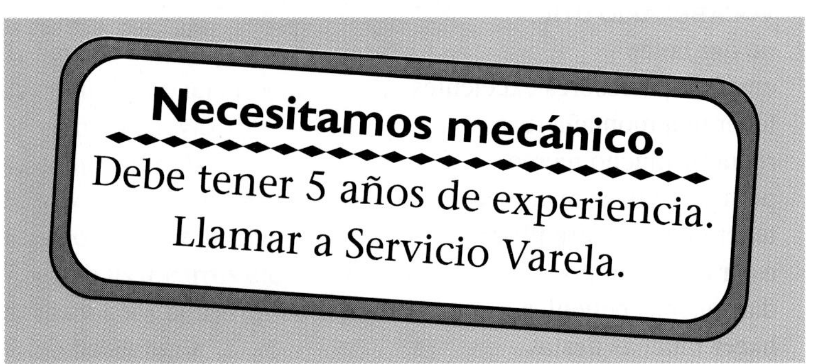

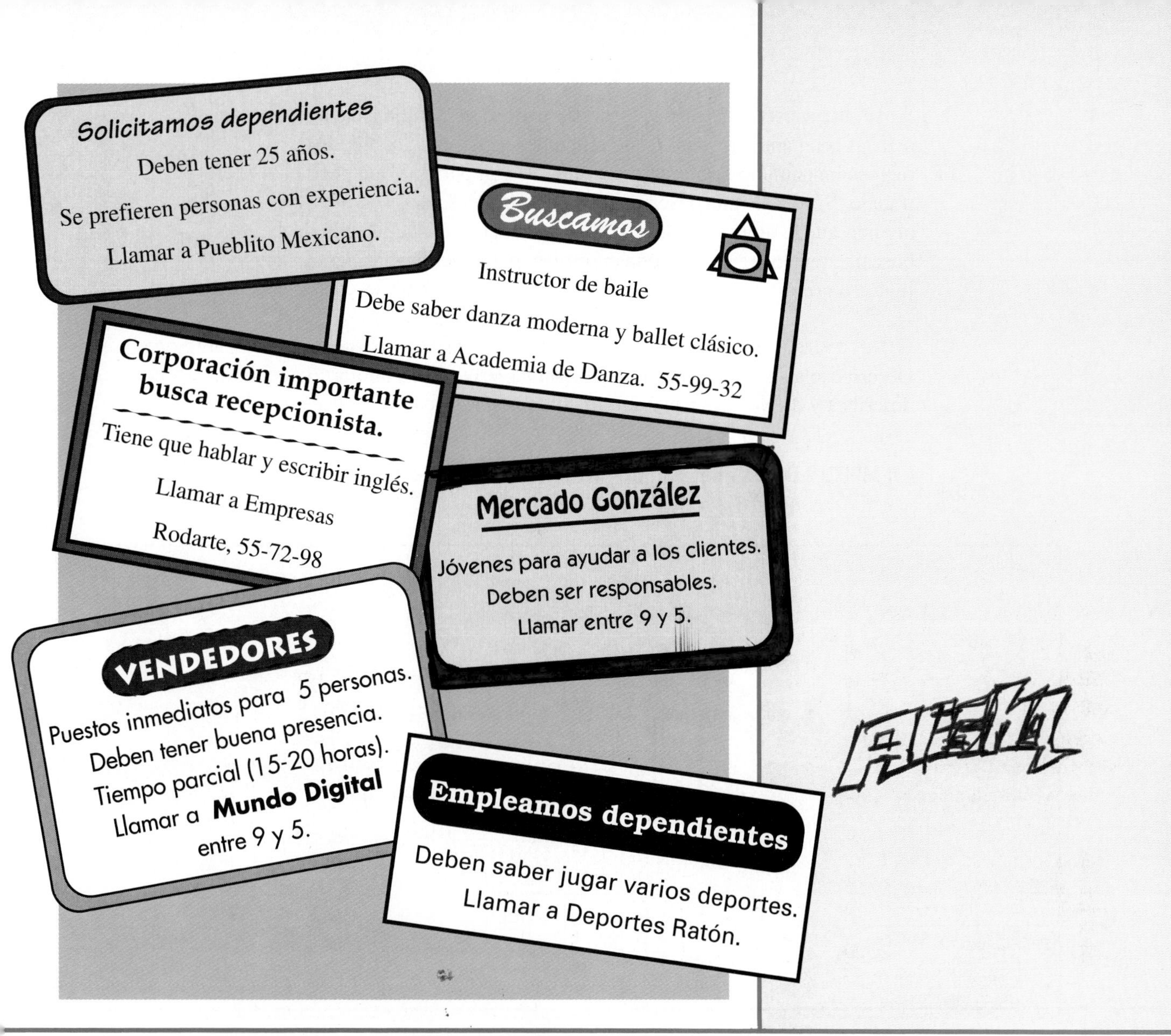

CHARLEMOS UN POCO MÁS

A. Encuesta. Usa el cuestionario que tu profesor(a) te va a dar para entrevistar a dos compañeros de clase. Pregúntales si creen que su profesor(a) hace las cosas en la lista y anota sus respuestas, marcando la columna apropiada. En grupos de seis, resuman en tablas todas las respuestas que recibieron.

EJEMPLO escribir a máquina

Tú: **¿Crees que el(la) profesor(a) no escribe a máquina?**

Estudiante #1: **Tal vez escriba a máquina.** o **Es verdad que escribe a máquina.**

B. Anuncios clasificados. Su profesor(a) va a darle a cada uno de ustedes o un anuncio clasificado o una descripción de habilidades. Si recibes un anuncio, úsalo para encontrar a una persona que pueda hacer el trabajo. Si recibes una descripción de habilidades, úsala para encontrar a alguien que te quiera emplear. Cuando encuentren a la persona que buscan, siéntense y tengan una entrevista para decidir si van a trabajar juntos o no.

C. Quiero una casa que . . . ¿Cómo es la casa de tus sueños? Descríbesela a tu compañero(a). Tu compañero(a) va a anotar lo que describes y después va a escribir un anuncio clasificado en busca de tal casa.

EJEMPLO **Deseo una casa que tenga cien cuartos. También quiero que sea . . .**

Dramatizaciones

A. Tal vez . . . Tú y un(a) amigo(a) van de compras a su centro comercial favorito a buscar ropa para la escuela. Desafortunadamente, tu amigo(a) está muy negativo(a) hoy y sólo tiene comentarios negativos que hacer. Tú tratas de ser lo más positivo(a) posible. Dramaticen esta situación.

B. Agencia de motos. Tu compañero(a) quiere comprar la motocicleta de sus sueños. Tú quieres vender una moto. Dramaticen esta situación.

IMPACTO CULTURAL

Tesoros nacionales

Antes de empezar

A. Héroes nacionales. En grupos de tres o cuatro, definan lo que es un héroe nacional. ¿Cómo se determina quién puede serlo? ¿Qué características debe tener tal persona? ¿Qué tipo de hazañas debe haber hecho? ¿Cuáles son algunos héroes nacionales de EE.UU.?

B. Abraham Lincoln. ¿Cuánto sabes del presidente número 16 de Estados Unidos? Con un(a) compañero(a), contesta estas preguntas.

1. ¿Dónde nació Abraham Lincoln?
2. ¿Qué puedes contar de la niñez de Lincoln?
3. ¿Qué estudió Lincoln, en preparación para una carrera con el gobierno?
4. ¿Con quién se casó Abraham Lincoln?
5. ¿Cuál fue la hazaña más importante en la vida de Lincoln?
6. ¿Dónde y cómo murió Abraham Lincoln?

BENITO JUÁREZ

EL GRAN HÉROE DE MÉXICO

Por muchas razones, se dice que Benito Juárez es el Abraham Lincoln de México. Juárez fue un indígena de la Nación Zapoteca del estado de Oaxaca en México. Nació el 21 de marzo de 1806 en el Pueblo de Guelatao, Oaxaca. Quedó huérfano* desde los tres años y vivió con su tío Bernardino Juárez hasta la edad de doce años. En estos años Benito trabajó en labores del campo. Tuvo una educación mínima porque en su pueblo no había escuelas. Benito no hablaba español. Su tío le enseñó un poco de español y le hizo entender la importancia de saber hablar español para salir adelante.

murieron sus padres

Entusiasmado con la idea de educarse, dejó su pueblo en 1818 para ir a la capital del estado. En Oaxaca, Benito conoció a su mentor y padrino* Don Antonio Salanueva. Éste lo ayudó a ingresar en la escuela; pero en las escuelas no se enseñaba gramática española, solamente se recitaba de memoria el catecismo. También había mucha injusticia contra los indios pobres como Benito. Éstos tenían que estudiar en departamentos separados de los niños "decentes" que eran hijos de buenas familias.

protector

Por estas razones, Benito decidió estudiar en el seminario, y en 1828, cuando se abrió el colegio civil llamado Instituto de Ciencias y Artes, Benito pasó a estudiar leyes* a esta institución. En 1834 recibió su título de abogado.

para ser abogado

Efectivamente, Juárez fue un liberal del partido republicano de México que luchó por la democracia y el progreso de México. Combatió contra las fuerzas conservadoras del país como la Iglesia, los oligarcas y el ejército que por mucho tiempo dominaron el país y los mantuvieron en virtual atraso y pobreza. En vida, Juárez desempeñó* varios cargos* públicos, entre los más importantes fueron los de gobernador del estado de Oaxaca, Ministro de Justicia y Educación Pública de México y finalmente, el de presidente de la República.

tuvo / puestos

Los cambios que logró* Juárez en sus gobiernos fueron no solamente revolucionarios, sino que se caracterizaron por dar una lección genuina de honestidad, energía y buena administración. A pesar de los sangrientos eventos que ocurrieron durante sus períodos de gobierno, como la guerra civil o la guerra de la reforma y la intervención extranjera* en México de Francia, Juárez actuó siempre con rectitud* cuidando del bienestar de su país.

Entre muchas cosas, Juárez se preocupó mucho por la educación de todos los ciudadanos mexicanos. Instituyó la educación pública gratis y obligatoria para todos. Se preocupó también por el desarrollo económico del país y abrió las puertas de México al mercado mundial. Disminuyó* la inmensa burocracia y trató de pagar la deuda* externa. Terminó de construir el Ferrocarril Mexicano (1) iniciado por el gobierno anterior que era muy importante para la unión y desarrollo del país.

Cuando murió Benito Juárez el 19 de julio de 1872, miles de ciudadanos fueron a su entierro.* Aún muchos años después de su muerte, muchos mexicanos iban en peregrinación a visitar su tumba en la Ciudad de México. En su honor ahora, se puede ver su nombre en muchos lugares de toda la nación mexicana, (2) desde la Institución de Ciencias y Artes donde recibió su título de abogado y que ahora lleva su nombre, hasta la Ciudad Juárez (antes El Paso del Norte) donde Benito Juárez se estableció para luchar desde allí contra las fuerzas francesas cuando éstas invadieron su país.

pudo hacer

de otros países

justicia

1

Hizo menos

cuenta

funeral

2

Verifiquemos

1. ¿Por qué se dice que Benito Juárez es el Abraham Lincoln de México? Para contestar, prepara un diagrama como el que sigue y haz una comparación de la vida de Abraham Lincoln y Benito Juárez en las tres áreas señaladas. En los dos extremos pon las diferencias y en el área que los dos óvalos comparten, pon lo que estos dos ex-presidentes tienen en común.

NIÑEZ EDUCACIÓN GRANDES HAZAÑAS

Abraham Lincoln		Benito Juárez
1.	1.	1.
2.	2.	2.
3.	3.	3.
. . .	. . .	. . .

2. ¿Qué problemas tuvo el Presidente Juárez con Francia? ¿con Estados Unidos?
3. ¿Qué evidencia hay que el Presidente Juárez fue y sigue siendo amado de la gente mexicana?

LECCIÓN 3

¡Buscamos a alguien con experiencia!

ANTICIPEMOS

¿Qué piensas tú?

1. ¿Qué características crees que buscaba la persona que emplea a cada uno de estos jóvenes? ¿Qué otras habilidades debe tener una persona interesada en estos puestos?
2. De lo que sabemos de Tina, ¿cuáles de estos puestos son buenos para ella? ¿Por qué crees eso?
3. Con un(a) compañero(a) de clase, dramatiza la entrevista que Tina tuvo para conseguir uno de estos puestos. Tú puedes hacer el papel de entrevistador(a) y tu compañero(a) el de Tina.
4. ¿Qué habilidades o características tienes que te hacen pensar que eres un(a) buen(a) candidato(a) para estos puestos? ¿Tendrías problemas al trabajar cinco o seis días por semana? Explica.
5. ¿Te gustaría trabajar mientras estás en el colegio? ¿Por qué?
6. ¿Creen tus amigos que debes conseguir empleo ahora? ¿tus padres? ¿tus profesores?
7. ¿Qué crees que vas a aprender en esta lección?

PARA EMPEZAR

Escuchemos un cuento mexicano

Esta leyenda mexicana viene de la región que hoy conocemos como el estado de Oaxaca.

En el siglo XV el joven rey Cosijoeza acaba de ocupar el trono de los zapotecas en la bella ciudad de Juchitán, en el actual estado de Oaxaca. Era bondadoso, sabio y valiente. Era también un guerrero muy astuto que, a la vez, le gustaba gozar de la belleza de la naturaleza. En sus jardines gozaba en particular de unos árboles de flores blancas, árboles que solamente se encontraban en Juchitán.

Una tarde, cuando el joven rey paseaba por los jardines, vinieron unos emisarios de su enemigo, el rey azteca Ahuizotl.
Los emisarios explicaron: "Nuestro rey quiere que le mandes unos árboles de flores blancas. Quiere plantarlos a lo largo de los canales de su ciudad, Tenochtitlán".
Después de pensarlo, el joven rey dijo: "No es posible. Se prohibe sacar estos árboles de mi reino".

Cosijoeza sabía que su enemigo Ahuizotl mandaría a sus guerreros aztecas a apoderarse de los árboles de las flores blancas y del reino zapoteca. Reunió a sus jefes guerreros y les dijo que otra vez tenían que pelear para salvar sus vidas y su reino del poder de los aztecas. Y los jefes prepararon las fortificaciones y las flechas envenenadas.

4

Tres meses más tarde, el ejército azteca volvió vencido a Tenochtitlán, la capital azteca. Su rey Ahuizotl se puso muy furioso.

Resolvió hacer uso de la astucia para obtener los árboles de las flores blancas y la derrota de los zapotecas. Llamó a Coyolicatzín, su hija más hermosa y más amada, y le explicó su plan.

5

Como el plan pedía, la princesa salió secretamente de la ciudad con dos criados. Después de un viaje largo y difícil, llegaron los tres a un bosque cerca del palacio del rey zapoteca y allí pasaron la noche.

Al día siguiente, cuando el joven rey paseaba por el bosque vio a esa joven bella, hermosamente vestida y adornada con joyas preciosas.

La invitó a su palacio donde su madre la cuidó con cariño. En pocos días el joven rey se enamoró completamente de la misteriosa joven.

Cuando Cosijoeza le dijo a la bella joven que quería casarse con ella, ésta le contestó: "Es muy difícil que yo pueda ser tu esposa, pues mi padre es el rey azteca, Ahuizotl".

6

Coyolicatzín volvió a Tenochtitlán, y pocos días después vinieron unos emisarios del rey zapoteca, cargados de riquezas para el rey azteca. Vinieron a pedir la mano de la bella Coyolicatzín. Como su plan dictaba, el rey azteca aceptó los regalos del joven rey y anunció que la hermosa Coyolicatzín sería la esposa del rey zapoteca.

Las bodas de la princesa azteca y el rey zapoteca se celebraron con gran esplendor y alegría en Juchitán, la capital zapoteca, y el rey se sintió el más feliz de todos los hombres.

Pero como el plan del rey azteca pedía, la princesa poco a poco iba descubriendo los secretos del ejército zapoteca.

Aprendió los secretos de las fortificaciones.

Y, más importante, aprendió cómo se hacían las flechas envenenadas.

Pero la princesa descubrió algo más también. Descubrió que amaba con todo el corazón a su esposo y a los zapotecas y sabía que nunca sería capaz de traicionarlos. Finalmente, con lágrimas de amor, le contó todo a su esposo.

El joven rey, con palabras muy cariñosas, perdonó a su esposa, y en gratitud por su lealtad, envió como regalo al rey azteca unos árboles de flores blancas.

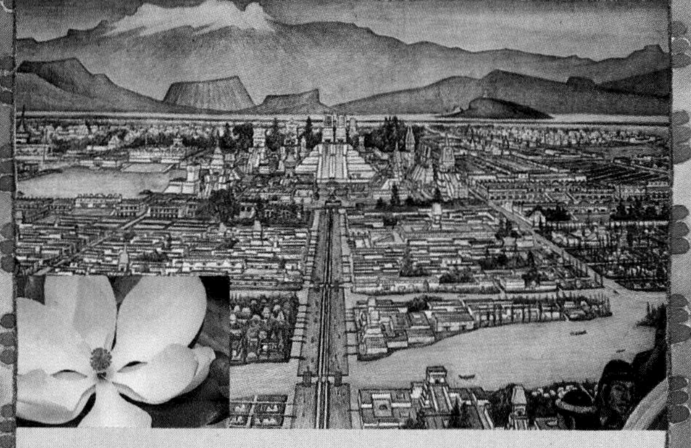

Hoy día se pueden ver árboles de esta clase en Tenochtitlán, la vieja capital de los aztecas, que ahora se llama la Ciudad de México.

¿QUÉ DECIMOS AL ESCRIBIR...?

Una solicitud de empleo

Éstos son algunos de los anuncios que vio Tina. ¿Para cuáles tiene las calificaciones que se buscan? ¿Cuáles no debe solicitar? ¿Por qué?

2 VENDEDORES SE BUSCAN

- De 25 a 35 años
- Profesionales de la venta
- Teléfono y coche propio
- Área de trabajo: El Paso y Juárez
- Indispensable: buenos informes y referencias

Interesados, llamar al teléfono 762-4360, preguntando por el señor Cuadros, hoy de 10:00 AM a 5:00 PM.

BILINGÜE

¡Urgente! Se necesita recepcionista bilingüe (inglés/español). Con experiencia, para trabajar en oficina de empleos.

Responsabilidades:

- Entrevistar a futuros empleados
- Contestar el teléfono
- Escribir a máquina

Una gran oportunidad para personas responsables y maduras.
Llamar a TEMPS en Las Cruces.
791-2432

SE SOLICITAN PERSONAS

Para trabajar en restaurante de comida rápida.

Se ofrece:
- Ambiente agradable
- Horas flexibles
- Entrenamiento pagado
- Uniformes
- Comidas gratis
- Pago atractivo

Se requiere
- Buena presencia
- Puntualidad
- Buenas referencias

Solicite en persona en
La Hamburguesa Gorda

Centro Comercial Cielo Vista

OPERADORES/AS

Con experiencia en aguja sencilla, para coser bolsas, faldas y pantalones. Con permiso de trabajo o residencia. Le garantizamos $4.75 la hora.

616 S. Santa Fe
El Paso, TX

SE NECESITAN

secretarias bilingües, operadoras de terminales, taquimecanógrafas. Trabaje para empresa importante.

Escriba con "currículum" a
534 Mesa St.

tel. 791-9139

BUENOS DÓLARES $$$$

REPARTA PERIÓDICOS

Lunes a domingo de 3 AM a 6 AM.

Se puede ganar hasta $550 al mes.

Llamar entre las 8 AM y 5 PM al:

762-6164.

Éste es el formulario que llenó Tina al solicitar un trabajo. ¿A cuál de los anuncios respondió?

Solicitud para empleo

Información personal

Nombre Valdez (apellido) Cristina (nombre)

Dirección 3225 E. Manzana Way (calle y número) El Paso, TX 79900 (ciudad, estado, código postal)

Teléfono (915) 555-7009

Edad (menor de 18) 16

Horas disponibles (número total de horas) 20 por semana

Horas cada día

	dom	lu	mar	mier	jue	vier	sab
de	1	4	4	4	4	4	10
a	8	8	8	8	8	10	7

Educación

Colegio El Paso High School

Promedio de notas B Último año completado 10

Experiencia Trabajos más recientes (pagados o voluntarios)

El verano pasado trabajé como ayudante en un campamento para niños.

Durante el año escolar, soy ayudante de oficina de la escuela.

Referencias

Sra. Olga Urrutia, El Paso HS

Sr. Ernesto Padilla, Campamento Coronado

Miss Leona Mendenhall, El Paso HS

Actividades

Miembro del Club de francés, miembro del coro, miembro del equipo de tenis.

CHARLEMOS UN POCO

A. **PARA EMPEZAR . . .** ¿A quién describe o quién dice esto en el cuento azteca de ''Los árboles de flores blancas''?

Cosijoeza **Ahuizotl** **Coyolicatzín**

1. Acaba de ocupar el trono de los zapotecas en la bella ciudad de Juchitán, en el actual estado de Oaxaca.
2. ''Es muy difícil que yo pueda ser tu esposa, pues mi padre es el rey azteca, Ahuizotl''.
3. Reunió a sus jefes guerreros y les dijo que otra vez tenían que pelear para salvar sus vidas y su reino.
4. Perdonó a su esposa, y en gratitud por su lealtad, envió como regalo al rey azteca unos árboles de flores blancas.
5. Poco a poco iba descubriendo los secretos del ejército zapoteca.
6. Era también un guerrero muy astuto que, a la vez, le gustaba gozar de la belleza de la naturaleza.
7. Descubrió que amaba con todo el corazón a su esposo y a los zapotecas, y sabía que nunca sería capaz de traicionarlos.
8. Resolvió hacer uso de la astucia para obtener los árboles de las flores blancas y la derrota de los zapotecas.

B. **¿QUÉ DECIMOS . . .?** ¿Descubre Tina esta información al leer los anuncios clasificados? ¿Sí o no?

1. Se busca recepcionista que sepa inglés y español.
2. Una empresa busca secretarias bilingües.
3. Los operadores de máquinas de coser ganan más de $5.00 por hora.
4. Se ofrecen comidas gratis en La Hamburguesa Gorda.
5. Una persona de dieciséis años puede conseguir el trabajo de vendedor.
6. Para trabajar de cajero se necesita saber inglés.
7. Los cajeros ganan más que los operadores.
8. Se buscan personas para repartir periódicos entre las ocho y las cinco.
9. Nadie busca ayuda para limpiar la casa.
10. Se necesita coche para ser vendedor.

When stating rules and regulations: Impersonal *se*

Se prohibe hablar inglés en la clase.
No se permite fumar.

See **¿Por qué se dice así?,** *page G103, section 7.5.*

When referring to non-specific people or things: Impersonal *se*

No se habla inglés allí.
¿Dónde **se venden** televisores?

See **¿Por qué se dice así?,** *page G103, section 7.5.*

C. En la biblioteca. ¿Qué les dice el (la) bibliotecario(a) a los estudiantes que no se portan bien?

MODELO hablar
No hables, por favor. Se prohibe hablar aquí.

1. comer
2. hacer ruido
3. tomar refrescos
4. escuchar música
5. escribir en nuestros libros
6. cantar
7. correr
8. dormir

CH. España. Un(a) amigo(a) va a visitar Madrid con su familia y tiene muchas preguntas para ti. Contesta sus preguntas.

MODELO almorzar a las 12:00
Compañero(a): **¿Almuerzan a las doce?**
Tú: **No, allí no se almuerza a las doce.**

comer paella
Compañero(a): **¿Comen paella?**
Tú: **Sí, allí se come paella.**

1. hablar inglés
2. comer al aire libre
3. viajar en metro
4. dar un paseo por la noche
5. cenar temprano
6. tomar helado
7. servir cochinillo asado
8. llegar a la hora exacta

D. ¿Dónde? Tú acabas de mudarte a esta ciudad. Pregúntale a tu compañero(a) dónde puedes conseguir los objetos en el dibujo.

EJEMPLO *Tú:* **¿Dónde se alquilan videos?**
Compañero(a): **Se alquilan videos en [*nombre de tienda*].**

VOCABULARIO ÚTIL:
vender comprar alquilar

E. Empleos. Tú y tu compañero(a) trabajan en el departamento de anuncios clasificados del periódico. Hoy están preparando una página de anuncios modelos para sus clientes. Prepárenlos.

EJEMPLO **Se solicitan empleados que sean responsables.**

buscar	operadores	poder trabajar de noche
requerir	secretario(a)	hablar inglés
solicitar	empleados	tener experiencia
necesitar	cajero(a)	ser responsable
	persona	tener buena presencia
	vendedores	saber escribir a máquina
		tener coche propio
		conocer bien la ciudad

F. Mesero principal. Tú eres mesero en un restaurante. Hoy estás entrenando a un mesero nuevo. ¿Qué le dices de estos objetos?

MODELO **Este platillo es para el postre.**

postre

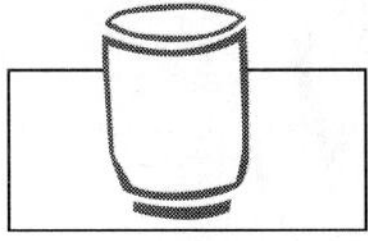

1. leche

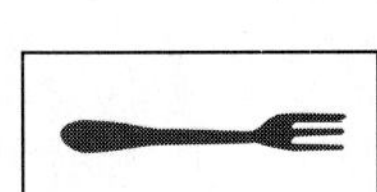

2. ensalada

3. café

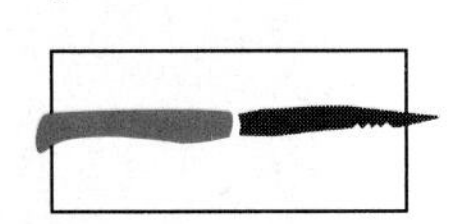

4. carne

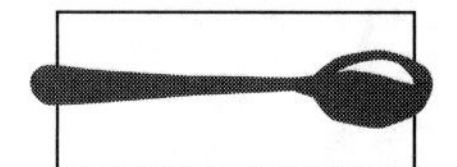

5. sopa

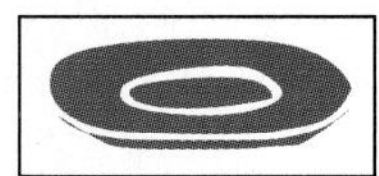

6. comida

7. pescado

8. helado

G. ¡Qué necio! Tu hermanito(a) es muy curioso(a). Te hace preguntas constantemente. ¿Qué te pregunta y qué le contestas tú?

EJEMPLO estudiar todo el día
Hermanito(a): **¿Por qué estudiaste todo el día?**
Tú: **Lo hice para salir bien en el examen.**

VOCABULARIO ÚTIL:

no escuchar tus preguntas
conversar con mis amigos
ganar dinero
salir bien en el examen
hacer ejercicio
conservar energía
perder peso
planear una fiesta
ganar el partido
ver las noticias

1. practicar el cabezazo
2. apagar la lámpara
3. prender la tele
4. correr
5. no comer el postre
6. hablar por teléfono
7. trabajar el sábado
8. ir al café
9. cortar el césped
10. cerrar la puerta

The preposition *para:* Purpose

¿Eso? Es **para** cortar manzanas.
Estas pastillas son **para** tu dolor de estómago.

See **¿Por qué se dice así?**, *page G104, section 7.6.*

The preposition *para:* Intended recipient

¿**Para** quién es ese regalo?
El collar es **para** ti, mi amor.

See **¿Por qué se dice así?,** *page G104, section 7.6.*

The preposition *para:* Employer

Trabajamos **para** una compañía de petróleo.
Tu mamá trabaja **para** la universidad, ¿no?

See **¿Por qué se dice así?,** *page G104, section 7.6.*

H. ¡De vuelta! Acabas de volver de un viaje a México donde compraste mucho. ¿Para quiénes compraste estos recuerdos?

EJEMPLO **El plato es para mi abuela.**

I. Profesiones. ¿Dónde trabajan estas personas?

MODELO **Los bomberos trabajan para la ciudad.**

políticos	
enfermeros	sus clientes
abogados	el restaurante
bomberos	el gobierno
camareros	las compañías
maestros	el hospital
secretarios	las escuelas
médicos	la ciudad
cocineros	

CHARLEMOS UN POCO MÁS

A. Se habla español. Su profesor(a) va a darle a cada uno de ustedes o un anuncio clasificado o una descripción de un servicio que buscan. Si recibes un anuncio, úsalo para encontrar a una persona que necesite el servicio que tú ofreces. Si recibes una descripción de lo que buscas, úsala para encontrar a alguien que ofrezca ese servicio. Cuando encuentren a la persona que buscan, siéntense y decidan si van a hacer negocio juntos.

EJEMPLO **Busco flores para el cumpleaños de mi madre.**

B. Letreros. Con un(a) compañero(a), diseña y escribe cinco letreros para la escuela o la clase. Luego en grupos de tres o cuatro, comparen sus letreros y decidan cuál es el más creativo. Preséntenselo a la clase.

C. Simplemente hay que . . . Hoy, Clara Consejera, la consejera del periódico escolar, no está. Tú y tu compañero(a) están sustituyéndola. ¿Qué consejos les dan a estas personas?

EJEMPLO bailar bien
Para bailar bien hay que practicar mucho.

1. perder peso

2. aprender español

3. tener dinero

4. sacar buenas notas

5. no tener sueño

6. ganar el partido

7. comprar un coche

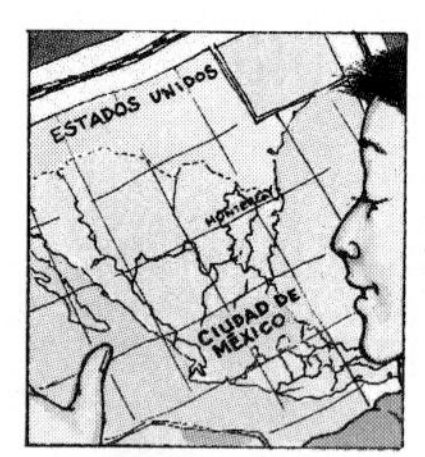

8. hacer un viaje

Dramatizaciones

A. Los requisitos. Tú eres el (la) recepcionista para una compañía internacional. Tu compañero(a) está interesado(a) en trabajar con la compañía. Quiere saber cuáles son los requisitos para conseguir empleo en la compañía. Dramaticen esta situación.

B. ¿Para quién? Sólo falta una semana para Navidad y tú necesitas comprar regalos para tu familia y tus amigos. Estás ahora en un almacén grande pidiéndole consejos a un(a) dependiente. Dramaticen esta situación. Tu compañero(a) va a hacer el papel del (de la) dependiente.

LEAMOS AHORA

Estrategias para leer: El hacer preguntas

El hacer preguntas. En la **Unidad 6,** aprendiste a hacer preguntas para ayudarte a entender un poema. El hacer preguntas es una estrategia muy valiosa para entender todo tipo de lectura. Hay varios tipos de preguntas que un buen lector se puede hacer, dependiendo del tipo de lectura. Por ejemplo, algunas preguntas sólo se pueden contestar . . .

1. con información ***específica*** que viene de una sola oración en la lectura.
2. con una ***combinación*** de información que sólo se puede hacer después de leer varios párrafos.
3. si el lector cuenta con su ***propia experiencia*** o ***pasado***.
4. si hay una ***interacción*** entre autor y lector basada en una combinación de lo que el lector ya sabía y lo que acaba de aprender en la lectura.

El artículo que sigue se publicó en el *Sacramento Bee*, basado en un artículo que originalmente se publicó en Texas, en el *Dallas Morning News*. Antes de leer este artículo, estudia las preguntas que siguen con un(a) compañero(a). En una hoja de papel, indiquen si son preguntas que sólo se pueden contestar con información ***específica***, con una ***combinación*** de información, si el lector cuenta con su ***propia experiencia*** o ***pasado*** o si hay una ***interacción*** entre autor y lector.

Preguntas	Tipo	Respuestas
¿Cómo se llama la alumna que da el discurso de fin de curso?		
¿Quiénes son los otros jóvenes mencionados en el artículo?		
¿Qué hicieron estos jóvenes?		
¿Bajo qué circunstancias asistieron a la escuela secundaria estos jóvenes?		
¿Por qué crees que estas noticias fueron de interés periodístico en Dallas, Texas?		
¿Por qué fueron de interés periodístico en Sacramento, California?		

Ahora, lean el artículo individualmente. Al leer, tengan presente estas preguntas y anoten toda la información que les ayude a contestarlas. Tal vez sea necesario leer el artículo varias veces para encontrar todas las respuestas.

Liliana Ramírez, Albert Martínez, Enrique Arzaga, Alicia Ayala y David Villarreal

Para el MIT: Cinco estudiantes de El Paso sobresalen y brillan

El PASO, Texas—La conocen como la escuela bajo el *freeway* (autopista), y está entre la Carretera Interestatal 10 y la frontera con México, en un barrio de cantinas, taquerías y tiendas de "pesos por dólares".

"Ysleta High School", la pobre y desvencijada* Escuela Secundaria Ysleta, también está localizada en una zona de El Paso donde abundan las pandillas.* Pero hoy existe una nueva pandilla en Ysleta. A cinco de sus estudiantes recién graduados se les olvidó* lo pobre que son o que deberían ser pandilleros y ahora se encaminan* a asistir al prestigioso Instituto Tecnológico de Massachusetts (MIT) este otoño.

"Es un admirable logro",* afirmó John Hammond, el director asociado de admisiones de MIT, señalando que de los 7,000 estudiantes que solicitan* a MIT cada año sólo 600 consiguen matricularse. Cerca del ocho por ciento de los 4,300 estudiantes subgraduados son hispanos.

"Nosotros reclutamos a todos estos cinco jóvenes", continuó Hammond. "Ellos pasaron por todo el proceso de admisiones, individualmente, debido a sus propios méritos, antes de darnos cuenta* siquiera que venían de la misma escuela secundaria".

Los cinco estudiantes de Ysleta cada uno ganaron becas* de más de $20,000 dólares al año. Alicia Ayala, la hija de un aseador de edificios* pensionado fue la estudiante que dio el discurso oficial en la graduación de su generación. "Soy una mujer hispana, pero eso no quiere decir que no pueda hacer grandes cosas", dijo ella. "Yo tengo muchos planes".

Luego está el caso de Liliana Ramírez quien no hablaba inglés cuando su familia se mudó de México a EE.UU. hace

sin ventajas

grupo de jóvenes con mal fin

no recordaron

van en camino

éxito

piden entrar en

descubrir

dinero para sus estudios

conserje

sólo

da más valor / triunfos

apenas* dos años y medio. Y David Villarreal, un adelantero del equipo de básquetbol que valora* más sus éxitos* académicos que sus victorias deportivas. Y Enrique Arzaga, que cree que "cualquiera que no lo haga y luego le eche la culpa a la escuela o al medio ambiente simplemente está buscando excusas". Y ahí está Albert Martínez, a quien le fascinan las computadoras y que también canta como tenor en el coro de la escuela y trabaja medio tiempo en la noche limpiando edificios. Su madre, Dolores, es viuda y también limpia edificios. "La mayor parte de mi vida, me he privado* de muchas cosas", dijo Albert, que bien podría hablar en nombre de sus cuatro compañeros.

no he tenido

"Nosotros siempre tuvimos que limitarnos y contentarnos con poco. Pero yo nunca aprendí lo que significa ser un 'desventajado'.* Comparados con cualquiera, mi madre y yo somos pobres. Pero yo no. Yo tengo otras riquezas".

uno sin oportunidades

El director de la escuela, Roger Parks no intenta dar excusas por la realidad de Ysleta. Reconcce que el treinta y seis por ciento de los estudiantes no terminan la escuela secundaria. "Esta cifra* es tan alta como la de cualquier otra escuela de El Paso". También apunta* que "el sesenta y ocho por ciento de nuestros estudiantes provienen de familias que son consideradas económicamente desventajadas".

número

indica

"Nuestro estereotipo es ser 'la escuela bajo el *freeway*'", dijo Parks, "pero nunca hemos aceptado las limitaciones que otra gente nos impone. Lograr* que cinco de nuestros estudiantes entren a MIT quizás nunca se vuelva a repetir, pero nosotros siempre tendremos estudiantes de este calibre".

Conseguir

Cada año más o menos una docena de los estudiantes más sobresalientes de Ysleta pueden en realidad escoger a qué universidad asistir—Cornell, Rice, Yale, Harvard, Stanford, West Point. MIT de Cambridge, Massachusetts, hasta tiene una persona que funge* como reclutador voluntario en busca de estudiantes sobresalientes, y muchas veces los encuentra en Ysleta.

actúa

Verifiquemos

1. Compara Ysleta High School con tu escuela. ¿Cuáles son las semejanzas? ¿las diferencias?
2. ¿Hay escuelas en tu ciudad semejantes a Ysleta High School? ¿Cuáles son y cuáles no son las semejanzas?
3. ¿Cuál de los cinco jóvenes te impresionó más? ¿Por qué?
4. ¿Qué piensas del director de la escuela, Roger Parks? ¿Crees que es un buen director? ¿Por qué?
5. ¿Cómo explicas tú que una escuela tan pobre produzca no sólo a cinco estudiantes que sean aceptados a M.I.T. en el mismo año, sino también a otros que puedan ser aceptados en Cornell, Rice, Yale, Harvard, Stanford y West Point?

ESCRIBAMOS AHORA

Estrategias para escribir:
Narrativa—Ensayo personal

A. Empezar. El ensayo personal te permite compartir tus pensamientos y experiencias personales con otros. Este tipo de ensayo tiene varios usos: el narrar un cuento, el describir o explicar algo, o el persuadir a alguien que piense de cierta manera o que haga algo. En esta escritura, tú vas a narrar una anécdota de tu niñez.

Primero tendrás que seleccionar un incidente de tu niñez. Puede ser algo divertido, triste, conmovedor, misterioso, raro u otro tipo de incidente. Para ayudarte a decidir, prepara una lista de incidentes de tu niñez que recuerdas. Categoriza esos incidentes en un cuadro como el que sigue.

Divertido	Triste	Conmovedor	Misterioso	Raro	Otro

B. Organizar. Primero, selecciona uno de los temas que incluiste en la lista que preparaste en la actividad **A.** Piensa acerca de la información que vas a necesitar para poder contar este incidente en detalle: quiénes participaron; dónde ocurrió el incidente; cuál fue el orden cronológico; por qué fue divertido, triste o conmovedor . . . Tal vez te ayude organizar todos los incidentes en orden cronológico o tal vez prefieras organizarte usando otras de las técnicas que hemos mencionado en otras unidades: hacer un torbellino de ideas, usar racimos, hacer esquemas, etc.

C. Primer borrador. Al empezar a escribir tu ensayo, piensa en una oración que comunique el tema y el resultado que esperas lograr. Por ejemplo, podrías empezarlo: ''Cuando yo empecé a asistir a la escuela, a la edad de cinco años, descubrí algo sorprendente''. Desarrolla tu cuento usando tus apuntes y lo que hiciste en **B** para organizar el tema. Recuerda tu primera oración a lo largo de escribir este ensayo y asegúrate de que todo lo que digas esté relacionado a lo que dices en la primera oración.

CH. Compartir. Lee el ensayo personal de dos compañeros y comparte con ellos el tuyo. Pídeles que hagan un breve resumen de tu ensayo para ver si lo entendieron. También pídeles sugerencias para hacerlo más claro y más efectivo. Haz el mismo tipo de comentarios sobre sus ensayos.

D. Revisar. Haz cambios en tu ensayo a base de las sugerencias de tus compañeros. Luego, antes de entregarlo, dáselo a dos compañeros de clase para que lo lean una vez más. Esta vez pídeles que revisen la estructura y la puntuación. En particular, pídeles que revisen la concordancia — verbo / sujeto y sustantivo / adjetivo — y el uso del pretérito y del imperfecto.

E. Versión final. Escribe la versión final de tu ensayo incorporando las correcciones que tus compañeros de clase te indicaron. Presta mucha atención al formato. Piensa en la versión final como uno de varios cuentos que se van a publicar en un libro de anécdotas.

F. Publicar. Cuando tu profesor(a) te devuelva tu ensayo, prepáralo para publicar. Dibuja una o dos ilustraciones apropiadas (o sácalas de revistas) para ilustrar lo interesante de tu anécdota. Luego pongan todos los ensayos en un cuaderno y decidan cúal es el título más apropiado para un libro de anécdotas sobre la niñez de toda la clase.

UNIDAD 8

¡Voy a Venezuela!

LECCIÓN 1

¿Cuándo saldrás?

ANTICIPEMOS

TERCERA EDAD
Si has cumplido 60 años aprovecha esta oportunidad y VISITA ESPAÑA.

Salida a *Tenerife* días 3-10 y 17 de febrero, 23 y 30 de marzo

Salida a *Madrid* y *Santiago* días 22-26 y 29 de enero, 18-25 de marzo

Reserve en cualquiera de nuestras tres direcciones

CASABLANCA AGENCIA DE VIAJES

Colinas de Bello Monte
Av. Miguel Ángel

Sabana Grande
C/ El Recreo

Av. Urdaneta
Ibarras a Pelota

EN 1993... EL COSTA RIVIERA LLEGA A LA GUAIRA

Atrévase a conquistar el Caribe: REPÚBLICA DOMINICANA, PUERTO RICO, SANTO TOMÁS, TRINIDAD y LA GUAIRA, VENEZUELA.

Descubra el Costa Riviera y viva una aventura en cada puerto. Disfrute de la exótica magia del Caribe mientras goza de las más sofisticadas comodidades y el acogedor servicio de nuestra tripulación.

*Mil ambientes a bordo
*Manjares a toda hora
*La más excitante vida nocturna
*Diversión y más diversión

TIPO DE ACOMODACIÓN

Interna, cama baja y litera, ducha y toilette. Por persona $750*
Interna, dos camas bajas, ducha y toilette. Por persona $900*
Externa, dos camas bajas, ducha y toilette. Por persona $1000*
3er y 4° adulto ocupando el mismo camarote. Por persona $500*
Niños menores de 12 años acompañados por dos adultos en el mismo camarote. Por niño $350*
*MÁS IMPUESTOS

Costa Tours Línea "C"
Centro Comercial Bello Campo, Local 24
Tel.: 32.38.31 - 32.38.32

¿Qué piensas tú?

1. ¿Qué estación es? ¿otoño? ¿invierno? ¿Qué crees que esperan con anticipación estos jóvenes? ¿Por qué crees eso?
2. Sabiendo lo que sabes de estos jóvenes, ¿cómo crees que van a pasar el verano?
3. ¿Para qué son los anuncios en esta página? ¿Cuál te llama la atención? ¿Por qué te atrae?
4. ¿Qué podrá hacer y ver una persona que haga el viaje a La Guaira en Venezuela? ¿Cómo viajarán? ¿Qué lugares visitarán?
5. ¿Qué puedes decir de alguien que decida hacer un viaje a España? ¿Cuánto tiempo durará el viaje? ¿Cuándo van a salir?
6. ¿Qué planes tienes tú para el verano? ¿Tienes algunos planes específicos para el año próximo?
7. ¿Qué crees que vas a aprender en esta lección?

PARA EMPEZAR

Escuchemos un cuento mexicano

El nopal es un cacto muy bien conocido en las Américas, pero sin duda abunda más en México. Es una bella planta verde con flores rojas.

Esta leyenda mexicana explica el origen de esta planta que figuró en el escudo azteca y después en el escudo de la República de México.

Hace muchos siglos los aztecas vivían en el norte de México. Cerca del año 800 d. de J.C., sus dioses les hablaron diciendo: "Pronto irán al sur, donde encontrarán una nueva tierra más grande y bonita que la de aquí. Un día verán un águila hermosa posada en una planta desconocida. El ave tendrá una serpiente en el pico. Y allí construirán una gran ciudad".

Los aztecas obedecieron el mandato de sus dioses, pero el viaje fue largo y difícil y duró por muchos siglos. No fue hasta el año 1300 cuando los primeros aztecas llegaron al gran valle de México. De las montañas que rodeaban el valle, vieron el lago de Texcoco con sus islas grandes y pequeñas.

"Aquí viviremos", anunció el supremo sacerdote, "hasta que nuestros dioses nos den una señal indicando dónde debemos construir nuestra ciudad". Pero, como toda la tierra alrededor del lago ya estaba ocupada por otras tribus, los aztecas tuvieron que establecerse en una de las islas grandes del lago.

Con los aztecas vino su dios Huitzilopochtli, el dios de la guerra. Lo veneraban más que a los otros dioses. Y como este dios exigía sacrificios humanos, los aztecas hacían guerra sin cesar contra sus vecinos quienes antes habían vivido en paz y armonía.

Lejos, al norte, vivía la buena hermana del dios Huitzilopochtli con su esposo y su hijito Cópil. Pertenecían a una tribu pacífica. "Cuando yo sea mayor", dijo el chico, "voy a hacer prisionero a mi tío para que no pueda causar tanta aflicción".

"No puedes hacerlo, hijito", dijo su madre. "Tu tío es muy fuerte y poderoso".

"Sí, lo haré", respondió el muchacho.

Pasaron años y más años. Cópil se convirtió en un joven valiente, hermoso, hábil, bueno e inteligente. Y tenía todavía en el corazón el deseo de vencer a su tío y proteger a las otras tribus pacíficas.

Con mil hombres valientes, se puso en marcha en el largo viaje hacia el valle de México.

Cuando llegaron al gran bosque que rodeaba al lago de Texcoco, Cópil dijo: "Descansaremos aquí, y mañana llevaremos a cabo nuestros planes".

Pero el dios azteca tenía espías y ya sabía las intenciones de Cópil.

Llamó a sus sacerdotes y les dio este mandato terrible: "Irán al campamento de mi sobrino Cópil. Lo matarán y me traerán su corazón como ofrenda".

Los sacerdotes hicieron exactamente lo que les pidió su dios. Entonces Huitzilopochtli les mandó enterrar el corazón de Cópil entre rocas y mala hierba de una isla en el centro del lago.

A la mañana siguiente, todos vieron lo que había pasado durante la noche.

Una bella planta verde con magníficas flores rojas había crecido en el sitio donde enterraron el corazón de Cópil. Pero lo verdaderamente asombroso fue que posada en esta planta vieron un águila con una serpiente en el pico.

De repente todo el mundo oyó la voz del dios Huitzilopochtli: "La profecía de los dioses está cumplida. Aquí fundarán su ciudad y la llamarán Tenochtitlán".

Y el dios anunció que ya había vuelto a su habitación en el cielo de donde iba a guiar el futuro de la ciudad.

Tenochtitlán creció y prosperó y lo sigue haciendo todavía bajo el nombre de Ciudad de México. Y a la vez, esa bella planta verde llamada nopal, con magníficas flores rojas, sigue recordándonos del joven y valiente Cópil.

¿QUÉ DECIMOS...?

Al hacer planes para el futuro

1 ¡Podremos hacer tantas cosas!

Tina y Margarita andan de compras en Stanton Street.

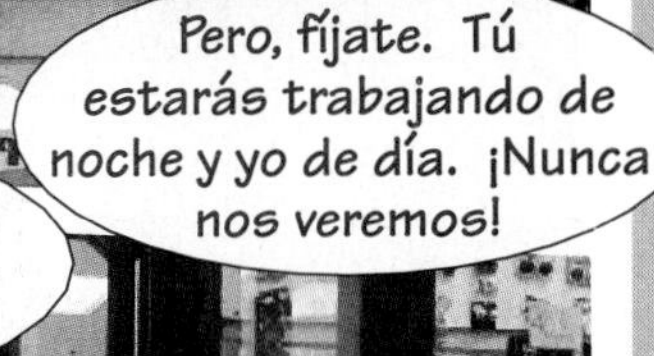

2 Ya veremos.

¡Hola, Tina, Margarita! ¿Qué hacen por aquí?
Andamos de compras, como siempre.
Sí, y estamos también hablando de nuestros planes para el verano. Las dos pensamos trabajar. Yo voy a estar en «Vi El Paso». Y ustedes, ¿tienen planes?
Yo tengo que trabajar, pero claro, también voy a jugar tenis todos los días.
Y tú, Daniel, ¿qué vas a hacer?

No sé. Ya veremos.

Pues, yo puedo jugar contigo, Mateo. Pienso trabajar sólo de noche.

Martín, ¿qué vas a hacer tú? ¿Pasarte todo el verano jugando baloncesto?
Pues sí. Nuestro equipo jugará en el campeonato del estado este julio. Después de eso, no sé.

Supongo que iré a acampar con mi familia, como de costumbre. Queremos llevar a mi mamá y a Nena a la cueva cerca de Las Cruces. Esta vez iremos todos juntos. Bueno, todos menos Daniel.

¿Cómo que todos menos Daniel? ¿Qué vas a hacer tú, Daniel?

¿Por qué no pasamos allí a tomar algo y les cuento mis planes?

3 ¡No me digas!

Vamos, Daniel. Me muero de curiosidad. ¿Qué vas a hacer este verano?
Pues en agosto, voy a ir a un campamento de música por dos semanas.

¡No andes con rodeos, Daniel! ¿Qué vas a hacer durante junio y julio?
Bueno, en junio tendré que hacer todos los preparativos ...

¡Por Dios, Daniel! ¿Los preparativos para qué?

Para mi viaje.
¿Adónde vas?
A Venezuela, a visitar a mi amigo, Luis.

¡No me digas! ¿Por cuánto tiempo? ¿Cuándo sales?

A fines de junio y no regreso hasta principios de agosto. ¡Estaré allí cinco semanas!
¡Ay, qué envidia! ¡Cinco semanas en Sudamérica! Bueno, entonces te tendré que hacer una lista de las cosas que quiero que me traigas.

Mira, Daniel, mira lo que te compré para tu viaje.
Ah, gracias.

CHARLEMOS UN POCO

A. **PARA EMPEZAR . . .** Pon estas escenas en orden cronológico según lo que escuchaste en el cuento ''El origen del nopal''.

1. A la mañana siguiente, todos vieron una bella planta en el sitio donde enterraron el corazón de Cópil.
2. Cópil, el sobrino de Huitzilopochtli, dijo, ''Voy a hacer prisionero a mi tío para que no pueda causar tanta aflicción''.
3. Pero los sacerdotes mataron a Cópil y enterraron su corazón en una isla.
4. Para satisfacer a Huitzilopochtli, los aztecas hacían guerra sin cesar contra sus vecinos que antes habían vivido en paz y armonía.
5. Hace muchos siglos que vivían en el norte de México los aztecas.
6. En el año 1300, los primeros aztecas llegaron al gran valle de México con Huitzilopochtli, el dios de la guerra.
7. En esta planta vieron un águila con una serpiente en el pico y allí construyeron su ciudad, Tenochtitlán, que ahora es la Ciudad de México.
8. Sus dioses les dijeron, ''Un día verán un águila hermosa posada en una planta desconocida. El ave tendrá una serpiente en el pico. Y allí construirán una gran ciudad''.
9. Con mil hombres valientes, se puso en marcha en el largo viaje hacia el valle de México.

B. **¿QUÉ DECIMOS . . .?** ¿Quiénes harán estas cosas durante el verano?

Tina

Margarita

Daniel

Martín

Mateo

1. Irá de compras.
2. Seguirá trabajando.
3. Irá al campamento de música.
4. No tendrá que levantarse temprano.
5. Jugará tenis.
6. Participará en un campeonato.
7. Hará un viaje largo.
8. Participará en ''Viva El Paso''.

C. Este fin de semana. ¿Qué hará tu compañero(a) este fin de semana?

MODELO asistir a un concierto
Asistirá a un concierto.

1. trabajar el sábado
2. correr por las tardes
3. sacar muchas fotos en el zoológico
4. pedir una pizza
5. aprender a tocar la guitarra
6. repartir periódicos como siempre
7. ir a acampar con su familia
8. competir en el campeonato de béisbol

CH. El verano. ¿Qué planes tienen Esteban y sus amigos para el fin de semana?

Quico y Carmen

MODELO **Quico y Carmen pasearán en bicicleta.**

1. mis amigos y yo

2. Lilia y Juana

3. Leticia

4. yo

5. Pablo y Soledad

6. todos nosotros

7. Mariela

8. yo

Talking about the future: The future tense

The future tense has one set of endings for **-ar**, **-er**, and **-ir** verbs. These endings are attached to the infinitive.

ver**é**	ver**emos**
ver**ás**	
ver**á**	ver**án**

Te **veré** en San Francisco.
¿**Correrán** ustedes?

See **¿Por qué se dice así?,** *page G107, section 8.1.*

D. ¡Fiesta internacional! Tu colegio va a tener una fiesta internacional este fin de semana y todos tendrán que participar. ¿Qué harán estas personas? Usa tu imaginación.

EJEMPLO **Mis amigos Linda y David bailarán en Moscú.**

	cantar	Londres
mis padres	descansar	Madrid
mi amigo(a) [. . .]	asistir a un concierto	Acapulco
el(la) profesor(a)	ir de compras	Buenos Aires
mis amigos [. . .] y [. . .]	pasear	Caracas
[. . .] y yo	comer	Moscú
¿ . . . ?	visitar	París
	bailar	San Juan
	¿ . . . ?	¿ . . . ?

E. Posesiones. Tu compañero(a) de clase quiere saber si tendrás todo esto en unos diez años. Contesta sus preguntas.

MODELO *Compañero(a):* **¿Tendrás una lancha?**
Tú: **No, pero tendré un(a) . . .**

Talking about the future: Future tense of irregular verbs

Irregular verbs in the future tense use the same endings as regular future tense verbs; only the stems are irregular.

poner	**pondr-**
salir	**saldr-**
tener	**tendr-**
venir	**vendr-**
decir	**dir-**
hacer	**har-**
haber	**habr-**
poder	**podr-**
querer	**querr-**

tendré	**tendr**emos
tendrás	
tendrá	**tendr**án

¿**Tendrás** muchos hijos?
No. **Tendré** sólo un hijo.

See **¿Por qué se dice así?**, *page G109, section 8.2.*

F. ¿Sí o no? Algunos estudiantes quieren que se suspendan las clases la semana que viene. ¿Qué opinas tú? ¿Qué crees que dirán estas personas?

MODELO tus padres
Mis padres dirán que sí. o
Mis padres dirán que no.

1. tus amigos
2. el (la) director(a)
3. los estudiantes de francés
4. el (la) profesor(a) de español
5. el (la) secretario(a) de la escuela
6. el (la) entrenador(a)
7. los miembros de la banda
8. los profesores de ciencias
9. el enfermero
10. la consejera

Talking about the future: *Decir*

diré	**dir**emos
dirás	
dirá	**dir**án

¿**Dirás** la verdad?
Yo no **diré** nada.

See **¿Por qué se dice así?,** *page G109, section 8.2.*

G. Proyectos. Tu mejor amigo dice que va a hacer muchos cambios el próximo año. ¿ Qué cambios hará?

MODELO ponerse en línea
Se pondrá en línea.

1. hacer más ejercicio
2. ponerse a dieta
3. salir más
4. hacerse socio de un club atlético
5. decir la verdad siempre
6. venir a clases todos los días
7. saber usar la computadora mejor
8. poder salir más en coche

H. El futuro. ¿Puedes predecir el futuro de estas personas?

EJEMPLO **Mi amiga Manuela será artista de cine.**

mi amiga [. . .]	querer ser presidente
yo	tener muchos hijos
el (la) profesor(a)	ser doctor(a)
mis amigos [. . .] y [. . .]	sacar buenas notas en la universidad
[. . .] y yo	cantar con una banda
mi amigo [. . .]	ser artista de cine
el (la) director(a)	tener su propia compañía
	hablar tres lenguas
	trabajar para NASA como astronauta
	saber más español que la profesora
	vivir en otro país

CHARLEMOS UN POCO MÁS

A. Año Nuevo. Prepara por escrito una lista de ocho a diez resoluciones para el Año Nuevo. Luego pregúntales a varios compañeros de clase qué resoluciones tienen ellos y diles las tuyas. Decide cuál es la resolución más interesante entre todas y escríbela en la pizarra.

B. Este verano. En grupos de cuatro discutan lo que harán este verano. Luego preparen un dibujo de sus actividades. Usen el dibujo para contarle a la clase los planes de todos en su grupo.

C. Predecir el futuro. Tú y tu compañero(a) son editores del periódico escolar. Hoy es el 5 de enero y están preparando una edición humorística enfocada en el futuro. Escriban subtítulos cómicos para estas fotos, indicando lo que harán o lo que serán estas personas en el futuro.

CH. Las aventuras de Riso. Tu profesor(a) va a darles a ti y a dos compañeros dibujos que muestran las actividades de una semana en la vida de Riso. Pongan los dibujos en un orden apropiado y escriban un cuento narrando las aventuras de este joven. Luego en grupos de seis, léanse los cuentos.

Dramatizaciones

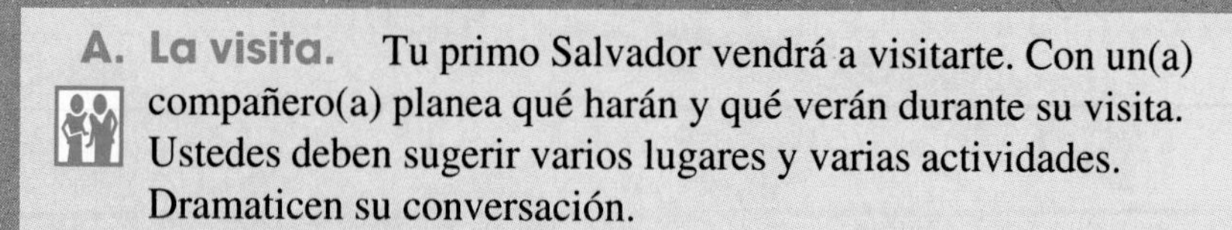

A. La visita. Tu primo Salvador vendrá a visitarte. Con un(a) compañero(a) planea qué harán y qué verán durante su visita. Ustedes deben sugerir varios lugares y varias actividades. Dramaticen su conversación.

B. ¿Quién será . . . ? El (La) director(a) de la escuela y un(a) consejero(a) están discutiendo el futuro de unos estudiantes en tu clase de español. Tú y tu compañero(a) van a hacer estos papeles. Dramaticen la conversación.

IMPACTO CULTURAL

Excursiones

Antes de empezar

A. Torbellino de ideas. Con dos compañeros de clase, haz un torbellino de ideas sobre Argentina. Simplemente escriban todo lo que saben de Argentina en dos minutos. Su profesor(a) va a controlar el tiempo.

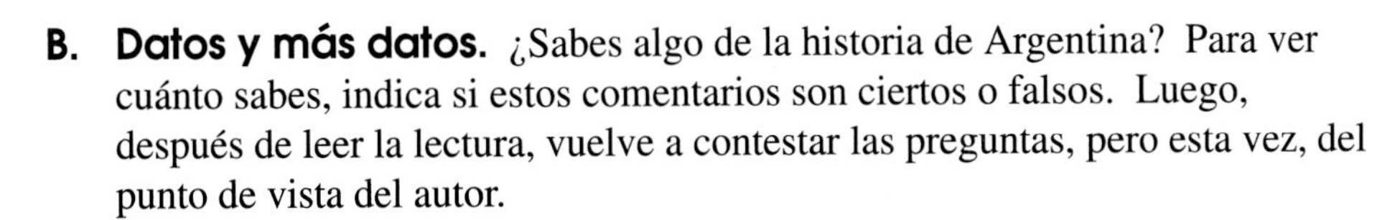

B. Datos y más datos. ¿Sabes algo de la historia de Argentina? Para ver cuánto sabes, indica si estos comentarios son ciertos o falsos. Luego, después de leer la lectura, vuelve a contestar las preguntas, pero esta vez, del punto de vista del autor.

Tú	Argentina	Autor
sí no	1. Argentina es relativamente diferente de los otros países latinoamericanos.	sí no
sí no	2. Como México, Perú y Brasil, Argentina tiene una población indígena muy grande.	sí no
sí no	3. Argentina es un país muy industrializado.	sí no
sí no	4. Ya no hay muchos gauchos en Argentina.	sí no
sí no	5. En Argentina hay muchísimos europeos, especialmente españoles e italianos.	sí no
sí no	6. Los argentinos están muy orgullosos de sus tradiciones nativas. Por eso no aceptan lo extranjero, en particular lo europeo.	sí no
sí no	7. En Argentina, 95 por ciento de la población sabe leer y escribir.	sí no
sí no	8. En 1982, hubo una guerra entre Argentina y Inglaterra.	sí no

Argentina

Una búsqueda de la paz y la democracia

1

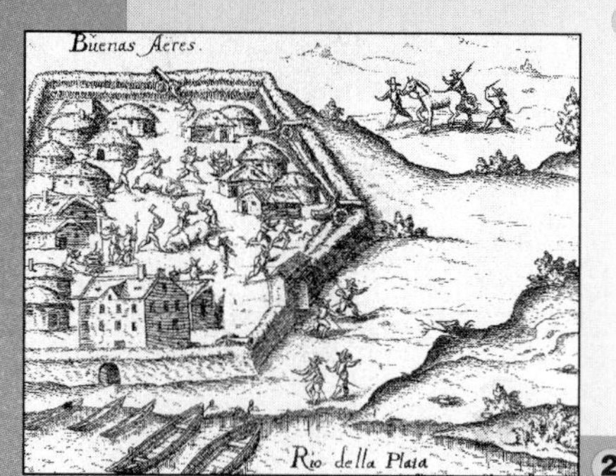

2

3

Situado al extremo sudeste del continente americano, el territorio de Argentina está compuesto en su mayor parte por fértiles tierras bajas llamadas *pampas*. Éstas son ideales para la agricultura y la ganadería. En su área andina, donde se levanta el Aconcagua, la cumbre más alta del hemisferio, hay extensos depósitos de minerales y reservas de gas natural. También es autosuficiente en petróleo, ha desarrollado significativamente su capacidad hidroeléctrica[1] y posee uno de los más desarrollados programas de energía nuclear, inclusive la bomba nuclear.

Un triste capítulo en la historia de este gran país es la manera en que trató a sus indígenas. Unos cincuenta años después de ganar su independencia, el gobierno argentino empezó una campaña contra la población indígena, hasta que, para fines del siglo XVIII, todos los grupos indígenas habían sido virtualmente exterminados.[2]

Otro grupo argentino que casi desapareció, éste por la llegada de la industrialización, eran los gauchos[3] o vaqueros argentinos. Mestizos en su mayoría, los gauchos eran una gente independiente e individualista que amaba la vida del campo. Vivían en la pampa y trabajaban de vez en cuando para los hacendados. Su importancia fue disminuyendo con el comienzo de la refrigeración y la exportación en masa del ganado. Poco a poco este grupo se vio obligado a abandonar su vida independiente y limitarse a las grandes haciendas e integrarse en la sociedad rural argentina.

A mediados del siglo XIX, Argentina abrió sus puertas a Europa. Miles de inmigrantes europeos llegaron a puertos argentinos y continuaron llegando hasta la primera mitad del siglo presente. En su mayoría fueron españoles e italianos, pero también había muchos franceses, polacos, rusos y alemanes. Aunque la mayoría de estos inmigrantes eran campesinos, los argentinos estaban decididos a crear una sociedad predominante urbana, europea, y lo lograron. Basta ver sus grandes ciudades modernas. Aún en su música y baile más representativo, el tango,[4] se ve ese gran predominio de lo europeo.

Con una población de 32,608,687 habitantes (censo 1990)[5] Argentina es uno de los países latinoamericanos con el más bajo índice de analfabetos. Efectivamente, el 95 por ciento de su población es alfabeta. Además, el 86 por ciento de su población es urbana y la mayoría pertenece a la clase media. El 90 por ciento de la población argentina es raza blanca de descendencia europea.

A pesar del alto nivel de educación de sus ciudadanos y de su deseo de lograr paz y estabilidad, Argentina ha tenido que sobrellevar en las últimas décadas gobiernos militares que han manchado su historia con lamentables asesinatos. Un ejemplo de esto es la llamada "guerra sucia" que ocurrió entre 1976-79, entre el gobierno militar y las guerrillas. En esta guerra murieron y desaparecieron miles de inocentes. Las madres y abuelas de estos "desaparecidos" fueron llamadas "Las Madres de la Plaza de Mayo",[6] porque estas mujeres se reunían en esta Plaza con las fotos de sus "desaparecidos" para reclamarle al gobierno.

Otro hecho lamentable fue la guerra de las Malvinas o Falkland, ocurrida en 1982. Después de esta humillante derrota ante Inglaterra, se inició en Argentina una nueva era de democratización y revitalización económica. Grandes problemas persisten, pero como todo país latinoamericano, Argentina sigue su búsqueda de la paz y la democracia.

4

5

6

Verifiquemos

1. Vuelve a la actividad **B** de **Antes de empezar** e indica otra vez si los comentarios son ciertos o falsos. ¿Cómo se comparan las opiniones del autor con las tuyas?
2. Compara la manera en que los indígenas fueron tratados en Argentina con el tratamiento que recibieron en EE.UU.
3. Prepara una lista de todo lo que hace que Argentina sea un país moderno y progresista.

LECCIÓN 2

¡No deberías llevar tanto!

ANTICIPEMOS

¿Qué piensas tú?

1. ¿Qué consejos de último momento crees que le va a dar su hermana a Daniel? ¿su padre? ¿su madre?
2. ¿Qué harías tú si fueras testigo al robo y al accidente de bicicleta en estos dos dibujos?
3. ¿Cómo reaccionarías si tú fueras el chofer del carro? ¿la víctima del robo? ¿el ciclista?
4. Si pudieras cambiar una cosa en tu persona, ¿qué cambiarías? ¿Por qué cambiarías eso? ¿Qué efecto tendría tal cambio?
5. Si pudieras cambiar algo en tu escuela, ¿qué cambiarías? ¿Qué efecto tendría el cambio en los estudiantes?
6. Si un(a) amigo(a) tuyo(a) estuviera por hacer algo peligroso o deshonesto, ¿qué harías para convencerlo(la) que no lo hiciera?
7. ¿Qué crees que vas a aprender en esta lección?

PARA EMPEZAR

Escuchemos un cuento argentino

Esta leyenda de la Argentina cuenta las aventuras del señor Sapo, el primer astronauta entre los animales, y explica por qué los sapos de hoy llevan manchas oscuras en la piel.

Una vez en tiempos muy remotos, todas las aves fueron invitadas a una fiesta en el cielo. En seguida, cada una de ellas empezó a hablar de lo que haría para participar en el programa.

Los ruiseñores, las calandrias, los canarios y los sinsontes cantarían.

Los loros y los tucanes contarían chistes.

Los flamencos bailarían.

Y las águilas y los cóndores demostrarían la acrobacia aérea.

Sólo el cuervo negro no fue invitado porque no tenía ningún talento; no sabía ni cantar ni bailar. Le habría gustado mucho tocar su guitarra, pero tocaba con más entusiasmo que talento y no les gustaba a las otras aves escucharlo.

Pero nada de esto molestó al cuervo. Él le dijo a su amigo, el sapo, que practicaría mucho y el día de la fiesta, simplemente iría. "Ah, sí", respondió el sapo, "a mí me gustaría tanto volar con las aves al cielo y participar en tal fiesta".

El cuervo se burló del sapo diciendo, "¡No seas ridículo! No tienes ni alas ni plumas, . . . además, eres muy feo. Sólo van los que pueden volar a gran altura y tienen plumaje hermoso".

Pero el sapo decidió que si no iba, se perdería una oportunidad única. Por eso, cuando el cuervo puso su guitarra en el suelo y se dirigió al río para beber agua, el sapo se metió en la guitarra sin ser visto.

¡Y qué fiesta! El coro de cantores cantó hermosas melodías. Los chistes fueron bien cómicos. Los danzantes entretuvieron a los invitados. Y la demostración de acrobacia aérea fue increíble. El señor Sapo lo encontró todo muy divertido.

Cuando todas las aves empezaron a bailar, el sapo no pudo resistir acompañarlas. Cantó y bailó con tal agilidad, entusiasmo y alegría, que todos aplaudieron ruidosamente. Lo único que inquietaba al sapo fue la posibilidad que el cuervo lo viera y se enojara con él. Y sí, ¡el cuervo lo vio!

Al terminar la fiesta, el sapo se metió otra vez en la guitarra sin que nadie lo viera . . . o por lo menos es lo que pensaba el sapo. El hecho es que su amigo, el cuervo, lo vio.

Mientras regresaba a la tierra guitarra en mano, el cuervo, deliberadamente, dio vuelta a su guitarra y el aventurero sapo salió proyectado por la boca de la guitarra en dirección al suelo que estaba muy distante. El pobre sapo temía morirse de miedo o de chocar con las rocas en el suelo.

¿QUÉ DECIMOS...?

Al hacer los preparativos para un viaje

1 Yo llevaría más.

2 ¡Ojalá que salgamos mucho!

Mira, hay otra dentro de ésta. Es posible que las necesite todas.

¿Qué más recomienda mamá que empaque?

¡Ojalá que salgamos mucho!

Ah, ¿y si hace calor?

Ah, sí. Luis dice que hay playas cerca. Debo llevar el traje de baño y las sandalias.

3 ¡No olvides...!

4 No puedo cerrarla.

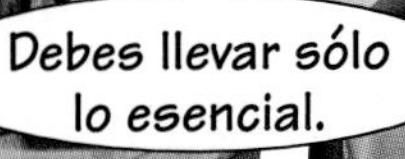

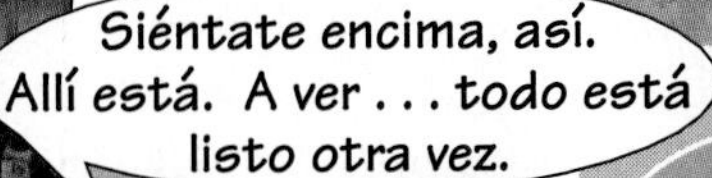

¡Dos maletas! ¡Dios mío! Es imposible que ponga todo en dos.

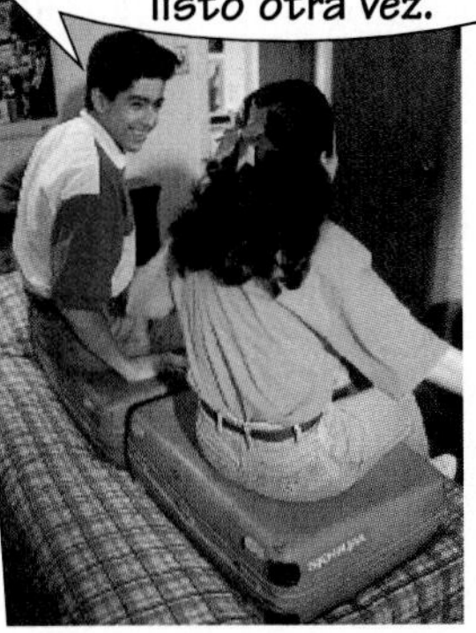

CHARLEMOS UN POCO

A. PARA EMPEZAR . . . Según el cuento "Las manchas del sapo", ¿quién dice que haría o le gustaría hacer lo siguiente?

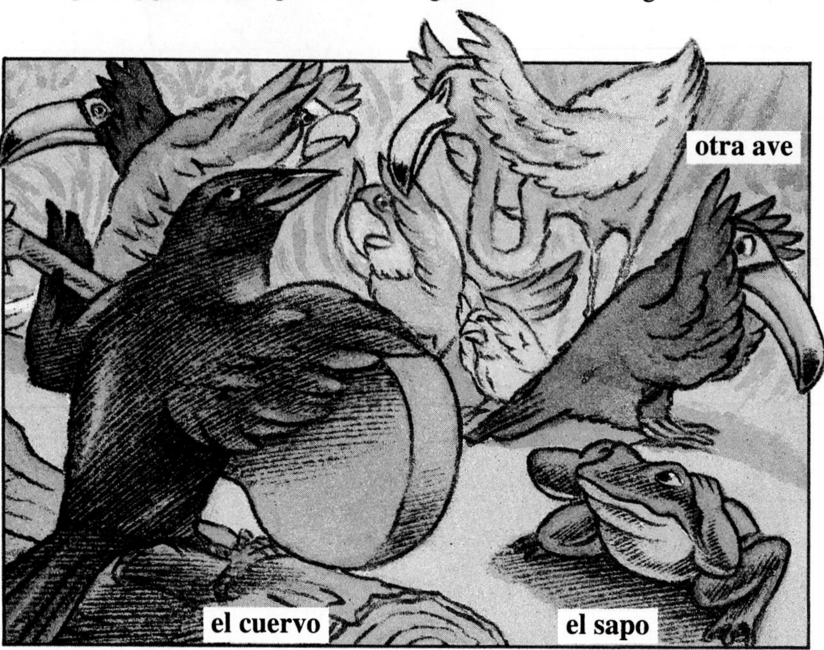

1. Le gustaría volar al cielo y participar en la fiesta.
2. Contaría chistes.
3. Practicaría mucho.
4. Demostraría acrobacia aérea.
5. Le habría gustado tocar su guitarra.
6. Bailaría.
7. Decidió que no se perdería una oportunidad única.
8. Cantaría.

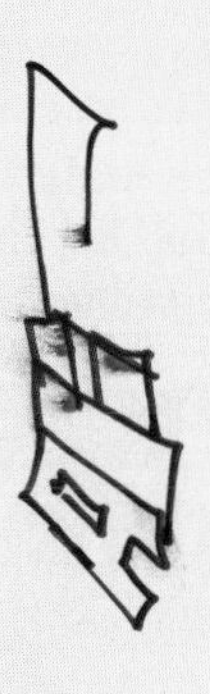

B. ¿QUÉ DECIMOS . . .? Di si son ciertos o falsos estos comentarios sobre los preparativos de Daniel. Si son falsos, corrígelos.

1. Nena no ayuda a su hermano.
2. Mamá le hizo una lista de cosas para empacar.
3. Daniel empaca ropa para salir.
4. Daniel decide no llevar chaqueta.
5. Daniel busca varias cosas en el baño.
6. Daniel empaca cuatro maletas.
7. Sólo permiten una maleta en los vuelos internacionales.
8. Al final, es fácil cerrar las maletas.

C. ¡A comer! Si tú y tu familia estuvieran en el restaurante "Chihuahua Charlie's" en Cd. Juárez, ¿qué pedirían para comer?

SOPAS	ENSALADAS
Crema de frijol Sopa de cebolla Sopa de tortilla	Ensalada mixta Ensalada César
ENTREMESES	**POSTRES**
Enchiladas Tacos de pollo ChimiCharlie's Combinación	Pastel Flan Helado con cajeta Café

MODELO Mi tía [*nombre*]
Mi tía Paula pediría la ensalada César y flan.

1. mi abuelita
2. mis hermanitos
3. mi tío [*nombre*]
4. yo
5. papá
6. mis primos
7. mamá
8. todos nosotros

Speculating: The conditional

Conditional verb endings:

pedir**ía**	pedir**íamos**
pedir**ías**	
pedir**ía**	pedir**ían**

¿**Pedirías** la comida más cara?
¿Qué **pedirían** ustedes?

See **¿Por qué se dice así?,** *page G111, section 8.3.*

CH. De viaje. ¿Qué llevarías y que no llevarías en un viaje a Sudamérica? Contesta las preguntas de tu compañero(a).

EJEMPLO *Compañero(a):* **¿Qué llevarías?**
Tú: **Llevaría camiseta y . . .** o
No llevaría . . .

VOCABULARIO ÚTIL:

llevar	camisetas	ropa interior
empacar	ropa formal	cámara
comprar	sandalias	champú
	traje de baño	perro
	computadora	bicicleta
	cepillo y pasta	piyamas
	toalla	loción protectora
	rasuradora	

Speculating: The conditional of irregular verbs

Irregular verbs in the conditional use the same endings as regular verbs and have the same irregularities in the stem as irregular verbs in the future tense.

poner	**pondr-**
salir	**saldr-**
tener	**tendr-**
venir	**vendr-**
decir	**dir-**
hacer	**har-**
haber	**habr-**
poder	**podr-**
querer	**querr-**

podría	**podr**íamos
podrías	
podría	**podr**ían

¿**Podrían** venir temprano?
Yo **podría** hacerlo esta tarde.

See **¿Por qué se dice así?,** *page G111, section 8.3.*

REPASO

Giving advice/orders: Affirmative *tú* commands

Affirmative **tú** commands are formed by dropping the **-s** of the **tú** form of the present indicative.

Escríbeme, por favor.
Invita a tus padres.

There are eight irregular forms:

decir	**di**
poner	**pon**
salir	**sal**
tener	**ten**
venir	**ven**
hacer	**haz**
ir	**ve**
ser	**sé**

See **¿Por qué se dice así?,** *page G113, section 8.4.*

D. ¿Yo, director(a)? Si fueras director(a) de la escuela, ¿qué sería diferente?

MODELO los estudiantes / tener menos clases
Los estudiantes tendrían menos clases.

1. yo saber / los nombres de todos los estudiantes
2. haber / más asambleas
3. nosotros venir / más tarde
4. nosotros salir / más temprano
5. haber / muchos días de fiesta
6. los estudiantes hacer / poca tarea
7. los profesores siempre dar / buenas notas
8. los estudiantes poder / hablar en todas las clases
9. yo tener / una oficina enorme
10. ¿ . . . ?

E. Entrevista. Un(a) amigo(a) tiene una entrevista para un nuevo trabajo. ¿Qué consejos le das?

MODELO hablar mucho
Amigo(a): **¿Debo hablar mucho?**
Tú: **Sí, habla mucho.** o
No, no hables mucho.

1. prestar atención
2. ser cortés
3. llegar a tiempo
4. hacer muchas preguntas
5. decir la verdad
6. llevar ropa informal
7. hablar lentamente
8. pedir café
9. ¿ . . . ?

F. Sugerencias. A veces los padres de los estudiantes le hacen sugerencias ridículas al profesor Soto. ¿Qué sugerencias le hicieron recientemente?

MODELO dar menos exámenes
Dé menos exámenes.

1. enseñar bailes típicos
2. tocar más música en clase
3. traer dulces a clase
4. preparar comida en clase
5. ir con nosotros a un restaurante
6. dar buenas notas
7. pedir más películas
8. hacer un viaje con los estudiantes
9. ¿ . . . ?

G. Abuelos. Tus abuelos acaban de limpiar su casa y encontraron muchas cosas tuyas. ¿Qué quieres que te traigan?

MODELO *Abuelo(a):* **¿Te traemos el osito de peluche?**
Tú: **Sí, tráiganmelo, por favor.** o
No, no lo traigan.

REPASO

Giving advice/orders: Negative *tú* commands

Negative **tú** commands are formed by using the **tú** form of the present subjunctive.

No me **llames**.
No **te pongas** esa camisa.

The following verbs have irregular forms:

dar	**digas**
estar	**estés**
ir	**vayas**
ser	**seas**

See **¿Por qué se dice así?,** *page G113, section 8.4.*

REPASO

Giving advice/orders: *Ud./Uds.* commands

Ud./Uds. commands use the **Ud./Uds.** forms of the present subjunctive.

No vuelva muy tarde.
Digan la verdad.

The following verbs have irregular forms:

dar	**dé(n)**
estar	**esté(n)**
ir	**vaya(n)**
ser	**sea(n)**

See **¿Por qué se dice así?,** *page G114, section 8.4.*

REPASO

Commands and object pronouns

Direct and indirect object pronouns follow and are attached to affirmative commands and precede negative commands.

Píde**selo** a tu papá.
No **me lo** expliquen, por favor.

See **¿Por qué se dice así?,** *page G114, section 8.4.*

*R*EPASO

Present subjunctive forms

Verb endings are added to the stem of the **yo** form of the present indicative.

-ar	
-e	-emos
-es	
-e	-en

-er, -ir	
-a	-amos
-as	
-a	-an

Ojalá que todos **recibamos** una *A*.
Ojalá que yo no **tenga** que ir.

The following verbs have irregular forms:

dar	dé, des, dé, . . .
estar	esté, estés, esté, . . .
haber	haya, hayas, haya, . . .
ir	vaya, vayas, vaya, . . .
saber	sepa, sepas, sepa, . . .
ser	sea, seas, sea, . . .
ver	vea, veas, vea, . . .

See **¿Por qué se dice así?,** *page G116, section 8.5.*

*R*EPASO

Expressing doubt

Doubt:
Duda que **podamos** hacerlo.
No creo que **quiera** venir.

Certainty:
Yo sé que **puede** hacerlo.
Creo que **quiere** venir.

See **¿Por qué se dice así?,** *page G117, section 8.5.*

H. A finales del año. Sabes lo que normalmente pasa a finales del año escolar. ¿Qué esperanzas tienes para este año?

MODELO Hay actividades especiales.
Ojalá que haya actividades especiales. o
Ojalá que no haya actividades especiales.

1. El (La) director(a) visita las clases.
2. Los profesores hacen fiestas en clase.
3. Muchas clases tienen exámenes difíciles.
4. Hacemos excursiones.
5. Hay un banquete.
6. Los profesores piden mucho trabajo.
7. El coro y la banda dan conciertos especiales.
8. Tenemos que trabajar muchísimo.

I. No lo creo. ¿Cuánto sabes de Sudamérica? ¿Qué opinas de estos comentarios?

VOCABULARIO ÚTIL:
Es cierto que . . .
Creo que . . .
Dudo que . . .

MODELO Es posible esquiar en Chile.
Es cierto que se puede esquiar en Chile. o
Creo que se puede esquiar en Chile. o
Dudo que sea posible esquiar en Chile.

1. Hay ruinas importantes en Perú.
2. El clima de Venezuela cambia mucho.
3. Chile es un país largo.
4. Venezuela produce mucho petróleo.
5. Los descendientes de los incas hablan quechua.
6. El viejo Imperio de los Incas se limita a Perú y Ecuador.
7. Leones y elefantes viven en la selva sudamericana.
8. El río de la Plata es el río más largo de Sudamérica.

J. Mis nuevos amigos. ¿Cuál es tu emoción frente a las actividades de tus nuevos amigos de **¡DIME! DOS**?

VOCABULARIO ÚTIL:

Es bueno que	Es triste que
Me alegro (de) que	Es malo que
Es terrible que	Es interesante que

Diego Miranda

MODELO **Es terrible que Diego Miranda se enoje con su hija.**
o . . .

1. Martín

2. Diana

3. Tina

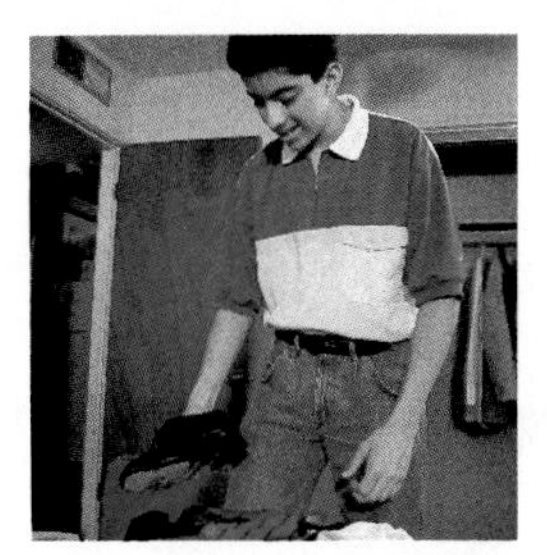

4. Daniel

5. Miguelín

6. Meche

7. Margarita

8. Luis

REPASO

Expressing anticipation or reaction

Esperamos que todos **vengan.**
Me alegro que no **haya** clases hoy.
Ojalá que **se diviertan**.

See **¿Por qué se dice así?,** *page G117, section 8.5.*

REPASO

Persuading

Quiero que **vengas** sola.
Sugieren que lo **hagamos** aquí.
Recomienda que tú la **escribas**.

See **¿Por qué se dice así?,** *page G117, section 8.5.*

K. ¡Es rico(a)! Tu compañero(a) tiene mucho dinero y mucho tiempo libre este verano. ¿Qué recomiendas que haga?

MODELO ser importante que / comer . . .
Es importante que comas en restaurantes elegantes.

1. sugerir que / viajar a . . .
2. recomendar que / ir a . . .
3. querer que / comprar . . .
4. ser necesario que / asistir a . . .
5. preferir que / visitar . . .
6. aconsejar que / comer . . .
7. insistir en que / dar . . .
8. ser preciso que / conocer . . .

L. El verano. ¿Qué deseos, temores, preferencias y probabilidades ves para el verano?

EJEMPLO **Ojalá que mi familia viaje a otro país.**

		ir a la playa
creo		venir a visitar
es importante	mis amigos	practicar deportes
espero	mi amigo(a) [. . .]	viajar a otro país
temo	mi familia	no estar aquí
prefiero	mis abuelos	leer muchos libros
dudo	mi hermano(a)	divertirse
es probable	todos	salir frecuentemente
ojalá	¿ . . . ?	dormir tarde
¿ . . . ?		conseguir un trabajo
		¿ . . . ?

CHARLEMOS UN POCO MÁS

A. Encuesta. Usa la cuadrícula que te dará tu profesor(a) para entrevistar a tus compañeros de clase. Pregúntales si harían estas cosas en diez años. Pídeles a las personas que contesten afirmativamente que firmen el cuadrado apropiado. Recuerda que no se permite que una persona firme más de una vez.

MODELO *Tú:* **¿Vivirías en otro país?**
Compañero(a): **No. Yo sólo viviría en EE.UU.** o **Sí, viviría en *[país]*.**

B. Compraríamos mucho. Tú y un(a) amigo(a) están discutiendo lo que comprarían si ganaran diez mil dólares en la lotería. ¿Comprarían algunas de las cosas en el dibujo, u otras cosas?

C. ¿Cómo llego a Correos? Tu compañero(a) es un(a) nuevo(a) profesor(a) que no conoce tu ciudad. Necesita ir a varios lugares este fin de semana. Usa el mapa que tu profesor(a) te va a dar para decirle cómo llegar a esos lugares. Tu compañero(a) va a escribir los nombres de cada edificio que visita en su mapa. Recuerda que no se permite ver el mapa de tu compañero(a) hasta terminar la actividad.

CH. Opiniones. ¿Qué opinan tú y tu amigo(a) de estos titulares del periódico? Discútanlos y compartan sus opiniones con la clase.

La basura cósmica:
Peligro para los vuelos espaciales

Costa Rica–líder en conservación de bosques tropicales

Nuestros amigos: ¡Los ratones!

¡El arte falso inunda el mercado!

Mantenga su auto como nuevo

Joven habla cuatro lenguas.
Recibe $150,000 mensuales

¡Ya estamos listos para vivir en el planeta Marte!

¿Nos invadirán los extraterrestres?

Dramatizaciones

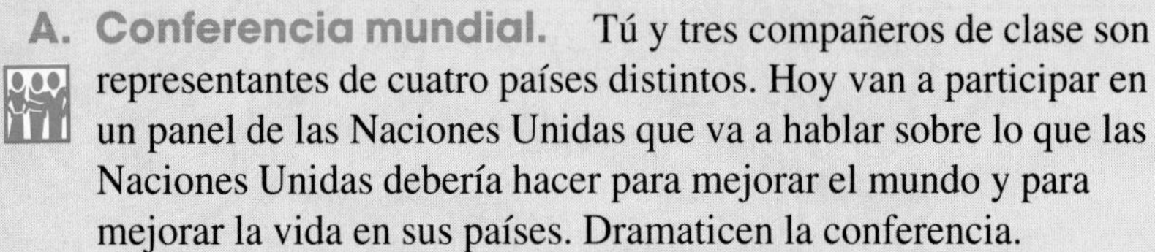

A. Conferencia mundial. Tú y tres compañeros de clase son representantes de cuatro países distintos. Hoy van a participar en un panel de las Naciones Unidas que va a hablar sobre lo que las Naciones Unidas debería hacer para mejorar el mundo y para mejorar la vida en sus países. Dramaticen la conferencia.

B. Mejoremos el colegio. Tú y dos amigos han sido seleccionados para representar a todos los estudiantes de su escuela en un comité de padres, estudiantes, profesores y el (la) director(a). El comité preparará un informe sobre lo que los administradores deberían hacer para mejorar la escuela. Dramaticen la primera reunión del comité.

C. Consejos. Tu abuelo(a) va a recibir un premio prestigioso del Congreso de los EE.UU. por su trabajo con jóvenes delincuentes. Con un compañero(a) haciendo el papel de tu abuelo(a), dramatiza una conversación donde tu abuelo(a) pide tus opiniones sobre el problema de la delincuencia y lo que tú harías para eliminarla.

IMPACTO CULTURAL

Nuestra lengua

Antes de empezar

A. Dialecto: una definición. El diccionario define "dialecto" como una variedad regional de una lengua. Dice que esta variedad puede basarse en diferencias en la pronunciación, el vocabulario o la gramática.

1. ¿Puedes pensar en algunos ejemplos de dialecto en inglés basados en pronunciación?
2. ¿Puedes pensar en algunos ejemplos de dialecto en inglés basados en vocabulario? ¿en gramática?

B. En el mundo de hispanohablantes. El español es la lengua nativa de 362 millones de personas en más de veintiuna naciones. Obviamente, el español tiene muchos dialectos también.

1. ¿Cuáles son algunos dialectos que conoces tú?
2. En tu opinión, ¿deben aceptarse y respetarse todos los dialectos? ¿Por qué sí o por qué no? ¿Aceptas y respetas tú los dialectos en inglés que identificaste en la actividad anterior?

El voseo

Dos amigas argentinas conversan en su colegio.
Un muchacho de Chile las ve y empieza a conversar con ellas.

Rosita: **¡Vos no sabés la cantidad de dinero que gasté hoy!**
Ana María: **Sí che, ya me imagino vos siempre gastando.**
Rosita: **Claro, linda, ¡cómo vos no comprás nunca nada!**
Jorge: **¡Qué argentinas se ponen ustedes dos cuando se enojan! . . . ¡ja, ja, ja!**

Verifiquemos

1. ¿Por qué encuentra Jorge cómica y muy argentina la manera de hablar de sus amigas?
2. ¿Cuáles son algunas diferencias en el habla de las dos amigas que tú observas?
3. ¿Es el habla de Rosita y Ana María un dialecto? Explica tu respuesta.

LECCIÓN 3

Ayer fuimos a . . .

ANTICIPEMOS

¿Qué piensas tú?

1. ¿Reconoces algunas de estas banderas? ¿Cuáles? ¿Puedes adivinar de qué países son algunas de las que no reconoces?
2. ¿Sabes cuál es el significado del símbolo en la bandera mexicana? ¿del símbolo en otras de las banderas?
3. El regalo en esta página es para una de las personas en las fotos. ¿Qué podría ser? ¿Para quién será? ¿Qué sería un buen regalo para cada una de las personas en las fotos?
4. ¿Cuál de todas las leyendas y todos los cuentos que has escuchado este año es tu favorito? ¿Por qué?
5. ¿Sabes algunos cuentos o algunas leyendas de tu propia cultura? En grupos de tres o cuatro, traten de narrar uno de los cuentos o las leyendas que identificaron en la pregunta anterior.
6. ¿Por qué crees que una cultura inventa cuentos y leyendas como los que has escuchado en **¡DIME! DOS**?
7. ¿Qué crees que vas a aprender en esta lección?

PARA EMPEZAR

Escuchemos una canción mexicana

La música de los mariachis es la música nacional de México. "La calandria" es una canción que cuenta la triste historia de un engaño amoroso. ¿Qué relación a la vida verdadera ven ustedes en lo que le pasa a este pobre pájaro?

En una jaula de oro,
pendiente de un balcón,
se hallaba una calandria,
cantando su dolor.

2

Hasta que un gorrioncillo
a su jaula llegó...
"Si Ud. puede sacarme,
con Ud. yo me voy".

3

El pobre gorrioncillo
de ella se enamoró;
el pobre como pudo
los alambres rompió.

4

Y la ingrata calandria
después que la sacó,
tan luego se vio libre,
voló, voló y voló.

5 El pobre gorrioncillo
todavía la siguió,
a ver si le cumplía
lo que ella prometió.

6 La malvada calandria
esto le contestó:
"Yo a Ud. no lo conozco,
no presa he sido yo".

7 Y triste el gorrioncillo,
luego se regresó,
se paró en un manzano,
lloró, lloró y lloró.

8 Y ahora en esa jaula,
pendiente de un balcón,
se encuentra el gorrioncillo,
cantando su dolor.

¿QUÉ DECIMOS AL ESCRIBIR...?

De un viaje que hicimos

Ésta es la primera carta de Venezuela que recibió la familia Galindo. ¿Reconoces algunos de los lugares?

Los Galindo
1753 Gus Moran Drive
El Paso, Texas

14 de julio

Queridos Papá, Mamá, Martín y Nena:

Saludos desde Caracas. ¿Cómo les va a todos? ¿Ya
fueron a acampar a los Órganos o a Ruidoso? Martín,
¿qué tal el equipo este año? ¿Han ganado muchos
partidos? Escríbeme pronto y cuéntame todo.

¡Caracas es una ciudad fantástica! ¡Hay tanto
que hacer! Conocemos lugares nuevos todos los días
y casi siempre tomamos el metro. ¡Me encanta! Es
mucho más interesante que el autobús y la comida
aquí es riquísima, mamá. Ayer fuimos a comer a
una arepera, un restaurante que se especializa en
arepas — una comida típica de Venezuela. Son
muy sabrosas. Probé varios tipos: de pollo, de carne
y de queso — y me encantaron todas.

La primera semana visitamos dos universidades,
la Central y la Simón Bolívar. Fuimos de compras
cerca de la Plaza Bolívar, la plaza principal de
Caracas. También fuimos a un parque. Luis me
contó que cuando era niño, su familia iba al
parque todos los domingos y se divertían mucho. Son
muy bonitos los parques aquí. Todo es tan verde
y la ciudad está rodeada de montañas.

Universidad Simón Bolívar

Centro Comercial Concresa

También fuimos a un centro comercial
super moderno. No he visto nada que se
compare. Cielo Vista Mall ni se le acerca.
Es enorme. Estoy seguro que a Margarita
le encantaría. Ojalá que volvamos allí
porque todavía tengo que comprarles regalos a todos.
La semana pasada hicimos una excursión en
caravana y luego tomamos el sobrevuelo al Salto
Ángel. ¡Qué impresionante! Pasamos por los tepuyes, unas
montañas planas típicas de esta región. Me fascinó.
El Salto Ángel es la catarata más alta del mundo.
Ayer Luis y yo fuimos a visitar a su tía en un
pueblo muy pintoresco que se llama El Hatillo. Me
gustó mucho el pueblo y saqué muchas fotos. Cuando
estábamos allí, hubo una boda en la plaza.
¡Imagínense! La tía de Luis es muy simpática. Esa
noche nos preparó una cena fantástica.
En el futuro espero visitar otras ciudades como
Maracaibo en la costa y Mérida en los Andes.
Bueno, se me hace tarde y mañana Luis quiere
salir a correr bien temprano. Escríbanme pronto.

Con mucho cariño,

Daniel

Luis y yo en el Hatillo

CHARLEMOS UN POCO

A. PARA EMPEZAR . . . Decide si las siguientes oraciones son ciertas o falsas según la triste historia de ''La calandria''. Si son falsas, corrígelas.

1. Un gorrioncillo estaba en una jaula de oro.
2. La calandria le pidió ayuda al gorrioncillo para escaparse de la jaula.
3. La calandria no prometió hacer nada por el gorrioncillo.
4. El gorrioncillo se enamoró de la calandria y ella se enamoró de él.
5. El gorrioncillo abrió los alambres de la jaula y la calandria se escapó.
6. La calandria invitó al gorrioncillo que la siguiera.
7. La calandria cumplió con la promesa que le hizo al gorrioncillo.
8. El gorrioncillo y la calandria volvieron muy contentos a la jaula de oro.
9. El gorrioncillo se fue a un manzano a llorar.
10. La calandria volvió muy triste a la jaula de oro y lloró, lloró y lloró.

B. ¿QUÉ DECIMOS . . .? ¿Dónde hizo Daniel las siguientes cosas: en el centro de Caracas, en El Hatillo o en el Salto Ángel?

Caracas

el Hatillo

Salto Ángel

1. Cenó con la tía de Luis.
2. Comió en una arepera.
3. Sacó muchas fotos.
4. Fue a un parque.
5. Vio unas montañas planas.
6. Vio una boda en la plaza.
7. Tomó el metro.
8. Vio la catarata más alta del mundo.

REPASO

Discussing past activities: Preterite

Is used to:

- Describe completed single actions or a series of actions
- Focus on an action beginning
- Focus on an action coming to an end

Ellos **ganaron** anoche.
Corrió cuando me **vio**.
Pobrecito, se le **cayó** el taco.

See **¿Por qué se dice así?**, *page G119, section 8.6.*

REPASO

Discussing past activities: Imperfect

Used to talk about:

- Continuing actions
- Ongoing situations
- Physical or emotional states
- Habitual actions
- Age (with **tener**)
- Telling time

Allí, **trabajábamos** día y noche.
De niña siempre **estaba** enferma.
En esa foto yo **tenía** tres años.
Eran las ocho y todos **estaban** durmiendo.

See **¿Por qué se dice así?**, *page G119, section 8.6.*

C. ¡Qué divertido! Según Inés, ¿qué pasó una noche muy especial al final del año escolar?

MODELO yo / divertirse / mucho / sábado pasado
Me divertí mucho el sábado pasado.

1. yo / jugar / volibol / equipo / escuela / este año
2. nosotras / ganar / campeonato / ciudad
3. escuela / hacer / banquete para nosotras / cafetería
4. mis padres / ir / banquete
5. yo / recibir / trofeo
6. todos / pasarlo bien
7. después / haber / baile
8. Jaime / invitarme / bailar
9. después / él y yo / salir / baile / y / ir / a comer
10. yo / llegar / casa / tarde pero contenta

CH. Ocupados. Eran las ocho de la noche. Según Felipe, ¿qué hacían todos los miembros de su familia?

EJEMPLO **Papá se bañaba en el baño.**

D. De niño(a). ¿Con qué frecuencia hacía tu compañero(a) estas actividades durante el verano cuando era niño(a)?

MODELO ir a la playa

Tú: **Cuando eras niño(a), ¿ibas a la playa?**

Compañero(a): **Sí, siempre iba a la playa en [. . .]** o **A veces iba a la playa.** o **No, nunca iba a la playa; iba a [. . .]**

1. alquilar muchos videos
2. caminar en el bosque
3. acampar en las montañas
4. ver mucha televisión
5. asistir a partidos de béisbol
6. ir al cine
7. pasear en bicicleta
8. nadar en la piscina

E. El cuento de Puma. Puma es un gato aventurero. ¿Qué le pasó un día? Para saberlo, pon las oraciones en orden cronológico y pon los verbos en la forma apropiada. El cuento empieza así:

MODELO **Había una vez un gato que se llamaba Puma.**

- Caramba. En ese momento, la puerta del garaje (**cerrarse**).
- En el mismo patio Puma (**ver**) un ratón y (**empezar**) a correr detrás de él.
- Puma lo (**seguir**).
- Un día (**hacer**) buen tiempo y Puma (**sentirse**) muy bien.
- (**Haber**) una vez un gato que (**llamarse**) Puma.
- Gato y ratón (**correr**) y (**correr**).
- Pobre Puma. El garaje (**estar**) oscuro y él (**estar**) atrapado.
- Por fin, el ratón (**ver**) un escape y (**entrar**) en un garaje.
- Primero (**ir**) al jardín del vecino para saludar a su amigo, pero el gato vecino (**dormir**) al sol del patio.
- Por eso, (**decidir**) salir de la casa en busca de aventuras.

F. Fin de semana. Usa el vocabulario que acompaña cada dibujo para contar lo que estas dos chicas hacían para pasar el tiempo un fin de semana típico.

ser / sábado / no haber clases

MODELO **Era sábado y no había clases.**

1. levantarse a las siete / hacer buen tiempo

2. llegar amiga Luisa / decidir hacer una excursión

3. preparar comida / ir en bicicleta al parque

4. hacer sol / haber muchas personas / divertirse

5. comer / empezar a llover / decidir regresar

6. llegar a casa / ver TV / tomar algo / estar cansado

G. Indeciso(a). Tu compañero(a) es una persona muy indecisa. Pregúntale si piensa hacer estas cosas durante el fin de semana.

VOCABULARIO ÚTIL:

hacer un viaje	estudiar
visitar a los parientes	asistir a una clase
nadar mucho	pasear en bicicleta
jugar tenis	trabajar
ir a acampar	dormir mucho
aprender a tocar un instrumento	¿ . . . ?

EJEMPLO *Tú:* **¿Vas a nadar este fin de semana?**
Compañero(a): **No, pero quizás nade hoy por la tarde.**

H. El año que viene. ¿Qué crees que van a hacer tú, tu familia y tus mejores amigos el año que viene?

EJEMPLO **Tal vez Ana y Raúl jueguen volibol.**

VOCABULARIO ÚTIL:

jugar baloncesto, fútbol, etc.	ser miembro del Club de español
estudiar química, álgebra, etc.	cantar en el coro
tener seis clases	tocar en la orquesta
sacar buenas notas	salir mucho
trabajar en la oficina	¿ . . . ?
ir a todos los partidos	

REPASO

Expressing doubt: *Quizás* and *tal vez*

Quizás no **haya** clase hoy.
Tal vez **tengamos** que regresar.

See **¿Por qué se dice así?,** *page G121, section 8.7.*

CHARLEMOS UN POCO MÁS

A. Las aventuras de . . . Tú y tu compañero(a) van a crear un cuento basado en los dibujos que su profesor(a) les va a dar. Primero decidan en qué orden van a poner los dibujos. Luego desarrollen su cuento y, finalmente, cuéntenselo a la clase.

B. Había una vez . . . Con un compañero(a) de clase, escriban un cuento o leyenda breve que explique uno de los fenómenos que siguen o algún otro que ustedes escojan. Ilustren su cuento con dibujos o fotos de revistas. Compartan su cuento con el resto de la clase.

- ¿Por qué vuelan los pájaros?
- ¿Por qué sale el sol cada día?
- ¿Por qué son verdes los pinos?
- ¿Por qué los perros son nuestros mejores amigos?
- ¿Por qué hay siete días en una semana?
- ¿Por qué hay desiertos?

C. Quizás visites . . . Tomás vivirá con una familia en Costa Rica este verano. Está muy preocupado. Usa este dibujo y con un(a) compañero(a) traten de convencer a su amigo de que tal vez le guste Costa Rica.

Dramatizaciones

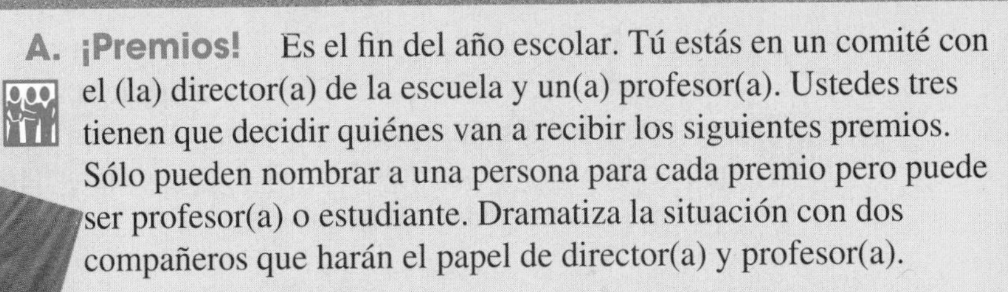

A. ¡Premios! Es el fin del año escolar. Tú estás en un comité con el (la) director(a) de la escuela y un(a) profesor(a). Ustedes tres tienen que decidir quiénes van a recibir los siguientes premios. Sólo pueden nombrar a una persona para cada premio pero puede ser profesor(a) o estudiante. Dramatiza la situación con dos compañeros que harán el papel de director(a) y profesor(a).

El (La) más cómico(a)
El (La) más estudioso(a)
El (La) más activo(a)
El (La) más ¿ . . . ?
El (La) más deportivo(a)
El (La) más dramático(a)
El (La) más indeciso(a)

B. ¡No metas la pata! Tú y tres amigos van a preparar una breve sátira mostrando lo que han aprendido en la clase de español este año. Luego presentarán la sátira a la clase. La sátira puede ser sobre algo cultural o lingüístico.

LEAMOS AHORA

Estrategias para leer:

Interpretación de imágenes

A. El papel de las imágenes. Si tuvieras que seleccionar un animal como símbolo de ti mismo, ¿qué animal seleccionarías? ¿Por qué? ¿Qué cualidades comparten tú y el animal? ¿Cómo son similares el movimiento, la "personalidad" y el comportamiento del animal con los tuyos?

B. Metáforas. Muchos escitores literarios usan comparaciones inesperadas entre dos objetos, para hacer sus ideas o imágenes más vivas. Una comparación que dice que una cosa ***es*** otra cosa es una ***metáfora.*** En este poema, vas a encontrar una metáfora que empieza en los primeros dos versos *(líneas)* del poema y se mantiene hasta el último verso.

Lee el título del poema y mira los dibujos. ¿A qué cosa que vuela se refiere el poeta? Ahora lee los primeros dos versos del poema. ¿Cuáles son las dos cosas que Alarcón está comparando?

C. Para anticipar. Antes de leer el poema, piensa un poco en los pájaros. Prepara una lista de todas las cualidades y características de los pájaros que se te ocurran. ¿Tienen todos los pájaros las mismas cualidades? Después de leer el poema, vuelve a leer tu lista. ¿Mencionó el poeta todo lo que hay en tu lista? ¿Mencionó el poeta algunas cualidades o características de pájaros que no se te ocurrieron a ti?

CH. Interpretación de imágenes. Ahora lee el poema completo. Léelo otra vez y, aún una tercera vez. Fíjate en la riqueza de imágenes visuales. Prepara un cuadro similar al que sigue. Escribe en una columna los símbolos que el poeta menciona en cada estrofa *(agrupación de cinco versos)* y en otra lo que las imágenes creadas por estos símbolos representan para ti.

Símbolos que veo . . .	Imágenes de "palabras". . .
1ra estrofa: pájaros	Las palabras en libros pueden llevarte a todas partes como los pájaros que vuelan a todas partes.
2da estrofa: nubes, viento, árboles	Las palabras pueden decribir lo imaginario, lo que sentimos, lo que vemos.

1. En tu opinión, ¿cuáles de los símbolos fueron los más fáciles de interpretar? ¿Por qué?
2. ¿Cuáles imágenes te gustaron más? ¿Por qué?
3. ¿Hay algunas imágenes que no supiste interpretar? ¿Cuáles?
4. Piensa en el poema completo. ¿Es posible que Alarcón esté usando "palabras" como una metáfora para otra cosa? ¿Qué podría ser esa cosa? ¿Por qué crees eso?

Para volar

por
Francisco X. Alarcón

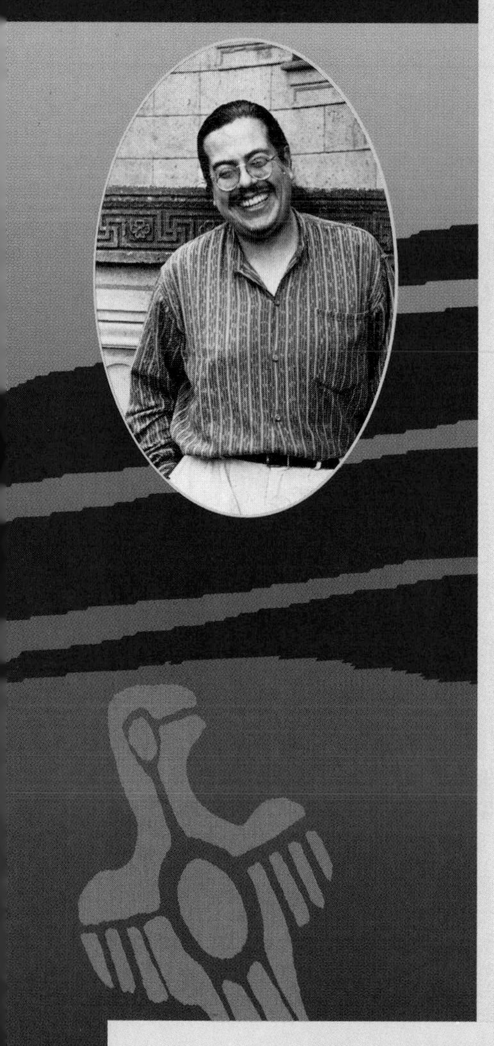

las palabras
son pájaros
que siguen
a los libros
y la primavera

a las palabras
les gustan
las nubes
el viento
los árboles

hay palabras
mensajeras
que vienen
de muy lejos
de otras tierras

para éstas
no existen
fronteras
sino estrellas
canto y luz

hay palabras
familiares
como canarios
y exóticas
como el quetzal

Verifiquemos

1. ¿Qué son las palabras, según el poeta? ¿Qué siguen las palabras? ¿Qué les gusta a las palabras?
2. ¿De dónde vienen las palabras mensajeras? ¿Qué no existe para las palabras mensajeras? ¿Qué sí existe?
3. ¿Con qué tipo de palabras compara el poeta los canarios? ¿El quetzal? ¿Por qué?
4. Aunque el poeta no lo dice directamente, ¿qué les pasa a las palabras que resisten el frío?
5. ¿Adónde se van las palabras que no resisten el frío? ¿Qué les pasa a las palabras difíciles de traducir?

unas resisten
el frío
otras se van
con el sol
hacia el sur

hay palabras
que se mueren
enjauladas
difíciles
de traducir

y otras
hacen nido [1]
tienen crías [2]
les dan calor
alimento [3]

les enseñan
a volar
y un día
se marchan
en parvadas [4]

las letras
en la página
son las huellas [5]
que dejan
junto al mar

6. Pon en orden cronológico el proceso de las palabras que hacen nido:
- **a.** enseñan a las crías a volar
- **b.** dejan impresiones de sus pies en la playa
- **c.** les dan un lugar cómodo y calentito para vivir a las crías
- **ch.** se van, todas en grupo
- **d.** hacen nido
- **e.** les dan de comer a las crías
- **f.** tienen crías

7. ¿Qué opinas tú: son las palabras como los pájaros? Explica tu respuesta.

ESCRIBAMOS AHORA

Estrategias para escribir:

Metáforas en poemas

A. Empezar. En *Para volar,* Alarcón usa los pájaros como metáfora para las palabras. A pesar de ser muy sencillo en forma, es un poema lleno de imágenes visuales fuertes que comparan a los pájaros con las palabras. Ahora, después de dos años de estar aprendiendo a comunicar en español, tú vas a seleccionar tu propia metáfora para desarrollar en un poema sobre el significado que una ''lengua'' tiene para ti. Puedes, por ejemplo, comparar las lenguas a los caminos. En ese caso, podrías pensar en los diferentes tipos de caminos que hay, adónde van los caminos, de qué están hechos, qué se puede ver al viajar por un camino, quiénes usan los caminos, etc. Y claro, tendrás que pensar en cómo cada una de estas cualidades y características puede representar algo importante de las lenguas.

B. Seleccionar. Primero debes seleccionar una metáfora. Puedes usar la de camino / lengua o, si prefieres, puedes seleccionar una propia. Para ayudarte a decidir, trabaja con tres o cuatro amigos y preparen una lista de cosas que se pueden comparar con una lengua. De la lista, selecciona una o dos cosas que te interesen a ti y empieza a preparar una lista de cualidades y características que podrías usar en tu poema.

C. Organizar. Ahora organiza tus ideas. Usa un cuadro como el que sigue, u otra manera de organizar tus ideas para el poema que prefieras. Usa un marcador para ayudarte a agrupar ideas similares o enumera *(ordena)* tus ideas en el orden en que piensas usarlas en tu poema.

Símbolos: caminos	Imágenes: lenguas
Van a todas partes.	Comunican con todo el mundo.

CH. Primer borrador. Escribe ahora la primera versión de tu poema. Tal vez quieras usar *Para volar* como modelo. Trata de usar palabras vivas y descriptivas que le ayuden al lector de tu poema a ''ver'' lo que tú te imaginas. Dale un título apropiado a tu poema. Debe ser un título que sugiera la metáfora que piensas desarrollar.

D. Compartir. Lee el poema de dos compañeros y que ellos lean el tuyo. Pídeles que hagan un breve resumen de tu poema para ver si lo entendieron. También pídeles sugerencias para hacerlo más claro y más efectivo. Haz el mismo tipo de comentario sobre sus poemas.

E. Revisar. Haz cambios en tu poema a base de las sugerencias de tus compañeros. Luego, antes de entregarlo, dáselo a dos compañeros de clase para que lo lean una vez más. Esta vez pídeles que revisen la forma y la estructura. En particular, pídeles que te digan si has sido consistente en el uso de tu metáfora.

F. Versión final. Escribe la versión final de tu poema incorporando las correcciones que tus compañeros de clase te indicaron. Presta mucha atención al formato. Piensa en la versión final como uno de varios poemas que se van a presentar en una sala de exhibiciones.

G. Publicar. Cuando tu profesor(a) te devuelva tu poema, prepáralo para publicar. Escríbelo en una hoja de papel especial de 8 1/2 x 14 o más grande. Luego dibuja varias imágenes visuales apropiadas (o usa dibujos de revistas) para ilustrar los símbolos o las imágenes de tu poema. Las ilustraciones pueden estar en el margen, todo alrededor del poema o en el fondo del poema. Entrega tu creación artística para que tu profesor(a) pueda usarla para decorar la sala de clase a principios del año próximo. Considera tu obra maestra un mensaje literario personal para una futura clase de estudiantes de español.

¿POR QUÉ SE DICE ASÍ?

Manual de gramática

UNIDAD

LECCIÓN 1

1.1 THE VERBS GUSTAR AND ENCANTAR

In ¡**DIME!** UNO you learned that the verb **gustar** expresses likes and dislikes and that the verb **encantar** is used to talk about things you really like, or love. Both verbs are always preceded by an indirect object pronoun.

Indirect Object Pronouns			
a mí	**me** gusta(n)	**nos** gusta(n)	a nosotros(as)
a ti a usted	**te** gusta(n) **le** gusta(n)	**os** gusta(n) **les** gusta(n)	a vosotros(as) a ustedes
a él, a ella	**le** gusta(n)	**les** gusta(n)	a ellos, a ellas

¿**Te** gusta? — *Do you like it?*
Le gusta la música. — *He (She) likes music.*
Nos encanta bailar. — *We love to dance.*

- If more than one thing is liked or loved, the verb is in the plural.

Me encant**an** las vacaciones. — *I love vacations.*
Le gust**an** los deportes. — *He (She) likes sports.*
No nos gust**an** los huevos. — *We don't like eggs.*
Les encant**an** sus clases. — *They really like their classes.*

Note that **encantar** is not used negatively.

- The formula **a** + [*a name or pronoun*] is frequently used to clarify or emphasize who is doing the liking or disliking.

To clarify:

¿Le gusta **a Rafael**? — *Does Rafael like it?*
A **ellos** no les gusta. — *They don't like it.*

To emphasize:

¡Tú sabes que **a mí** me encantan los postres! — *You know that I love desserts!!*
Pues, ¡**a todos nosotros** nos encantan! — *Well, we all love them.*

Vamos a practicar

a. ¿Te gusta? ¿Cuáles de estas actividades te gustan y cuáles no? ¿Hay algunas que te encantan?

MODELO correr
Me gusta correr. o
No me gusta correr. o
Me encanta correr.

1. limpiar la casa
2. hacer la tarea
3. viajar
4. trabajar
5. bailar
6. escribir poemas
7. ir al cine
8. hablar por teléfono

b. Actividades favoritas. Éstas son las actividades favoritas de ciertas personas. ¿Qué puedes decir tú de las personas y sus actividades favoritas?

MODELO a Roberta: tocar la guitarra
A Roberta le encanta tocar la guitarra.

1. a Toni: asistir a conciertos
2. a Ernesto y a mí: preparar la comida
3. a Andrea: llevar ropa elegante
4. a todos nosotros: escuchar música
5. a Elisa y a Víctor: practicar los deportes
6. a mamá: ver televisión
7. a mí: ir a fiestas
8. a ti: pasear en bicicleta

c. Siempre de moda. Hortensia siempre lleva ropa muy elegante y siempre dice lo que piensa de la ropa de los demás. ¿Qué piensa de esta ropa?

MODELO pantalones morados
Le gustan esos pantalones morados.

sudadera marrón
No le gusta esa sudadera marrón.

1. camisa anaranjada
2. calcetines verdes
3. suéter rojo
4. zapatos blancos
5. chaqueta azul
6. sombrero negro
7. traje amarillo
8. camisetas rosadas

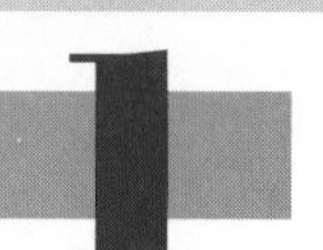

ch. Preferencias. ¿Qué opinan los miembros de tu familia de estas bebidas y comidas?

EJEMPLO **A mi mamá le gustan las albóndigas.**

a mi mamá a mi hermano(a) a mis hermanos(as) a mí a [¿ . . . ?] y a mí a mi papá a [¿ . . . ?]	gustar no gustar encantar	las hamburguesas el café las albóndigas la salsa picante los postres la ensalada las papas fritas

1.2 PRESENT INDICATIVE TENSE: REGULAR VERBS

You have learned that there are three types of verbs: **-ar**, **-er**, **-ir** and that these verbs are conjugated in the present indicative tense by replacing the **-ar**, **-er**, **-ir** endings with the ending corresponding to the subject. The following chart shows the present tense endings.

Present Tense			
	-ar mirar	*-er* leer	*-ir* asistir
yo	mir**o**	le**o**	asist**o**
tú	mir**as**	le**es**	asist**es**
usted	mir**a**	le**e**	asist**e**
él, ella	mir**a**	le**e**	asist**e**
nosotros(as)	mir**amos**	le**emos**	asist**imos**
vosotros(as)	mir**áis**	le**éis**	asist**ís**
ustedes	mir**an**	le**en**	asist**en**
ellos, ellas	mir**an**	le**en**	asist**en**

Siempre **miramos** los mismos programas. — *We always watch the same programs.*
¿Qué **lees**? — *What are you reading?*
¿**Asiste** a la universidad? — *Does he attend the university?*

Vamos a practicar

a. Los fines de semana. ¿Qué hacen estas personas los fines de semana?

EJEMPLO **La profesora califica exámenes.**

	asistes a conciertos
	salen con sus amigos
la profesora	charlamos mucho
tú	camino en las montañas
Beto y Jaime	llevan ropa elegante
yo	come pizza
el director	visitas a los parientes
mis padres	preparamos comida especial
Clara y yo	practica deportes
ustedes	alquilo videos
	leen revistas y libros
	califica exámenes

b. Nueva amiga. Óscar acaba de conocer a Paula y quiere saber más de ella. Completa su conversación con estos verbos.

ayudar	bailar	invitar	nadar
pasar	pasear	practicar	trabajar

Óscar: ¿____ tú muchos deportes durante el verano?
Paula: Sí, ____ todos los días. Además, mis amigos y yo ____ en bicicleta.
Óscar: ¿____ también?
Paula: No, solamente en la casa. Mis hermanos y yo ____ a mamá con la casa.
Óscar: ¿Y de noche? ¿Qué haces?
Paula: ____ tiempo con mis amigos. A veces ellos me ____ a una discoteca y nosotros ____ toda la noche.

c. Mi colegio. ¿Cómo describe Febe su rutina en el nuevo colegio?

MODELO todo / días / (yo) asistir a / colegio Central
Todos los días asisto al colegio Central.

1. (ellos) abrir / puertas / 7:00 / y yo / entrar / en seguida
2. (yo) aprender mucho / en todo / mi / clases
3. en / clase de inglés / profesora hacer / mucho / preguntas y todo / nosotros / responder
4. (nosotros) leer / libros / interesante / y escribir / mucho / composiciones
5. mediodía / todos / comer / cafetería
6. durante / recreo / (nosotros) beber / refrescos / patio
7. mi / amigos y yo / salir / colegio / 4:00
8. ¿qué / hacer tú / en / colegio?

ch. Después de las clases. ¿Qué hacen estas personas al salir de la escuela?

el director

MODELO **El director limpia la casa.**

VOCABULARIO ÚTIL:

bailar	beber	comprar	correr	descansar
escribir	hablar	lavar	pasear	sacar

1. Rebeca y Daniela

2. la profesora

3. mis amigos y yo

4. yo

5. Santiago

6. Nena

7. Enrique y Jacobo

8. Rafa y Bea

9. Consuelo y Noemí

10. David y Hernando

1.3 QUESTION WORDS

Question words are used to request information. Note that all question words have written accents.

Question Words			
¿Adónde?	*Where (to)?*	**¿Cuándo?**	*When?*
¿Dónde?	*Where?*	**¿Cuánto(a)?**	*How much?*
¿Cómo?	*How, what?*	**¿Cuántos(as)?**	*How many?*
¿Cuál(es)?	*Which, what?*	**¿Por qué?**	*Why?*
¿Qué?	*What?*	**¿Quién(es)?**	*Who?*

- Some question words have more than one form.

¿**Quién** es tu amiga?	*Who is your friend?*
¿**Quiénes** son esas chicas?	*Who are those girls?*
¿**Cuál** es tu carro?	*Which (one) is your car?*
¿**Cuáles** son sus deportes favoritos?	*What are your favorite sports?*
¿**Cuánto** dinero tienes?	*How much money do you have?*
¿**Cuánta** leche bebes?	*How much milk do you drink?*
¿**Cuántos** libros hay?	*How many books are there?*
¿**Cuántas** personas asistieron?	*How many people attended?*

- When **quién(es)** is used as the direct or indirect object, **a** must precede it.

¿**A** quién vas a llamar?	*Who(m) are you going to call?*
¿**A** quiénes les das regalos?	*Who(m) do you give gifts to?*

- Both **qué** and **cuál** correspond to the English word *what.* They are not always interchangeable, however.

Qué asks for a definition or explanation.

¿**Qué** es un "capibara"?	*What is a "capibara"?*
¿**Qué** hay de nuevo?	*What's new?*

Cuál asks for a selection.

¿**Cuál** es la fecha hoy?	*What's the date today?*
¿**Cuál** es tu nombre?	*What is your name?*
¿**Cuál** es tu dirección?	*What is your address?*
¿**Cuál** es tu teléfono?	*What is your phone number?*

- Question words that appear in statements still require the written accent.

Quiere saber **cómo** es Lima.	*He wants to know what Lima is like.*
No se a **qué** colegio asiste.	*I don't know what school he goes to.*

Vamos a practicar

a. Nueva ciudad. Acabas de mudarte a una nueva ciudad. ¿Qué preguntas le haces a un nuevo amigo?

MODELO ¿____ escuelas secundarias hay aquí?
¿Cuántas escuelas secundarias hay aquí?

1. ¿____ es el alcalde *(mayor)*?
2. ¿____ es el medio de transporte más rápido?
3. ¿____ tiempo hace en el verano?
4. ¿____ son los restaurantes — caros?
5. ¿____ son las mejores tiendas para comprar ropa?
6. ¿____ está la oficina de correos?
7. ¿____ hay más festivales municipales — en verano o en invierno?
8. ¿____ te gusta vivir en esta ciudad?

b. ¡Cuántas preguntas! Acabas de recibir una carta de tu nueva amiga por correspondencia y le dices a tu mamá que tiene muchas preguntas. Ahora tu mamá quiere saber qué información pide tu amiga. ¿Qué le dices a tu mamá?

MODELO ¿A qué escuela asistes?
Mi amiga quiere saber a qué escuela asisto.

1. ¿Cuántas clases tienes?
2. ¿Cuál es tu clase favorita?
3. ¿Qué haces después de las clases?
4. ¿Con quiénes estudias?
5. ¿Adónde vas los fines de semana?
6. ¿Cuántos años tienes?
7. ¿Cómo es tu familia?
8. ¿Cuándo practicas deportes?

c. Conversando. Patricio habla por teléfono. ¿Qué preguntas le hace su amigo?

MODELO ¿ ___ ?
Estoy *bien* gracias, ¿y tú?
¿Cómo estás?

Amigo: ¿_1_?
Patricio: No voy al cine contigo *porque tengo que estudiar*.
Amigo: ¿_2_?
Patricio: Tengo que estudiar *química*.
Amigo: ¿_3_?
Patricio: Voy a estudiar *en la biblioteca*.
Amigo: ¿_4_?
Patricio: Voy a estudiar *con Lisa*. Es muy inteligente.
Amigo: ¿_5_?
Patricio: El examen es *el lunes*.
Amigo: ¿_6_?
Patricio: El profesor se llama *López*.
Amigo: ¿_7_?
Patricio: Es muy *exigente* pero es *bueno*.
Amigo: ¿_8_?
Patricio: Después del examen voy *al gimnasio*.

LECCIÓN 2

1.4 THE VERB ESTAR

The verb **estar** *(to be)* has the following forms:

estar	
estoy	estamos
estás	estáis
está	están

The verb **estar** is used in the following ways:

- To talk about conditions: health, taste, current appearance

Estoy muy cansado.	*I'm very tired.*
El postre **está** rico.	*The dessert is delicious.*
Estás muy guapo hoy.	*You look very handsome today.*

- To indicate location of people and things

¿Dónde **están** las papas?	*Where are the potatoes?*
Estamos en la misma clase.	*We're in the same class.*
Está a la derecha.	*It's on the right.*

- To form the progressive, with the **-ndo** form of verbs

¿Qué **están** haciendo?	*What are you doing?*
Estamos cantando una nueva canción.	*We're singing a new song.*
Abuelita **está** leyendo el periódico.	*Grandma is reading the newspaper.*

Vamos a practicar

a. ¡Qué día! ¿Cómo están estas personas?

MODELO Tengo que hacer mil cosas hoy.
Estoy muy ocupado.

VOCABULARIO ÚTIL:

aburrido	cansado	contento	rico	triste	furioso
guapo	listo	nervioso	ocupado	emocionado	

1. Irma tiene examen hoy.
2. No dormí bien anoche.
3. Llevas ropa muy elegante hoy.
4. A mí me encanta este helado.
5. Los novios van a su boda.
6. Los jugadores perdieron el partido.
7. Saqué una ''A'' en el examen.
8. El novio de Cristina salió con su amiga.
9. No tenemos nada que hacer.
10. Estudié mucho para el examen.

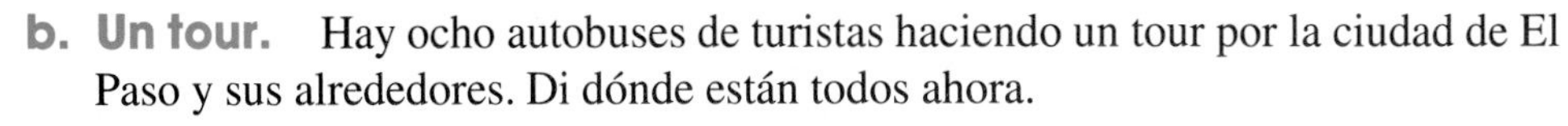

b. Un tour. Hay ocho autobuses de turistas haciendo un tour por la ciudad de El Paso y sus alrededores. Di dónde están todos ahora.

MODELO el profesor Ramírez (la Universidad de Texas)
El profesor Ramírez está en la Universidad de Texas.

1. Rebeca e Iris (Centro Cívico)
2. la doctora Fuentes (el Museo de Historia)
3. tú (la Plaza San Jacinto)
4. Francisco y Mariano (el Parque Chamizal)
5. Beto (el Estadio del Sun Bowl)
6. yo (Ciudad Juárez)
7. nosotras (la Misión Ysleta)
8. ustedes (el parque de diversiones ''Western Playland'')

c. El sábado. Es el sábado y todos están ocupados. ¿Qué están haciendo estas personas?

Mamá

MODELO **Mamá está limpiando la casa.**

1. Enrique y Sandra

2. la señora Martínez

3. Jorge

4. Clara y Micaela

5. Ana

6. yo

7. Papá

8. Carlos

1.5 PRESENT TENSE: STEM-CHANGING VERBS

Some verbs in Spanish have irregular stems. (The stem is the infinitive minus the **-ar, -er,** or **-ir** ending.) In these verbs, the stressed vowel of the stem changes from **e → ie, o → ue,** or **e →** i in all forms except **nosotros** and **vosotros.** You should learn which verbs are stem-changing verbs.

Stem-Changing Verbs		
e → ie **empezar**	**o → ue** **contar**	**e → i** **pedir**
emp**ie**zo emp**ie**zas emp**ie**za	c**ue**nto c**ue**ntas c**ue**nta	p**i**do p**i**des p**i**de
empezamos empezáis emp**ie**zan	contamos contáis c**ue**ntan	pedimos pedís p**i**den

¿A qué hora **empieza** la clase? — *What time does class begin?*
Siempre me **cuentas** tus problemas. — *You always tell me your problems.*
Allí **pedimos** papas fritas. — *We order french fries there.*

Following is a list of common stem-changing verbs:

e → ie

cerrar	divertir(se)	pensar	querer
comenzar	empezar	perder	recomendar
despertar(se)	entender	preferir	sentar(se)
			sentir

o → ue

acostarse	costar	encontrar	probar
almorzar	doler	morir	recordar
contar	dormir	poder	volver

e → i

conseguir	repetir	servir	vestir(se)
pedir	seguir		

Jugar is the only verb in which the stem vowel changes from **u → ue** in all present indicative forms except **nosotros** and **vosotros**.

Norma **juega** muy bien. — *Norma plays very well.*
Jugamos todos los días. — *We play every day.*

Vamos a practicar

a. Los sábados. Micaela acaba de escribir una carta sobre sus actividades. Personaliza la carta un poco más usando *yo* como sujeto en vez de *nosotros*.

> Querida amiga:
>
> Siempre *empezamos* los sábados a las diez de la mañana con un buen desayuno. (Los fines de semana *dormimos* tarde, por supuesto.) Después *limpiamos* la casa y *lavamos* el carro. Al terminar, *almorzamos* y si *podemos*, *salimos* a caminar en el parque. *Seguimos* en el parque hasta la hora de merendar. Entonces *caminamos* a un café donde *pedimos* algo de beber. A veces *probamos* los entremeses también. Luego *volvemos* a casa. Después de cenar, *vemos* televisión o *jugamos* a las cartas. *Nos acostamos* tarde porque los domingos también *nos despertamos* tarde. *Nos divertimos* mucho los fines de semana.

b. ¡Examen de español! Este fin de semana Micaela y sus amigos tienen que estudiar para un examen de español. Todos quieren hacer otras cosas pero no pueden. ¿Qué quieren hacer?

Raúl

MODELO **Raúl quiere ir al cine pero no puede.**

1. Juanita y Pancho

2. Aurelio

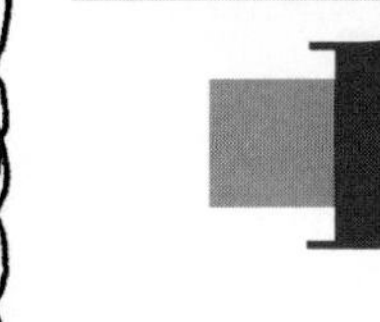

3. ustedes

4. yo

5. Amalia y Marcos

6. tú

7. Cecilia

8. nosotros

9. Dulce, María y Silvia

10. Armando

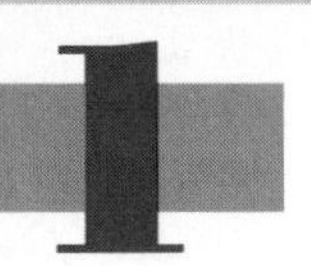

c. **¡Desorganizada!** Jorge acaba de llegar a casa. Completa la conversación que tiene con su hermana.

Jorge: ¡Hola hermana! ¿Qué me __1__ (contar)?
María: Hola. ¿Sabes? No __2__ (poder) encontrar mi regla.
Jorge: ¡Caramba, María! Tú siempre __3__ (perder) todo. ¿Te __4__ (ayudar) a buscarla?

Un poco después
María: Yo no la __5__ (encontrar).
Jorge: Ni yo tampoco. Pues, __6__ (poder) comprar otra. Por lo menos, las reglas no __7__ (costar) mucho.
María: Pero yo no __8__ (querer) usar mi dinero.
Jorge: ¿Por qué no le __9__ (pedir) dinero a mamá?
María: ¿Me acompañas?
Jorge: Sí, __10__ (poder) ir juntos.

1.6 PRESENT TENSE: IRREGULAR VERBS

Some verbs have irregular forms in the present tense. The following verbs have irregular **yo** forms:

conocer	**conozco**
dar	**doy**
decir (i)	**digo**
hacer	**hago**
oír	**oigo**
poner	**pongo**
saber	**sé**
salir	**salgo**
tener (ie)	**tengo**
traer	**traigo**
venir (ie)	**vengo**
ver	**veo**

Note that **decir**, **tener** and **venir** are also stem-changing verbs and that **oír (oigo, oyes, oye, oímos, oís, oyen)** is irregular throughout its conjugation.

Vamos a practicar

a. Marta. Ésta es la composición que Julia, la mejor amiga de Marta, escribió sobre Marta. ¿Qué piensa Marta al leer la composición? Para contestar la pregunta, cambia todos los verbos a la forma de *yo*.

> *Tiene* muchísimos amigos. *Conoce* a todo el mundo y siempre *da* buena impresión. *Asiste* a muchas fiestas y *sabe* bailar muy bien. *Sale* con un muchacho muy guapo. Lo *ve* mucho y *hace* muchas cosas con él. Le *dice* a todo el mundo que *tiene* una vida muy feliz.

b. ¡Feliz cumpleaños! Felipe está describiendo las fiestas de cumpleaños de su familia. Para saber lo que dice, completa este párrafo.

> Me encantan las fiestas de cumpleaños. Yo siempre ____ (hacer) mucho para ayudar a mi mamá. Antes de la fiesta, mamá y yo ____ (preparar) un pastel muy rico. Más tarde yo ____ (salir) con papá para comprar los refrescos. Después, yo ____ (traer) unos discos de mi cuarto y ____ (poner) la música. Cuando Paquita, la vecina, ____ (oír) la música, ella ____ (venir) a la fiesta inmediatamente. Durante la fiesta nosotros ____ (comer) y ____ (escuchar) música y ____ (dar) regalos. Yo siempre ____ (dar) regalos muy bonitos. ¡Cuánto me ____ (gustar) las fiestas!

c. ¡Pobres padres! Todos los años los niños en el *kindergarten* dicen cosas muy divertidas los primeros días de clases. Completa estas oraciones para saber algunas de las cosas que dijeron este año.

1. Yo ____ (saber) que ____ (tener) diecinueve años.
2. No duermo bien porque ____ (oír) a mi hermano roncar *(snore)* toda la noche.
3. Yo no ____ (venir) a clase todos los días porque mis padres duermen toda la mañana.
4. Hoy ____ (traer, yo) a mi perro porque necesita una educación. Mamá dice que es tonto.
5. El 4 de julio siempre me ____ (poner) camisa blanca, pantalones rojos y calcetines azules.
6. Yo no ____ (conocer) a mi tía.
7. Yo siempre ____ (hacer) el desayuno para mis padres.
8. Papá dice que yo nunca ____ (decir) la verdad.

LECCIÓN 3

1.7 ADJECTIVES

Adjectives are words that describe nouns.

- Adjectives whose singular masculine form ends in **-o** have endings reflecting both *gender* (masculine or feminine) and *number* (singular or plural).

	Singular	Plural
masculine	alt**o**	alt**os**
feminine	alt**a**	alt**as**

- Most other adjectives have endings reflecting *number,* not gender.

Singular	Plural
inteligent**e**	inteligent**es**
fenomena**l**	fenomenal**es**

- Adjectives must agree with the nouns they describe in number and gender. Adjectives usually follow the noun they describe.

¿Quién es esa chica moren**a**?	*Who is that dark girl?*
El señor brasileñ**o** canta bien.	*The Brazilian man sings well.*
¿Dónde están las carpetas viej**as**?	*Where are the old folders?*
No tengo zapatos azul**es**.	*I don't have blue shoes.*

- An adjective which describes both a masculine and a feminine noun must be in the masculine plural form.

El colegio y las clases son **fantásticos**.	*The school and the classes are fantastic.*

Vamos a practicar

a. Gemelos. Cambia esta descripción de Matilde a una descripción de Matilde y su hermano gemelo, Mateo. Matilde y Mateo son gemelos idénticos.

MODELO **Tengo unos buenos amigos que . . .**

Tengo una buena amiga que se llama Matilde. Es baja y morena y muy delgada. Es muy simpática e inteligente. Habla tres lenguas. Además, es buena estudiante. Es seria y estudiosa. También es divertida y muy alegre. Es muy buena amiga.

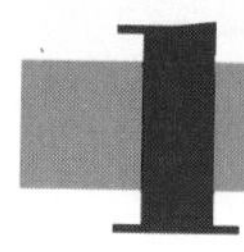

b. No es así. Héctor y Roberto fueron al mismo restaurante para comer anoche, pero tienen impresiones totalmente opuestas. ¿Cómo responde Roberto a los comentarios de Héctor? Selecciona los adjetivos apropiados.

aburrido / antipático / caro / lento / malo / poco / terrible / viejo

Héctor: ¡Qué buen restaurante es el Bodegón!
Roberto: ¡Al contrario! Ese restaurante es ____.
Héctor: La comida es excelente y económica.
Roberto: ¡No! La comida es ____ y ____.
Héctor: Dan mucha comida.
Roberto: Al contrario, dan ____ comida.
Héctor: El servicio es muy rápido.
Roberto: ¡Estás loco! El servicio es ____.
Héctor: Los camareros son simpáticos y jóvenes.
Roberto: ¡Qué va! Ellos son ____ y ____.
Héctor: Yo creo que es muy interesante comer allí.
Roberto: Yo no. Yo creo que es ____.

1.8 THE VERBS SER, IR AND TENER

The common verbs **ser**, **ir** and **tener** are irregular. The following chart presents their present tense conjugation.

ser	ir	tener
soy	voy	tengo
eres	vas	tienes
es	va	tiene
somos	vamos	tenemos
sois	vais	tenéis
son	van	tienen

The verb **ser** is used in the following ways:

- To identify a person, place, idea or thing

Ellas **son** mis primas. — *They are my cousins.*
Caracas **es** una ciudad hermosa. — *Caracas is a beautiful city.*
La educación **es** importante. — *Education is important.*
Sus libros **son** interesantísimos. — *His books are extremely interesting.*

- To describe inherent characteristics

El colegio **es** grande. — *The school is big.*
Siempre **eres** tan original. — *You are always so original.*

- To tell origin or nationality

Es de Maracaibo. — *She is from Maracaibo.*
Somos venezolanas. — *We are Venezuelan.*

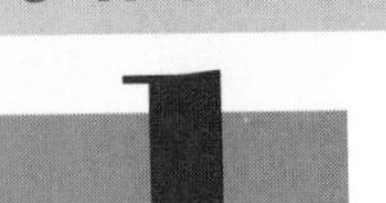

The verb **ir** is used in the following ways:

- To talk about going places, with **ir a** + *place*

Vamos a El Paso.	*We're going to El Paso.*
Después de las clases, **voy a** mi clase de baile.	*After school, I go to my dance class.*

- To talk about future activities, with **ir a** + *infinitive*

Mañana **van a jugar** fútbol.	*Tomorrow they are going to play soccer.*
¿**Vas a contestar** la carta?	*Are you going to answer the letter?*

The verb **tener** is used in the following ways:

- To talk about possessions, relationships, commitments, and age

Tengo una mochila nueva.	*I have a new backpack.*
Tenemos muchos amigos.	*We have a lot of friends.*
Pepe **tiene** clase a las 9:00.	*Pepe has class at 9:00.*
Mi hermano **tiene** catorce años.	*My brother is fourteen.*

- To talk about obligations with **tener que** + *infinitive*

Tengo que llamarla.	*I have to call her.*
Tienen que practicar.	*They have to practice*

- To form certain idiomatic expressions

tener calor	*to be hot*
tener frío	*to be cold*
tener hambre	*to be hungry*
tener sed	*to be thirsty*
tener cuidado	*to be careful*
tener sueño	*to be sleepy*
tener ganas de	*to feel like*
tener prisa	*to be in a hurry*
tener miedo (de)	*to be afraid (of)*
tener razón	*to be right*
tener suerte	*to be lucky*

No **tengo ganas de** ir.	*I don't feel like going.*
Los niños **tienen sueño.**	*The children are sleepy.*
Nosotros **tenemos razón;** ellos no.	*We're right; they're not.*
Yo **tengo calor,** pero ellos dicen que **tienen frío.**	*I'm hot, but they say they are cold.*
Nadie **tiene prisa,** ¿verdad?	*No one's in a hurry, right?*
¿**Tienes miedo de** caminar solo?	*Are you afraid to walk alone?*

Vamos a practicar

a. Amigas por correspondencia. Josefina acaba de escribirle una carta a su nueva amiga por correspondencia. Para saber lo que dice, completa su carta con **ser.**

> Querida Susana:
>
> Yo ____ tu nueva amiga por correspondencia. Mi nombre ____ Josefina Delgado. ____ (yo) alta y rubia. Mi familia ____ de Italia pero vivimos en Nicaragua. Mis dos hermanos ____ estudiantes universitarios y mi hermanita y yo ____ estudiantes del Colegio San Juan. Mi papá ____ arquitecto y mi mamá ____ ingeniera. Los dos ____ muy trabajadores y buenos papás. ¿Cómo ____ tú? ¿Cómo ____ tu familia? Escríbeme pronto. Tengo muchas ganas de conocerte.
>
> Tu nueva amiga,
> Josefina

b. Planes. Todos tus amigos tienen planes para mañana. ¿Qué van a hacer?

MODELO Andrés: parque (jugar tenis)
Mañana Andrés va al parque. Va a jugar tenis.

1. María y Teresa: museo (ver artesanías)
2. tú: Restaurante Ofelia (probar la comida)
3. los Perón: aeropuerto (salir de viaje)
4. yo: cine (ver la nueva película)
5. la profesora: gimnasio (hacer ejercicio)
6. nosotros: tienda (comprar ropa)
7. ustedes: discoteca (bailar)
8. Luis: biblioteca (buscar un libro)

c. Obligaciones. Varios estudiantes están hablando en el patio de la escuela antes de empezar las clases. ¿Qué dicen?

MODELO Iris / tener que / escribir / composición
Iris tiene que escribir una composición.

1. Olga / tener / matemáticas / 10:00
2. yo / tener que / estudiar / después de / clases
3. Felipe / no tener / mochila
4. tú / tener / nuevo / computadora / ¿no?
5. Horacio / tener miedo / perros / grande
6. nosotros / tener / práctica de fútbol / 4:00
7. profesores / tener que / hablar / con el director / este / mañana
8. tú y yo / tener / francés / 1:30
9. Raquel y Mario / tener / mucho / libros / interesante
10. yo / tener ganas de / ir / cine

ch. En el pasillo. Paco y Sara se encuentran en el pasillo de la escuela antes de las clases. Para saber lo que dicen, completa su conversación con la forma apropiada de **estar**, **ir**, **ser** o **tener**.

Paco: ¡Hola, chica! ¿Cómo ____?
Sara: Regular. ____ un poco preocupada porque ____ un examen en la clase de historia y ____ que estudiar mucho.
Paco: ¿Quién ____ el profesor?
Sara: ____ una profesora nueva — la señora Bustamante.
Paco: ¿Cómo ____? No la conozco.
Sara: ____ alta y ____ el pelo negro.
Paco: ¿A qué hora ____ la clase?
Sara: ____ mañana a las 2:00.
Paco: Entonces, ____ tiempo para estudiar.
Sara: Sí. ____ a la biblioteca a estudiar ahora mismo.

1.9 HACER IN EXPRESSIONS OF TIME: PRESENT TENSE

To tell how long someone has been doing something, Spanish uses the verb **hacer** in the following structure:

hace + *[time]* + **que** + *[present tense]*

Hace dos semanas **que** asiste a la universidad.	*He has been attending the university for two weeks.*
Hace tres años **que** vivo aquí.	*I've lived here for three years.*
Hace un año **que** estudiamos español.	*We've been studying Spanish for a year.*

To ask how long someone has been doing something, Spanish uses the following structure:

¿Cuánto tiempo hace que + *[present tense]***?**

¿Cuánto tiempo hace que estudias español?	*How long have you been studying Spanish?*
¿Cuánto tiempo hace que toca el piano Pedro?	*How long has Pedro been playing the piano?*

Vamos a practicar

a. Hace . . . ¿Cuánto tiempo hace que estas personas viven en El Paso?

MODELO Mariano: 2 años
Hace dos años que Mariano vive en El Paso.

1. Verónica: 1 año
2. Matías y Gloria: 10 meses
3. yo: 11 años
4. Rubén y Nacho: 7 años
5. la familia Sandoval: 3 semanas
6. mi hermano y yo: 5 años
7. tú: 8 meses
8. ustedes: muchos años

b. La familia de Leonor. Según Leonor, su familia es muy especial. ¿Por qué?

MODELO 5 años / tía / cantar ópera
Hace cinco años que mi tía canta ópera.

1. 9 años / mamá / tocar / piano
2. 11 años / papá / jugar fútbol
3. 6 años / hermano / hablar chino
4. 3 años / primos / bailar / ballet folklórico
5. 5 años / yo / practicar karate
6. 15 años / abuelo / escribir poemas
7. 13 años / tío / ser artista
8. 4 años / hermanas / hacer gimnasia

c. ¿Cuánto tiempo? Eres reportero(a) para el periódico escolar. Ahora estás preparando una lista de preguntas para hacerles a los profesores. ¿Qué les vas a preguntar a los profesores que tú tienes que entrevistar?

MODELO hablar español
¿Cuánto tiempo hace que usted habla español?

1. vivir en esta ciudad
2. ser profesor(a) de español
3. ser casado(a)
4. tener interés en otras culturas
5. escribir cartas en español
6. tener amigos que hablan español
7. leer novelas en español
8. tocar la guitarra
9. bailar el tango
10. participar en festivales internacionales

LECCIÓN 1

2.1 DIRECT OBJECT PRONOUNS

You have learned that direct objects answer the questions *what?* or *who(m)?* after the verb. You have also learned that direct object pronouns are used to avoid repetition of nouns.

Comemos **arepas.**	*We eat arepas.*
Las comemos con mantequilla.	*We eat them with butter.*
¿Ves a **Luis**?	*Do you see Luis?*
No, no **lo** veo.	*No, I don't see him.*

The direct object pronouns in Spanish are given below.

Direct Object Pronouns			
me	**me**	**nos**	*us*
you (familiar)	**te**	**os**	*you (familiar)*
you (m. formal)	**lo**	**los**	*you (m. formal)*
you (f. formal)	**la**	**las**	*you (f. formal)*
him, it (m.)	**lo**	**los**	*them (m.)*
her, it (f.)	**la**	**las**	*them (f.)*

Like indirect object pronouns, direct object pronouns are placed . . .

- before conjugated verbs.

¿**Me** quieres?	*Do you love me?*
Te adoro, mi amor.	*I adore you, my love.*

- either before the conjugated verb or after and attached to an infinitive or the **-ndo** verb form.

Voy a hacer**la** ahora. **La** voy a hacer ahora.	*I'm going to do it now.*
Están mirándo**nos**. **Nos** están mirando.	*They're looking at us.*

- after and attached to the affirmative command form.

Di**me**.	*Tell me.*
Píde**las.**	*Order them.*

- A written accent is always required when a pronoun is attached to the -**ndo** verb form or to command forms with two or more syllables.

Estoy **escuchándote**.	*I'm listening to you.*
Salúdalo de mi parte.	*Say hello to him for me.*

Vamos a practicar

a. ¿Los conoces? ¿Conoces estos lugares?

MODELO el Museo de Antropología en México
Lo conozco. o
No lo conozco

1. el río Misisipí
2. los parques de tu ciudad
3. la Casa Blanca
4. el Teatro Degollado en Guadalajara
5. las pirámides de Egipto
6. el Alcázar de Segovia
7. la catedral de Notre Dame en París
8. las Montañas Rocosas

b. ¡Qué triste! Tienes unos amigos muy pesimistas. Siempre se quejan *(complain)* de todo. ¿De qué se están quejando ahora?

MODELO invitar
Nadie nos invita.

1. saludar
2. ayudar
3. llamar
4. comprender
5. escuchar
6. querer
7. acompañar
8. visitar

c. ¡Mamáaa! Es el primer día de la escuela y Pepita está muy preocupada. ¿Qué dicen ella y su mamá?

MODELO llevar a la escuela (sí)
Pepita: **¿Vas a llevarme a la escuela?** o
¿Me vas a llevar a la escuela?
Mamá: **Sí, voy a llevarte.** o
Sí, te voy a llevar.

1. acompañar a la clase (no)
2. esperar después de las clases (sí)
3. ayudar con la tarea (sí)
4. visitar en la clase (no)
5. llamar a mediodía (no)
6. buscar a las tres (sí)

ch. ¡Qué divertido! La familia Torres pasa mucho tiempo haciendo sus cosas favoritas. Según Sancho, ¿qué están haciendo ahora?

MODELO A mamá le gusta leer el periódico.
Está leyéndolo ahora.

1. A Joaquín le gusta jugar tenis.
2. A mis hermanitos les gusta ver televisión.
3. A mamá y a mí nos gusta escuchar música.
4. A mi tía Celia le gusta leer sus revistas favoritas.
5. A mí me gusta hacer la tarea.
6. A papá y a Elena les gusta lavar los carros.
7. A mis abuelitos les gusta tomar chocolate.
8. A mi tío Pepe le gusta tocar la guitarra.

2.2 POSSESSIVE ADJECTIVES

In **¡DIME! UNO** you learned that possessive adjectives are used to indicate that something belongs to someone or to establish a relationship between people or things. You also learned possessive adjectives precede and agree in number and gender with the noun they modify.

Possessive Adjectives			
Singular	Plural	Singular	Plural
mi	**mis**	**nuestro** **nuestra**	**nuestros** **nuestras**
tu	**tus**	**vuestro** **vuestra**	**vuestros** **vuestras**
su	**sus**	**su**	**sus**

Es para **mi** clase de composición. — *It's for my composition class.*
¡Tú y **tus** ideas! — *You and your ideas!*
Nuestra clase es muy grande. — *Our class is very large.*
Ese niño no come **sus** arepas. — *That boy isn't eating his arepas.*

- Possession can also be expressed with the preposition **de**. This construction is especially useful if the meaning of **su(s)** is not clear from the context.

Su examen es mañana.
El examen **de ellos** es mañana. — *Their exam is tomorrow.*

Sus hermanos están en Perú. — *His brothers are in Peru.*
Los hermanos **de David** están en Perú. — *David's brothers are in Peru.*

Vamos a practicar

a. ¡Qué noche! Después de pasar la noche en casa de Amanda, todas las chicas están teniendo problemas en encontrar sus cosas. Según Amanda, ¿qué no encuentran?

Juanita

MODELO **Juanita no encuentra su reloj.**

1. nosotras

2. Noemí y Clara

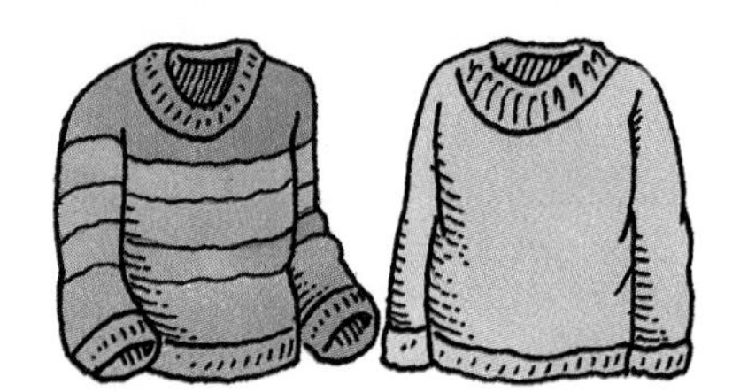

3. yo

4. Julia

5. Lilia

6. Marta y Eva

7. Enriqueta

8. tú

b. Su orden. Tú y un grupo de amigos están en su restaurante favorito. Cuando el mesero trae la comida, te pregunta si sabes lo que pidieron todos. ¿Qué le dices?

MODELO La pizza, ¿es de David y Carlos?
Sí, es su pizza.

1. Los sándwiches, ¿son de Sole y Jorge?
2. La hamburguesa, ¿es de Amalia?
3. El pollo, ¿es de Matías y Yolanda?
4. Los refrescos, ¿son de Édgar y Chela?
5. El pastel de manzana, ¿es de Inés?
6. La sopa, ¿es de Lucas?
7. Las papas, ¿son de Laura?
8. El café, ¿es de Virginia y Roberto?

c. Álbum de fotos. Le estás enseñando un álbum de fotos a una nueva amiga. ¿Qué dicen?

MODELO abuela / tía
Tú: **¿Es tu abuela?**
Amiga: **No, es mi tía.**

1. primos / hermanos
2. mamá / tía
3. hermanos / sobrinos
4. tío / abuelo
5. hermana / prima
6. primo / papá

ch. Nuestra casa Describe la casa donde vives.

VOCABULARIO ÚTIL:
cómodo / incómodo
duro / blando
grande / pequeño
bonito / feo
moderno / viejo
elegante / ordinario

EJEMPLO sala
Nuestra sala es pequeña.

1. sofá
2. sillas
3. baños
4. televisor
5. cocina
6. comedor
7. alcobas
8. camas

LECCIÓN 2

UNIDAD 2

2.3 THE PRETERITE OF REGULAR AND THREE IRREGULAR VERBS

The preterite is used to talk about what happened in the past. There are two sets of endings for regular verbs in the preterite: one for **-ar** verbs and one for **-er** and -**ir** verbs.

Preterite of *-ar* and *-er, -ir* Verbs		
pas**ar**	com**er**	sal**ir**
pas**é**	com**í**	sal**í**
pas**aste**	com**iste**	sal**iste**
pas**ó**	com**ió**	sal**ió**
pas**amos**	com**imos**	sal**imos**
pas**asteis**	com**isteis**	sal**isteis**
pas**aron**	com**ieron**	sal**ieron**

Lo **pasé** muy bien. — *I had a great time.*
¿No **comiste** nada? — *Didn't you eat anything?*
Ni **salimos** de Caracas. — *We didn't even leave Caracas.*

Some verbs require a spelling change in the preterite to maintain consistent pronunciation of the verb stem.

- An unaccented **i** between two vowels changes to **y.**

Papá lo **leyó** ayer. — *Dad read it yesterday.*
No **oyeron** las noticias. — *They didn't hear the news.*

Note that this rule affects the **usted / él / ella** and the **ustedes / ellos / ellas** forms of the preterite.

- The letter **c** changes to **qu** before **e** or **i**.

Practiqué el piano una hora. — *I practiced the piano an hour.*

Note that this rule affects the **yo** form of verbs ending in **-car**: practi**car**, califi**car**, expli**car**, etc.

- The letter **g** changes to **gu** before **e** or **i**.

Llegué tarde. — *I got there late.*

Note that this rule affects the **yo** form of verbs ending in **-gar**: lle**gar**, pa**gar**, ju**gar**, obli**gar**, etc.

- The letter **z** changes to **c** before **e** or **i**.

Comencé mi tarea. *I began my homework.*

Note that this rule affects the **yo** form of verbs ending in **-zar**: comen**zar**, empe**zar**, almor**zar**, especiali**zar**, etc.

The verbs **ir, ser,** and **hacer,** which are very common, are irregular in the preterite. Note that **ir** and **ser** have identical forms. The context in which they are used always clarifies meaning.

Preterite of *ir, ser,* and *hacer*		
ir	ser	hacer
fui	fui	hice
fuiste	fuiste	hiciste
fue	fue	hizo
fuimos	fuimos	hicimos
fuisteis	fuisteis	hicisteis
fueron	fueron	hicieron

Fuimos a Brasil. *We went to Brasil.*
El viaje **fue** fantástico. *The trip was fantastic.*
¿Qué **hicieron** ustedes? *What did you do?*

Vamos a practicar

a. Ayer. La familia de Inés hace estas cosas todos los días. Según Inés, ¿qué hicieron ayer?

MODELO Ayer, yo me **desperté** a las . . .

Yo me **despierto** a las seis y cuarto pero no me **levanto** hasta las seis y media. Primero **desayunamos** y después, mi mamá **prepara** el almuerzo y mis hermanos y yo nos **arreglamos** para las clases. Mi papá nos **lleva** a la escuela. **Llegamos** a la escuela a las ocho y **pasamos** seis horas allí. Después de las clases yo **trabajo** en un café y mis hermanos **practican** deportes. Raúl **juega** fútbol y Micaela, tenis. **Llego** a casa muy cansada a eso de las seis. Todos **cenamos**, y después **estudio** mis lecciones y me **acuesto** temprano.

b. En el parque. León y sus amigos pasaron la tarde en el parque. Según León, ¿qué hicieron?

MODELO mi / amigos / yo / decidir ir / parque
Mis amigos y yo decidimos ir al parque.

1. yo / aprender/ nuevo juego / y recibir / premio
2. Jaime / descubrir / carros chocones
3. nosotros / subir a los carros / divertirse
4. todos / oír / nuestro / gritos
5. Pablo / comer / mucho / hamburguesas
6. Enrique / Tomás / beber / mucho / refrescos
7. nosotros / salir tarde / y perder el autobús
8. yo / volver / casa / y escribir / carta / mi abuelo

c. Un buen día. Sofía le escribió esta notita a su amiga Ana. Completa la nota con las formas apropiadas de **hacer, ir** y **ser**.

Ayer (1) un día buenísimo. Yo (2) al colegio a pie. (3) muy buen tiempo todo el día. Las clases (4) divertidas. (5) muchas cosas interesantes. Por la tarde, mi clase de biología (6) una excursión al lago. Y tú, ¿qué (7) ? ¿ (8) (tú) a una parte interesante? Escríbeme.

ch. Después de las clases. Antonio y Bárbara están hablando. Para saber lo que dicen, completa su conversación con la forma apropiada del verbo indicado.

1. ir
2. buscar (yo)
3. encontrar
4. ir
5. ver (ustedes)
6. ver (nosotros)
7. gustar
8. ser
9. llegar
10. hacer
11. jugar
12. jugar
13. conocer
14. ganar
15. ser

Antonio: ¿Adónde (1) ayer después de las clases? Te (2) pero no te (3) .
Bárbara: (4) al cine con Verónica.
Antonio: ¿Ah sí? ¿Qué (5) ?
Bárbara: (6) una nueva película de terror.
Antonio: ¿Les (7) ?
Bárbara: Sí, (8) buenísima y muy larga. Yo no (9) a casa hasta las siete. Y tú, ¿qué (10) ?
Antonio: (11) tenis.
Bárbara: ¿Con quién (12) ?
Antonio: Con Manuel, un nuevo amigo que (13) allí.
Bárbara: ¿Quién (14) ?
Antonio: Nadie. (15) un empate.

2.4 ADJECTIVES OF NATIONALITY

The masculine/feminine and singular/plural forms of most adjectives of nationality follow one of three patterns depending on whether the singular forms end in a vowel or a consonant.

- Adjectives of nationality whose singular masculine form ends in **-o** have a feminine form ending in **-a.** The plural of these adjectives is formed by adding **-s.**

	singular	plural
masculine	colombian**o**	colombian**os**
feminine	colombian**a**	colombian**as**

The following are some common adjectives of nationality whose singular masculine form ends in **-o.**

argentino
boliviano
brasileño
colombiano
coreano
cubano
chileno
chino
dominicano
ecuatoriano
europeo
filipino
griego
guatemalteco
hondureño
italiano
mexicano
paraguayo
peruano
puertorriqueño
ruso
salvadoreño
sueco
suizo
uruguayo
venezolano

- Adjectives of nationality whose singular form ends in **-e, -a,** or an accented **-í** have only one form which is both masculine and feminine. The plural of these adjectives is formed by adding **-s** to those ending in **-e** or **-a** and **-es** to those ending in **-í.**

	singular	plural
masculine / **feminine**	canadiens**e**	canadiens**es**
	israelit**a**	israelit**as**
	paquistan**í**	paquistan**íes**

The following are some common adjectives of nationality whose singular form ends in **-e, -a,** or **-í.**

canadiense
costarricense
estadounidense
israelita
marroquí
nicaragüense
paquistaní
vietnamita

- Adjectives of nationality that end in a consonant form the feminine singular by adding **-a.** The plural of these adjectives is formed by adding **-es** to masculine adjectives and **-s** to feminine ones.

	singular	plural
masculine	españo**l** japoné**s**	español**es** japon**es**es
feminine	español**a** japones**a**	español**as** japones**as**

The following are some common adjectives of nationality whose singular masculine form ends in a consonant.

alemán	francés	irlandés
escocés	holandés	japonés
español	inglés	portugués

Vamos a practicar

a. Familias internacionales. ¿Cuál es la nacionalidad de las familias de estos estudiantes?

MODELO Enrique es cubano.
Su familia es cubana.

1. Benito es italiano.
2. Kwang Mi es coreana.
3. Pierre es francés.
4. Keiko es japonesa.
5. Heinrich es alemán.
6. Gabriela es nicaragüense.
7. Tomás es español.
8. Lisa es estadounidense.

b. Campamento. Sonia acaba de regresar de un campamento internacional. ¿Cómo describe las fotos que sacó?

MODELO Este señor alto es inglés. Es muy simpático. (señoras)
Estas señoras altas son inglesas. Son muy simpáticas.

1. Ésta es la directora. Es francesa y muy inteligente. (director)
2. Este chico es peruano. Es muy divertido. (chica)
3. Esta chica es mi mejor amiga. Es rusa y es tímida. (chicas)
4. Este niño es filipino. Es muy cómico. (niños)
5. Los chicos morenos son mis amigos chilenos. (chicas)
6. La joven venezolana es simpática. (jóvenes)
7. Él es mi compañero costarricense. (compañeras)
8. Estos chicos altos son puertorriqueños. (chica)

LECCIÓN 3

2.5 COMPARATIVES

Spanish uses various structures when making equal and unequal comparisons.

Unequal comparisons:

Ellos salen **más que** nosotros.	*They go out more than we do.*
Este disco cuesta **menos que** ése.	*This record costs less than that one.*
Tú hablas **mejor que** yo pero escribes **peor que** yo.	*You speak better than I do but you write worse than I do.*
Ella es **mayor que** tú pero **menor que** yo.	*She is older than you but younger than I am.*

- When making unequal comparisons with **más que** and **menos que**, the thing or quality being compared is often expressed between **más** or **menos** and **que**:

> **más** + [adjective, adverb or noun] + **que**
>
> **menos** + [adjective, adverb or noun] + **que**

Jorge es **más alto que** Alberto.	*Jorge is taller than Alberto.*
Esta cama es **menos dura que** la mía.	*This bed is less hard than mine.*
Ana corre **más rápido que** tú.	*Anna runs faster than you.*
La profesora habla **menos lento que** los estudiantes.	*The teacher talks less slowly than the students.*
La biblioteca tiene **más libros que** revistas.	*The library has more books than magazines.*
Tengo **menos dinero que** tú.	*I have less money than you do.*

- Some unequal comparisons are made with **mejor, peor, mayor** or **menor:**

mejor	*better*	**mayor**	*older*
peor	*worse*	**menor**	*younger*

Esta pizza está **peor que** la otra.	*This pizza is worse than the other one.*
Mi hermano es **mayor que** yo.	*My brother is older than I am.*

Equal comparisons:

¿Es **tan** inteligente **como** yo?	*Is he as intelligent as I am?*
Tú tienes **tantos** libros **como** yo.	*You have as many books as I do.*

- Equal comparisons are made with **tan . . . como** or **tanto . . . como**, depending on whether the comparison being made refers to an adjective or adverb, or a noun.

tan + [adjective or adverb] + **como**

La película es **tan buena como** el libro.	*The movie is as good as the book.*
Julia no come **tan tarde como** su hermano.	*Julia doesn't eat as late as her brother.*

tanto(a, os, as) + [noun] + **como**

No hay **tanta limonada como** leche.	*There isn't as much lemonade as milk.*
Esta clase tiene **tantos chicos como** chicas.	*This class has as many boys as girls.*

Vamos a practicar

a. En la clínica. Hugo y Paco son hermanos. ¿Cómo se comparan?

Nombre:	Hugo Ruiz	Nombre:	Paco Ruiz
edad:	18	edad:	15
estatura:	175 cm	estatura:	173 cm
peso:	100 kg	peso:	80 kg

MODELO ____ es más grande que ____.
Hugo es más grande que Paco.

1. ____ es más bajo que ____.
2. ____ es más alto que ____.
3. ____ es menos gordo que ____.
4. ____ es más pequeño que ____.
5. ____ es menor que ____.
6. ____ es más delgado que ____.
7. ____ es menos grande que ____.
8. ____ es mayor que ____.

b. Los Vargas. ¿Cómo son los miembros de la familia Vargas?

MODELO La persona más joven es ____.
La persona más joven es René.

1. La persona mayor es ____.
2. La persona más grande es ____.
3. La adulta más baja es ____.
4. La persona menos joven es ____.
5. La persona más pequeña es ____.
6. La persona más delgada es ____.
7. La persona menos delgada es ____.
8. La persona más alta es ____.

c. Fanfarrón. Máximo cree que todo lo que tiene y hace es lo mejor. ¿Qué dice?

MODELO yo / tener / clases / interesante / escuela
Yo tengo las clases más interesantes de la escuela.

1. yo / tener/ carro / rápido / ciudad
2. mis hermanos y yo / ser / jóvenes / inteligente / escuela
3. yo / ser / estudiante / estudioso / clase
4. mi hermano / ser / jugador / fuerte / equipo
5. yo / tener / amigos / simpático / mundo
6. yo / ser / hijo / listo / familia
7. mi novia / ser / chica / bonita / escuela
8. yo / tener / familia / famosa / ciudad

LECCIÓN 1

3.1 THE PRETERITE TENSE: IRREGULAR VERBS

In **Unidad 2,** you learned three irregular verbs in the preterite: **ir, ser,** and **hacer.** Like the verb **hacer,** the following verbs have irregular stems in the preterite and all take the same irregular preterite verb endings.

Infinitive	Stem	Endings
estar	**estuv-**	**-e**
tener	**tuv-**	**-iste**
poder	**pud-**	**-o**
poner	**pus-**	**-imos**
saber	**sup-**	**-isteis**
querer	**quis-**	**-ieron (-eron*)**
venir	**vin-**	
decir	**dij-***	
traer	**traj-***	

Estuvo enfermo ayer. — *He was sick yesterday.*
Tere lo **puso** en la mesa. — *Tere put it on the table.*
Supe† el secreto. — *I found out the secret.*
No quisimos† hacerlo. — *We refused to do it.*
Dijimos* la verdad. — *We told the truth.*
Trajeron* pizza a la fiesta. — *They brought pizza to the party.*

*Verbs whose stem ends in **j** drop the **i** and add **-eron** to the **ustedes / ellos / ellas** ending.
†Note that in the preterite tense, **saber** means *to find out* and **no querer** means *to refuse.*

The verbs **dar** and **haber** are also irregular in the preterite.

dar
di
diste
dio
dimos
disteis
dieron

haber
Present tense:
hay *(there is / there are)*
Preterite tense:
hubo *(there was / there were)*

Me **dieron** un regalo especial. — *They gave me a special gift.*
¿Qué le **diste** a Elena? — *What did you give Elena?*
Hubo una gran fiesta ayer. — *There was a great party yesterday.*
Hubo varios participantes. — *There were several participants.*

Vamos a practicar

a. Buenas intenciones. Todos quisieron leer veinte libros durante el verano. ¿Qué pasó? ¿Lo hicieron?

MODELO Patricia (sí)
Patricia quiso leer veinte libros y pudo hacerlo.

Hortensia (no)
Hortensia quiso leer veinte libros pero no pudo hacerlo.

1. Raúl (sí)
2. Constanza y Edgar (no)
3. tú (no)
4. yo (sí)
5. ustedes (no)
6. nosotros (sí)
7. Elena (sí)
8. Narciso y Silvia (no)
9. usted (sí)

b. ¡Ganó Sara! Hubo elecciones estudiantiles ayer. ¿Cuándo supieron estas personas los resultados?

MODELO el director: primero
El director los supo primero.

1. Sara: inmediatamente
2. los profesores: después de las clases
3. yo: a las tres y media
4. Jacobo y Marisela: después de la clase de música
5. tú: al llegar a casa
6. ustedes: al hablar con Sara
7. Diego: por la noche
8. las secretarias: hoy por la mañana
9. ellos: el día siguiente

c. ¡Pobrecito! Si Federico hace esto todos los días, ¿qué hizo ayer?

MODELO **Ayer caminé a la . . .**

Camino a la escuela. ¡Uf! *Traigo* muchos libros en mi mochila. *Llego* a las ocho y *estoy* allí hasta las tres. *Tengo* que estudiar mucho porque *hay* mucho que aprender. Los profesores *dan* mucha tarea y por eso, no *puedo* ver televisión. ¡Pobre de mí!

ch. ¡Auxilio! Diego está entrevistando a dos personas sobre un accidente. ¿Qué le dicen que vieron?

1. ver	**4.** pasar	**7.** llamar	**10.** haber	**13.** poner
2. poder	**5.** chocar	**8.** venir	**11.** tener	**14.** decir
3. ver	**6.** correr	**9.** hacer	**12.** dar	

Diego: ¿__1__ ustedes el accidente?
Mamá: Yo no __2__ ver mucho, pero mi hijo lo __3__ todo.
Diego: ¿Ah, sí? ¿Qué __4__, joven?
Hijo: Dos carros __5__ en la esquina. Yo __6__ a mi casa y mamá __7__ a la policía. Muy pronto __8__ la policía y la ambulancia.
Diego: ¿Qué __9__?
Hijo: Pues, __10__ una mujer lastimada y __11__ que llevarla al hospital. Le __12__ un calmante y la __13__ en una ambulancia.
Diego: ¡Qué lástima! ¿Va a estar bien?
Mamá: La policía __14__ que sí.
Diego: Gracias por la entrevista.

3.2 DEMONSTRATIVES

In **¡DIME! UNO,** you learned that Spanish has three sets of demonstratives: one to point out someone or something *near the speaker*, another to point out someone or something *farther away,* and a third one to refer to someone or something *a good distance* from both the speaker and the listener.

	m.	*f.*	*m.*	*f.*	*m.*	*f.*
singular	**este**	**esta**	**ese**	**esa**	**aquel**	**aquella**
plural	**estos**	**estas**	**esos**	**esas**	**aquellos**	**aquellas**

- Demonstrative adjectives must agree in number and gender with the noun they modify and always go before the noun.

Esta loción es buena.	*This suntan lotion is good.*
¿De quién es **ese** dinero?	*Whose money is that?*
Aquella mujer es preciosa.	*That woman (over there) is lovely.*

- Demonstratives may be used as pronouns to take the place of nouns. When they do, they reflect the number and gender of the noun they replace and require a written accent.

Este libro es más interesante que **ése**.	*This book is more interesting than that one.*
Estas arepas son mejores que **aquéllas.**	*These arepas are better than those.*

- **Esto** and **eso** are used to refer to concepts, to ideas, and to situations, and also to things unknown to the speaker. They never require a written accent.

¿Qué es **esto**?	*What is this?*
Eso no puede ser.	*That can't be.*

Vamos a practicar

a. Fotos. Felipe le está enseñando a su amigo Alejandro su álbum de fotos. ¿Qué dice?

MODELO señora / tía Luisa
Esta señora es mi tía Luisa.

1. chico / amigo Raúl
2. chicos / primos Jorge y Virginia
3. señora / tía Yolanda
4. chica / amiga Linda
5. muchachas / sobrinas Elena y Lilia
6. señor / abuelo materno

b. De compras. Tú estás de compras en un almacén grande. ¿Qué dices al comparar estas cosas?

MODELO **Esta guitarra es buena pero aquélla es buenísima.**

1.

2.

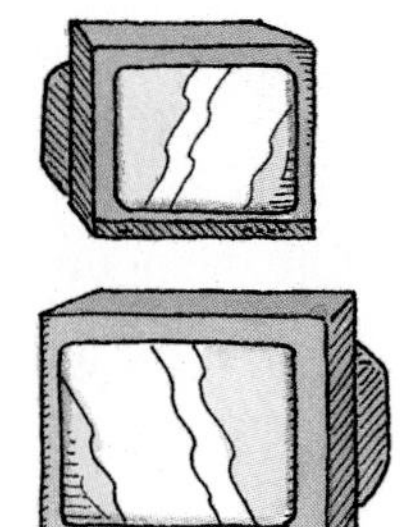

3.

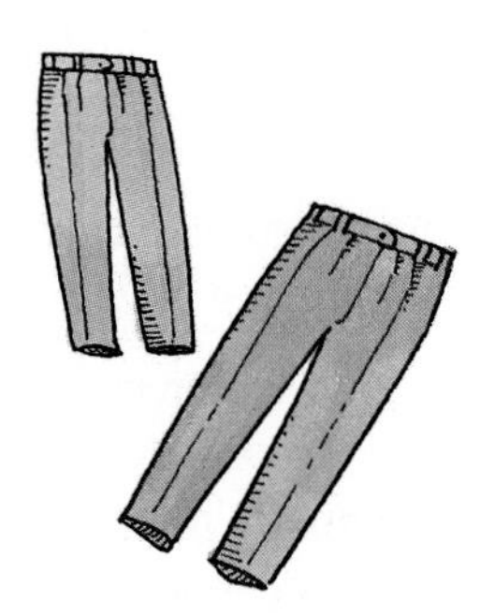

4.

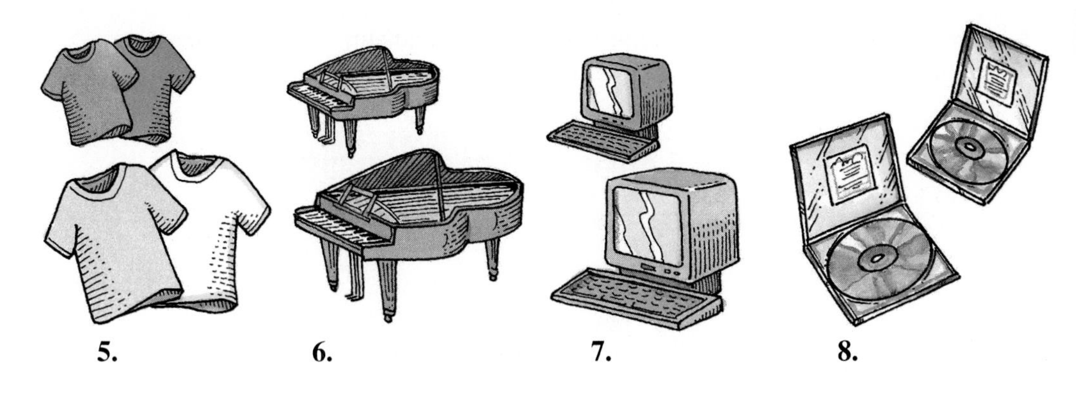

5. 6. 7. 8.

c. Opiniones. Iris es una persona muy positiva y Samuel es una persona muy negativa. ¿Qué dicen ellos?

MODELO	libro:	interesante / aburrido
	Iris:	**Este libro es interesante.**
	Samuel:	**¿Ése? Es aburrido.**

1. clase: organizado / desorganizado
2. muebles: hermoso / feo
3. noticias: excelente / terrible
4. video: estupendo / horrible
5. idea: muy bueno / ridículo
6. carros: muy bueno / muy malo
7. doctor: simpático / antipático
8. hamburguesas: especial / ordinario

LECCIÓN 2

3.3 AFFIRMATIVE *TÚ* COMMANDS: REGULAR AND IRREGULAR

In **¡DIME! UNO,** you learned that affirmative **tú** commands are used to tell someone you normally address as **tú** to do something. You also learned that regular affirmative **tú** commands use the verb ending of the **usted / él / ella** form in the present tense:

Affirmative *Tú* Commands		
escuch**ar**	**-a**	escuch**a**
com**er**	**-e**	com**e**
abr**ir**	**-e**	abr**e**

Escucha lo que te digo. — *Listen to what I tell you.*
Come tu arepa. — *Eat your arepa.*
Abre la carta. — *Open the letter.*

- There are eight irregular affirmative **tú** commands and almost all are derived from the **yo** form of the present tense, eliminating the **-go** ending.

Irregular Affirmative *tú* Commands		
Infinitive	*Yo* Present	Command
decir	**di**go	**di**
poner	**pon**go	**pon**
salir	**sal**go	**sal**
tener	**ten**go	**ten**
venir	**ven**go	**ven**
hacer	hago	**haz**
ir	voy	**ve**
ser	soy	**sé**

¡**Di**me la verdad!	*Tell me the truth!*
Haz la tarea ahora.	*Do your homework now.*
Ponlo allí.	*Put it there.*
Ven acá.	*Come here.*

- Object pronouns are always attached to the end of affirmative commands. Written accents may be required to preserve the original stress of the command.

Escúchame.	*Listen to me.*
Hazlo ahora.	*Do it now.*
Escríbeme pronto.	*Write to me soon.*

Vamos a practicar

a. ¡A trabajar! Es tu primer día de trabajo en un restaurante. ¿Qué te dicen los otros empleados?

MODELO trabajar más rápido
Trabaja más rápido.

1. venir al trabajo temprano
2. salir después de terminar de limpiar
3. contar los cubiertos
4. tener paciencia
5. saludar a los clientes
6. almorzar a las dos
7. ir a comprar más leche
8. decir gracias por las propinas

b. Procrastinadora. Susana siempre deja para mañana lo que debe hacer hoy. ¿Qué consejos le das?

MODELO Prefiero comenzar el trabajo mañana.
Comiénzalo ahora.

1. Prefiero escribir la composición mañana.
2. Prefiero lavar los platos mañana.
3. Prefiero limpiar la casa mañana.
4. Prefiero lavar el carro mañana.
5. Prefiero hacer la tarea mañana.
6. Prefiero leer el libro mañana.
7. Prefiero ayudarte mañana.
8. Prefiero pagar la cuenta mañana.
9. Prefiero practicar la guitarra mañana.
10. Prefiero aprender las palabras mañana.
11. Prefiero llamar a mi prima mañana.
12. Prefiero pensar en este problema mañana.

3.4 NEGATIVE *TÚ* COMMANDS: REGULAR AND IRREGULAR

Negative **tú** commands are formed by adding **-es** to ***-ar*** verbs and **-as** to ***-er*** and ***-ir*** verbs. The command ending is added to the stem of the **yo** form of present tense verbs. (The stem is the present tense form minus the **-o** ending.) The formation of negative **tú** commands is summarized in the chart below.

Infinitive	*Yo* Present	*Tú* Command
escuchar	**escuch~~o~~**	**no escuches**
pensar	**piens~~o~~**	**no pienses**
contar	**cuent~~o~~**	**no cuentes**
comer	**com~~o~~**	**no comas**
hacer	**hag~~o~~**	**no hagas**
abrir	**abr~~o~~**	**no abras**
dormir	**duerm~~o~~**	**no duermas**
pedir	**pid~~o~~**	**no pidas**
decir	**dig~~o~~**	**no digas**

No escuches. *Don't listen.*
No cuentes con él. *Don't count on him.*
No hagas eso. *Don't do that.*
No pidas papas. *Don't order potatoes.*

- The following high-frequency verbs have irregular negative **tú** command forms:

Infinitive	Negative *Tú* Command
dar	**no des**
estar	**no estés**
ir	**no vayas**
ser	**no seas**

No les **des** nada. — *Don't give them anything.*
No estés triste. — *Don't be sad.*
No vayas con ellas. — *Don't go with them.*
No seas así. — *Don't be like that.*

- In negative commands, object pronouns always come directly before the verb.

¡No **me** digas! — *You don't say!*
No **la** escribas allí. — *Don't write it there.*
No **te** duermas ahora. — *Don't fall asleep now.*
No **les** hables ahora. — *Don't talk to them now.*

Vamos a practicar

a. ¿Qué hago? Es tu primer día de trabajo en un almacén. ¿Cómo te contestan los otros empleados?

MODELO ¿Trabajo en la caja?
No, no trabajes en la caja.

1. ¿Hablo mucho con los clientes?
2. ¿Voy al banco?
3. ¿Cuento el dinero?
4. ¿Escribo los precios?
5. ¿Organizo las cosas?
6. ¿Limpio el piso?
7. ¿Como al mediodía?
8. ¿Salgo a las cuatro y media?

b. Traviesa. Tienes que cuidar a una niña muy activa. ¿Qué le dices?

MODELO no tocar las fotos
No toques las fotos.

1. no jugar con el perro
2. no salir al patio
3. no ir a la tienda
4. no abrir la nevera
5. no ver ese programa
6. no hablar por teléfono
7. no poner el gato en la mesa
8. no decir nada

c. Consejos. Tu primo va a entrar en una nueva escuela. ¿Qué consejos le das?

1. llegar	**3.** hablar	**5.** dar	**7.** escribir
2. ser	**4.** estar	**6.** ir	**8.** poner

Tengo muchos buenos consejos para ayudarte en la escuela. Primero, nunca ___1___ tarde a clase. Y no ___2___ descortés, sobre todo con los profesores y no ___3___ demasiado. Los días de exámenes, no ___4___ nervioso y no le ___5___ las respuestas a tus compañeros nunca. No ___6___ al patio durante las clases. No ___7___ en el pupitre y no ___8___ chicle allí tampoco. Pero no te preocupes. Todo va a salir bien y vas a tener mucho éxito.

ch. ¿Te ayudo? Ahora estás en tu fiesta de cumpleaños y tu hermanito quiere ayudarte. ¿Qué le dices?

MODELO ¿Preparo la limonada?
No, no la prepares.

1. ¿Pongo la mesa?
2. ¿Sirvo los nachos?
3. ¿Canto mi canción favorita?
4. ¿Toco la guitarra?
5. ¿Paso los entremeses?
6. ¿Corto el pastel?
7. ¿Traigo el helado?
8. ¿Te ayudo?

3.5 *USTED / USTEDES COMMANDS*

Usted / ustedes commands are used with people you address as **usted** or **ustedes**. Regular affirmative and negative **usted / ustedes** commands are formed by adding **-e / -en** to ***-ar*** verbs and **-a / -an** to ***-er*** and ***-ir*** verbs. As with negative **tú** commands, the command ending is added to the stem of the **yo** form of present tense verbs.

***Usted / Ustedes* Commands**

Infinitive	***Yo*** Present	***Ud.*** Command	***Uds.*** Command
hablar	habl~~o~~	**hable**	**hablen**
cerrar	cierr~~o~~	**cierre**	**cierren**
comer	com~~o~~	**coma**	**coman**
tener	teng~~o~~	**tenga**	**tengan**
abrir	abr~~o~~	**abra**	**abran**
salir	salg~~o~~	**salga**	**salgan**

Hable con la Srta. García. — *Talk to señorita García.*
Cierre la puerta, por favor. — *Close the door, please.*
Tenga cuidado. — *Be careful.*
Pidan la paella. — *Order the paella.*
Salgan temprano. — *Leave early.*

- The following high-frequency verbs have irregular **usted / ustedes** command forms:

Infinitive	***Usted*** Command	***Ustedes*** Command
dar	dé	den
estar	esté	estén
ir	vaya	vayan
ser	sea	sean

Déme los libros, por favor. — *Give me the books, please.*
Esté aquí a las dos en punto. — *Be here at two sharp.*
Vayan a verlos. — *Go see them.*
Sean buenos. — *Be good.*

- As with **tú** commands, object pronouns precede the verb in negative commands and are attached to the end of affirmative commands. When attaching pronouns, accents are usually required to preserve the original stress of the infinitive.

Denme la bolsa de papel. — *Give me the paper bag.*
Siéntense, por favor. — *Sit down please.*
No lo **pague.** — *Don't pay it.*
No me **miren**. — *Don't look at me.*

Vamos a practicar

a. ¡Ay de mí! En un programa de radio varias personas hablan de sus problemas. ¿Qué les dice el locutor?

MODELO Yo soy muy flaco porque como poco.
La solución es fácil. ¡Coma más!

1. Soy muy tímido y hablo poco.
2. Siempre estoy cansada porque duermo poco.
3. Tengo poco dinero porque trabajo poco.
4. Estoy aburrido porque salgo poco.
5. Conozco pocos lugares porque viajo poco.
6. No soy fuerte porque hago poco ejercicio.
7. No converso bien porque leo poco.
8. Toco la guitarra mal porque practico poco.

b. ¡Sean buenos! Tienes que cuidar a dos niños. Su mamá te dijo lo que deben hacer. ¿Qué les dices a ellos?

MODELO Deben venir directamente a casa.
Vengan directamente a casa.

1. Deben comer unas frutas.
2. Deben tomar leche.
3. Deben salir a jugar un rato.
4. Deben empezar su tarea a las cuatro.
5. Deben hacer toda su tarea.
6. Deben poner la mesa.
7. Deben lavar los platos.
8. Deben limpiar su cuarto.

c. A la tienda. Papá manda a los niños a la tienda. ¿Qué les dice?

MODELO escuchar bien
Escuchen bien.

1. ir a la tienda
2. ser responsables
3. escoger frutas maduras
4. pedir carne fresca
5. pagar en la caja
6. ser simpáticos
7. saludar al cajero
8. dar el dinero al cajero
9. volver a casa directamente
10. ser buenos

ch. Primer día. Hoy Matilde empieza a trabajar de camarera. ¿Cómo contesta sus preguntas la camarera principal?

MODELO ¿Pongo la mesa?
Sí, póngala.

1. ¿Llevo un uniforme blanco?
2. ¿Saludo a los clientes?
3. ¿Traigo el menú?
4. ¿Sirvo las bebidas primero?
5. ¿Escribo la orden?
6. ¿La llevo a la cocina?
7. ¿Les sirvo inmediatamente?
8. ¿Traigo el café con el postre?
9. ¿Llevo el dinero a la caja?
10. ¿Guardo las propinas?

d. Pobre Paulina. Tu tía Paulina necesita consejos. ¿Qué le dices?

MODELO Yo como demasiado chocolate.
¡No coma tanto chocolate!

1. Hablo por teléfono demasiado.
2. Duermo demasiado.
3. Trabajo demasiadas horas.
4. Lloro demasiado.
5. Limpio la casa demasiado.
6. Bebo demasiado café.
7. Leo demasiadas revistas.
8. Veo televisión demasiado.

e. Al contrario. Tú no estás de acuerdo con los mandatos que tu hermano les da a tus amigos. ¿Qué les dices tú?

MODELO Lean mi cuento.
No lo lean.

1. Hagan mi tarea.
2. Preparen mi almuerzo.
3. Traigan los refrescos.
4. Escriban mi composición.
5. Laven mis perros.
6. Coman mi ensalada.
7. Limpien mi cuarto.
8. Saquen la basura.

UNIDAD 

LECCIÓN 3

3.6 THE IMPERFECT TENSE

You have already learned to use the preterite tense to talk about things that happened in the past. In this lesson, you will learn another way to talk about the past, using the imperfect tense.

- In the imperfect tense, ***-ar*** verbs take **-aba** verb endings and ***-er*** and ***-ir*** verbs take **-ía** endings.

Imperfect Tense		
-ar **verbs**	***-er*** **and** ***-ir*** **verbs**	
bail**ar**	corr**er**	sal**ir**
bail**aba** bail**abas** bail**aba**	corr**ía** corr**ías** corr**ía**	sal**ía** sal**ías** sal**ía**
bail**ábamos** bail**abais** bail**aban**	corr**íamos** corr**íais** corr**ían**	sal**íamos** sal**íais** sal**ían**

The **nosotros** form of ***-ar*** verbs and all forms of ***-er*** and ***-ir*** verbs require written accents.

Bailábamos mucho.	*We used to dance a lot.*
Corrían todos los días.	*They ran every day.*
Salía a las cinco todos los días.	*I would leave at 5:00 every day.*

Note that the imperfect tense may be translated as *"used to," "would,"* or just the simple past tense in English.

Vamos a practicar

a. Antes . . . Sarita está escuchando a sus abuelitos hablar sobre el pasado. ¿Qué comentarios hacen?

MODELO Ahora yo no bailo pero antes . . .
Ahora yo no bailo pero antes bailaba todos los días.

1. Ahora tu mamá no estudia . . .
2. Ahora tú no descansas mucho . . .
3. Ahora nosotros no trabajamos . . .
4. Ahora tú no lloras mucho . . .
5. Ahora yo no juego fútbol . . .
6. Ahora tu papá no toca el piano . . .
7. Ahora nosotros no escuchamos la radio . . .
8. Ahora tus padres no bailan . . .
9. Ahora yo no tomo mucho café . . .
10. Ahora tus tíos y tus tías no cantan mucho . . .

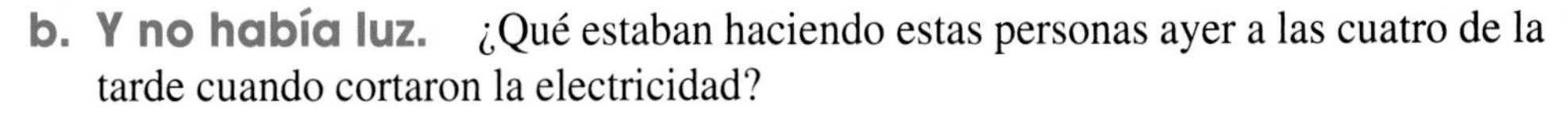

b. Y no había luz. ¿Qué estaban haciendo estas personas ayer a las cuatro de la tarde cuando cortaron la electricidad?

MODELO Manuel / leer / libro
Manuel leía un libro.

1. Raquel / hacer / comida
2. tú / aprender / baile / nuevo
3. Nela y Timoteo / pedir / pizza
4. nosotros / hacer / ejercicio
5. mis papás / salir para / cine
6. yo / correr en / gimnasio
7. usted / abrir / regalo
8. el bebé / dormir en / cuarto
9. mi abuelo / escribir / carta
10. mis hermanos / leer / periódico

c. Una sorpresa. Hoy, a eso de las tres de la tarde, alguien dejó una docena de rosas muy bonitas en la puerta de la casa de los García. Ahora la señora García quiere saber por qué nadie contestó la puerta. ¿Qué hacían todos?

MODELO Clara: practicar el piano
Clara practicaba el piano.

1. yo: escribir una composición
2. mi papá: trabajar en el garaje
3. mi hermano y yo: estudiar
4. mis hermanas: escuchar música
5. mi abuelo: leer el periódico en la sala
6. mi mamá y mi tía: no estar en casa
7. tú: jugar golf
8. mi abuela: comprar algo especial para mamá
9. mi tío: dormir
10. mis primas: hablar por teléfono

3.7 REFLEXIVE VERBS

In **¡DIME! UNO,** you learned that reflexive pronouns are used when the subject and the object are identical.

Reflexive Pronouns			
yo	**me**	peino	*I comb*
tú *usted*	**te** **se**	peinas peina	*you comb*
él / ella	**se**	peina	*he / she / it combs*
nosotros(as)	**nos**	peinamos	*we comb*
vosotros(as) *ustedes*	**os** **se**	peináis peinan	*you comb*
ellos / ellas	**se**	peinan	*they comb*

Se sentaron a mi lado. — *They sat down beside me.*
El bebé **se durmió**. — *The baby went to sleep.*
Me levanté tarde hoy. — *I got up late today.*

UNIDAD 3

- Like direct and indirect object pronouns, reflexive pronouns precede conjugated verbs and negative commands but follow and are attached to affirmative commands. They may also follow and be attached to infinitives and the **-ndo** form of the verb.

Marta **se levanta** muy temprano.	*Marta gets up very early.*
Pues, **apúrate**.	*Well, hurry up.*
Lupe **está bañándose**.	*Lupe is bathing.*
Tuvieron que **acostarse** muy tarde.	*They had to go to bed very late.*
No **se duerman.**	*Don't fall asleep.*

Vamos a practicar

a. Buenos días. ¿Qué pasa por la mañana en la casa de Felipe?

MODELO todo / familia / despertarse / 6:00
Toda la familia se despierta a las seis.

1. primero / mamá / quitarse las piyamas / ponerse / bata
2. yo / bañarse / afeitarse / baño
3. todos / sentarse a / mesa / para desayunar
4. hermano / lavarse / cepillarse / pelo
5. hermanas / peinarse / su cuarto
6. yo / ponerse / jeans / camiseta
7. papá / tener que / lavarse / dientes / porque irse / 8:00
8. mis hermanos y yo / despedirse / irse a / colegio / 8:15

b. De vacaciones. ¿Cómo describe Leonor sus últimas vacaciones en una carta a su amiga Tomasita?

1. levantarse	**4.** arreglarse	**7.** sentarse	**10.** despedirse
2. salir	**5.** ponerse	**8.** divertirse	**11.** vestirse
3. bañarse	**6.** quemarse	**9.** caerse	**12.** acostarse

Cuando estábamos de vacaciones en la Florida, _1_ a eso de las diez de la mañana todos los días. Un poco después mis hermanos y yo _2_ al océano a jugar todas las mañanas. Mientras tanto mis papás _3_ y _4_ para el día. Antes de salir del hotel, mamá _5_ loción protectora para no _6_ en el sol. Entonces, los dos _7_ en la playa a mirarnos. Yo _8_ mucho jugando volibol. Mis hermanitos querían jugar también pero siempre _9_ y mamá les decía que no. Después yo _10_ de mis amigos y todos volvíamos al hotel para _11_. Por la tarde, hacíamos muchas cosas diferentes, y cada noche _12_ cansados pero muy contentos.

LECCIÓN 1

4.1 THE IMPERFECT: *SER, VER, IR*

There are just three irregular verbs in the imperfect.

ser	ver	ir
era	veía	iba
eras	veías	ibas
era	veía	iba
éramos	veíamos	íbamos
erais	veíais	ibais
eran	veían	iban

Éramos muy jóvenes. — *We were very young.*
La **veía** frecuentemente. — *I used to see her often.*
Iban a llamarnos. — *They were going to call us.*

Vamos a practicar

a. Los gustos. Muchas veces los programas que nos gusta ver en la televisión reflejan nuestra personalidad. ¿Cómo eran estas personas de niños y qué tipo de programas veían en la televisión?

MODELO Roque / terrible / películas de terror
Roque era terrible y siempre veía películas de terror.

1. yo / activo / programas de música rock
2. Felipe / serio / programas documentales
3. Julia y Delfina / alegre / programas musicales
4. tú / drámatico / obras de teatro
5. mis tías / sentimental / telenovelas
6. Elena / triste / películas trágicas
7. ustedes / inteligente / películas históricas
8. Marcos y yo / atléticos / programas deportivos

b. Hay que cancelar. Ayer por la tarde estas personas tenían planes especiales, pero llovió toda la tarde y tuvieron que suspender sus planes. ¿Qué iban a hacer?

MODELO yo
Iba a ir al parque.

nosotras
Íbamos a jugar tenis.

1. Juana

2. los niños

3. mis amigos y yo

4. Inés y José

5. nosotras

6. tú

7. yo

8. mi familia

4.2 USES OF THE IMPERFECT: HABITUAL ACTIONS, TIME, AGE

The imperfect is used to talk about things that happened in the past. It has several specific uses.

- The imperfect is used to describe habitual or customary actions. It is often used with expressions such as **todos los días**, **generalmente**, **siempre**, **muchas veces**, and the like.

De niño, **jugaba** fútbol todos los sábados.	*As a kid, I used to play soccer every Saturday.*
Siempre **íbamos** a la biblioteca.	*We always used to go to the library.*
Cuando **llovía**, **veíamos** películas.	*When it rained, we would watch movies.*

- The imperfect is used to tell time in the past.

Era mediodía y hacía mucho calor.	*It was noon and it was very hot.*
Eran las once de la noche y los niños tenían sueño.	*It was 11:00 at night and the children were sleepy.*

- The imperfect is used to express age in the past.

Julia **tenía** siete años en 1993.	*Julia was seven in 1993.*
Todavía era fuerte cuando **tenía** setenta y cinco años.	*He was still strong when he was seventy five.*

Vamos a practicar

a. Siempre lo mismo. Andrés Salazar siempre seguía la misma rutina. ¿Qué hacía? Cambia su rutina al pasado.

Todos los días, **se levanta** temprano, **se baña** y **se viste**. Después, **va** a la cocina y **prepara** el desayuno. Mientras **toma** su café, **lee** el periódico. A las 7:30 **sale** para el trabajo. **Trabaja** toda la mañana y **almuerza** a mediodía. Después del almuerzo, **camina** y **conversa** con sus amigos. A las cinco **regresa** a casa y **hace** ejercicios. Después de cenar, **ve** televisión o **alquila** un video. **Se acuesta** a las diez y **se duerme** después de leer un poco.

b. ¡Otra vez! El timbre de tu escuela no funcionó bien todo el día. ¿Qué hora era cuando sonó?

MODELO 8:05
Eran las ocho y cinco cuando sonó.

1. 8:30
2. 9:45
3. 10:07
4. 11:50
5. 12:35
6. 1:20
7. 1:45
8. 2:57

c. ¡Qué grandes están! El año pasado, en la reunión de la familia Peralta, Riqui Peralta preguntó las edades de todos. Según él, ¿cuántos años tenían?

MODELO mi tío Alfredo: 35
Mi tío Alfredo tenía treinta y cinco años.

1. mi abuelo: 70
2. papá: 42
3. Pepito y Pepita: 12
4. mi tía Sara: 54
5. mi abuela materna: 63
6. mi primo José: 21
7. yo: 15
8. mamá y mi tía Josefa: 37

ch. De niño. David acaba de escribirle a su amigo por correspondencia. ¿Qué le dice de su niñez? Completa su carta con el imperfecto de los verbos indicados.

1. ser
2. ser
3. vivir
4. ir
5. tomar
6. jugar
7. encantar
8. llegar
9. regresar
10. tener

> Querido Samuel,
>
> Cuando yo __(1)__ niño, mi vida __(2)__ muy diferente. Nosotros __(3)__ en Maracaibo y mi hermana y yo __(4)__ a la playa todos los días de vacaciones. Allí __(5)__ el sol y __(6)__ en el lago. Nos __(7)__ el agua. __(8)__ muy temprano y no __(9)__ a casa hasta muy tarde. Cuando __(10)__ diez años, nos mudamos a Caracas y todo cambió.

4.3 HACER TO EXPRESS AGO

To express the concept of *ago*, Spanish uses the verb **hacer** in the following structure:

hace + *[time]* + **que** + *[preterite]*

Hace muchos años **que** construyó la jaula. — *He built the cage many years ago.*
Hace dos meses **que** compré estos pantalones. — *I bought these trousers two months ago.*

Vamos a practicar

a. De otra parte. Todos los vecinos de la Calle Montemayor vinieron de otra ciudad. Según Pablo, ¿cuánto tiempo hace que se mudaron para acá?

MODELO 5 años: los Bermúdez
Hace cinco años que vinieron los Bermúdez.

1. 3 años: la familia Alarcón
2. 7 años: los Méndez
3. 2 años: el señor Fuentes
4. 1 año: los Vega
5. 15 años: la señora Estrada
6. 6 años: mis tíos
7. 1 año: nosotros
8. 11 años: las hermanas Robledo

b. Prodigiosa. Cecilia sólo tiene doce años pero aprendió a hacer muchas cosas a una edad muy temprana. ¿Cuánto tiempo hace que aprendió a hacer estas cosas?

MODELO 2 años / aprender / tocar / guitarra / clásico
Hace dos años que aprendió a tocar la guitarra clásica.

1. 5 años / escribir / primer poema / portugués
2. 7 años / empezar / cantar ópera / italiano
3. 8 años / ganar / trofeo / natación
4. 1 año / construir / bicicleta
5. 3 años / aprender / hablar / japonés
6. 4 años / leer / *Don Quijote*
7. 6 años / preparar / primera paella
8. 9 años / comenzar / usar / computadora

LECCIÓN 2

4.4 USES OF THE IMPERFECT: CONTINUING ACTIONS

- Past actions may be viewed as either completed or continuing. Those seen as continuing or in progress are expressed in the imperfect.

Hablaban mientras **caminaban**.	*They were talking while they were walking.*
Hacía su tarea a esa hora.	*He was doing his homework at that hour.*

- Sometimes a continuing action is interrupted by another action. In this case the continuing action is expressed in the imperfect and the interrupting action is in the preterite.

Abuelita **llamó** mientras **comíamos.**	*Grandma called while we were eating.*
Jugaba muy bien cuando **chocó** con un defensor.	*He was playing very well when he ran into a guard.*

Vamos a practicar

a. Una visita inesperada. Según Rebeca, ¿qué hacían ella y su familia el domingo por la tarde cuando de repente llegaron sus abuelos?

el bebé

MODELO **El bebé tomaba leche.**

1. Claudio

2. Estela y Susana

3. Mamá y yo

4. Papá

5. los gatitos

6. yo

7. mis primos

8. el perro

b. Día de limpieza. Una vez al año todos los estudiantes de la señora Gutiérrez ayudaban a limpiar la escuela. ¿Qué hacía cada uno?

MODELO Marta: limpiar las ventanas
Pedro: pintar las paredes
Marta limpiaba las ventanas mientras Pedro pintaba las paredes.

1. Paco: barrer el pasillo
   Begoña: limpiar los baños
2. Chavela: sacar la basura
   yo: vaciar los basureros
3. tú: pasar la aspiradora
   el profesor: mover los muebles
4. la profesora: guardar los libros
   Laura y Raúl: pasar un trapo a los muebles
5. Jacobo: preparar limonada
   Esther: hacer sándwiches
6. Concepción: limpiar los escritorios
   Mateo: lavar las pizarras
7. Jerónimo: cortar el césped
   ustedes: barrer el patio
8. la secretaria: organizar los gabinetes
   el director: supervisar

c. ¡Caramba! Germán dice que nadie pudo terminar lo que hacía porque hubo tantas interrupciones. ¿Qué pasó?

MODELO perro / entrar / mientras yo / escribir una carta
El perro entró mientras yo escribía una carta.

1. Luisito apagar las luces / cuando mamá / leer el periódico
2. Toño y yo / estudiar para un examen / cuando Olga / llamar
3. el perro / desenchufar / computadora / cuando Pablo / hacer / tarea
4. Jaime y Gloria / jugar tenis / cuando empezar a llover
5. papá abrir la puerta / mientras el bebé / dormir
6. nuestro / abuelos / llegar / mientras todos nosotros / limpiar la casa
7. papá / cambiar el canal / mientras Luisito / ver un programa de niños
8. el bebé comenzar a gritar / mientras mi tía / calificar exámenes

4.5 USES OF THE PRETERITE: COMPLETED ACTIONS AND BEGINNING OR ENDING ACTIONS

The preterite is used to express past actions viewed as a completed whole. Words which specify a limited time period are frequently associated with the preterite. Some typical words are **ayer, el lunes, el fin de semana pasado, un día, una vez.**

Ayer **cenamos** temprano.	*Yesterday we ate supper early.*
Leí la lección antes de la clase.	*I read the lesson before class.*
Hicimos muchas cosas durante las vacaciones: **nadamos**, **visitamos** a los abuelos y **fuimos** a acampar.	*We did a lot of things during vacation: we swam, visited our grandparents, and went camping.*

The preterite is used to focus attention on the beginning or the end of a past action.

Focus on beginning:

Comimos a las 6:00.	*We ate at 6:00.*
De repente **brilló** el sol.	*Suddenly the sun began to shine.*
Irma **habló** a los diez meses.	*Irma started to talk at ten months.*

Focus on end:

Regresó muy tarde.	*He returned very late.*
La clase **terminó** a la una.	*Class ended at one.*
Pasó la tormenta.	*The storm ended.*

Vamos a practicar

a. ¡Otro año más! El sábado pasado fue el cumpleaños de Antonio. ¿Qué hicieron él y sus amigos para celebrarlo?

MODELO mis amigos y yo
Fuimos al cine.

1. yo

2. mis amigos y yo

3. el guitarrista

4. el camarero

5. mis amigos

6. yo

7. todos

8. Susana y yo

b. Una visita especial. El viernes pasado el director de la compañía de papá vino a cenar a nuestra casa. Según Rosa, ¿qué hicieron todos en preparación?

1. Carmelita: contar los cubiertos, poner la mesa, limpiar su cuarto
2. Papa: comprar las bebidas, lavar el carro, cortar el césped
3. yo: sacar la basura, pasar la aspiradora, hacer las camas
4. Rogelio: barrer el patio, dar de comer al perro, limpiar las ventanas
5. Mamá: preparar la comida, lavar y secar los platos elegantes
6. los abuelos: pasar un trapo a los muebles, comprar flores, decorar la mesa

c. ¡Ay de mí! Catalina pasó un día muy malo ayer. ¿Por qué?

1. salir	**4.** chocar	**7.** seguir	**10.** encontrar
2. terminar	**5.** lastimarse	**8.** llegar	**11.** empezar
3. montarse	**6.** levantarse	**9.** abrir	**12.** regresar

Catalina (1) corriendo del colegio a la 1:00 porque su clase (2) tarde y tenía mucha hambre. (3) en su bicicleta para ir a su casa. En el camino (4) con otra bicicleta pero, por suerte, no (5). Sin llorar, (6) y (7) rápidamente a casa. Cuándo (8) Catalina, (9) la puerta y no (10) a nadie en la casa. (11) a llorar. Y todavía lloraba cuando su mamá (12) a casa. ¡Pobrecita!

4.6 STEM-CHANGING -IR VERBS IN THE PRETERITE: E → I and O → U

You have learned that stem-changing verbs that end in **-ir** undergo stem changes in the preterite. In these verbs, **e** becomes **i** and **o** becomes **u** in the **usted /él / ella** and **ustedes / ellos / ellas** forms. There are no **-ar** or **-er** verbs with a stem change in the preterite.

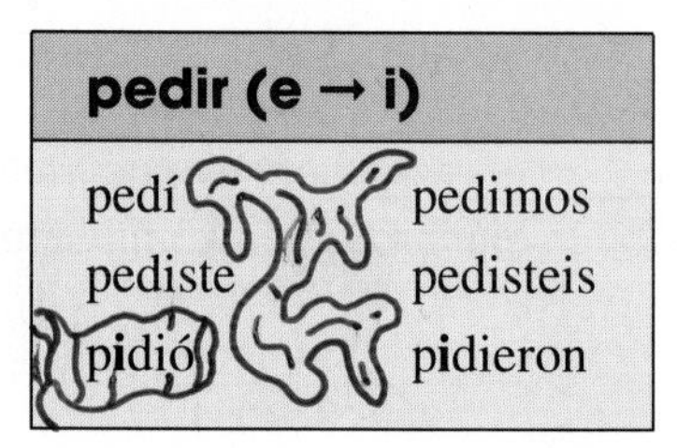

pedir (e → i)	
pedí	pedimos
pediste	pedisteis
p**i**dió	p**i**dieron

morir (o → u)	
morí	morimos
moriste	moristeis
m**u**rió	m**u**rieron

Murieron pocas personas en el accidente. — *Few people died in the accident.*

Pidió una hamburguesa pero le **sirvieron** una ensalada. — *She ordered a hamburger but they brought her a salad.*

The following is a list of common stem-changing **-ir** verbs. Note that the letters in parentheses indicate respective stem changes in the present tense and in the preterite.

e → i (present and preterite)	
conseguir (i, i)	*to get, obtain*
pedir (i, i)	*to ask for*
reírse (i, i)	*to laugh*
repetir (i, i)	*to repeat*
seguir (i, i)	*to follow*
vestirse (i, i)	*to get dressed*

e → ie (present), e → i (preterite)	
divertirse (ie, i)	*to have a good time*
preferir (ie, i)	*to prefer*
sentir (ie, i)	*to feel*

o → ue (present), o → u (preterite)	
dormir (ue, u)	*to sleep*
morir (ue, u)	*to die*

Vamos a practicar

a. Exploradores. ¿Cuándo murieron estos exploradores?

MODELO Vasco Núñez de Balboa, 1519
Vasco Núñez de Balboa murió en mil quinientos diez y nueve.

1. Juan Ponce de León, 1521
2. Diego de Almagro, 1538
3. Francisco Pizarro, 1541
4. Hernando de Soto, 1542
5. Francisco de Orellana, 1546
6. Hernán Cortés, 1547
7. Pedro de Valdivia, 1554
8. Alvar Núñez Cabeza de Vaca, 1557

b. Lo de siempre. Ayer fue un día normal en el restaurante donde trabaja Diana. Según esta descripción de su rutina, describe lo que pasó ayer. Cambia los verbos del presente al pretérito.

Llega a las cuatro y **busca** su uniforme. **Se viste** y **sale** a trabajar. **Saluda** a los clientes y ellos la **siguen** a la mesa. Después de darles la carta, Diana les **sirve** agua y **toma** su orden. Para estar segura, **repite** la orden de cada persona. Entonces les **sirve** la comida que **piden**. Ella **se divierte** en su trabajo y **recibe** buenas propinas. Al llegar a casa, **cena, se acuesta** y **se duerme** en seguida, muy cansada pero contenta.

LECCIÓN 3

4.7 USES OF THE IMPERFECT: DESCRIPTION

- In addition to describing habitual actions, telling time in the past and talking about age in the past, the imperfect is used when describing an ongoing situation, and physical, emotional or mental states. Generally, possession and physical location are considered ongoing situations and the imperfect is used.

Ongoing situations:

Tenía muchos amigos.	*I had a lot of friends.*
Había muchas carpetas en el pupitre.	*There were a lot of folders on the desk.*
La jaula **estaba** en el jardín.	*The cage was in the garden.*

Physical, emotional or mental states:

Tenía dolor de cabeza.	*I had a headache.*
Ese invierno mamá no **se sentía** bien.	*That winter Mom didn't feel well.*
Yo lo **amaba**, pero él ya no me **quería.**	*I loved him, but he no longer loved me.*
Estaba nerviosísima.	*She was really nervous.*
Estábamos aburridos.	*We were bored.*

- The imperfect is frequently used to provide the background for other imperfect or preterite actions. It describes what was happening before other actions began.

Había una vez una viejita que no **confiaba** en nadie. Un día **decidió** poner todo su dinero en. . .	*Once upon a time there was a little old lady who didn't trust anybody. One day she decided to put all her money in. . .*

Vamos a practicar

a. ¡Qué cansados! Nadie durmió bien anoche. ¿Por qué?

MODELO Patricia: estar nervioso
Patricia estaba nerviosa.

1. Fernando: no estar cansado
2. Estela y Ramón: tener mucha tarea
3. yo: tener que leer un libro muy interesante
4. mi papá: no tener sueño
5. ustedes: estar preocupado
6. nosotros: no sentirse bien
7. Luisita: tener miedo
8. Amalia: pensar en su novio

b. En el campamento. Pedro escribió esta descripción. Ahora la quiere cambiar al pasado para usarla en un cuento. ¿Cómo la cambia?

Estoy descansando debajo de un árbol. **Es** un día muy bonito; **hace** mucho sol y un calorcito muy agradable. Algunos compañeros **están** ocupados. Unos **preparan** la comida mientras que otros **ponen** la mesa o **duermen** la siesta. Nadie **habla** y el silencio **es** tranquilizador. Todos **estamos** muy contentos.

c. La familia Vargas. Vas a escribir un cuento sobre la familia Vargas. Escribe el primer párrafo usando las expresiones que siguen.

MODELO afuera: hacer mal tiempo, llover
Afuera hacía mal tiempo. Llovía mucho.

1. en la sala: leer el periódico, jugar
2. en una alcoba: dormir
3. en el cuarto de baño: peinarse
4. en la cocina: preparar la cena, hacer limonada
5. en el comedor: poner la mesa
6. en otra alcoba: escribir cartas, descansar

4.8 NARRATING IN THE PAST: IMPERFECT AND PRETERITE

When talking about the past, it is common to use both the imperfect and preterite in the same paragraph. The uses you have been studying determine which one should be used.

The imperfect is used to describe past actions that are . . .	*The preterite is used to describe past actions that are . . .*
1. viewed as continuous or in progress. 2. habitual.	1. viewed as completed. 2. focused on the beginning or end of the actions.

The difference between the preterite and imperfect is similar to the difference between seeing a series of snapshots and watching a video. The preterite is like a snapshot, which reduces an event to a single moment. The imperfect is more like a video, which captures the ongoing nature of a past event.

Note the use of both the preterite and the imperfect in the following paragraph.

Un día cuando **hacía** muy buen tiempo, la abuela **decidió** ir al banco a depositar su dinero. Con mucho cuidado lo **sacó** del colchón y lo **metió** en una bolsa de papel. **Salió** camino al banco, pero como **hacía** tan buen tiempo, **se sentó** a comer en el parque. Mientras **comía**, **tomaba** el sol y **pensaba** en su decisión.

One day when the weather was good, the grandmother decided to go to the bank to deposit her money. Very carefully she took it out of the mattress and put it in a paper bag. She headed for the bank, but since it was a beautiful day, she sat down to eat in the park. While she ate, she enjoyed the sun and thought about her decision.

Vamos a practicar

a. ¡Una sorpresa! David está describiendo una experiencia especial. ¿Qué dice?

Cuando **(era / fui)** niño, cada año en el mes de agosto **(iba / fui)** a visitar a mi abuelo. Él **(era / fue)** viudo y **(vivía / vivió)** solo en un rancho lejos de mi casa. Yo siempre **(tenía / tuve)** que pasar seis horas en el autobús para llegar a su casa. Me **(gustaba / gustó)** estar con él porque **(sabía / supo)** mucho y me **(enseñaba / enseñó)** muchas cosas del rancho. Yo siempre le **(ayudaba / ayudé)** con los quehaceres. **(Limpiaba / Limpié)** los corrales y le **(daba / di)** de comer a los animales.

Un agosto, cuando **(tenía / tuve)** ocho años, **(pasaba / pasó)** algo muy especial. Cuando **(llegaba / llegué)** al rancho, mi abuelo me **(llevaba / llevó)** al corral. Un caballo nuevo **(estaba / estuvo)** allí. **(Era / Fue)** pequeño y negro y muy bonito. ¡Y qué sorpresa! Mi abuelo me **(decía / dijo)**: ''Este caballo es tuyo''. Yo no **(sabía / supe)** qué decir. Mi abuelo me **(ayudaba / ayudó)** a subir y **(empezaba / empezó)** a enseñarme a montar a caballo. **(Pasaba / Pasé)** todo el mes con mi caballo. **(Me divertía / Me divertí)** mucho ese verano.

b. Caperucita Roja. Éste es un cuento muy conocido. Cuéntalo en el pasado.

Hay una niña muy bonita y simpática que siempre **lleva** puesta una caperuza roja, y por eso se **llama** Caperucita Roja. Un día **descubre** que su abuela **está** enferma y **decide** llevarle unas frutas. En una canasta **pone** manzanas, naranjas y bananas y **sale** para la casa de su abuela. **Lleva** puesta su caperucita roja, por supuesto. En el camino un lobo (un animal muy feroz) **se acerca** a la niña y le **pregunta**:

—¿Adónde vas, preciosa?

La niña **responde**:

—A casa de mi abuela. Le llevo estas frutas porque está enferma. —y ella se **va**.

Cuando Caperucita **llega**, **encuentra** a su abuela muy diferente. **Tiene** los ojos, la nariz y la boca muy grandes. En muy poco tiempo **sabe** que no **es** su abuela.

—**Es** el lobo. **Grita** y **grita**.

En pocos minutos **viene** un cazador y **salva** a la niña. Después **encuentran** a la abuela en el armario. Ella **está** asustada pero bien.

LECCIÓN 1

5.1 PRESENT SUBJUNCTIVE: FORMS AND OJALÁ

The verb tenses you have been using up until now belong to the **Indicative Mode**. Verb tenses in the indicative mode are used to express what we know or believe to be true or factual. There is another mode, the **Subjunctive Mode**, which consists of verb tenses used to talk about things which are not facts, such as hopes, persuasion, doubt, emotion and the like.

Following are the **-ar**, **-er,** and **-ir** endings for the present subjunctive tense.

Present Subjunctive		
-ar **nadar**	*-er* **aprender**	*-ir* **salir**
nad**e**	aprend**a**	salg**a**
nad**es**	aprend**as**	salg**as**
nad**e**	aprend**a**	salg**a**
nad**emos**	aprend**amos**	salg**amos**
nad**éis**	aprend**áis**	salg**áis**
nad**en**	aprend**an**	salg**an**

Ojalá que **nademos** hoy. *I hope we swim today.*
Ojalá que **salgan** temprano. *I hope they leave early.*

- Note that the theme vowels of the present subjunctive are the exact opposites of the present indicative:

Theme Vowels		
Verbs	Present Indicative	Present Subjunctive
-ar	**-a** →	**-e**
-er, -ir	**-e** →	**-a**

Present Subjunctive:
-ar: **-e, -es, -e, -emos, -éis, -en**
-er, -ir: **-a, -as, -a, -amos, -áis, -an**

You may also recognize the subjunctive endings as identical to the endings you learned for **Ud. / Uds.** and **tú** negative commands.

- The present subjunctive makes use of the stem of the **yo** form in the present indicative.

Yo Present Indicative	Present Subjunctive
trabajo **teng**o **dig**o	**trabaj**e, **trabaj**es, **trabaj**e, **trabaj**emos . . . **teng**a, **teng**as, **teng**a, **teng**amos, **teng**áis, . . . **dig**o, **dig**as, **dig**a, **dig**amos, **dig**áis, **dig**an

The present subjunctive is always used after the expression **ojalá (que)**, which came to Spanish from an Arabic expression meaning ''May Allah grant that.'' In modern Spanish it means *I hope (that) . . .*

Ojalá que no me **pase** otra vez. — *I hope it doesn't happen to me again.*
Ojalá saques buenas notas. — *I hope you get good grades.*

- Note that the use of **que** is optional after **ojalá.**
- Two useful expressions are **Ojalá que sí** *(I hope so)* and **Ojalá que no** *(I hope not).*

— ¿Vamos a perder? — *Are we going to lose?*
— **Ojalá que no**. — *I hope not.*
— ¿Vas a jugar tú? — *Are you going to play?*
— **Ojalá que sí**. — *I hope so.*

Vamos a practicar

a. Galletas. ¿Qué dicen tus amigos cuando ven sus fortunas en las galletas chinas al terminar de comer en un restaurante chino?

MODELO Vas a vivir muchos años.
Ojalá que viva muchos años.

1. Vas a hablar muchas lenguas.
2. Vas a viajar por el mundo entero.
3. Vas a conocer a muchas personas famosas.
4. Vas a cenar en París pronto.
5. Vas a ganar un millón de dólares.
6. Vas a tener buena suerte en el amor.

b. De vacaciones. ¿Qué deseos tienen tú y tus amigos para las vacaciones de invierno?

MODELO descansar mucho
Ojalá que descansemos mucho.

1. recibir muchas cartas
2. esquiar
3. trabajar poco
4. visitar a muchos parientes
5. salir todos los días
6. bailar mucho
7. comer bien
8. viajar a otro país

c. El porvenir. ¿Esperas tener estas cosas en el futuro?

MODELO ¿Un coche grande?
Ojalá que sí. o **Ojalá que no.**

1. ¿Poco dinero?
2. ¿Cinco perros y cinco gatos?
3. ¿Una profesión importante?
4. ¿Un(a) esposo(a) famoso(a)?
5. ¿Una casa en el campo?
6. ¿Muchos hijos?

5.2 PRESENT SUBJUNCTIVE: IRREGULAR VERBS

The following verbs have irregular forms in the present subjunctive.

Present Subjunctive: Irregular Verbs					
dar	estar	ir	saber	ser	ver
dé des dé	esté estés esté	vaya vayas vaya	sepa sepas sepa	sea seas sea	vea veas vea
demos deis den	estemos estéis estén	vayamos vayáis vayan	sepamos sepáis sepan	seamos seáis sean	veamos veáis vean

Ojalá que **vayamos** a Italia. — *I hope we go to Italy.*
Ojalá que **sepan** esto. — *I hope they know this.*
Ojalá que no **sea** mañana. — *I hope it's not tomorrow.*

- The present subjunctive of **hay** (*haber*) is **haya**.

Ojalá **haya** bastante tiempo. — *I hope there is enough time.*
Ojalá que no **haya** examen hoy. — *I hope there isn't an exam today.*

Vamos a practicar

a. Nuevos alumnos. Pepito y Pepita empezaron la escuela hoy y su mamá está preocupada. ¿Qué dice ella?

MODELO estar bien
Ojalá que estén bien.

1. saber su dirección y teléfono
2. dar la información correcta a la maestra
3. ir directamente al patio para el recreo
4. haber buena comida en la cafetería
5. saber dónde esperarme después de las clases
6. no haber problemas con los otros niños
7. ser buenos
8. estar contentos

b. ¡Una fiesta! Ramona está muy emocionada porque va a una fiesta esta noche. ¿Qué está pensando?

MODELO haber buena comida
¡Ojalá que haya buena comida!

1. todos mis amigos estar allí
2. mi vestido ser bastante elegante
3. todos saber la dirección
4. Pablo ir a la fiesta
5. yo dar una buena impresión
6. haber otras fiestas grandes este año
7. la música ser buena
8. dar regalos a los invitados

5.3 THE PRESENT SUBJUNCTIVE: IMPERSONAL EXPRESSIONS

Impersonal expressions are expressions that do not have a specific subject. The verb **Es** *(It is)* followed by an adjective forms a large number of impersonal expressions in Spanish.

Es + *adjective* = impersonal expression

When impersonal expressions that express a certainty are followed by a conjugated verb, the conjugated verb is always expressed in an indicative tense.

Es cierto que **tiene** mucho dinero.	*It is true that he has a lot of money.*
Es verdad que **llegan** esta tarde.	*It is true that they arrive this afternoon.*
Es verdad que **vino** ayer.	*It is true she came yesterday.*

The following is a list of common impersonal expressions of certainty:

es cierto	*it is certain, true*
es claro	*it is clear*
es obvio	*it is obvious*
es seguro	*it is sure*
es verdad	*it is true*

All other impersonal expressions followed by a conjugated verb require that the conjugated verb be in the subjunctive.

Es terrible que **me duerma** en clase.	*It's awful that I fall asleep in class.*
Es posible que **necesites** hacer más ejercicio.	*It's possible that you need to exercise more.*
Es importante que **entreguen** toda la tarea.	*It's important for you to turn in all your homework.*

- Note that impersonal expressions are always connected to the conjugated verb with the conjunction **que**. This is always the case when you have a change of subject — two conjugated verbs in a sentence, each with their own subject.

The following is a list of common impersonal expressions that require the subjunctive:

es bueno	*it is good*
es mejor	*it is better*
es fantástico	*it is fantastic*
es terrible	*it is terrible*
es triste	*it is sad*
es curioso	*it is odd*
es dudoso	*it is doubtful*
es posible	*it is possible*
es imposible	*it is impossible*
es probable	*it is probable*
es improbable	*it is improbable*
es importante	*it is important*
es necesario	*it is necessary*
es preciso	*it is necessary*
es recomendable	*it is recommendable*

Vamos a practicar

a. La buena salud. Manuel está estudiando la salud en la escuela y todos los días le dice a su mamá lo que deben hacer para tener buena salud. ¿Qué le dice a su mamá?

MODELO hacer ejercicio (importante)
Es importante que hagamos ejercicio.

1. ver televisión todo el día (malo)
2. correr (recomendable)
3. practicar deportes (bueno)
4. ir al médico una vez al año (importante)
5. descansar bastante (necesario)
6. cambiar de rutina de vez en cuando (preferible)
7. comer frutas y vegetales (importante)
8. beber muchos líquidos (bueno)
9. caminar mucho (necesario)
10. salir más (recomendable)
11. no fumar (importante)
12. ser activo (mejor)

b. Invitados. La familia Ramírez tiene invitados esta noche. Según la mamá, ¿qué deben hacer todos para ayudarle con las preparaciones?

yo

MODELO **Es necesario que yo haga las camas.**

1. Gloria

2. Diego

3. Papá

4. Diego y yo

5. Abuelita

6. los niños

7. Papá

8. tú

c. El partido. Hoy hay un partido de fútbol. ¿Qué opina Rosa María del partido?

MODELO necesario / todos / jugadores / llegar temprano
Es necesario que todos los jugadores lleguen temprano.

1. importante / aficionados / gritar mucho
2. dudoso / otro equipo / ser / muy bueno
3. terrible / Lilia Gómez / estar / enfermo
4. probable / Tania / meter / mucho / goles
5. increíble / haber / tanto / aficionados / aquí
6. bueno / jugadores / escuchar / instrucciones del entrenador
7. fantástico / banda / tocar / hoy
8. probable / nosotros / ganar / partido

ch. Una fiesta. Estás invitado(a) a una fiesta este fin de semana. ¿Cómo contestas estas preguntas de tu hermanito(a)?

EJEMPLO ¿Van a traer pizza?
Es probable que traigan pizza.

VOCABULARIO ÚTIL:

dudoso	horrible	ridículo	imposible
fantástico	importante	posible	probable

1. ¿Van a tocar música clásica?
2. ¿Va a haber mucha comida?
3. ¿Van a bailar el tango?
4. ¿Vas a saludar a todo el mundo?
5. ¿Va a haber alguien que toque la guitarra?
6. ¿Van a beber leche?
7. ¿Vas a traer los refrescos?
8. ¿Van a ir todos tus amigos?

d. ¡Qué bueno! Hay una nueva escuela en tu ciudad. ¿Cómo reaccionas a estos comentarios sobre la escuela?

EJEMPLO Sólo hay diez estudiantes por clase.
Es bueno que sólo haya diez estudiantes por clase.
Es dudoso que sólo haya diez estudiantes por clase.

1. Los estudiantes van a casa para almorzar.
2. Los profesores son inteligentísimos.
3. No hay biblioteca.
4. La directora sabe hablar cinco lenguas.
5. Los consejeros conocen bien a todos los estudiantes.
6. Todos tienen que estar en clase a las siete de la mañana.
7. Las clases terminan a las dos de la tarde.
8. El gimnasio es enorme.
9. Los estudiantes siempre hacen excursiones los viernes.
10. Los equipos de fútbol y baloncesto nunca practican.

LECCIÓN 2

5.4 EXPRESSIONS OF PERSUASION

You previously learned that sentences having two conjugated verbs and a change of subject require the conjunction **que** between the two verbs. It may help to think of the two parts of subject-change sentences as a truck and trailer rig with **que** being the connecting hitch. The two parts of the sentence, the one beginning with **que** and the one preceding it, are called the dependent and independent clauses, respectively. Note that like the truck below, the independent clause can function as an independent sentence. The dependent clause depends on the other clause to function, just as the trailer depends on the truck to pull it.

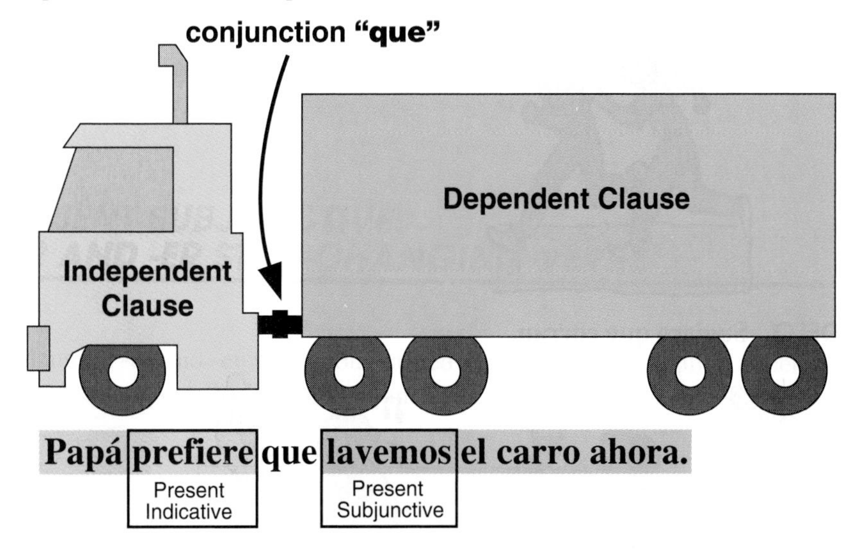

Papá prefiere que lavemos el carro ahora.

prefiere: Present Indicative
lavemos: Present Subjunctive

The present subjunctive is used after expressions of persuasion, when someone is advising, insisting on, recommending, suggesting, etc. a certain course of action to someone else.

¿Por qué **insisten en que vaya?**	*Why do you insist that I go?*
Recomiendo que sigan mis consejos.	*I recommend that you follow my advice.*
Sugerimos que eviten las comidas grasosas.	*We suggest that you avoid greasy foods.*

Here are some common verbs of persuasion:

aconsejar	*to advise*
insistir en	*to insist (on)*
pedir (e → i)	*to ask (a favor)*
preferir (e → ie, i)	*to prefer*
querer (e → ie)	*to want (someone to do something)*
recomendar (e → ie)	*to recommend*
sugerir (e → ie, i)	*to suggest*

UNIDAD

Vamos a practicar

a. Cambios. El instructor de la clase de aeróbicos tiene unas sugerencias para toda la clase. ¿Cuáles son?

MODELO recomendar: despertarse temprano
Recomienda que se despierten temprano.

1. aconsejar: empezar el día con ejercicios
2. recomendar: no sentarse por mucho tiempo seguido
3. insiste en: pensar en la salud cada día
4. recomendar: almorzar bien
5. querer: probar nuevos vegetales
6. sugerir: jugar tenis o volibol
7. preferir: acostarse temprano
8. aconsejar: recordar sus consejos

b. ¡Buena salud! Los padres de Susana y Miguel son fanáticos para la buena salud. ¿Qué dice Miguel de sus padres?

MODELO sugerir / toda la familia / perder peso
Sugieren que toda la familia pierda peso.

1. insistir en / hijos / despertarse / más temprano
2. aconsejar / Susana y yo / comenzar / clase de karate
3. recomendar / abuelos / acostarse / más temprano
4. preferir / yo / sentarse al escritorio / para estudiar
5. querer / bebé / jugar con / otro / juguetes
6. insistir en / niños / pensar más en / lecciones
7. aconsejar / todos nosotros / empezar a / caminar juntos
8. recomendar / Susana / almorzar / comida / nutritivo

c. ¡Anímate! El profesor Martínez está calificando los exámenes finales. ¿Cómo contestaron estos estudiantes la pregunta sobre una chica que se siente muy triste y aburrida?

EJEMPLO comenzar el día con un buen desayuno.
Aconsejo que comience el día con un buen desayuno. o
Es importante que comience el día con un buen desayuno.

VOCABULARIO ÚTIL:

aconsejar	ser importante	ser necesario
recomendar	ser mejor	sugerir

1. sentarse a planear unos cambios en tu rutina
2. perder un poco de peso
3. probar unos deportes nuevos
4. encontrar una buena clase de aeróbicos
5. empezar unos nuevos proyectos
6. jugar tenis conmigo todos los días
7. almorzar con tus amigos los sábados
8. pensar más en cosas positivas

5.6 PRESENT SUBJUNCTIVE: STEM-CHANGING -IR VERBS

The **e → i** stem-changing **-ir** verbs you learned in the present indicative undergo the same change in the present subjunctive, but in all persons.

Present Subjunctive: Stem-Changing *-ir* Verbs	
pedir **e → i**	**seguir** **e → i**
pida **pidas** **pida** **pidamos** **pidáis** **pidan**	**siga** **sigas** **siga** **sigamos** **sigáis** **sigan**

Es probable que **pidan** el cochinillo asado. — *It is likely they will order the roast suckling pig.*

Es importante que **sigas** mis consejos. — *It's important that you follow my advice.*

The **e → ie** and **o → ue** stem-changing **-ir** verbs you learned in the present indicative undergo the following changes in the present subjunctive: e → ie, i; o → ue, u.

Present Subjunctive: Stem-Changing *-ir* Verbs	
divertir **e → ie, i**	**dormir** **o → ue, u**
divierta **diviertas** **divierta** **divirtamos** **divirtáis** **diviertan**	**duerma** **duermas** **duerma** **durmamos** **durmáis** **duerman**

Es probable que **nos divirtamos**. — *It's likely that we'll have a good time*

Es recomendable que **durmamos** ocho horas. — *It's recommended that we sleep eight hours.*

Vamos a practicar

a. Un banquete. Estás hablando de un banquete este fin de semana. ¿Qué dices?

VOCABULARIO ÚTIL:
es importante recomiendo es dudoso ojalá

EJEMPLO nosotros: conseguir una buena mesa.
Ojalá que nosotros consigamos una buena mesa.

1. nosotros: pedir una mesa cerca de la mesa principal
2. ellos: no repetir el programa del año pasado
3. ellos: servir comida rica
4. todos: vestir elegantemente
5. la directora: seguir las recomendaciones de los estudiantes
6. ellos: conseguir unos buenos músicos
7. mis amigos: pedir sus canciones favoritas
8. los profesores: servir los refrescos

b. Una cita. Julio quiere invitar a Susana a salir a comer a un nuevo restaurante. ¿Qué consejos le da su mamá?

Julio: ¿Qué sabes del restaurante Rincón Delicioso? Pienso invitar a Susana.
Mamá: Es muy buena idea que (ir, ustedes) allí. Es un restaurante fabuloso.
Julio: ¿Es necesario que (vestirse, nosotros) formalmente?
Mamá: Es recomendable que (ponerse, tú) saco y corbata porque el restaurante es elegante. Sugiero que (conseguir) una mesa cerca de la ventana. Hay una vista preciosa.
Julio: ¿Qué recomiendas que (pedir, nosotros)?
Mamá: Sugiero que (comenzar) con el gazpacho y que (seguir) con la paella. También recomiendo que (probar) sus albondiguitas.
Julio: ¡Mamá, no podemos comer tanto! Además, es probable que todo (costar) mucho dinero.
Mamá: Es probable que no (costar) demasiado. La comida allí es muy buena pero económica.

c. Mucho sueño. Las siguientes personas dicen que tienen mucho sueño. ¿Qué les aconseja su médico?

MODELO José: 1
Sugiere que José duerma una hora más.

1. yo: 2
2. Isabel: 3
3. los señores Solís: 1
4. tú y yo: 2
5. el bebé: 5
6. ustedes: 1
7. nosotros: 3
8. tú: 2

ch. Agente de viajes. Alicia, una agente de viajes, siempre tiene el mismo deseo para todos sus clientes. ¿Qué deseos tiene para estos clientes?

MODELO Margarita / México
Ojalá que Margarita se divierta en México.

1. la familia López / Colombia
2. yo / España
3. los Ruiz / Guatemala
4. mis padres y yo / Europa
5. Samuel / Argentina
6. ustedes / China
7. nosotros / Francia
8. tú / Israel

d. Una carta. Juan Pedro se siente triste y deprimido. ¿Qué consejos le da su prima Eva? Para contestar, completa esta carta con la forma correcta de los verbos entre paréntesis.

Querido primo:

Es triste que (sentirse, tú) tan deprimido. Ojalá que mis consejos te (ayudar).

Primero, sugiero que (dormir, tú) bastante. Es importante que (dormir, nosotros) ocho horas cada noche. También recomiendo que (seguir, tú) una dieta balanceada. Aun al comer en un restaurante es mejor que (pedir, nosotros) comidas nutritivas. Si comes así, es probable que (perder) peso y que (tener) más energía.

Respecto a tus actividades, te aconsejo que no (repetir) lo mismo todos los días. Es posible que no (divertirse, tú) porque no sales bastante. Esto tiene que cambiar. Ojalá que tú y tus amigos (encontrar) algunas actividades nuevas y que (divertirse) mucho.

Un abrazo,
Eva

5.7 THE PRESENT SUBJUNCTIVE: EXPRESSIONS OF ANTICIPATION OR REACTION

In sentences with a subject change, the present subjunctive is used in the dependent clause after expressions of anticipation or reaction in the independent clause.

Espero que él **llegue** temprano.	*I hope that he gets there early.*
Sentimos mucho que no **tengan** tiempo.	*We're very sorry they don't have time.*
Estoy contento que **sirvan** pizza.	*I'm glad they serve pizza.*
Me alegro que **estén** aquí.	*I'm happy that they are here.*

- Remember that the subjunctive is only required when there is a subject change. If there is only one subject, the second verb is not conjugated. It remains in the infinitive form.

Sentimos no **tener** tiempo.	*We're sorry we don't have time.*
¿**Tienes miedo de conocerla**?	*Are you afraid of meeting her?*
Me gusta estar aquí.	*I like being here.*

Here are some common verbs of anticipation or reaction:

alegrarse (de)	*to be happy (about)*
esperar	*to hope*
sentir	*to regret, to be sorry*
temer	*to fear*
tener miedo (de)	*to be afraid (of)*
estar preocupado (de)	*to be worried (about)*
gustar	*to like*
estar contento(a) / alegre / triste / furioso(a)	*to be happy, content / happy, joyous / sad / furious*

Some impersonal expressions also indicate anticipation or reaction:

es bueno
es fantástico
es terrible
es triste

Es triste que no puedan venir.	*It's sad that they can't come.*
Es terrible que estés enferma.	*It's terrible that you're sick.*

Vamos a practicar

a. Reacciones. ¿Qué anticipas o cómo reaccionas en estas situaciones?

MODELO No podemos jugar fútbol hoy.
Siento que no podamos jugar fútbol hoy.

VOCABULARIO ÚTIL:
sentir esperar temer

1. Hace mal tiempo hoy.
2. No hay examen en la clase de español mañana.
3. Sirven pizza en la cafetería.
4. Tenemos que trabajar después de las clases.
5. Vemos una película en la clase de historia hoy.
6. El director visita la clase de inglés.
7. Hacemos experimentos en la clase de química.
8. Alicia va al médico durante la clase de educación física.

b. ¡Qué negativo! Paco es una persona muy negativa. Nunca está contento. ¿Qué dice bajo estas situaciones?

MODELO tener que comer vegetales (no gustarle)
No me gusta tener que comer vegetales.

1. sacar malas notas (tener miedo de)
2. no saber bailar (sentir)
3. jugar mal (no gustarle)
4. leer tantas páginas (molestarle)
5. perder el partido (temer)
6. sentirse mejor (esperar)

c. Una carta. Tú eres el (la) consejero(a) del periódico de tu escuela y recibiste esta carta. Completa la carta con la forma apropiada de los verbos entre paréntesis.

Querido(a) consejero(a):

Espero que usted (poder) ayudarme con este problema. Me molesta que los profesores siempre (dar) exámenes los lunes cuando estoy cansada. Es terrible que mis amigos y yo (tener) que pasar los fines de semana estudiando y siento que no (poder) divertirnos. ¡No nos gusta (tener) que estudiar tanto! Mis padres insisten en que yo (estudiar) día y noche porque tienen miedo que yo (sacar) malas notas. Pero no les gusta que yo no (divertirse) tampoco. No es justo que los profesores nos (tratar) así. Pido que usted me (sugerir) una solución. Espero (recibir) su respuesta pronto.

Loca los lunes

UNIDAD

LECCIÓN 1

6.1 EXPRESSIONS OF DOUBT

- The subjunctive forms are used after expressions of doubt. The list that follows includes several common verbal expressions of doubt.

dudar	*to doubt*
es dudoso	*it is doubtful*
es (im)posible	*it is (im)possible*
es (im)probable	*it is (im)probable*
no creer	*not to believe*

Dudo que **necesites** tanta práctica.	*I doubt that you need so much practice.*
No creo que Manuel **esté** allí.	*I don't think Manuel is there.*
Es probable que **tenga** que trabajar.	*I'll probably have to work.*

In negative statements, the verb **creer** expresses doubt and is therefore also followed by the subjunctive. In questions, it may be followed by the subjunctive or the indicative, depending on the degree of doubt being implied.

No creo que **salgan** hoy.	*I don't believe they leave today.*
¿**Crees** que **es** un puma?	*Do you think it's a puma?*
¿**Creen** ustedes que **haya** monstruos en la cueva?	*Do you think that there are monsters in the cave?*

- Expressions of certainty do not require subjunctive forms. The list that follows includes several common verbal expressions of certainty.

es cierto	*it's true*	es evidente	*it's obvious*
es verdad	*it's true*	está claro	*it's clear*
es obvio	*it's obvious*		

Es cierto que **hace** frío.	*It's true that it's cold.*
Es evidente que ya **salieron.**	*It's obvious that they already left.*
Está claro que **vamos** a ganar.	*It's clear that we're going to win.*

In affirmative statements, the verb **creer** expresses certainty and is therefore followed by the indicative.

Creo que **llegan** a las nueve.	*I believe they arrive at nine.*
Creemos que ellas lo **tienen.**	*We believe they have it.*

Vamos a practicar

a. Lo dudo. Irene está muy negativa hoy y no acepta nada de lo que oye del campamento Aguirre Springs en Nuevo México. ¿Qué dice cuando alguien hace estos comentarios del campamento?

MODELO Hace calor allí.
Dudo que haga calor allí.

1. Unos animales salvajes viven cerca.
2. No hay que llevar agua para beber.
3. Los sanitarios están cerca.
4. Es interesante visitar «La cueva».
5. Algunas personas suben las montañas.
6. Los arqueólogos hacen excavaciones allí.
7. Las montañas tienen poca vegetación.
8. Llueve mucho en el verano.

b. No puedo. Gabi siempre tiene excusas para no salir los sábados. ¿Cuáles son algunas excusas que usó Gabi recientemente?

MODELO salir con mi familia
Es probable que salga con mi familia.

1. visitar a mis primos
2. tener que limpiar la casa
3. trabajar
4. tener que practicar el piano
5. alquilar un video
6. hacer la tarea
7. escribir cartas
8. organizar mi cuarto

c. En preparación. Julia va a pasar la noche en un campamento por primera vez y tiene muchas preguntas para sus amigos. ¿Qué pregunta?

MODELO necesitar abrigos
¿Crees que necesitemos abrigos? o **¿Crees que necesitamos abrigos?**

1. llover mucho
2. dormir bien en los sacos de dormir
3. hacer frío por la noche
4. haber mesas donde comer
5. ver animales salvajes
6. tener que caminar mucho

ch. Opiniones. Unos estudiantes están expresando sus opiniones sobre asuntos escolares. ¿Qué crees tú de estos asuntos?

MODELO exámenes / ser / necesario
Creo que los exámenes son necesarios. o
No creo que los exámenes sean necesarios.

1. notas / ser / importantes
2. comida de la cafetería / costar / mucho
3. profesores / saber / mucho
4. estudiantes / trabajar / bastante
5. nuestro equipo de fútbol / jugar / bien
6. estudiantes / recibir / notas / justo

d. Al acampar. Paco y Trini son muy buenos amigos pero con frecuencia tienen opiniones opuestas porque Paco es muy escéptico mientras Trini cree todo lo que oye. ¿Qué dicen los dos muchachos cuando oyen estos comentarios?

MODELO Hay pumas en la cueva.
Paco: **Es dudoso que haya pumas en la cueva.**
Trini: **Es evidente que hay pumas en la cueva.**

1. Podemos beber el agua del río.
2. Un animal grande vive en la cueva.
3. Hay plantas peligrosas alrededor de la cueva.
4. Es posible subir las montañas.
5. Tenemos bastante comida.
6. Los vampiros salen de noche por aquí.

6.2 DOUBLE OBJECT PRONOUNS: 1ST AND 2ND PERSONS

Sentences may contain both a direct and an indirect object pronoun. When this happens, the indirect object pronoun always precedes the direct object pronoun. The two pronouns always occur together and may not be separated by other words.

- Double object pronouns are placed before conjugated verbs.

¿El café? **Te lo** sirvo.	*The coffee? I'll serve it to you*
Recibimos la carta de David ayer. **Nos la** escribió la semana pasada.	*We got the letter from David yesterday. He wrote it to us last week.*

- In sentences where there is an infinitive or an **-ndo** verb form, the object pronouns may either precede the conjugated verb, or follow and be attached to the infinitive or the **-ndo** verb form.

Me lo van a explicar. Van a explicár**melo**.	*They are going to explain it to me.*
Te las estoy preparando. Estoy preparándo**telas**.	*I'm preparing them for you.*

- Object pronouns always precede negative commands and are always attached to the end of affirmative commands.

No **me lo** lea.	*Don't read it to me.*
Léa**melo**.	*Read it to me.*
No **nos la** cantes.	*Don't sing it to (for) us.*
Cánta**nosla**.	*Sing it to (for) us.*

- When double object pronouns are attached to the end of a verb form, a written accent is always required.

Quiero **comprártelos**.	*I want to buy them for you.*
Están **trayéndonosla**.	*They are bringing it to us.*
Dámelo.	*Give it to me.*

Vamos a practicar

a. ¿Me ayudas? Estás ayudando a mamá a preparar la cena. ¿Qué te dice?

MODELO la sal
Necesito la sal. ¿Me la traes?

1. la leche
2. el ajo
3. el pescado
4. las verduras
5. el aceite de oliva
6. los huevos
7. la cebolla
8. dos manzanas
9. el queso
10. las papas

b. Gracias. Tu abuelito siempre les ofrece ayuda a ti y a tus hermanos. ¿Qué le dicen?

MODELO ¿Les sirvo la limonada?
Sí, sírvenosla. o **No, no nos la sirvas.**

1. ¿Les limpio los cuartos?
2. ¿Les explico la tarea?
3. ¿Les busco los libros?
4. ¿Les doy sus bolígrafos?
5. ¿Les compro esas frutas?
6. ¿Les preparo los sándwiches?
7. ¿Les leo este artículo?
8. ¿Les cuento mi historia favorita?

c. Se me olvidó. Prometiste comprar varios materiales escolares para tu hermano(a) pero olvidaste la lista en casa. ¿Qué pasa cuando regresas a casa?

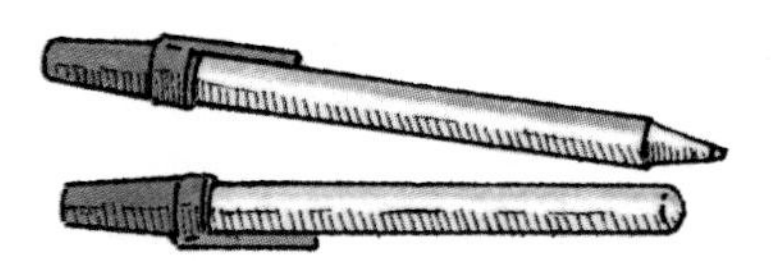

MODELO *Hermano(a):* **¿Me compraste los bolígrafos?**
Tú: **¡Ay, caramba! Te los voy a comprar el sábado.** o
¡Ay, caramba! Voy a comprártelos el sábado.

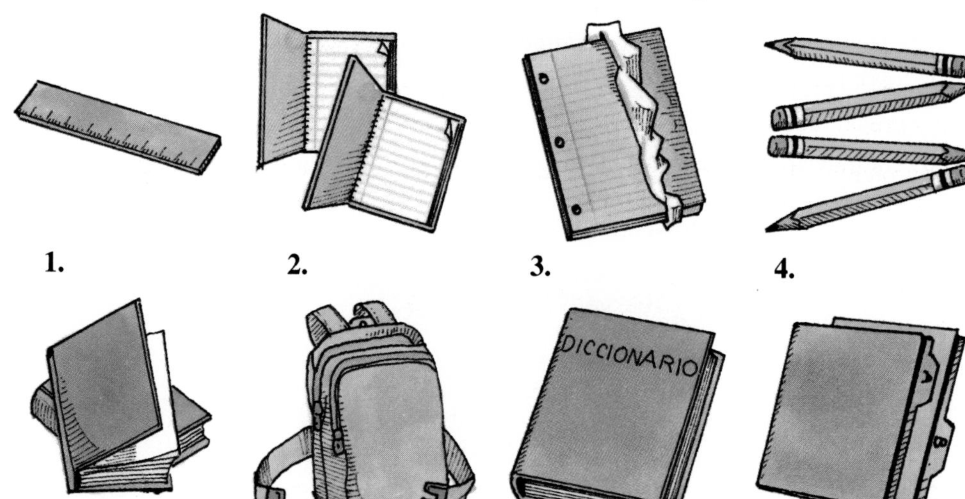

1. 2. 3. 4.

5. 6. 7. 8.

ch. ¿Cómo les va? ¿Qué le dices a Marta cuando ella ofrece ayudarte con las preparaciones para una comida mexicana?

MODELO la salsa (Felipe)
¿La salsa? Felipe está preparándomela. o
¿La salsa? Felipe me la está preparando.

1. los entremeses (Antonia)
2. el postre (Carla y Rodrigo)
3. la limonada (papá)
4. los frijoles (mi abuelita)
5. la ensalada (Joaquín)
6. los nachos (mi hermano)
7. las tortillas (mi tía)
8. la carne (Francisco y Javier)

LECCIÓN 2

6.3 THE PRESENT PERFECT TENSE

As in English, the present perfect tense in Spanish is used to talk about what *has happened.* It is formed by combining the present indicative of the verb **haber** with the past participle of the main verb.

- You have already used several *impersonal* forms of the verb **haber**: **hay, hubo, había, haya.**

No **hay** clases hoy.	*There are no classes today.*
Hubo una fiesta ayer.	*There was a party yesterday.*
Antes **había** una estatua en la plaza.	*There used to be a statue in the square.*
Ojalá **haya** mucha gente.	*I hope that there are lots of people.*

- The present indicative of **haber** is used as an auxiliary verb to form the present perfect tense. The present indicative of the verb **haber** is as follows:

Present Indicative	
haber	
he	hemos
has	habéis
ha	han

- The past participle of regular -**ar** verbs is formed by adding **-ado** to the stem of the infinitive. The past participle of **-er** and **-ir** verbs is formed by adding **-ido** to the infinitive stem.

Past Participles		
-ar verbs	**-er** verbs	**-ir** verbs
habl**ado**	com**ido**	sal**ido**
cont**ado**	aprend**ido**	ped**ido**
pens**ado**	le**ído**	divert**ido**

- The present perfect tense is formed by combining the present indicative of the verb **haber** with the past participle of the main verb and is used to talk about past actions with current relevance.

No han hablado mucho.	*They haven't talked a lot.*
¿Has comido?	*Have you eaten?*
Nos hemos divertido.	*We've had a good time.*

- Some verbs have irregular past participles. Following is a list of the most common ones.

abrir	**abierto**
descubrir	**descubierto**
escribir	**escrito**
decir	**dicho**
hacer	**hecho**
resolver	**resuelto**
volver	**vuelto**
morir	**muerto**
poner	**puesto**
romper	**roto**
ver	**visto**

Me **han dicho** otras cosas.	*They've told me other things.*
Hemos hecho muchos planes.	*We've made a lot of plans.*
¿**Has visto** la nueva película?	*Have you seen the new movie?*

- Object pronouns and reflexive pronouns precede the conjugated form of **haber** when the present perfect tense is used.

¿Dónde **lo** has puesto?	*Where have you put it?*
Les he escrito varias veces.	*I've written to them several times.*
Ya **se** han acostado.	*They've already gone to bed.*

Vamos a practicar

a. ¿Qué pasa? Son las doce de la tarde el sábado y todos los miembros de la familia de Beatriz están cansadísimos. Según Beatriz, ¿qué han hecho para estar tan cansados?

MODELO papá: sacar la basura
Papá ha sacado la basura.

1. José: cortar el césped
2. yo: limpiar mi cuarto
3. mi abuela: lavar la ropa
4. mis hermanas: guardar la ropa
5. mamá y yo: preparar el desayuno
6. tú: limpiar el baño
7. papá y José: lavar el coche
8. mamá: pasar la aspiradora

b. ¡Sospechosos! El detective Blanco está observando a una pareja sospechosa en un restaurante. ¿Qué dice al hablar con su sargento por la radio?

MODELO sospechosos / pedir / mesa / privado
Los sospechosos han pedido una mesa privada.

1. yo / escoger / mesa / muy cerca de ellos
2. sospechosos / leer / carta muy interesante
3. camarera / servir / entremeses muy caros
4. pareja / recibir / llamada telefónica muy sospechosa
5. mujer / pedir / sopa
6. sospechoso / comer / mucho toda la noche
7. los dos / recibir / paquete / misterioso
8. pareja / salir / restaurante / rápidamente

c. Titulares. Según estos titulares *(headlines)*, ¿qué ha pasado esta semana?

MODELO Corporación PASO abre nueva tienda
La Corporación PASO ha abierto una nueva tienda.

1. Gobernador dice que sí
2. Cien personas ven OVNI *(Objeto Volante No Identificado)*
3. Cinco personas mueren en accidente
4. Científico propone nueva teoría
5. Jugador favorito rompe brazo
6. Autora local escribe nueva novela
7. Químicos tóxicos ponen a niños en peligro
8. La temperatura sube a 104 grados hoy
9. Astronautas vuelven a la tierra
10. Presidente resuelve problemas con Congreso

ch. Ya, ya. Tu mamá quiere saber si hiciste lo que te pidió. Tú no lo has hecho ¿Qué le dices cuando te pregunta si ya hiciste lo que te pidió?

MODELO ¿Ya lavaste los platos?
Todavía no los he lavado, pero los lavo en seguida.

1. ¿Ya pusiste la mesa?
2. ¿Ya pasaste la aspiradora?
3. ¿Ya barriste el patio?
4. ¿Ya hiciste las camas?
5. ¿Ya pasaste un trapo a los muebles?
6. ¿Ya sacaste la basura?
7. ¿Ya limpiaste los baños?
8. ¿Ya lavaste el perro?

6.4 DOUBLE OBJECT PRONOUNS: 3RD PERSON

In sentences with two object pronouns, when both pronouns begin with the letter **l**, the first one (**le** or **les**) becomes **se**.

Yo le di el libro ayer. → Yo ~~le~~ **lo** di ayer → Yo **se lo** di ayer.
Les pidieron las latas. → ~~Les~~ **las** pidieron. → **Se las** pidieron.

¿Me va a servir la leche?	*Are you going to serve me my milk?*
Sí, **se la** sirvo ahora mismo.	*Yes, I'll serve it to you right away.*
¿Nos enviaron el paquete?	*Did you send us the package?*
Sí, **se lo** enviamos ayer.	*Yes, we sent it to you yesterday.*

- The indirect object pronoun **se** can be clarified by using

a + *[a name or pronoun]*

Pídaselas **a Inés**.	*Ask Inés for them.*
Quiero dárselo **a ustedes**.	*I want to give it to you.*

- Remember that object pronouns precede conjugated verbs but follow and are attached to affirmative commands. They also may follow and be attached to infinitives and present participles.

Se lo vamos a llevar el jueves. Vamos a llevár**selo** el jueves.	*We'll take it to you on Thursday.*
Se lo estoy preguntando ahora mismo. Estoy preguntándo**selo** ahora mismo.	*I'm asking her about it right now.*
Sírva**sela**.	*Serve it to them.*
No **se la** sirva.	*Don't serve it to them.*

Note that written accents are required whenever two object pronouns are added to a word.

Vamos a practicar

a. Sí, papá. Cuando la familia Valenzuela va a acampar, el padre siempre insiste en decirles a todos lo que deben hacer. ¿Qué le dice a su hijo y qué le contesta el hijo?

MODELO mochila
Padre: **Hijo, dale la mochila a tu mamá.**
Hijo: **Sí, papá, se la doy.**

1. linterna
2. estufa
3. sudaderas
4. saco de dormir
5. carpa
6. hielera
7. abrigos
8. botas

b. ¡Navidad! Paquita acaba de regresar con muchísimos paquetes del centro comercial. ¿Para quién dice que son todos los regalos?

José

MODELO **¿El radio? Voy a regalárselo a José.** o
¿El radio? Se lo voy a regalar a José.

1. tía Elena

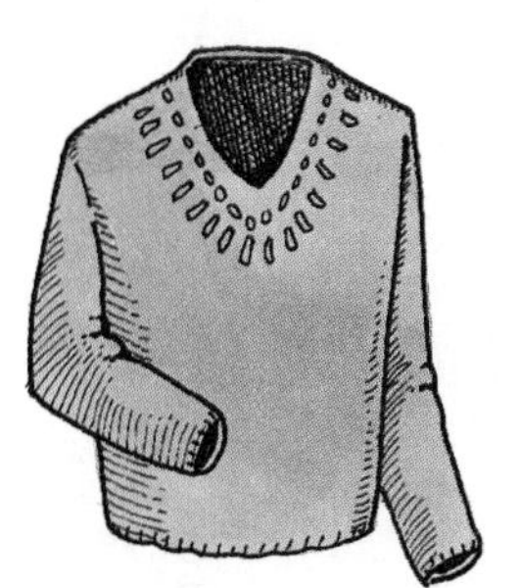

2. abuelita

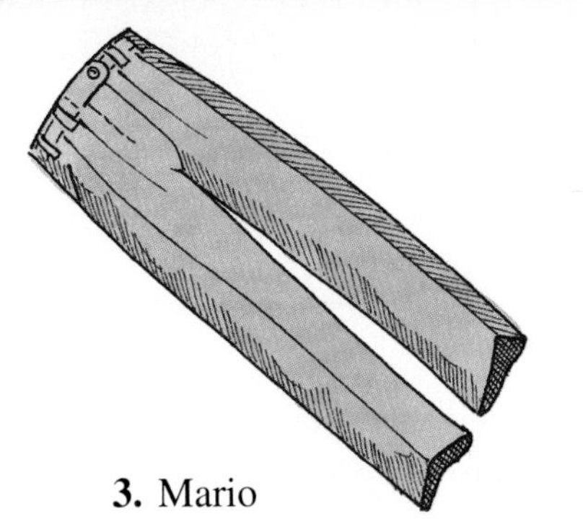

3. Mario

4. papá

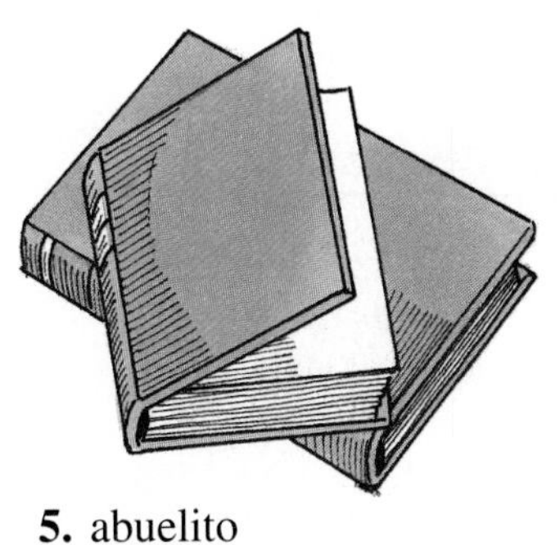

5. abuelito

6. Berta

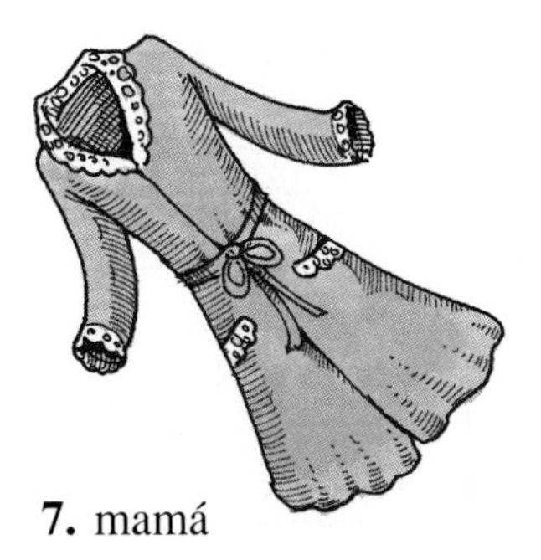

7. mamá

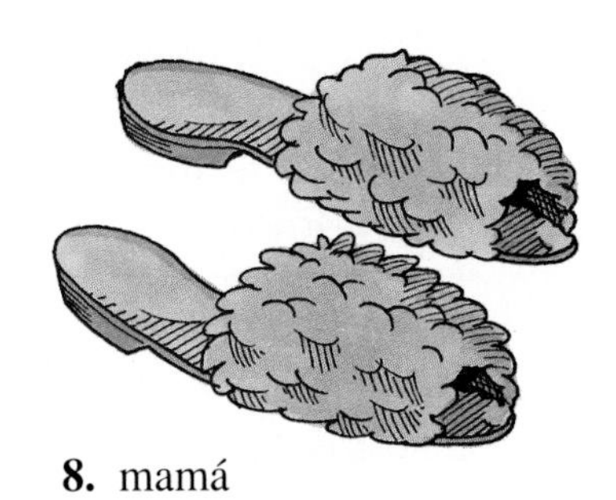

8. mamá

C. El secreto. Elisa tiene un secreto pero todo el mundo lo sabe ya. ¿Cómo lo saben?

MODELO yo: a Julio
Yo se lo dije a Julio.

1. Julio: a María
2. María: al profesor
3. el profesor: a nosotros
4. nosotros: a Jorge y Sara
5. Jorge y Sara: a ti
6. tú: a Román
7. Román: a Carmen
8. Carmen: a mí

LECCIÓN 3

6.5 PRETERITE AND IMPERFECT: ANOTHER LOOK

You have seen that Spanish uses the preterite and imperfect to talk about something that took place in the past. In **Unidad 4** you learned that each tense has specific uses, as indicated here.

Uses of the Preterite	Uses of the Imperfect
• Completed actions: single action or series of actions *(4.5)* • Focus on beginning of an action *(4.5)* • Focus on an action coming to an end *(4.5)*	• Continuing actions *(4.4)* • Ongoing situations *(4.7)* • Physical or emotional states *(4.7)* • Habitual actions *(4.2)* • Age *(4.1)* • Telling time *(4.1)*

Examples of preterite	Examples of imperfect
Ayer **fui** de compras. **Salí** temprano y **llegué** a buena hora. **Encontré** muchas cosas en oferta. Al mediodía, **almorcé** con una amiga y después **vimos** una película muy interesante. **Volví** a casa a la hora de cenar. *Yesterday I went shopping. I left early and got there at a good time. I found a lot of things on sale. At noon, I ate lunch with a friend and later we saw a very interesting movie. I returned home at supper time.*	Cuando **era** niño, **era** alto y muy fuerte. **Tenía** muchos amigos y todos los días **jugábamos** fútbol después de las clases. Nos **gustaba** mucho el fútbol. Los fines de semana también **nos divertíamos** jugando fútbol. *When I was a child, I was tall and very strong. I had a lot of friends and every day we used to play soccer after school. We liked soccer a lot. On weekends we also had a good time playing soccer.*
Hablé con mamá esta mañana y **dijo** que papá **aceptó** el puesto con la compañía japonesa. Le **hicieron** una oferta tan buena que no **pudo** rechazarla. *I spoke with mom this morning and she said that dad accepted the job with the Japanese firm. They made him such a good offer that he couldn't turn it down.*	**Eran** las once de la noche y **estábamos** en una cueva muy oscura. Mientras **caminábamos**, **oíamos** ruidos muy extraños. ¿Qué animal nos **esperaba**? *It was eleven o'clock at night and we were in a very dark cave. As we were walking, we heard very strange noises. What animal awaited us?*

Examples of the preterite and imperfect	
Los amigos del Ermitaño le **advirtieron** que **era** peligroso vivir allí, pero él no les **hizo** caso. Sin embargo, para complacerlos, **prendía** un fuego cada noche para señalar que **estaba** bien.	*The friends of the Hermit warned him that it was dangerous to live there, but he didn't pay any attention to them. Nevertheless, to placate them, he lit a fire every night to signal that he was all right.*
Daniel nos **contaba** un cuento de espantos cuando de repente **oímos** unos ruidos extraños cerca de nuestra carpa.	*Daniel was telling us a scary story when suddenly we heard strange noises near our tent.*

Vamos a practicar

a. Un sábado terrible. El sábado pasado Federico tuvo interrupciones todo el día. ¿Quiénes lo interrumpieron?

MODELO mamá / llamarlo / desayunar
Federico dormía tranquilamente cuando su mamá lo llamó a desayunar.

1. oír / teléfono

2. hermanita / colgar / telefóno

3. llegar / amiga Susana

4. empezar / llover

5. hermanita / desenchufar / televisor

6. dormirse

b. Dripping Springs Resort. Al leer esta historia sobre un lugar de recreo en Nuevo México, selecciona el verbo correcto en el pretérito o el imperfecto.

En el siglo diecinueve, el coronel Eugene Van Patten (construyó / construía) un centro turístico al pie de los Órganos, las montañas cerca de Las Cruces, Nuevo México. (Fue / Era) impresionante para esos días; (tuvo / tenía) dieciséis habitaciones, un comedor muy grande y una sala para conciertos. Muchas personas famosas (visitaron / visitaban) el lugar. Se dice que hasta Pancho Villa (durmió / dormía) allí una vez.

El coronel (tuvo / tenía) una esposa indígena y muchos indígenas de la región (vivieron / vivían) y (trabajaron / trabajaban) con ellos. A menudo (dieron / daban) bailes para los turistas y todos siempre (se divirtieron / se divertían) muchísimo.

En 1917, el coronel (perdió / perdía) todo su dinero y (tuvo / tenía) que vender su propiedad a un médico de San Francisco. Poco después la esposa del médico (se puso / se ponía) enferma de tuberculosis y el nuevo dueño (decidió / decidía) establecer un sanitorio para personas con esa enfermedad.

c. Una aventura. Mateo cuenta una aventura que él y su hermana Eva tuvieron al acampar. ¿Qué dicen?

1. ser
2. ir
3. ser
4. armar
5. preparar
6. comer
7. contar
8. hacer
9. decidir
10. descubrir
11. estar
12. ponerse
13. empezar
14. comenzar
15. empezar
16. venir
17. ponernos
18. ver
19. estar

Cuando nosotros _1_ niños, nuestra familia siempre _2_ a acampar a las montañas Guadalupe a unas cien millas de El Paso. _3_ un lugar muy pintoresco. Al llegar, nosotros siempre _4_ la carpa y _5_ la cena. _6_ y _7_ cuentos de espantos antes de acostarnos.

Una vez, como _8_ muy buen tiempo, mi hermana y yo _9_ caminar un rato antes de comer. Después de caminar una hora, _10_ que _11_ bastante lejos del lugar del campamento. De repente el cielo _12_ muy oscuro y _13_ a hacer mucho viento. Cuando _14_ a llover, yo _15_ a llorar y mi hermana tuvo que calmarme. Afortunadamente, papá y mi otra hermana _16_ a buscarnos. ¡Qué contentos _17_ cuando los _18_ ! Ellos también _19_ muy contentos de vernos.

6.6 ADJECTIVES: SHORTENED FORM

Some adjectives have a shortened form before singular nouns. Following is a list of common adjectives that have a shortened form before masculine singular nouns.

bueno	**buen**	*good*	tercero	**tercer**	*third*
malo	**mal**	*bad, evil*	alguno	**algún**	*some*
primero	**primer**	*first*	ninguno	**ningún**	*no, not any, none*

Algún día vamos a Europa. — *Some day we're going to Europe.*
¡Que tengan **buen** viaje! — *Have a good trip!*
No veo **ningún** fuego. — *I don't see any fire.*

- The adjective **grande** *(big, large)* becomes **gran** *(great)* before a noun of either gender.

Es un **gran** jugador. — *He's a great player.*
Es una **gran** idea. — *It's a great idea.*

Vamos a practicar

a. El Club de español. Muchas personas están hablando de los bailes que presentó el Club de español en el banquete anoche. ¿Qué están diciendo?

MODELO ¿Viste el ____ baile? (primero)
¿Viste el primer baile?

1. Fue un ____ banquete. (grande)
2. José es un ____ guitarrista. (bueno)
3. Fue la ____ fiesta del año. (primero)
4. ¿Sirvieron ____ comida? (bueno)
5. No comí ____ postre, aunque había muchos. (ninguno)
6. Armando fue el ____ bailarín. (tercero)
7. ____ chicas de tu escuela bailaron también. (alguno)
8. Alicia no vino. ¡Qué ____ suerte! (malo)

b. A mediodía. Estás en la cafetería con un grupo de amigos. ¿Qué comentarios están haciendo?

MODELO Sra. Barrios / ser / muy bueno / profesora
La Sra. Barrios es muy buena profesora.

1. hoy / ser / primero / día que Inés / sentarse con Jorge
2. Tomás / ser / malo / jugador de básquetbol
3. nuevo / profesora / ser / tercero / mujer a la izquierda
4. ¿tener (tú) / alguno / libro / interesante?
5. Sr. Uribe / ser / grande / entrenador
6. no haber / ninguno / silla por aquí
7. yo / ir / jugar en / juegos / olímpico / alguno / día
8. director / estar comiendo en / cafetería / por / primero / vez

LECCIÓN 1

7.1 SI CLAUSES IN THE PRESENT TENSE

Although *if* (**si**) expresses doubt, it is followed by the indicative, not the subjunctive, when used in the present tense.

Si yo **hago** más de los quehaceres en casa, ¿me puedes pagar algo?	*If I do more of the chores around the house, can you pay me something?*
Si trabajas, puedes comprarte un carro.	*If you work, you can buy (yourself) a car.*

Vamos a practicar

a. Buenas intenciones. ¿Qué planes tienes para el verano?

MODELO encontrar un trabajo: ir a México para Navidad
Si encuentro un trabajo, puedo ir a México para Navidad.

1. trabajar: ganar mucho dinero
2. ganar mucho dinero: comprar un carro
3. comprar un carro: salir con mis amigos
4. salir con mis amigos: divertirme mucho
5. divertirme mucho: pasar un buen verano
6. pasar un buen verano: regresar contento(a) a las clases

b. A la universidad. Pronto vas a la universidad. ¿Qué consejos te dan tus amigos?

EJEMPLO **Si haces la tarea, vas a entender el curso.**

estudiar	sacar malas notas
asistir a eventos sociales	no dormir bien
hacer muchas preguntas	estar cansado(a)
tomar mucho café	engordar
hacer ejercicio	sacar buenas notas
ver mucha televisión	aprender mucho
comer demasiado	hacer muchos amigos
dormir poco	tener buena salud

7.2 THE PREPOSITION POR

The preposition **por** has several functions in Spanish.

- **Por** expresses the idea of *per,* or *by.*

¿Cuánto pagan **por** hora?	*How much do they pay per hour?*
Vendemos las flores **por** docena.	*We sell the flowers by the dozen.*

- **Por** expresses the concept of *in exchange for.*

¿Pagaste tres mil **por** un carro?	*You paid three thousand for a car?*
Te doy mi reloj **por** tu cámara.	*I'll give you my watch for your camera.*
Te vendo este disco **por** tres dólares.	*I'll sell you this record for three dollars.*

- **Por** is used to express duration of time.

Trabajé allí **por** algún tiempo.	*I worked there for a period of time.*
Estuve allí **por** un mes.	*I was there for a month.*
Lo buscaron **por** tres días.	*They looked for it for three days.*

Vamos a practicar

a. A trabajar. Estos jóvenes trabajan dos horas después de las clases todos los días. Basándote en su pago, ¿cuánto ganan por día, por semana y por mes?

MODELO Yoli gana $4.00 por hora.
Gana $8 por día, $40 por semana y $160 por mes.

1. Beto gana $3.50 por hora.
2. Mónica y Patricio ganan $5.50 por hora.
3. Gloria gana $5.00 por hora.
4. Diego y Clemente ganan $4.50 por hora.
5. Eloísa gana $3.00 por hora.
6. Rodrigo y Cecilia ganan $6.00 por hora.
7. Sergio gana $4.00 por hora.
8. Adán y Chela ganan $6.50 por hora.
9. Amalia gana $3.75 por hora.
10. Carolina gana $4.25 por hora.

b. A buen precio. ¿Cuánto pagarías por estas cosas?

$20

EJEMPLO **Pagaría veinte dólares por el reloj.**

1. $2.000 **2.** $75 **3.** $25

4. $15 **5.** $150 **6.** $20

7. $5.000 **8.** $100.000

c. ¿Qué me dio? Intercambiaste muchas cosas con tus amigos. ¿Qué recibiste?

MODELO Lucas: radio (video)
Lucas me dio su radio por mi video.

1. Gustavo: linterna (raqueta de tenis)
2. Julia: jaula y ratoncito (serpiente)
3. Gerardo y Soledad: juego de damas (disco compacto)
4. Valentín: esquíes (guitarra)
5. Norma y Leticia: collares (pulseras)
6. Rosario: aretes (bolígrafos)

ch. Muchas mudanzas. Felipe ha vivido en muchos lugares. Según él, ¿cuánto tiempo vivió en cada lugar?

MODELO París: 6 meses
Viví en París por seis meses.

1. Londres: 1 año
2. Buenos Aires: 4 meses
3. Moscú: 3 años
4. Santo Domingo: 2 años
5. Roma: 10 meses
6. Caracas: 4 años
7. Los Ángeles: 1 mes
8. Madrid: 2 años

LECCIÓN 2

7.3 PRESENT SUBJUNCTIVE: QUIZÁS, TAL VEZ

The subjunctive is used after **quizás** and **tal vez** when the speaker wishes to express probability or improbability.

Quizás haya vida en otro planeta.	*Maybe (perhaps) there is life on another planet.*
Tal vez tenga que trabajar el domingo.	*Perhaps (maybe) I'll have to work on Sunday.*

Vamos a practicar

a. Nueva escuela. Aurora está preocupada porque va a una nueva escuela y tiene muchas dudas. ¿Qué le dices para calmarla?

MODELO Probablemente los profesores no son simpáticos.
Quizás sean simpáticos.

1. Probablemente no dan exámenes fáciles.
2. Probablemente no tienen buen equipo de fútbol.
3. Probablemente no hay clase de arte.
4. Probablemente la comida no es buena.
5. Probablemente la banda no toca bien.
6. Probablemente no hacen buenas fiestas.
7. Probablemente no hay biblioteca.
8. Probablemente no tienen Club de español.

b. Excusas. Nadie quiere asistir a la primera reunión de un nuevo club. ¿Qué excusas dan?

MODELO visitar a mis abuelos
No puedo porque tal vez visiten a mis abuelos.

1. tener que trabajar (yo)
2. llamar a mi novio(a)
3. haber un programa importante en la tele
4. llegar mis tíos
5. tener que estudiar (yo)
6. ir de compras (mi mamá y yo)

7.4 PRESENT SUBJUNCTIVE: ADJECTIVE CLAUSES

In **Unidad 5** you learned that some sentences have two clauses: an independent clause and a dependent clause. You learned that like a truck pulling a trailer, the independent clause can function alone, whereas the dependent clause depends on the other clause to function (just as a trailer depends on a truck to pull it).

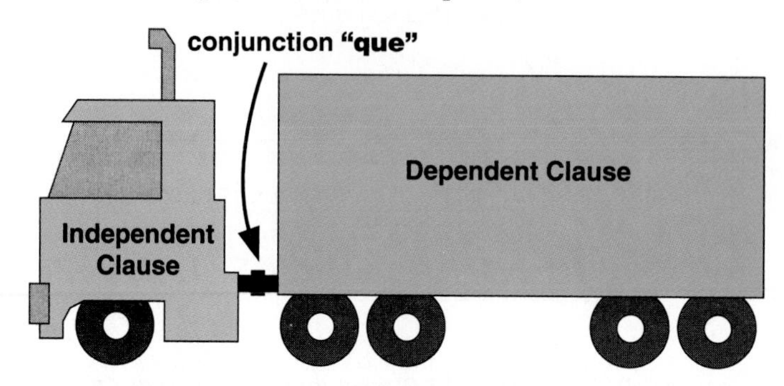

- An adjective clause is a dependent clause that describes a noun in the independent clause.

Tengo dos amigos **que hablan francés.**	*I have two friends who speak French.*
Compré una camiseta **que combina con mis jeans.**	*I bought a T-shirt that matches my jeans.*

- When the noun described by the clause designates something or someone that may not exist or does not exist, the subjunctive is used.

Busco **un carro** que **sea** bueno y barato.	*I'm looking for a car that is good and inexpensive.*
Necesitan **una persona** que **hable** español.	*They need a person who speaks Spanish.*

- When the noun that an adjective clause describes is real or known to exist, the indicative is used.

Mateo tiene **un carro** que **es** bueno y barato.	*Mateo has a car that is good and inexpensive.*
Conozco a **muchas personas** que **hablan español.**	*I know a lot of people who speak Spanish.*

Vamos a practicar

a. Mi carro. Jacobo quiere comprarse un carro. ¿Cómo describe el carro de sus sueños?

MODELO ser bonito
Quiero un carro que sea bonito.

1. andar bien
2. no costarme mucho
3. ser nuevo
4. tener radio
5. llevarme a todas partes
6. correr rápido
7. usar poca gasolina
8. tener garantía

b. Nueva ropa. Carmen y Luci andan de compras. ¿Hablan de lo que encuentran o de lo que buscan? Basándote en el dibujo, selecciona el comentario más apropiado.

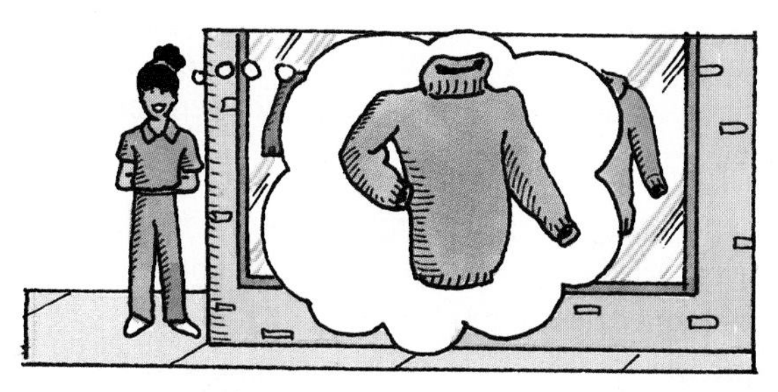

MODELO a. Allí hay un suéter que combina con mis pantalones.
b. Busco un suéter que combine con mis pantalones.
Respuesta correcta: *b*

1. a. Quiero una camiseta que tenga un dibujo bonito.
   b. Veo una camiseta que tiene un dibujo bonito.

2. a. Quiero un vestido que pueda llevar a la fiesta.
   b. Allí hay un vestido que puedo llevar a la fiesta.

3. a. Necesito unas botas que sean bastante altas.
   b. Ya tengo unas botas que son bastante altas.

4. a. Veo una blusa que le va a gustar a mi mamá.
   b. Busco una blusa que le guste a mi mamá.

5. a. Me probé una falda que me llega a las rodillas.
   b. No veo ninguna falda que me llegue a las rodillas.

6. a. Necesito unos zapatos que sirvan para jugar tenis.
   b. Compré unos zapatos que sirven para jugar tenis.

c. Empleados. Los jefes están hablando de los empleados y personas que solicitan trabajo. ¿Hablan de personas que ya conocen o que no conocen? Selecciona el verbo apropiado.

MODELO No encuentro a nadie que (entiende, **entienda**) esta computadora.
Hay un empleado en el segundo piso que (**entiende**, entienda) la computadora.

1. Solicitamos una persona que (sabe, sepa) escribir a máquina.
2. Tenemos una secretaria que (escribe, escriba) sesenta palabras por minuto.
3. Conozco a alguien que (busca, busque) trabajo aquí.
4. No hay nadie que (puede, pueda) reparar esta máquina.
5. Buscamos a dos camareros que (pueden, puedan) trabajar de noche.
6. Necesito un joven que (conoce, conozca) bien la ciudad.
7. Encontré a alguien que (es, sea) muy responsable.
8. Quiero emplear a un reportero que (escribe, escriba) bien.
9. Hay un director que (sabe, sepa) hablar japonés en el tercer piso.
10. Tenemos empleados que (llegan, lleguen) puntualmente a la hora del trabajo.

ch. Querido Adolfo. Homero acaba de mudarse a una nueva ciudad. ¿Qué le cuenta a su amigo?

Querido Adolfo:

¿Cómo estás? Estoy bastante contento aunque ahora vivo en una ciudad que no (conocer) muy bien. No hay autobuses que (pasar) cerca de mi casa pero sí hay un metro que (ir) a muchas partes. Todavía hay mucho que hacer. Por ejemplo, necesitamos encontrar una escuela que (quedar) cerca de la casa para mis hermanos. Yo quiero un carro que (poder) usar para ir a mi secundaria y también buscamos a una persona que le (ayudar) a mi mamá con los quehaceres. Pero por lo general, todo va bien. A propósito, ayer conocí a una joven que (vivir) cerca y que (ser) muy guapa. Prometió enseñarme la ciudad. ¿Qué te parece?

Te escribo más la semana que viene.

Tu amigo,
Homero

LECCIÓN 3

7.5 THE IMPERSONAL SE

- In Spanish, the pronoun **se** represents an indefinite or ''impersonal'' subject that refers to people in general, rather than to specific persons.

Se puede ganar hasta $550 al mes.	*One can earn up to $550 a month.*
¿Cómo **se dice** ''job'' en español?	*How do you say ''job'' in Spanish? (you = one)*
Se busca camarero.	*They're looking for a waiter. (they = no one in particular)*

- When talking about a plural noun, the verb is usually plural.

Se necesitan dos periodistas.	*They need two journalists.*
Se venden treinta y dos mil periódicos por día.	*Thirty-two thousand papers are sold per day.*

- The impersonal **se** is often used in signs and announcements.

Se alquilan bicicletas.	*Bicycles for rent.*
Se habla español.	*Spanish is spoken [here].*
Se prohibe fumar.	*No smoking.*

Vamos a practicar

a. Multilingüe. ¿Dónde se hablan estas lenguas?

MODELO: **En Francia se habla francés.**

Brasil	japonés
Inglaterra	chino
Alemania	ruso
Puerto Rico	italiano
China	portugués
Italia	francés
Japón	español
Rusia	inglés
Francia	alemán

b. ¡Es diferente! Carmen vive en El Paso pero acaba de regresar de un viaje a España. ¿Cómo describe la vida española?

MODELO *Hablan* español con otro acento.
Se habla español con otro acento.

Por la mañana *desayunan* y *van* al trabajo o a la escuela. *Regresan* a casa a almorzar a las dos. Después de almorzar, *toman* una siesta y *vuelven* al trabajo. De noche, *pasean* en las calles. *Cenan* muy tarde y a veces *salen* a ver una película después.

c. Anuncios. Estás leyendo los anuncios clasificados. ¿Qué dicen?

MODELO ofrecer sueldos atractivos
Se ofrecen sueldos atractivos.

1. buscar mecánico
2. requerir personas con experiencia
3. necesitar camareros
4. solicitar cajero
5. ofrecer entrenamiento gratis
6. solicitar dos secretarios bilingües
7. buscar operadores de teléfono
8. necesitar vendedora de ropa femenina

ch. Letreros. Al pasear por la ciudad, ves estos letreros *(signs)*. ¿Qué dicen?

MODELO alquilar / televisores
Se alquilan televisores.

1. reparar / zapatos
2. comprar / neveras usadas
3. solicitar / pintor de casa
4. hablar / inglés
5. vender / uniformes escolares
6. prohibir / fumar
7. vender / computadora casi nueva
8. alquilar / muebles

7.6 THE PREPOSITION PARA

The preposition **para** has several uses in Spanish.

- **Para** expresses the concept of *purpose*.

Para comprar un carro, hay que tener mucho dinero.	*To (In order to) buy a car you have to have a lot of money.*
Súbanse **para** dar una vuelta.	*Get in so we can go for a ride.*
Este vaso es **para** jugo.	*This glass is for juice.*

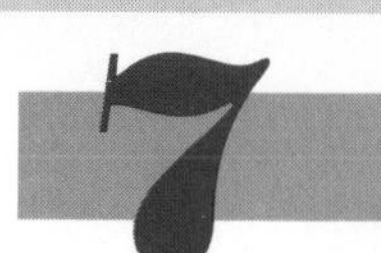

- **Para** is used to designate the intended recipient of actions or objects.

Este regalo es **para** ti.	*This gift is for you.*
Cantaron **para** nosotros.	*They sang for us.*
No hay trabajo **para** mí.	*There's no job for me.*

- **Para** is used after the verb **trabajar** to indicate *employed by.*

Trabaje **para** una empresa importante.	*Work for an important firm.*
Trabajé **para** mi papá el verano pasado.	*I worked for my Dad last summer.*

Vamos a practicar

a. ¿Para qué? ¿Para qué sirven estas cosas?

MODELO **Las bebidas son para beber.**

la comida	acampar
los libros	beber
la música	cantar
los videos	leer
la carpa	dormir
las canciones	comer
la guitarra	ver
la cama	escuchar
las bebidas	tocar

b. Consejos. Clara Consejera tiene estos consejos para su público.

MODELO dormir mejor / evitar el café
Para dormir mejor hay que evitar el café.

1. perder peso / comer menos
2. no estar cansado / dormir más
3. tener más energía / hacer ejercicio
4. aumentar de peso / comer más
5. divertirse / salir de casa
6. no estar aburrido / ver una película
7. ganar amigos / ser una persona simpática
8. sacar buenas notas / hacer la tarea

UNIDAD 7

c. ¿Para mí? En una celebración familiar, todos van a intercambiar regalos. Según Alejandro, ¿para quién(es) son estos regalos?

abuelos

MODELO **El televisor es para mis abuelos.**

1. hermano **2.** tía Estela **3.** mamá

4. hermana **5.** yo **6.** papá

7. tío Ernesto **8.** padres

ch. Profesiones. Estas personas están hablando de sus profesiones. ¿Dónde trabajan?

MODELO **El actor León Garza trabaja para el Teatro Nacional.**

doctor Hugo Pérez	casa editorial Américas
cocinera Inés Ponce	Teatro Nacional
ingeniera Luisa Rojas	colegio De Soto
reportero Noé Colón	hospital Buena Salud
escritora Eva Vargas	periódico *La Prensa*
científico Juan Castro	compañía eléctrica
profesora Irma Cobo	restaurante La Estrella
actor León Garza	laboratorio CMB

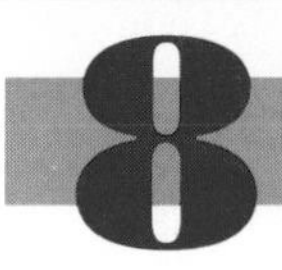

LECCIÓN 1

8.1 THE FUTURE TENSE: REGULAR FORMS

Spanish has several ways to talk about the future. You already know how to talk about what you are going to do using:

ir a + *infinitive*

Voy a visitar a mi amigo.	*I'm going to visit my friend.*
No **vamos a estudiar** hoy.	*We're not going to study today.*

You may also use the simple present indicative tense with future meaning.

Mis padres **llegan** mañana.	*My parents arrive tomorrow.*
Nuestro avión **sale** a la una.	*Our plane leaves at one.*

Spanish also has a future tense to talk about what you will do in the future. The future tense has the same set of endings for **-ar**, **-er** and **-ir** verbs. To form the future tense, these endings are added to the infinitive form of the verb.

Future Tense Verb Endings	
-é	**-emos**
-ás	**-éis**
-á	**-án**

nadar		correr		dormir	
nadar**é**	nadar**emos**	correr**é**	correr**emos**	dormir**é**	dormir**emos**
nadar**ás**	nadar**éis**	correr**ás**	correr**éis**	dormir**ás**	dormir**éis**
nadar**á**	nadar**án**	correr**á**	correr**án**	dormir**á**	dormir**án**

Margarita **dormirá** mucho.	*Margarita will sleep a lot.*
Mateo y Tina **jugarán** tenis.	*Mateo and Tina will play tennis.*
Correré todos los días.	*I will run every day.*
Nadaremos en el Caribe.	*We will swim in the Caribbean.*

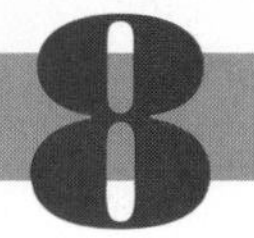

Vamos a practicar

a. Dormilones. Los jóvenes siempre duermen mucho más en el verano. ¿Cuántas horas dormirán tú y tus amigos cada noche?

MODELO Noé: 12
Mi amigo Noé dormirá doce horas.

1. Beatriz: 9
2. yo: 10
3. Memo y Beto: 14
4. tú: 11
5. nosotros: 9
6. Yoli y Raquel: 12
7. Víctor: 10
8. ustedes: 13

b. La semana que viene. Raquel dice que la rutina diaria de ella y sus amigos es muy similar. Según Raquel, ¿qué van a hacer ella y sus amigos la semana que viene?

MODELO Diana comió en un restaurante italiano la semana pasada.
La semana que viene, Diana comerá en un restaurante italiano.

1. Javier y Vicente leyeron una buena novela la semana pasada.
2. Yo jugué volibol tres veces la semana pasada.
3. Ustedes fueron de compras la semana pasada.
4. Tomasa compró una camiseta nueva la semana pasada.
5. Tú alquilaste un video la semana pasada.
6. Pablo y yo asistimos a un concierto la semana pasada.
7. Marcos y Marisela pidieron una pizza la semana pasada.
8. Usted vio una película nueva la semana pasada.

c. Planes. ¿Qué planes tiene la familia de Eva para el sábado, según ella?

Abuelita

MODELO **Abuelita escribirá cartas.**

1. Mamá

2. mis hermanitos

3. yo

4. Abuelito

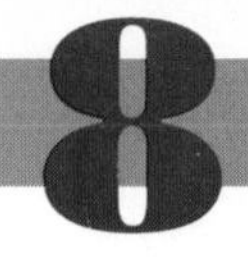

5. tía Gloria y Mamá **6.** Amanda y yo **7.** mi hermano y su novia **8.** Papá

ch. Resoluciones. A fines de año, todo el mundo hace resoluciones personales. ¿Cómo piensas cambiar tu vida y qué piensan hacer estas personas?

MODELO perder peso (Paulina)
Paulina perderá peso.

1. practicar más deportes (ustedes)
2. comer comida más nutritiva (Guillermo)
3. nadar todos los días (yo)
4. aprender karate (Paquita)
5. aprender a tocar la guitarra (tú)
6. evitar los dulces (nosotras)
7. seguir una dieta para adelgazar (Lorenzo y Verónica)
8. leer más (todos)

8.2 THE FUTURE TENSE: IRREGULAR FORMS

Some verbs have irregular stems in the future tense. The verb endings are the same ones you learned for regular verbs.

poner	**pondr-**	pondré, pondrás, pondrá, pondremos, pondréis, pondrán
salir	**saldr-**	saldré, saldrás, saldrá, saldremos, saldréis, saldrán
tener	**tendr-**	tendré, tendrás, tendrá, tendremos, tendréis, tendrán
venir	**vendr-**	vendré, vendrás, vendrá, vendremos, vendréis, vendrán
decir	**dir-**	diré, dirás, dirá, diremos, diréis, dirán
hacer	**har-**	haré, harás, hará, haremos, haréis, harán
haber	**habr-**	habré, habrás, habrá, habremos, habréis, habrán
poder	**podr-**	podré, podrás, podrá, podremos, podréis, podrán
querer	**querr-**	querré, querrás, querrá, querremos, querréis, querrán
saber	**sabr-**	sabré, sabrás, sabrá, sabremos, sabréis, sabrán

Habrá un examen mañana.	*There will be a test tomorrow.*
Podré comprar mi carro.	*I'll be able to buy my car.*
Haremos la tarea en casa.	*We'll do our homework at home.*
Querrán salir el sábado.	*They'll want to go out Saturday.*

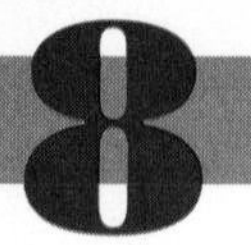

Vamos a practicar

a. Encuesta. Algunas personas quieren eliminar los deportes en tu escuela. Hoy va a haber una encuesta para ver cuál es la opinión de la mayoría. ¿Qué crees que dirán estas personas en la encuesta?

MODELO el (la) profesor(a) de arte
El (La) profesor(a) de arte dirá que no. o
El (La) profesor(a) de arte dirá que sí.

1. los entrenadores
2. los miembros de la banda
3. yo
4. el (la) director(a)
5. los atletas
6. el (la) consejero(a)
7. el (la) entrenador(a)
8. tus amigos

b. ¡Qué lástima! Habrá muchos eventos especiales este fin de semana. ¿Por qué no irán estas personas?

MODELO Habrá un concierto de rock. (Felisa / estudiar)
Felisa no podrá ir porque tendrá que estudiar.

1. Habrá un partido de béisbol. (César / lavar el carro)
2. Habrá una fiesta. (yo / limpiar la casa)
3. Habrá una película especial. (Adriana / trabajar)
4. Habrá un banquete. (tú / ayudar a tu mamá)
5. Habrá una excursión. (nosotros / hacer la tarea)
6. Habrá una exhibición de arte. (Manuel y Bárbara / escribir una composición)
7. Habrá un concierto de rock. (Rolando / practicar el saxofón)
8. Habrá un baile. (Sandra / cuidar a los niños)

c. ¡Haré tacos! El Club de español va a servir una comida mexicana y todos van a ayudar a preparar la comida. ¿Qué van a hacer estas personas?

MODELO tú: los nachos
Tú harás los nachos.

1. nosotros: el ponche
2. el profesor: las enchiladas
3. Diana y León: los tacos
4. yo: los frijoles
5. Édgar: la ensalada
6. ustedes: la salsa
7. Nilda: las tortillas
8. Tina y Esteban: el postre
9. la directora: el arroz
10. Alfredo: el pastel

ch. El año 2050. ¿Qué predicciones tienes para el año 2050?

MODELO haber / casas / otros planetas
Habrá casas en otros planetas. o
No habrá casas en otros planetas.

1. nosotros / saber / el origen / universo
2. médicos / descubrir / cura para el cáncer
3. carros / poder andar sin gasolina
4. criaturas / otro / planetas / venir a visitarnos
5. nosotros / hacer viajes / otro / planetas
6. mucho / personas / vivir / la luna
7. estudiantes / tener / menos exámenes
8. medio ambiente / ser / menos contaminado

LECCIÓN 2

8.3 THE CONDITIONAL: REGULAR AND IRREGULAR VERBS

The conditional has the same set of endings for **-ar**, **-er** and **-ir** verbs. (Note that all endings require a written accent.) To form the conditional, these endings are added to the infinitive form of the verb.

Conditional Verb Endings	
-ía	**-íamos**
-ías	**-íais**
-ía	**-ían**

llevar		ser		conducir	
llevar**ía**	llevar**íamos**	ser**ía**	ser**íamos**	conducir**ía**	conducir**íamos**
llevar**ías**	llevar**íais**	ser**ías**	ser**íais**	conducir**ías**	conducir**íais**
llevar**ía**	llevar**ían**	ser**ía**	ser**ían**	conducir**ía**	conducir**ían**

Para un viaje de un mes, yo **llevaría** más ropa. — *For a month long trip, I would take more clothes.*
Ese trabajo **sería** perfecto. — *That job would be perfect.*
Yo no **conduciría** ese carro. — *I wouldn't drive that car.*

- The conditional is used to talk about what would happen under certain conditions. The conditions may or may not be mentioned.
- Irregular verb stems of the conditional are identical to the irregular verb stems of the future tense.

poner	**pondr-**	pondría, pondrías, pondría, pondríamos, pondríais, pondrían
salir	**saldr-**	saldría, saldrías, saldría, saldríamos, saldríais, saldrían
tener	**tendr-**	tendría, tendrías, tendría, tendríamos, tendríais, tendrían
venir	**vendr-**	vendría, vendrías, vendría, vendríamos, vendríais, vendrían
decir	**dir-**	diría, dirías, diría, diríamos, diríais, dirían
hacer	**har-**	haría, harías, haría, haríamos, haríais, harían
haber	**habr-**	habría, habrías, habría, habríamos, habríais, habrían
poder	**podr-**	podría, podrías, podría, podríamos, podríais, podrían
querer	**querr-**	querría, querrías, querría, querríamos, querríais, querrían
saber	**sabr-**	sabría, sabrías, sabría, sabríamos, sabríais, sabrían

¿Qué **dirías** tú?	*What would you say?*
En ese caso, Beatriz no **podría** ir.	*In that case, Beatrice wouldn't be able to go.*
Yo no **saldría** con ellos.	*I wouldn't go out with them.*

Vamos a practicar

a. ¡Millonarios! Todos están hablando de lo que comprarían con un millón de dólares. ¿Qué dicen?

MODELO nosotros: un yate
Nosotros compraríamos un yate.

1. Gregorio: una casa en las montañas
2. Leticia y Matías: un carro nuevo
3. Nati: un avión
4. tú: una computadora
5. Rodrigo: un restaurante
6. yo: una motocicleta
7. todos nosotros: mucha ropa nueva
8. Constanza: joyas elegantes

b. Si yo fuera Tobías . . . Tobías siempre recibe muy malas notas. Si tú fueras Tobías, ¿qué harías para recibir buenas notas?

MODELO hacer la tarea
Si yo fuera Tobías, haría la tarea.

1. estudiar más
2. hablar con el (la) profesor(a)
3. pasar más tiempo en la biblioteca
4. no salir tanto
5. leer las lecciones con cuidado
6. no ver mucha televisión
7. hacer muchas preguntas
8. poner más atención a los detalles

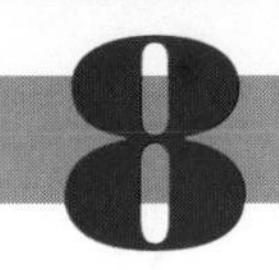

c. El mundo ideal. En tu opinión, ¿cómo sería el mundo ideal?

MODELO haber (mucha/poca) comida para todos.
Habría mucha comida para todos.

1. todos saber (una/varias) lengua(s)
2. la gente pobre tener (más/menos) dinero
3. haber (poca/mucha) contaminación
4. todos ser (amigos/enemigos)
5. la gente poder viajar (más/menos)
6. haber (más/menos) problemas de salud
7. siempre hacer (buen/mal) tiempo
8. todos querer vivir en (paz/guerra)

8.4 REPASO: TÚ AND USTED / USTEDES COMMANDS

You have learned that commands are used to tell someone what to do.

Tú *commands*

- Regular affirmative **tú** commands are formed by dropping the **-s** of the **tú** form of the present indicative.

Habla más despacio, por favor.	*Talk slower, please.*
Piensa lo que haces.	*Think about what you're doing.*
Corre a la escuela.	*Run to school.*
Repite lo que te digo.	*Repeat what I tell you.*

- There are eight irregular affirmative **tú** commands.

decir	**di**	venir	**ven**
poner	**pon**	hacer	**haz**
salir	**sal**	ir	**ve**
tener	**ten**	ser	**sé**

Di la verdad.	*Tell the truth.*
Sal de aquí.	*Get out of here.*
Haz tu tarea.	*Do your homework.*

- Negative **tú** commands are formed by using the **tú** form of the present subjunctive.

Infinitive	***Yo*** form	Negative ***Tú*** command
escuch**ar**	escuchø	no escuch**es**
dec**ir**	digø	no dig**as**
dorm**ir**	duermø	no duerm**as**

No **juegues** en la casa.	*Don't play in the house.*
No **digas** eso.	*Don't say that.*
No **duermas** tanto.	*Don't sleep so much.*

- The following high-frequency verbs have irregular negative **tú** command forms:

Infinitive	Negative ***tú*** command
dar	**no des**
estar	**no estés**
ir	**no vayas**
ser	**no seas**

No le **des** mi libro.	*Don't give her my book.*
No estés preocupado.	*Don't be worried.*
No vayas tan tarde.	*Don't go so late*
No seas travieso.	*Don't be naughty.*

Usted / Ustedes *commands*

- Regular affirmative and negative **usted / ustedes** commands use the **usted / ustedes** forms of the present subjunctive.

Naden todos los días.	*Swim every day.*
Por favor **asista** a nuestro concierto.	*Please attend our concert.*
No vuelvan muy tarde.	*Don't get back too late.*
No se vaya ahora.	*Don't leave now.*

- The following high-frequency verbs have irregular **usted / ustedes** command forms:

Infinitive	***Usted*** command	***Ustedes*** command
dar	dé	den
estar	esté	estén
ir	vaya	vayan
ser	sea	sean

Commands and object pronouns

Direct and indirect object pronouns follow and are attached to affirmative commands, and precede negative commands.

Hazlo ahora.	*Do it now.*
Levántate* ahora mismo.	*Get up right now.*
Díganselo* a Juan.	*Tell Juan about it.*
No **me mires** así.	*Don't look at me like that.*
No **les sirva** pollo.	*Don't serve them chicken.*
No **me los compren**.	*Don't buy them for me.*

*Note that when adding pronouns to affirmative commands, a written accent may be required to preserve the original stress of the verb.

Vamos a practicar

a. A las montañas. Raquelita va a acampar a las montañas con otra familia. ¿Qué le dice su mamá?

MODELO llevar ropa elegante
Lleva ropa elegante. o
No lleves ropa elegante.

1. empacar tu saco de dormir
2. olvidar tu chaqueta
3. hacer lo que te dicen
4. ser bueno
5. comer la comida que te sirvan
6. salir sola del campamento
7. dormir cerca del fuego
8. tener cuidado

b. ¿Cómo llego? Un turista quiere visitar el museo y te pide direcciones. ¿Qué le dices?

MODELO seguir derecho dos cuadras
Siga derecho dos cuadras.

1. doblar a la izquierda en la calle Segovia
2. caminar dos cuadras más
3. no doblar en la primera esquina
4. cruzar la calle
5. ahora doblar a la derecha
6. caminar una cuadra y media
7. no pasar la iglesia
8. entrar en el museo al lado de la iglesia

c. En el campamento. Tú trabajas de consejero(a) en un campamento de verano. Ahora tienes que explicar la rutina diaria a tu grupo de niños. ¿Qué les dices?

MODELO **Despiértense a las seis y media.** 6:30

1. 6:45

2. 6:50

3. 7:00

4. 7:15

5. 7:45

6. 8:30

7. 2:30

8. 9:30

ch. Hoy en la oficina. Tú eres el (la) jefe(a) de una oficina y tienes que darle instrucciones a tu secretario(a). ¿Cómo respondes a sus preguntas?

MODELOS ¿Preparo el café?
Sí, prepárelo ahora. o
No, no lo prepare todavía.

¿Le escribo la carta al señor Carrión?
Sí, escríbasela ahora. o
No, no se la escriba todavía.

1. ¿Preparo el informe?
2. ¿Llamo al cliente?
3. ¿Le sirvo café al cliente?
4. ¿Le enseño la presentación al cliente?
5. ¿Les traigo el nuevo producto a ustedes?
6. ¿Le doy la lista de los precios al cliente?
7. ¿Pido el almuerzo?
8. ¿Les sirvo el almuerzo?

8.5 REPASO: PRESENT SUBJUNCTIVE—DOUBT, PERSUASION, ANTICIPATION AND REACTION

The subjunctive mode consists of verb forms used after expressions of doubt, persuasion, anticipation or reaction, and so forth.

Forms of the subjunctive

- The present subjunctive verb endings simply reverse the theme vowel of the infinitive.

Present subjunctive theme vowels
-ar → **-e**
-er, -ir → **-a**

- The following verbs are irregular in the present subjunctive.

Present Subjunctive: Irregular Verbs					
dar	**estar**	**ir**	**saber**	**ser**	**ver**
dé	esté	vaya	sepa	sea	vea
des	estés	vayas	sepas	seas	veas
dé	esté	vaya	sepa	sea	vea
demos	estemos	vayamos	sepamos	seamos	veamos
deis	estéis	vayáis	sepáis	seáis	veáis
den	estén	vayan	sepan	sean	vean

- The subjunctive form of **hay** is **haya.**

Uses of the subjunctive

- The subjunctive mode is used in dependent clauses after expressions of doubt. After expressions of certainty, the indicative mode is used.

Dudo que **ganemos** el partido.	*I doubt that we'll win the game.*
Es posible que **llueva**.	*It's possible that it will rain.*
No creo que **vengan**.	*I don't think they're coming.*
Es obvio que **eres** listo(a).	*It's obvious that you're smart.*
Sé que no **hay** clase hoy.	*I know that there's no class today.*
Creo que **vienen** hoy.	*I think they're coming today.*

- The subjunctive mode is used in dependent clauses after anticipation or reaction.

Esperamos que **vayas**.	*We hope you go.*
Es triste que **tengamos** que salir ahora.	*It's sad that we have to leave now.*
Ojalá que nos **den** dulces.	*I hope they give us candy.*

- The subjunctive mode is used in dependent clauses after expressions of persuasion.

Quiere que **nos divirtamos**.	*She (He) wants us to have a good time.*
Sugiero que **practiquemos**.	*I suggest that we practice.*
¿**Recomiendas** que **estudie** más?	*Do you recommend that I study more?*

Vamos a practicar

a. Lo dudo. Carmelita siempre tiene dudas. ¿Qué dice cuando oye estos comentarios?

EJEMPLO Habrá un examen difícil mañana.
Dudo que el examen de mañana sea difícil.

1. Ganaremos el campeonato de golf.
2. La familia Pérez irá al Japón este verano.
3. Los profesores calificarán exámenes esta noche.
4. Tendremos una película en la clase de historia.
5. Nos darán refrescos en la clase de español.
6. Habrá una fiesta chévere el sábado.
7. Marta y Ricardo jugarán tenis esta tarde.
8. Todos recibiremos una *A* en la clase de español.

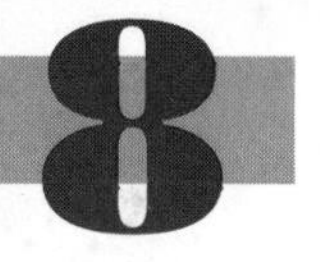

b. Sociología. Un estudiante universitario está haciendo una encuesta para su clase de sociología. Quiere que tu reacciones a estos comentarios usando una de las siguientes expresiones: **Es dudoso que . . . , Creo/No creo que . . . , Es cierto que . . .**

EJEMPLO Los profesores califican exámenes todos los días.
No creo que los profesores califiquen exámenes todos los días. o
Es cierto que los profesores califican exámenes todos los días.

1. Los padres saben mucho más que los hijos.
2. El (La) primer(a) hijo(a) es más inteligente.
3. Los hombres hablan más que las mujeres.
4. Hay poca contaminación en el planeta Tierra.
5. Necesitamos mejor transporte público en nuestras ciudades.
6. Los perros son los mejores amigos de los seres humanos.
7. Debemos ayudar a los habitantes de otros países.
8. Las clases de español son las más interesantes.

c. ¡Desastre! ¿Qué haces tú cuando tienes un problema verdaderamente serio? Para saber lo que hace esta joven, completa la carta que le escribió a Clara Consejera.

Querida Clara Consejera,

Espero que usted me _____ (poder) ayudar con mi problema. Estoy muy preocupada porque mis padres salieron de la ciudad y yo choqué su carro contra un árbol. Es probable que ellos _____ (regresar) la semana que viene y tengo miedo de que _____ (ir) a estar furiosos conmigo. Es terrible que yo no _____ (tener) dinero para arreglarlo pero soy muy pobre. ¿Qué debo hacer? ¿Es mejor que les _____ (decir) la verdad inmediatamente o es preferible que _____ (esperar) hasta que vean el carro? ¡Aconséjeme, por favor!

Es triste que mis padres _____ (tener) que encontrar tan malas noticias al regresar de su viaje, pero me alegro de que _____ (haber) personas como usted para aconsejarme.

Triste y desesperada.

ch. Nuestro club. Según Luisita, ¿qué recomiendan todos para el Club de español para este verano?

MODELO los hermanos Quintana / preferir que / el Club de español / ser más activo
Los hermanos Quintana prefieren que el Club de español sea más activo.

1. yo / sugerir que / el Club de español / hacer un viaje a México
2. los estudiantes de francés / pedir que / (nosotros) ir a Europa con ellos
3. la profesora / insistir en que / (nosotros) trabajar para ganar el dinero
4. nosotros / preferir que / nuestro / padres / pagar el viaje
5. los padres / querer que / (nosotros) vender dulces en la escuela
6. el director / recomendar que / el Club / lavar coches
7. tú / aconsejar que / (nosotros) esperar otro año
8. los estudiantes del cuarto año / insistir en que / (nosotros) viajar este año

LECCIÓN 3

UNIDAD 8

8.6 REPASO: PRETERITE AND IMPERFECT

You have learned that the preterite and imperfect are used to talk about the past specific uses of each tense are summarized in the following chart. The numbers in parentheses indicate the unit and lesson where each concept was introduced.

Preterite	Imperfect
■ Completed actions: single action or series of actions *(4.5)* ■ Focus on beginning of an action *(4.5)* ■ Focus on an action coming to an end *(4.5)*	■ Continuing actions *(4.4)* ■ Ongoing situations *(4.7)* ■ Physical or emotional states *(4.7)* ■ Habitual actions *(4.2)* ■ Age (with **tener**) *(4.2)* ■ Telling time *(4.2)*

Era la medianoche y todo **estaba** tranquilo. El viejito **entró** en la cocina como **acostumbraba**. **Sacó** algo para comer de la nevera. Se **sentó** en la sala y **empezó** a leer unas páginas de su cuento policíaco favorito. Esta noche **iba** a leer la parte más interesante — la parte donde se sabe quién es el criminal.

Según el cuento, el sospechoso **era** un hombre alto, de pelo gris, que **tenía** unos setenta y dos años. La noche anterior, cuando el viejito **dejó** de leer, los detectives en el cuento **salieron** para la casa del sospechoso para arrestarlo.

Mientras el viejito **leía**, **oyó** un ruido de la calle. En seguida alguien **llamó** a la puerta. El viejito **estaba** preocupado. **Suspiró, se levantó** y **fue** a abrir la puerta. ¡Qué sorpresa! ¿Qué **quería** la policía a esta hora?

It was midnight and everything was quiet. The old man entered the kitchen as he was accustomed to doing. He took out something to eat from the refrigerator. He sat down in the living room and began to read a few pages of his favorite mystery story. Tonight he was going to read the most interesting part — the part where it's revealed who the criminal is.

According to the story, the suspect was a tall, gray-haired man who was about seventy-two years old. The night before, when the old man stopped reading, the detectives set out for the suspect's house to arrest him.

While the old man read, he heard a noise from the street. Immediately, someone knocked at the door. The old man was worried. He sighed, got up, and went to open the door. What a surprise! What did the police want at this hour?

Vamos a practicar

a. ¡Qué vergüenza! Completa la carta que Xavier le mandó a Narciso para saber cómo él pasó las vacaciones el verano pasado.

Querido Narciso:

¿Cómo estás? Tengo muchas ganas de verte otra vez y pasar el verano juntos. (Nos divertimos, Nos divertíamos) tanto el verano pasado. ¿Recuerdas como cada día (fuimos, íbamos) a la playa y (nadamos, nadábamos) en el océano y (charlamos, charlábamos) con las chicas bonitas?

¿Recuerdas a Diana? ¿Recuerdas esa noche cuando por fin (salí, salía) con ella?—después de invitarla tantas veces. (Fuimos, Íbamos) al restaurante más elegante de la ciudad. ¡Qué noche! Diana (tuvo, tenía) mucha hambre y (pidió, pedía) el plato más caro de toda la carta. Entonces yo (decidí, decidía) pedir el plato más barato.

Mientras (comimos, comíamos) ella y yo (conversamos, conversábamos) sobre los amigos y nuestros pasatiempos favoritos. La conversación (fue, era) tan interesante que yo no (presté, prestaba) atención a lo que (hice, hacía). De repente derramé la sopa y (sentí, sentía) algo caliente sobre mis piernas. ¡Qué vergüenza! (Tuve, Tenía) que regresar a casa sin siquiera bailar con Diana. Quizás este año . . . .

Hasta pronto, mi amigo. ¡Que vengan pronto las vacaciones!

Tu amigo,
Xavier

Frangelico
RESTAURANT
COMIDA INTERNACIONAL
NUESTRA ESPECIALIDAD...
...LA CARNE
UN CONCEPTO DIFERENTE Y
EXCLUSIVO
EN RESTAURANTE
HAGA SUS
RESERVACIONES
CALLE JOSE MARTI, No. 7
COLONIA ESCALON
SAN SALVADOR, EL SALVADOR
TELEFONOS:
23-9321

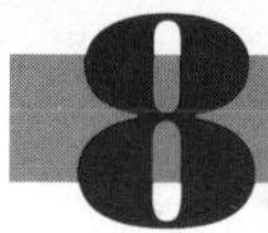

b. La Cenicienta. ¿Recuerdas este cuento de hadas? Cuenta la primera parte.

Había una vez una joven muy bella que (llamarse) Cenicienta. (Vivir) con su madrastra y sus dos hermanastras. Todas la (tratar) muy cruelmente. Cenicienta siempre (tener) muchos quehaceres y no (poder) salir como sus hermanastras. Un día, la familia (recibir) una invitación muy importante. El rey (ir) a tener un baile grande para encontrar una esposa para su hijo. Todas (estar) muy emocionadas, incluso Cenicienta. Pero su madrastra le (decir) que sólo las dos hermanastras (poder) asistir al baile con ella. Y así (pasar).

Cuando (salir) las tres mujeres muy elegantemente vestidas, Cenicienta (empezar) a llorar y llorar. De repente (aparecer) su hada madrina y le (decir), ''No llores. Tú también vas a ir''. En un momento, el hada madrina (cambiar) el viejo y feo vestido de Cenicienta en un vestido largo y bellísimo. Y le (dar) unos zapatos preciosos de cristal. También (cambiar) la calabaza del jardín en un elegante coche de caballos. Cenicienta (estar) contentísima. ''Ya estás lista, niña'', (decir) el hada madrina, ''pero recuerda que tienes que volver a casa antes de la medianoche''.

c. ¡Qué memoria! ¿Tienes una buena memoria? ¿Cuánto recuerdas del cuento *''El leon y las pulgas''?* Completa la siguiente reconstrucción del cuento.

VOCABULARIO ÚTIL:

establecerse	querer	ser	empezar
sentir	picar	tener	estar
proclamar	vencer	perder	matar

1. Los animales de la selva africana ____ al león ''rey de todos los animales''.
2. Desafortunadamente, el león también ____ orgulloso y tiránico.
3. En efecto, todos los animales ____ miedo de su monarca.
4. Las pulgas no ____ ni miedo ni respeto por el rey, ni por ningún otro animal.
5. Las pulgas ____ mostrarles a todos los demás animales que ellas ____ más poderosas que el león.
6. Con esta idea ____ en el lustroso y elegante pelaje dorado del león.
7. Pronto la pequeña colonia ____ a crecer rápidamente.
8. Las pulgas ____ tanto al león que éste acabó por morirse.
9. Las pulgas ____ una gran fiesta para celebrar la muerte del león.
10. Desgraciadamente, al matar al león, las pulgas ____ la fuente de su alimentación.

8.7 REPASO: QUIZÁS AND TAL VEZ

The subjunctive is used after **quizás** and **tal vez** when the speaker wishes to express doubt.

Quizás tengamos refrescos.	*Maybe we'll have soft drinks.*
Tal vez venga mi prima.	*Perhaps my cousin will come.*

Vamos a practicar

a. El fin de semana. El abuelito de Gloria quiere saber qué van a hacer todos este fin de semana. ¿Qué le dice Gloria?

Felipe

MODELO **Quizás Felipe vaya de compras.**

1. Mamá

2. yo

3. Papá

4. mi hermanito

5. mis padres

6. Felipe y yo

7. mi hermanita

8. mis hermanitos

b. ¡Qué imaginación! Tú hermanito(a) tiene una imaginación muy activa. ¿Cómo reaccionas a sus comentarios sobre la vida en otro planeta?

MODELO Probablemente los habitantes tienen tres brazos.
Tal vez tengan tres brazos.

1. Probablemente el césped es azul.
2. Probablemente los habitantes comen aire.
3. Probablemente viven en los árboles.
4. Probablemente hace 200 grados durante el verano.
5. Probablemente nieva todo el invierno.
6. Probablemente los habitantes tienen dos narices.
7. Probablemente hay pocos animales.
8. Probablemente nadie bebe agua.

MATERIAS DE CONSULTA

APÉNDICE 1

EL ABECEDARIO

Note that the Spanish alphabet has four additional letters: **ch, ll, ñ,** and **rr.** When alphabetizing in Spanish, or when looking up words in a dictionary or names in a telephone directory, words or syllables beginning with **ch, ll,** and **ñ** follow words or syllables beginning with **c, l,** and **ñ,** respectively, while **rr** is alphabetized as in English.

a	*a*	n	*ene*
b	*be* (*be* grande, *be* larga, *be* de burro)	ñ	*eñe*
		o	*o*
c	*ce*	p	*pe*
ch	*che*	q	*cu*
d	*de*	r	*ere*
e	*e*	rr	*erre*
f	*efe*	s	*ese*
g	*ge*	t	*te*
h	*hache*	u	*u*
i	*i*	v	*ve, uve* (*ve* chica, *ve* corta, *ve* de vaca)
j	*jota*		
k	*ka*	w	*doble ve, doble uve*
l	*ele*	x	*equis*
ll	*elle*	y	*i griega, ye*
m	*eme*	z	*zeta*

APÉNDICE 2

I. REGULAR VERBS

Infinitive	cantar	correr	subir
Present indicative	canto cantas canta cantamos cantáis cantan	corro corres corre corremos corréis corren	subo subes sube subimos subís suben
Preterite	canté cantaste cantó cantamos cantasteis cantaron	corrí corriste corrió corrimos corristeis corrieron	subí subiste subió subimos subisteis subieron
Imperfect	cantaba cantabas cantaba cantábamos cantabais cantaban	corría corrías corría corríamos corríais corrían	subía subías subía subíamos subíais subían
Future	cantaré cantarás cantará cantaremos cantaréis cantarán	correré correrás correrá correremos correréis correrán	subiré subirás subirá subiremos subiréis subirán
Conditional	cantaría cantarías cantaría cantaríamos cantaríais cantarían	correría correrías correría correríamos correríais correrían	subiría subirías subiría subiríamos subiríais subirían

Infinitive	cantar	correr	subir
Commands			
tú	canta	corre	sube
negative tú	no cantes	no corras	no subas
usted	(no) cante	(no) corra	(no) suba
ustedes	(no) canten	(no) corran	(no) suban
Present progressive	estoy cantando	estoy corriendo	estoy subiendo
	estás cantando	estás corriendo	estás subiendo
	está cantando	está corriendo	está subiendo
	estamos cantando	estamos corriendo	estamos subiendo
	estáis cantando	estáis corriendo	estáis subiendo
	están cantando	están corriendo	están subiendo
Present subjunctive	cante	corra	suba
	cantes	corras	subas
	cante	corra	suba
	cantemos	corramos	subamos
	cantéis	corráis	subáis
	canten	corran	suban
Present perfect	he cantado	he corrido	he subido
	has cantado	has corrido	has subido
	ha cantado	ha corrido	ha subido
	hemos cantado	hemos corrido	hemos subido
	habéis cantado	habéis corrido	habéis subido
	han cantado	han corrido	han subido

II. STEM-CHANGING VERBS

Infinitive in *-ar* and *-er*			
Infinitive change	pensar **e → ie**	volver **o → ue**	jugar[1] **u → ue**
Present indicative	**pien**so **pien**sas **pien**sa pensamos pensáis **pien**san	**vuel**vo **vuel**ves **vuel**ve volvemos volvéis **vuel**ven	**jue**go **jue**gas **jue**ga jugamos jugáis **jue**gan
Present subjunctive	**pien**se **pien**ses **pien**se pensemos penséis **pien**sen	**vuel**va **vuel**vas **vuel**va volvamos volváis **vuel**van	**jue**gue **jue**gues **jue**gue juguemos juguéis **jue**guen
Infinitive in *-ir*			
Infinitive change(s)	servir e → i	dormir o → ue, u	divertir e → ie, i
Present indicative	s**i**rvo s**i**rves s**i**rve servimos servís s**i**rven	d**ue**rmo d**ue**rmes d**ue**rme dormimos dormís d**ue**rmen	div**ie**rto div**ie**rtes div**ie**rte divertimos divertís div**ie**rten
Present subjunctive	s**i**rva s**i**rvas s**i**rva s**i**rvamos s**i**rváis s**i**rvan	d**ue**rma d**ue**rmas d**ue**rma d**u**rmamos d**u**rmáis d**ue**rman	div**ie**rta div**ie**rtas div**ie**rta div**i**rtamos div**i**rtáis div**ie**rtan
Present participle	s**i**rviendo	d**u**rmiendo	div**i**rtiendo

[1] This verb is unique. It is the only **u → ue** stem-changing verb.

Preterite	serví	dormí	divertí
	serviste	dormiste	divertiste
	sirvió	durmió	divirtió
	servimos	dormimos	divertimos
	servisteis	dormisteis	divertisteis
	sirvieron	durmieron	divirtieron

III. IRREGULAR VERBS

andar

Preterite: anduve, anduviste, anduve, anduvimos, anduvisteis, anduvieron

caer

Present indicative: caigo, caes, cae, caemos, caéis, caen
Preterite: caí, caíste, cayó, caímos, caísteis, cayeron
Present subjunctive: caiga, caigas, caiga, caigamos, caigáis, caigan
Present participle: cayendo
Past participle: caído

conocer

Present indicative: conozco, conoces, conoce, conocemos, conocéis, conocen
Present subjunctive: conozca, conozcas, conozca, conozcamos, conozcáis, conozcan

dar

Present indicative: doy, das, da, damos, dais, dan
Preterite: di, diste, dio, dimos, disteis, dieron
Present subjunctive: dé, des, dé, demos, deis, den

decir

Present indicative: digo, dices, dice, decimos, decís, dicen
Preterite: dije, dijiste, dijo, dijimos, dijisteis, dijeron
Future: diré, dirás, dirá, diremos, diréis, dirán
Conditional: diría, dirías, diría, diríamos, diríais, dirían
Commands: di, no digas, (no) diga, (no) digan
Present subjunctive: diga, digas, diga, digamos, digáis, digan
Present participle: diciendo
Past participle: dicho

estar

Present indicative: estoy, estás, está, estamos, estáis, están
Preterite: estuve, estuviste, estuvo, estuvimos, estuvisteis, estuvieron
Present subjunctive: esté, estés, esté, estemos, estéis, estén

haber (impersonal forms)

Present indicative: hay
Preterite: hubo
Future: habrá
Conditional: habría
Present subjunctive: haya

hacer

Present indicative: hago, haces, hace, hacemos, hacéis, hacen
Preterite: hice, hiciste, hizo, hicimos, hicisteis, hicieron
Future: haré, harás, hará, haremos, haréis, harán
Conditional: haría, harías, haría, haríamos, haríais, harían
Commands: haz, no hagas, (no) haga, (no) hagan
Present subjunctive: haga, hagas, haga, hagamos, hagáis, hagan
Past participle: hecho

ir

Present indicative: voy, vas, va, vamos, vais, van
Preterite: fui, fuiste, fue, fuimos, fuisteis, fueron
Imperfect: iba, ibas, iba, íbamos, ibais, iban
Commands: ve, no vayas, (no) vaya, (no) vayan
Present subjunctive: vaya, vayas, vaya, vayamos, vayáis, vayan
Present participle: yendo
Past participle: ido

oír

Present indicative: oigo, oyes, oye, oímos, oís, oyen
Preterite: oí, oíste, oyó, oímos oísteis, oyeron
Present subjunctive: oiga, oigas, oiga, oigamos, oigáis, oigan
Present participle: oyendo

poder

Present indicative: puedo, puedes, puede, podemos, podéis, pueden
Preterite: pude, pudiste, pudo, pudimos, pudisteis, pudieron
Future: podré, podrás, podrá, podremos, podréis, podrán
Conditional: podría, podrías, podría, podríamos, podríais, podrían
Present participle: pudiendo

poner

Present indicative: pongo, pones, pone, ponemos, ponéis, ponen
Preterite: puse, pusiste, puso, pusimos, pusisteis, pusieron
Future: pondré, pondrás, pondrá, pondremos, pondréis, pondrán
Conditional: pondría, pondrías, pondría, pondríamos, pondríais, pondrían
Commands: pon, no pongas, (no) ponga, (no) pongan
Present subjunctive: ponga, pongas, ponga, pongamos, pongáis, pongan
Past participle: puesto

querer

Present indicative: quiero, quieres, quiere, queremos, queréis, quieren
Preterite: quise, quisiste, quiso, quisimos, quisisteis, quisieron
Future: querré, querrás, querrá, querremos, querréis, querrán
Conditional: querría, querrías, querría, querríamos, querríais, querrían
Present subjunctive: quiera, quieras, quiera, queramos, queráis, quieran

saber

Present indicative: sé, sabes, sabe, sabemos, sabéis, saben
Preterite: supe, supiste, supo, supimos, supisteis, supieron
Future: sabré, sabrás, sabrá, sabremos, sabréis, sabrán
Conditional: sabría, sabrías, sabría, sabríamos, sabríais, sabrían
Present subjunctive: sepa, sepas, sepa, sepamos, sepáis, sepan

salir

Present indicative: salgo, sales, sale, salimos, salís, salen
Future: saldré, saldrás, saldrá, saldremos, saldréis, saldrán
Conditional: saldría, saldrías, saldría, saldríamos, saldríais, saldrían
Commands: sal, no salgas, (no) salga, (no) salgan
Present subjunctive: salga, salgas, salga, salgamos, salgáis, salgan

ser

Present indicative: soy, eres, es, somos, sois, son
Preterite: fui, fuiste, fue, fuimos, fuisteis, fueron
Imperfect: era, eras, era, éramos, erais, eran
Commands: sé, no seas, (no) sea, (no) sean
Present subjunctive: sea, seas, sea, seamos, seáis, sean

tener

Present indicative: tengo, tienes, tiene, tenemos, tenéis, tienen
Preterite: tuve, tuviste, tuvo, tuvimos, tuvisteis, tuvieron
Future: tendré, tendrás, tendrá, tendremos, tendréis, tendrán
Conditional: tendría, tendrías, tendría, tendríamos, tendríais, tendrían
Commands: ten, no tengas, (no) tenga, (no) tengan
Present subjunctive: tenga, tengas, tenga, tengamos, tengáis, tengan

traer

Present indicative: traigo, traes, trae, traemos, traéis, traen
Preterite: traje, trajiste, trajo, trajimos, trajisteis, trajeron
Present subjunctive: traiga, traigas, traiga, traigamos, traigáis, traigan
Present participle: trayendo
Past participle: traído

venir

Present indicative: vengo, vienes, viene, venimos, venís, vienen
Preterite: vine, viniste, vino, vinimos, vinisteis, vinieron
Future: vendré, vendrás, vendrá, vendremos, vendréis, vendrán
Conditional: vendría, vendrías, vendría, vendríamos, vendríais, vendrían
Commands: ven, no vengas, (no) venga, (no) vengan
Present subjunctive: venga, vengas, venga, vengamos, vengáis, vengan
Present participle: viniendo

ver

Present indicative: veo, ves, ve, vemos, veis, ven
Preterite: vi, viste, vio, vimos, visteis, vieron
Imperfect: veía, veías, veía, veíamos, veíais, veían
Present subjunctive: vea, veas, vea, veamos, veáis, vean
Past participle: visto

VOCABULARIO

ESPAÑOL-INGLÉS

VOCABULARIO
español-inglés

This **Vocabulario** includes all active and most passive words and expressions in **¡DIME!** (Exact cognates, conjugated verb forms, and proper nouns used as passive vocabulary are generally omitted.) A number in parentheses follows most entries. This number refers to the unit and lesson in which the word or phrase is introduced. The number **(3.1),** for example, refers to **Unidad 3, Lección 1.** The unit and lesson number of active vocabulary—words and expressions students are expected to remember and use—is given in boldface type: **(3.1).** The unit and lesson number of passive vocabulary–words and expressions students are expected to recognize and understand—is given in lightface type: (3.1).

The gender of nouns is indicated as *m.* (masculine) or *f.* (feminine). When a noun designates a person or an animal, both the masculine and feminine form is given. Irregular plural forms of active nouns are indicated. Adjectives ending in **-o** are given in the masculine singular with the feminine ending (**a**) in parentheses. Verbs are listed in the infinitive form, except for a few irregular verb forms. Stem-changing verbs appear with the change in parentheses after the infinitive.

The following abbreviations are used:

adj.	adjective	*m.*	masculine
adv.	adverb	*n.*	noun
art.	article	*past part.*	past participle
cond.	conditional	*pl.*	plural
conj.	conjunction	*poss.*	possessive
dir. obj.	direct object	*prep.*	preposition
f.	feminine	*pres.*	present
fam.	familiar	*pres. perf.*	present perfect
form.	formal	*pres. subj.*	present subjunctive
fut.	future	*pret.*	preterite
imper.	imperative	*pron.*	pronoun
imperf.	imperfect	*refl.*	reflexive
indir. obj.	indirect object	*sing.*	singular
inf.	infinitive	*subj.*	subject

A

a to
a *(personal)*
a caballo on horseback (6.1)
a eso de around, about **(2.2)**
a gritos at the top of one's voice (5.1)
a lo largo de along, alongside (7.3)
a lo mejor probably, maybe, perhaps **(2.1)**
a mediados de in the middle of *(time period)* (8.1)
a medida que as (3.3)
a menudo often **(2.1)**
a pesar de in spite of (1.1)
a propósito by the way (7.1)
a punto de about to (5.1)
abandonado(a) abandoned (1.2)
abandonado(a) *n.* one who has been abandoned (3.2)
abandonar to abandon (8.1)
abierto(a) open **(3.2)**
abogado *m.*, **abogado** *f.* lawyer (7.3)
abrazo *m.* hug (5.2)
abrigar to cover up, wrap up (6.1)
abrigo *m.* coat (3.1)
abrir to open (1.1) *pres. perf.* **(6.2)**
absolutamente absolutely **(7.1)**
absorber to absorb (2.3)
abuelito *m.*, **abuelita** *f.* grandpa, grandma (1.1)
abuelo *m.*, **abuela** *f.* grandfather, grandmother (1.1)
abundante abundant (3.3)
abundar to abound, be plentiful (3.3)
aburrido(a) boring; bored (1.2)
acá here (1.1)
acabar de to have just (1.2) **(1.1)**
acabar por to end up (by) (1.3)
académico(a) academic (7.3)
acampar to camp (1.1) **(1.3)**
acaso *m.* chance **(8.2)**
accesorio *m.* accessory (1.1)
accidente *m.* accident (1.3)
aceite *m.* oil (6.1)
acento *m.* accent (7.3)
aceptar to accept (6.1)
acequia *f.* irrigation ditch (5.1)
acerca de about, concerning (1.2)
acercarse to approach, draw near (6.1) **(3.3)**
acero *m.* steel (2.1)
acertar to guess right; to be correct (1.3)
acompañar to accompany (1.2)
aconsejar to advise (4.1) **(5.2)**
acontecimiento *m.* event, happening (5.2)
acordar (ue) to agree; to remember **(4.1)**
acordarse (ue) to remember (1.3)
acortar to shorten (3.2)
acostarse (ue) to go to bed (1.2)
acostumbrado(a) accustomed (1.3) **(6.3)**
acostumbrar to be customary (1.3)
acostumbrarse (a) to become accustomed (to) (4.2)
acrobacia *f.* **aérea** aerobatics (8.2)
actitud *f.* attitude (2.1)
actividad *f.* activity (1.1)
activo(a) active (1.1)
actriz *f.* (*pl.* **actrices**) actress (2.1)
actual current, present-day (3.3)
actualmente nowadays (2.1)
actuar to act (7.2)
acuerdo *m.* agreement, accord (2.1)
de acuerdo agreed (2.1)
acumular to amass, accumulate (3.2)
adecuado(a) adequate (5.1)
adelante ahead; forward *(sports)* (2.2)
en adelante from now on, henceforth (3.2)
adelantero *m.* forward *(sports)* (7.3)
adelanto *m.* advance (5.1)
adelgazar to make thin, make slender **(5.3)**
además besides; moreover (1.1)
adicional additional (7.1)
adiós good-bye (1.1)
adivinar to guess (1.1) **(8.3)**
adjetivo *m.* adjective (1.3)
administración *f.* administration (7.2)
administrador *m.*, **administradora** *f.* administrator (8.2)
admiración *f.* admiration (1.2)
admirar to admire (4.1) **(6.1)**
adobe sun-dried clay brick (1.2)
¿adónde? (to) where? (1.1)
adoptar to adopt (5.2)
adornado(a) adorned (7.3)
adornar to adorn (4.3)
adulto *m.*, **adulta** *f.* adult (2.3)
advertir (ie, i) to advise, warn **(6.3)**
aeropuerto *m.* airport (1.3)
aeróbico(a) aerobic **(5.1)**
afecto *m.* affection (6.2)
afeitarse to shave (3.3)
aficionado *m.*, **aficionada** *f.* fan (5.1)
afines: palabras afines cognates (3.3)
afirmar to affirm, assert, state (5.3)
afirmativamente affirmatively (1.1)
afirmativo(a) affirmative (2.2)
aflicción *f.* affliction, grief (8.1)
afortunadamente fortunately **(5.1)**
agarrar to grab, clutch (6.3)
agencia *f.* agency (7.2)
agente *m. f.* agent (5.2)
agilidad *f.* agility (8.2)
agitado(a) agitated, upset (3.3)
agradable agreeable, nice (3.2)
agradecido(a) thankful, grateful (1.3)
agrícola agricultural, agrarian (1.1)
agricultor *m.*, **agricultora** *f.* farmer (2.3)
agua *f.* water (2.3)
aguacate *m.* avocado (4.1)
aguafiestas *m. f.* wet blanket, party pooper **(1.1)**

aguantar to bear, endure, put up with (6.1)
águila *f.* eagle (8.1)
ahí there (4.1)
ahogarse to drown (2.2); to suffocate
ahora now (1.2)
ahorrado(a) saved **(3.3)**
ahorrar to save **(7.1)**
aire *m.* air (1.2)
aislado(a) isolated **(3.1)**
ajo *m.* garlic (6.1)
ajustar to adjust (4.3)
al (a + el) to the + *m. sing. noun*
  al aire libre outdoors (1.1)
  al fondo in the background (5.3)
  al instante immediately (4.3)
  al lado on the side (1.3)
  al parecer apparently (3.2)
  al revés backwards, inside-out (6.3)
ala *f.* wing (2.1)
alambre *m.* wire (8.3)
alarmar to alarm (6.3)
albaricoque *m.* apricot (5.1)
albóndiga *f.* meatball (1.1)
albondiguita *f.* small meatball (5.2)
álbum *m.* album **(4.1)**
alcalde *m.* mayor (1.1)
alcaldía *f.* mayor's office (5.1)
alcanzar to reach, attain (1.2)
alcázar *m.* fortress; royal palace (2.1)
alcoba *f.* bedroom (2.1)
alegrarse to be glad, be happy **(5.3)**
alegre happy (1.3)
alegría *f.* happiness, joy (3.2)
alemán, alemana (*m. pl.* **alemanes**) German **(2.2)**
alfabeta literate (8.1)
alfabetismo *m.* literacy (6.1)
alfalfa *f.* alfalfa (5.1)
alfombra *f.* rug, carpet (3.1)
algo something **(1.1)**
algodón *m.* cotton (5.1)
algún, alguno some (1.1)
alguna vez at any point, ever (1.1)
alhaja *f.* jewel, gem (5.1)
alimentación *f.* food; nutrition (2.3)
alimento *m.* food, nourishment (8.3)
alma *f.* soul (1.2)
  alma en pena soul in torment (6.3)
almacén *m.* (*pl.* **almacenes**) department store (1.2)
almendra *f.* almond (5.1)
almohada *f.* pillow (2.3)
almorzar (ue) to eat lunch (1.2)
almuerzo *m.* lunch (1.3)
alquilar to rent (1.1)
alquimia *f.* alchemy (5.1)
alrededor (de) around (1.2)
alrededores *m. pl.* outskirts, surroundings (1.1)
alternar to alternate (3.2)
alto(a) high (1.2); tall
altura *f.* altitude; height (3.3)
alumbrado *m.* **eléctrico** electric wiring (4.1)
aluminio *m.* aluminum (2.1)
alumno *m.,* **alumna** *f.* student (1.2)
allí there (1.1)
amable friendly **(2.1)**
amado(a) dear, beloved (7.3)
amado(a) *n.* loved one (3.2)
amanecer *m.* dawn, daybreak (4.1)
amante *m. f.* lover, fan (3.2)
amar to love (1.3)
amarillo(a) yellow (1.1)
amarrado(a) tied (4.1)
ambiental environmental **(2.2)**
ambiente: medio ambiente environment (7.3)
ambos both (7.1)
ambulancia *f.* ambulance (3.1)
amenazar to threaten (2.3)
americano(a) American (1.1)
amigo *m.,* **amiga** *f.* friend (1.1)
amiguito *m.,* **amiguita** *f.* little friend (2.1)
amor *m.* love (3.2)
amoroso(a) related to love; loving (8.3)
ampliado(a) enlarged (4.3)
amplio(a) broad (7.1); wide
amueblado(a) furnished
anacardo *m.* cashew (2.3); cashew tree
anaconda *f.* anaconda (snake) **(2.2)**
analfabeto *m.* illiterate (person) (8.1)
anaranjado(a) orange (1.1)
anciano(a) old, elderly (1.) **(4.3)**
anciano *m.,* **anciana** *f.* elder (3.2)
andar to walk; to function, run (1.2) *pret.* **(3.1)**
  andar de compras to go shopping (1.2)
  andar de novios to date seriously (1.3)
  andar por las nubes to daydream, have one's head in the clouds (7.2)
andén *m.* (*pl.* **andenes**) (foot)path (4.1)
andino(a) Andean, of the Andes (8.1)
anexión *f.* annexation (1.1)
angelito *m.* little angel (2.2)
ángulo *m.* angle (4.1)
angustia *f.* anguish, distress (6.3)
animado(a) lively, bustling, busy (1.1)
ánima *f.* soul, spirit (5.3)
animar to encourage, cheer up; to enliven (7.2)
anoche last night (1.2)
anochecer to get dark, to become nighttime **(6.1)**
anotar to make a note of, jot down (1.3)
anónimo(a) anonymous (5.1)
ante before, in the face of (8.1)
anteojos *m. pl.* eye glasses (7.1)
antepasado *m.* ancestor (8.2)
anterior *adj.* previous (1.2)
antes (de) before (1.2)
anticipación *f.* anticipation **(8.1)**

anticipar to anticipate (1.3)
anticoagulante *m.* anticoagulant (2.3)
antigüedad *f.* antiquity (4.3)
antiguo(a) ancient, old (2.1)
Antillas *f. pl.* West Indies, the Antilles (2.1)
antipático(a) disagreeable, unpleasant (1.3)
antología *f.* anthology (6.3)
antropología *f.* anthropology (2.1)
anunciar to announce (3.3)
anuncio *m.* announcement, advertisement (2.1)
añadir to add **(3.3)**
año *m.* year (1.1)
apagar to turn off; to extinguish **(3.2)**
aparador *m.* cupboard (3.1)
aparecer to appear **(2.1)**
aparentemente apparently (1.3)
aparición *f.* apparition (6.3)
apariencia *f.* appearance (2.3)
apenas scarcely, hardly (5.2)
apéndice *m.* appendage (2.1); appendix
apertura *f.* opening (5.1)
apetecer to be appetizing to **(2.1);** to appeal to, take one's fancy
apio *m.* celery (6.2)
aplaudir to applaud (8.2)
apoderarse to seize, take possession of (7.3)
aprehensión *f.* apprehension (1.2)
aprender to learn (1.1) *pres. subj.* **(5.1)**
apretar to squeeze (1.2)
aprobar to approve, agree with (3.1)
apropiado(a) appropriate (1.1)
aprovechar to profit by; to take advantage of **(1.1)**
apuntar to point out (7.3)
apunte *m.* note (5.3)
  tomar (sacar) apuntes to take notes
aquel, aquella, aquellos, aquellas *adj.* that, those (*over there*) (3.1)
  aquel entonces that time (4.1)
aquél, aquélla, aquéllos, aquéllas *pron.* that one, those (ones) (3.1)
aquí here (1.1)
árabe *m. f.* Arab (5.1)
araña *f.* spider (5.2)
árbol *m.* tree (1.1) **(2.3)**
arco *m.* arch (5.1)
  arco *m.* **de herradura** horseshoe arch, Moorish arch (5.1)
área *f.* area (6.2)
arena *f.* sand (4.3)
arepa *f.* arepa *(griddle cake made of corn)* **(2.1)**
arepera *f.* cafe specializing in arepas **(8.3)**
arete *m.* earring (1.1) **(1.2)**
argentino(a) Argentine, Argentinian (2.2)
árido(a) arid, dry, barren (1.1)
armadillo *m.* armadillo (6.1)
armar to set up **(6.2)**; to arm
armario *m.* closet (4.1)
armonía *f.* harmony (8.1)
aroma *m.* aroma, fragrance (2.3)
arqueología *f.* archaeology (3.3)
arqueológico(a) archaeological (4.1)
arqueólogo *m.,* **arqueóloga** *f.* archaeologist (3.3)
arquitecto *m.,* **arquitecta** *f.* architect (1.3)
arquitectura *f.* architecture (4.1)
arrancar to pull up, root out (4.3)
arreglar to arrange; to adjust, fix (1.3)
arreglarse to get ready (3.3)
arrepentirse to repent (5.1)
arriba above; up **(4.1)**
arrojar to throw (4.3)
arroz *m.* rice (1.3)
arruinado(a) ruined (8.2)
arte *m. f.* art (1.3)
artefacto *m.* artifact (6.2)
artesanía *f.* handicrafts (1.3)
artículo *m.* article (2.1)
artista *m. f.* artist (1.3); entertainer
asamblea *f.* assembly (8.2)
ascendencia *f.* rise (4.2)
aseador *m.* **de edificios** building caretaker (7.3)
asesinato *m.* murder, assassination (8.1)
asesino *m.* murderer, killer (5.1)
así so, thus (1.2); like this, in this way
asignar to assign (2.2)
asistencia *f.* help, assistance (6.1)
asistir (a) to attend **(1.1)** *pret.* **(2.2)**
asombrado(a) amazed, astonished **(4.3)**
asombrarse to be amazed, be astonished (6.1)
asombroso(a) amazing, astonishing (8.1)
aspiradora *f.* vacuum cleaner **(4.1)**
aspirar to vacuum (7.1)
astronauta *m. f.* astronaut (6.2)
astronomía *f.* astronomy (3.1)
astrónomo *m.,* **astrónoma** *f.* astronomer (3.1)
astucia *f.* cleverness, guile, cunning (7.3)
astuto(a) astute, intelligent, clever (3.1)
asunto *m.* matter, affair (3.3)
asustado(a) frightened (4.2) **(4.3)**
asustar to frighten (3.3) **(4.2)**
asustarse to be frightened, get scared (1.2)
atacar to attack (4.3)
atención *f.* (*pl.* **atenciones**) attention (2.2)
atento(a) attentive **(5.2)**
aterrorizado(a) terrified (5.1)
atleta *m. f.* athlete (8.1)
atlético(a) athletic (1.3)
atmósfera *f.* atmosphere (3.1)
atracción *f.* (*pl.* **atracciones**) attraction (7.1)
atractivo(a) attractive (6.2)
atraer to attract, draw, lure (2.3)
atrapado(a) trapped (8.3)
atrapar to nab; to trap **(4.3)**
atrás backwards (6.3)
atraso *m.* backwardness (7.2); delay

aun even (2.3)
aún still, yet (3.3)
aunque though, although (2.1)
autobús *m.* (*pl.* **autobuses**) bus (2.3)
automovilístico(a) pertaining to automobiles (1.3)
autopista *f.* freeway (7.3)
autor *m.*, **autora** *f.* author (2.1)
autoridad *f.* authority **(3.1)**
autoritario(a) authoritarian (5.2)
autostop: hacer autostop to hitchhike (1.2)
autosuficiente self-sufficient (8.1)
auxilio *m.* help (2.2)
avance *m.* advance (2.3)
avanzado(a) advanced (5.1)
avaro(a) greedy, miserly (4.3)
ave *f.* bird (4.3)
avenida *f.* avenue (6.2)
aventón *m.* ride, lift (1.2)
aventura *f.* adventure (1.1)
aventurero *m.*, **aventurera** *f.* adventurer (4.3)
aventurero(a) adventurous (8.2)
avergonzado(a) embarrassed (1.2)
avión *m.* (*pl.* **aviones**) airplane (2.3)
ayer yesterday (2.2)
ayudante *m.*, *f.* helper, assistant (7.3)
ayudar to help (1.1)
azúcar *m.* sugar (2.1)
azul blue (1.1)
azulejo *m.* tile (5.1)

B

bailar to dance **(1.1)** *pret.* **(2.2)**
bailarín *m.*, **bailarina** *f.* (*pl.* **bailarines**) dancer (6.3)
baile *m.* dance (1.3)
bajar to go down, lower (2.1)
bajo *prep.* under (1.1)
bajo(a) short (1.3); low (8.1)
balanceado(a) balanced **(5.2)**
balcón *m.* balcony (5.1)
baloncesto *m.* basketball (1.1)
balsa *f.* raft (3.3)
banco *m.* bank (3.2)
banda *f.* band (1.2)
bandada *f.* flock (6.3)
bandera *f.* flag **(8.3)**
bandido *m.* bandit (3.2)
banquete *m.* banquet, feast (2.3)
bañarse to take a bath (3.2)
  bañarse al sol to sunbathe **(3.2)**
baño *m.* bathroom (2.1)
barato(a) cheap, inexpensive **(3.2)**
barbaridad *f.* outrage (5.2); nonsense
barniz *m.* (*pl.* **barnices**) varnish (2.3)
barrer to sweep **(4.1)**
barrio *m.* neighborhood *(of a town)* (5.3)
basado(a) (en) based (on) (2.1)
basar to base (6.3)
básquetbol *m.* basketball (1.3)
basta con to be enough, to suffice (3.1)
bastante more than enough (2.1); enough (3.1); fairly (5.3)
basura *f.* garbage **(1.3)**
basurero *m.*, **basurera** *f.* garbage collector **(3.1)**
bata *f.* bathrobe (3.3)
batería *f.* battery **(6.1)**
batido m. milkshake (2.1)
bebé *m. f.* baby (1.3)
beber to drink (1.1) *pret.* **(2.2)**
bebida *f.* drink (3.2)
beca *f.* scholarship (7.3)
béisbol *m.* baseball (1.2)
belleza *f.* beauty (4.3)
bello(a) beautiful (4.3)
bendición *f.* blessing (1.2)
bendito(a) blessed, holy (5.1)
beneficiarse to benefit, profit (7.1)
beso *m.* kiss (6.1)
biblioteca *f.* library (1.1)
bibliotecario *m.*, **bibliotecaria** *f.* librarian (7.3)
bicicleta *f.* bicycle (1.1)
bien well (1.1)
bienestar *m.* well-being (2.3)
bilingüe bilingual (1.1)
bilingüismo *m.* bilingualism (1.1)
biología *f.* biology (2.2)
blanco(a) white (1.1)
blando(a) soft (2.1)
blusa *f.* blouse (1.2)
boa *f.* boa constrictor **(2.2)**
bobo *m.*, **boba** *f.* fool (7.2)
bobo(a) foolish, stupid (3.1)
boca *f.* mouth (3.2); entrance (6.2)
boda *f.* wedding **(1.2)**
boleto *m.* ticket (7.1)
bolígrafo *m.* ballpoint pen (2.3)
bolívar *m.* bolívar *(monetary unit of Venezuela)* (2.1)
boliviano(a) Bolivian **(2.2)**
bolsa *f.* bag **(3.1)**
bolsillo: dinero *m.* **de bolsillo** allowance **(7.1)**
bomba *f.* **nuclear** nuclear bomb (8.1)
bombero *m.*, **bombera** *f.* fire fighter (7.3)
bondad *f.* good, goodness (7.1)
bondadoso(a) kind-hearted, good-natured (6.1)
bordadura *f.* embroidery (4.3)
bordar to embroider (5.3)
borde *m.* border (3.1)
borrador *m.* draft (1.3); eraser (2.3)
  primer borrador first draft (1.3)
borrega *f.* yearling sheep or lamb (1.3)
bosque *m.* woods, forest (8.3)
bota *f.* boot (6.2)
botar to throw away (4.2)

bote *m.* rowboat (3.3)
botella *f.* bottle (5.1)
brasileño(a) Brazilian **(2.2)**
¡bravo(a)! bravo! hooray! (1.1)
brazo *m.* arm (3.2)
brecha *f.* breach, gap (7.1)
breve brief (1.1)
brillante bright, shining, brilliant (2.1)
brillante *m.* diamond (4.3)
brillar to shine, be outstanding (7.3)
broche *m.* clasp (1.2)
bromear to joke (6.2)
bronceador *m.* suntan lotion **(3.2)**
bruja *f.* witch, sorceress (7.1)
bueno(a) good (1.1)
buey *m.* ox (7.2)
bulto *m.* ghost, apparition (1.2)
burlarse to laugh at, make fun of **(7.1)**
burocracia *f.* bureaucracy (7.2)
burro *m.*, **burra** *f.* donkey (6.2)
buscar to look for (1.2)
búsqueda *f.* search (2.2)

caballo *m.* horse (4.3)
caber to fit (4.1)
  no cabe duda there is no doubt (1.3)
cabeza *f.* head (3.2)
cabezazo *m.* header *(soccer shot)* (7.3)
cacahuate *m.* peanut (4.1)
cacao *m.* cacao, cocoa (2.1)
cacto *m.* cactus (8.1)
cada each, every (1.1)
cadena *f.* chain (4.3)
caer to fall (1.2)
caerse to fall, fall down (3.3)
café *m.* coffee; café (1.1)
cafeína *f.* caffeine (2.3)
cafetería *f.* cafeteria (1.2); café
caída *f.* fall (2.1)
caimán *m.* (*pl.* **caimanes**) caiman *(South American reptile)* **(2.2)**
caja *f.* cash register (3.2); box
  caja *f.* **registradora** cash register (7.1)
cajero *m.*, **cajera** *f.* cashier **(3.3)**
cajeta *f.* cajeta *(browned, sweetened, condensed milk)* (8.2)
cajita *f.* small box **(4.1)**
calabaza *f.* squash; pumpkin (4.1)
calandria *f.* calandra lark (8.2)
calcetín *m.* (*pl.* **calcetines**) sock (1.1)
calcular to calculate (1.2)
calentarse to warm (4.1)
calentito(a) (nice and) warm (3.1)
calibre *m.* caliber (7.3)
calidad *f.* quality (6.3)
caliente hot (8.3)
calientico(a) warm **(2.1)**
calificación *f.* (*pl.* **calificaciones**) qualification **(7.3)**; grade
calificar to grade (1.1)
caligráfico(a) calligraphic (5.1)
calmante *m.* sedative, tranquilizer (3.1)
calmarse to calm oneself **(5.3)**
calor *m.* heat (1.3)
calorcito *m.* warmth (4.3)
caloría *f.* calorie (3.2)
cama *f.* bed (1.3)
camafeo *m.* cameo brooch (1.2)
cámara *f.* camera **(3.2)**
camarero *m.*, **camarera** *m.* waiter, waitress (1.2)
camarón *m.* (*pl.* **camarones**) shrimp (1.3)
cambiar to change (1.2)
cambio *m.* change (5.2)
caminante *m. f.* traveler (3.2)
caminar to walk (1.2)
caminata *f.* hike (6.3)
camino *m.* road; way (3.2)
  camino a on the way to (1.2)
  camino abajo downhill (6.2)
camisa *f.* shirt (1.1)
camiseta *f.* T-shirt (1.1)
camote *m.* sweet potato (4.1)
campamento *m.* camp (1.1)
campaña *f.* campaign (8.1)
campeonato *m.* championship (1.3)
campesino *m.* farmer (8.1)
campo m. country (4.3); field (7.2); countryside
canadiense *m. f.* Canadian (2.2)
canal *m.* television channel, station **(3.1)**
  canal *m.* **de irrigación** irrigation canal (4.2)
canario *m.* canary (7.2)
canasta *f.* basket (4.3)
cancelar to cancel (4.1)
cáncer *m.* cancer (2.3)
canción *f.* (*pl.* **canciones**) song (3.1)
candidato *m.*, **candidata** *f.* candidate (5.1)
cangrejo *m.* crab (1.3)
cansado(a) tired (1.2)
cansarse (de) to get tired (of) (4.1)
cantante *m. f.* singer (1.3)
cantar to sing **(1.1)**
cantidad *f.* amount, quantity (6.2)
cantina *f.* bar (7.3)
canto *m.* song; singing (2.2); song; the art of singing (5.1)
cantor *m.* singer (8.2)
cañón *m.* (*pl.* **cañones**) canyon (4.2)
capacidad *f.* capacity (8.1)
capacitado(a) qualified, capable **(7.2)**
capaz (*pl.* **capaces**) capable (3.3)
caperucita *f.* small hood (4.3)

caperuza *f.* hood
capibara f. capybara *(a large South American rodent)* **(2.2)**
capítulo *m.* chapter (8.1)
caracol *m.* snail (6.3)
característica *f.* characteristic (2.1)
caracterizado(a) characterized (4.3)
caracterizarse to characterize (7.2)
¡caramba! wow! hey! (1.1)
carbón *m.* coal (2.1); charcoal
carcajada *f.* loud laugh, guffaw (6.2)
cárcel *f.* jail (6.1)
carga *f.* load (5.1)
cargado(a) laden, loaded (5.1)
cargar to carry (6.1); to load
cargo *m.* office *(position)* (7.2)
caricatura *f.* caricature, cartoon (4.3)
caricaturista *m. f.* caricaturist, cartoonist (3.1)
cariño *m.* affection, love (1.3)
cariñoso(a) affectionate, loving (7.3)
carne *f.* meat (1.3)
caro(a) expensive (2.3)
carpa *f.* tent **(6.2)**
carpeta *f.* folder (2.3)
carpintero *m.*, **carpintera** *f.* carpenter (5.1)
carrera *f.* career, profession **(5.2)**
carreta *f.* cart, wheelbarrow (6.3)
carretera *f.* highway **(6.1)**
carro *m.* car (1.2); cart, wagon (6.1)
  carros chocones *m. pl.* bumper cars (2.1)
carta *f.* letter (1.1); menu
cartera *f.* wallet (5.3)
casa *f.* house (1.1)
casado(a) married (1.3)
casarse con to get married to (1.3)
cascada *f.* waterfall (2.1)
casete *m.* cassette (6.1)
casi almost (1.1)
caso *m.* case, event (1.1)
castigar to punish (7.1)
casualidad *f.* chance, accident **(3.2)**
catarata *f.* waterfall (2.1) **(8.3)**
catecismo *m.* catechism (7.2)
catedral *f.* cathedral (2.1)
categoría *f.* category (1.1)
catolicismo *m.* Catholicism (4.1)
católico(a) Catholic (5.1)
caucho *m.* rubber (2.1)
causar to cause (2.3)
cazador *m.*, **cazadora** *f.* hunter (4.3)
cebolla *f.* onion (6.1)
celebración *f.* (*pl.* **celebraciones**) celebration (7.3)
celebrar to celebrate (4.2)
cementerio *m.* cemetery (1.2)
cemento *m.* cement (4.1)
cena *f.* dinner (1.1)
cenar to eat dinner (1.2)
ceniza *f.* ashes, cinder (6.1)
censo *m.* census
censura censorship (5.2)
centígrado *m.* centigrade **(3.1)**
centro *m.* center (1.2)
cepillarse (el pelo) to brush (one's hair) **(3.3)**
cepillo *m.* brush (6.1)
  cepillo *m.* **de dientes** toothbrush **(8.2)**
cerámica *f.* ceramics, pottery (4.3)
cerca (de) near (1.1)
cerrar (ie) to close (1.2)
certeza *f.* certainty (3.3)
  de certeza with certainty
cesar to cease, stop (8.1)
césped *m.* grass, lawn **(4.1)**
ciego *m.*, **ciega** *f.* blind person (7.2)
ciego(a) blind (2.2)
cielo *m.* sky (4.2); heavens (8.1)
ciencias *f. pl.* science (1.2)
científico *m.*, **científica** *f.* scientist **(2.2)**
ciento *m.* hundred (7.1)
cierto(a) sure, certain (1.1) **(5.1)**
cifra *f.* number (7.3)
cine m. movie theater (1.1)
cirugía *f.* surgery (2.3)
cita *f.* date, appointment (3.2)
ciudad *f.* city (1.1)
  ciudad *f.* **gemela** twin city (1.1)
ciudadano *m.*, **ciudadana** *f.* citizen (6.1)
civilización *f.* (*pl.* **civilizaciones**) civilization (4.3)
civilizado(a) civilized (4.1)
clarificar to clarify (1.3)
claro of course (1.2)
  ¡claro que sí! of course! (4.1)
claro(a) clear (2.2) **(5.1)**; light *(color)*
clase *f.* class (1.1); type (4.2)
clásico(a) classic, classical **(1.3)**
clasificado(a) classified **(7.2)**
cliente *m. f.* client (3.2)
clima *m.* climate **(1.3)**
cobija *f.* blanket, cover (1.3)
cocina *f.* kitchen (2.1)
cocinar to cook (1.1)
cocinero *m.*, **cocinera** *f.* cook, chef (5.2)
coco *m.* coconut *(fruit)*; coconut tree (2.3)
coche *m.* car (1.3)
cochinada *f.* filthy mess (6.1)
cochinillo *m.* suckling pig (4.3)
cochino *m.* pig **(4.3)**
codicia *f.* greed (6.3)
codicioso(a) *n.* one who is greedy (6.3)
codo *m.* elbow (7.2)
coger to take (hold of); to seize (2.3)
cola *f.* soft drink (2.3); tail (3.3)
colchón *m.* (*pl.* **colchones**) mattress **(3.3)**
colegio *m.* school (1.1)
colgado(a) hung (1.2)

colgar (ue) to hang (up) **(6.1)**
colombiano(a) Colombian (2.2)
colonia *f.* colony (2.3); neighborhood, community (7.1)
colorado(a) red (5.3)
colorido(a) colored (3.2)
columna *f.* column (1.3)
collar *m.* necklace (1.1) **(1.2)**
combatir to fight; to struggle (7.2)
combinar to combine, put together (1.2)
comedor *m.* dining room (2.1)
comentario *m.* comment, commentary (1.3)
comenzar (ie) to begin (1.2)
comer to eat (1.1) *pret.* **(2.2)** *pres. perf.* **(6.2)**
comercial *adj.* commercial (1.2)
comerciante *m. f.* merchant, trader (1.1)
comercio *m.* commerce, trade (2.1)
cómico(a) funny (1.3)
comida *f.* food; meal (1.1)
comienzo *m.* beginning (1.1)
comité *m.* committee (8.2)
¿cómo? how? what? (1.1)
cómodo(a) comfortable (2.1)
compacto(a) compact (4.2)
compadre *m.* friend, companion (6.1); godfather
compañero *m.*, **compañera** *f.* partner (1.1); companion
compañía *f.* company (4.2) **(7.2)**
comparación *f.* (*pl.* **comparaciones**) comparison (5.3)
comparar to compare (1.3) **(2.3)**
comparado compared to (4.2)
compartir to divide (up), share (2.3)
competir (i, i) to compete **(8.1)**
complacer to please (6.3)
complejo(a) complex (4.3)
completado(a) completed (7.3)
completar to complete (1.1)
completo(a) complete, whole **(1.2)**
complicado(a) complicated **(5.2)**
comportamiento behavior, conduct (5.2)
comportarse to behave **(4.1)**
composición *f.* (*pl.* **composiciones**) composition (1.1)
comprar to buy (1.1)
compras *f.* purchase, buying
  de compras shopping (1.1)
comprender to understand (2.1)
compuesto de composed of, made up of (8.1)
computadora *f.* computer (1.3)
común common, ordinary (3.3)
con with (1.1)
concebir: concibiendo conceiving (3.3)
concentrarse to concentrate (3.2)
conciencia: tomar conciencia to become aware of (4.3)
concierto *m.* concert (1.1)
concordar (ue) to agree (1.3)
concurso *m.* contest **(4.2)**
condición *f.* (*pl.* **condiciones**) condition (7.2)
cóndor *m.* condor (8.2)
conducir to drive (1.3) *cond.* **(8.2)**; to lead (1.2)
conejo *m.*, **coneja** *f.* rabbit (3.1)
conferencia *f.* conference, meeting (8.2)
confesar to confess (4.2)
confianza: de confianza trustworthy, reliable (3.2)
confiar to trust, confide in **(3.3)**
confirmar to confirm (1.3)
confundido(a) confused **(5.3)**
confuso(a) confusing (2.2)
congreso *m.* congress; meeting (6.2)
conmigo with me (5.2)
conocer to know, be acquainted with (1.1); to meet
conocido *m.* acquaintance (7.2)
conocido(a) known (1.2)
conocimiento *m.* knowledge (4.2)
conquistador *m.*, **conquistadora** *f.* conquistador (1.1)
consecuencia *f.* consequence (3.2)
conseguir (i, i) to get, obtain (1.2)
consejero *m.*, **consejera** *f.* counselor, adviser **(5.3)**
consejo *m.* advice (1.3) **(3.2)**
consentimiento *m.* consent (6.2)
consentir to consent (4.3)
conservador(a) conservative (7.2)
conservar to preserve, maintain (1.1)
considerar to consider (3.3)
consistente consistent (1.3)
consistir de to consist of (2.3)
consolar to console (1.2)
constantemente constantly (7.3)
constar de to consist of, be composed of (7.1)
constitución *f.* constitution (6.1)
constituir to constitute (3.3)
constructor *m.*, **constructora** *f.* builder (3.3)
construir to build (3.2)
consultar to consult (4.1)
consumirse to consume oneself (3.2)
contacto *m.* contact (2.2)
contaminación *f.* pollution **(5.1)**
contaminado(a) contaminated, polluted (8.1)
contaminante *m.* pollutant (2.3)
contaminar to contaminate, pollute (2.3)
contar (ue) to tell, recount (1.1); to count (1.2)
  contar con to depend on (1.3)
contemplado(a) contemplated; looked at (4.3)
contener to contain (1.2)
contenido *m.* content (1.3)
contentarse to be contented, be satisfied (7.3)
contento(a) happy, content (1.2)
contestar to answer **(1.2)**
contigo with you (1.1)
continente *m.* continent (2.3)
continuación: a continuación following, next, continuation **(3.2)**
continuar to continue (1.3)
continuo(a) continual (2.3)
contra against (1.1)
contrario: al contrario on the contrary **(3.1)**
contraste *m.* contrast (3.1)

contribuir to contribute (6.1)
controlar to control (4.1)
convencer to convince **(4.2)**
conversación *f.* (*pl.* **conversaciones**) conversation (1.1)
conversar to converse, chat (1.3)
convertir (ie, i) to convert (1.1)
convertirse en (ie, i) to convert into (1.2)
convivencia *f.* coexistence (5.1)
cooperar to cooperate (3.2)
corazón *m.* heart (2.3)
corbata *f.* necktie (5.2)
cordillera *f.* mountain range **(2.3)**
cordón *m.* cord, cordon (4.3)
coreano(a) Korean **(2.2)**
coro *m.* chorus, choir (7.3)
corona *f.* crown (3.3)
coronel *m.* colonel (6.3)
corporación *f.* (*pl.* **corporaciones**) corporation (6.2)
correcto(a) correct (5.1)
corregir (i, i) to correct **(4.3)**
correo *m.* mail **(1.1)**
correr to run **(1.1)** *pret.* **(2.2)** *imperf.* **(3.3)** *fut.* **(8.1)**
correspondencia *f.* correspondence **(1.1)**
corriente ordinary, common **(3.1)**
corriente *f.* current (3.3)
corroído(a) corroded (6.1)
cortar to cut (1.2)
corte *f.* court (7.3)
cortés courteous **(5.2)**
cortésmente courteously, politely (3.2)
cortina curtain, screen (5.2)
cosa *f.* thing (1.1)
coser to sew (5.3)
cosmopolita cosmopolitan (2.1)
costa *f.* coast (2.1) **(2.3)**
costar (ue) to cost (1.2)
costarricense *m. f.* Costa Rican (2.2)
costo *m.* cost (7.1)
costoso(a) costly, expensive (2.1)
costumbre *f.* custom, habit (1.3) **(7.1)**
costurera *f.* seamstress (3.3)
cotidiano(a) daily (6.3)
creado: todo lo creado all that is created (3.2)
creador *m.*, **creadora** *f.* creator (3.3)
crear to create (3.3)
creatividad *f.* creativity (4.1)
creativo(a) creative (2.2)
crecer to grow (1.3)
creencia *f.* belief (4.1)
creer to believe (1.1)
crema *f.* cream **(8.2)**
cresta *f.* crest of a rooster (4.2)
cría *f.* baby animal (8.3)
criado *m.*, **criada** *f.* servant (5.2)
criado(a) brought up, raised (2.3)
criar to raise (2.3) **(4.3)**
criarse to grow up (1.1)
criatura *f.* creature (7.2)
crimen *m.* (*pl.* **crímenes**) crime **(5.1)**
cristal *m.* crystal, glass (8.3)
cristalizado(a) crystallized (4.1)
cristiano *m.* Christian (5.1)
crítica criticism (5.2)
criticón *m.* (*pl.* **criticones**) critic, faultfinder (7.2)
cronológico(a) chronological **(3.3)**
cruelmente cruelly (8.3)
cruzar to cross (8.2)
cuaderno *m.* notebook (2.1)
cuadra *f.* city block (1.1)
cuadrado *m.* square **(1.1)**
cuadrado(a) square (4.1)
cuadrícula *f.* a pattern of squares **(1.1)**
cuadro *m.* chart, table, diagram (8.3)
¿cuál(es)? which, which one(s)? (1.1)
cualidad *f.* quality (8.3)
cualquier(a) *pron.* anybody, whoever, whichever (7.3)
cuando when (1.2) **(4.1)**
¿cuándo? when? (1.1)
¿cuánto(a)? ¿cuántos(as)? how much?, how many? (1.1)
cuarto *m.* room (1.2)
cubano(a) Cuban (2.2)
cubierto(a) covered (5.1)
cubiertos *m. pl.* place settings (3.2)
cubrir to cover (4.2)
cuenta *f.* bill, check; account (1.1)
  darse cuenta to realize (7.3)
cuento *m.* tale, story (1.2)
cuerda *f.* rope (4.1)
cuerpo *m.* body (5.2)
cuervo *m.* crow (8.2)
  cuervo *m.* **negro** black crow (8.2)
cuestionario m. questionnaire (1.3) **(3.3)**
cueva *f.* cave (5.2) **(6.2)**
cuidado careful (1.2)
cuidado *m.* care (6.3)
  con cuidado with care, carefully (3.3)
cuidadosamente carefully (6.2)
cuidar to take care of (1.3)
culebra *f.* snake **(2.2)**
cultivar to cultivate; to farm (2.3)
cultivo *m.* cultivation (1.1)
cultura *f.* culture (1.1) **(1.3)**
cumbre *f.* summit (8.1)
cumpleaños *m.* birthday (1.2)
cumplido(a) fulfilled (8.1)
cumplir to fulfill, carry out (1.1)
cura *f.* cure (8.1)
cura *m.* priest (3.3)
curandero *m.*, **curandera** *f.* witch doctor; healer (4.3)
curiosidad *f.* curiosity (1.2) **(8.1)**
curioso(a) curious (3.1)
curso *m.* course *(academic)* (7.1)
  fin *m.* **de curso** end of the school year (7.3)

CH

chaleco *m.* vest (5.3)
chalé *m.* chalet (5.3)
champú *m.* shampoo **(8.2)**
chaqueta *f.* jacket (1.1)
charlar to chat, talk (1.1)
cheque *m.* check (6.1)
¡chévere! fantastic! **(2.1)**
chica *f.* girl (2.2)
chicle *m.* chewing gum (2.3)
chico *m.* boy (1.1)
chile *m.* (chile) pepper (4.1)
  chile colorado *m.* red pepper (1.3)
chileno(a) Chilean (2.2)
chino(a) Chinese **(1.3)**
chisme *m.* gossip, tale (2.1) **(5.3)**
chispa *f.* spark (6.3)
chiste *m.* joke (8.2)
chistoso(a) funny **(6.3)**
chocar to collide, crash, run into (3.1)
chofer *m.* driver (8.2); chauffeur
chorrito *m.* trickle, small stream (7.1)
chuchería candy, junk food **(5.1)**

D

dama *f.* lady (3.2)
damas *f. pl.* checkers **(4.1)**
danés, danesa (*m. pl.* **daneses**) Danish **(2.2)**
danzante *m.* dancer (8.2)
danzar to dance (3.2)
dañino(a) harmful, injurious **(3.2)**
dar to give (1.1) *pres. subj.* **(5.1)**
  dar una vuelta take a ride **(7.1)**
  dar vuelta to turn around; to flip (8.2)
  darle de comer to feed **(4.2)**
  darse cuenta to realize (1.2)
dato *m.* fact (8.1)
de of; from (1.1)
  de acuerdo agreed (2.1)
  de acuerdo a according to (7.1)
  de largo in length (3.1)
  de moda in fashion (1.1)
  de nuevo again (1.2)
  de prisa quickly (5.1)
  de repente suddenly (4.3)
  de vez en cuando from time to time (4.1)
debajo de under, underneath (4.3)
deber to be obliged; should, must (1.2); to owe (6.2)
debido a due to, owing to (5.1)
débil weak **(1.3)**
debilitarse to become weak (1.3)
década *f.* decade (4.3)
decente respectable (7.2); decent
decidir to decide (1.1)
decir to say; to tell (1.1) *pres. subj.* **(5.1)** *pres. perf.* **(6.2)** *fut.* **(8.1)** *cond.* **(8.2)**
decisión *f.* (*pl.* **decisiones**) decision (3.3)
declarar to declare (1.1)
decoración *f.* (*pl.* **decoraciones**) decoration (7.2)
decorado(a) decorated (1.2)
decorar to decorate (4.1)
dedicación *f.* (*pl.* **dedicaciones**) dedication (3.2)
dedicado(a) dedicated (1.1)
dedicarse to devote oneself (3.2)
defenderse to defend oneself (4.1)
definitivamente definitively (4.1)
deforestación *f.* deforestation (6.1)
dejar to allow; to let (1.1); to leave (behind) (1.2)
  déjame ver let me see **(1.2)**
  dejar de + *inf.* to stop (4.1)
delgado(a) thin, slender (1.3)
deliberadamente deliberately (8.2)
delicioso(a) delicious (2.3)
delincuencia *f.* delinquency (8.2)
delincuente *m. f.* delinquent, offender (8.2)
demandar to demand, ask for (8.1)
demás: los demás the rest; the others (2.3)
demasiado(a) too, too much (1.2)
democracia *f.* democracy (5.1)
democrático(a) democratic (6.1)
democratización *f.* democratization (8.1)
demonio: un frío de mil demonios bitter cold (3.1)
demostración *f.* (*pl.* **demostraciones**) demonstration **(5.2)**
demostrar to demonstrate (2.3)
dentista *m. f.* dentist (2.1)
dentro within (1.3); inside (3.3)
  dentro de in, within **(8.2)**
denunciar to denounce (4.2)
departamento *m.* department (7.3)
depender (de) to depend (on) (2.1) **(7.1)**
dependiente *m. f.* salesclerk (7.2)
deporte *m.* sport (1.1)
deportista *m. f.* sportsman, sportswoman (2.1)
deportivo(a) athletic; pertaining to sports (2.1)
depositar to deposit **(3.3)**
deprimido(a) depressed **(5.2)**
derecha *f.* right, right side (3.2)
derecho *m.* right *(legal)* (5.2)
derecho *prep.* straight ahead (6.2)
derecho(a) right (3.2)
derrota *f.* defeat (7.3)
desafortunadamente unfortunately (7.2)
desafortunado unfortunate (6.1)
desanimado(a) discouraged, dispirited (7.2)
desaparecer to disappear (2.3)
desaparecidos *m. pl.* the missing (ones) (8.1)
desarmador *m.* screwdriver (6.1)
desarrollar to develop (1.1)

desarrollo *m.* development (2.3)
desastre *m.* disaster (7.2)
desayunar to eat breakfast (1.1)
desayuno *m.* breakfast (1.2)
descansar to rest (1.1)
descanso *m.* rest (2.2)
descendencia *f.* descent, origin (8.1)
descendiente *m. f.* descendant (2.1)
desconcertado(a) disconcerted, flustered (1.2)
desconocer to not know, be ignorant of (3.3)
desconocido *n.* unknown person, stranger (3.2)
desconocido(a) unknown (8.1)
descortés impolite (3.2)
describir to describe (1.1)
descripción *f.* (*pl.* **descripciones**) description **(1.3)**
descubrimiento *m.* discovery (3.1)
descubrir to discover (3.1) *pres. perf.* **(6.2)**
desde from (3.1); since (1.3)
desde entonces since then (6.3)
desear to desire, wish (3.2)
desembarcar to disembark, to land (2.3)
desembocar to flow into *(river)* **(2.3)**
desempacar to unpack (2.1)
desempeñar to play (a role) (5.2); to fill, hold (an office) (7.2)
desenchufar to disconnect, unplug **(3.2)**
deseo *m.* desire (5.1)
desértico(a) desert-like (1.1)
desesperado(a) desperate **(4.3)**
desfile *m.* parade (5.1)
desgastado(a) worn-out (1.2)
desgraciadamente unfortunately (2.3)
deshonesto(a) dishonest **(3.2)**
desierto *m.* desert (3.1)
desigual unequal, different (7.1)
desilusionarse to be disappointed (1.1)
desmorecido: desmorecidos de risa dying of laughter (6.2)
desolación *f.* desolation; grief (3.2)
desorganizado(a) disorganized (1.2)
despacio slowly (8.2)
despedirse (i, i) to say good-bye (1.1)
despertarse (ie) to wake up (1.2)
despierto(a) *n.* one who is awake (6.3)
después (de) after (3.1)
destinación *f.* (*pl.* **destinaciones**) destination (6.2)
destrozado(a) broken (4.3); destroyed
destrucción *f.* destruction (2.3)
destruido(a) destroyed (2.3)
destruir to destroy (3.3)
desvencijado(a) broken-down; disadvantaged (7.3)
desventaja *f.* disadvantage (7.1)
desventajado(a) disadvantaged (7.3)
desventajado(a) *n.* one who is disadvantaged (7.3)
detalle *m.* detail (3.1) **(4.1)**
detenerse to stop (6.1)
detenidamente slowly, carefully, thoroughly (4.3)
determinar to decide, make up one's mind (6.2); to determine
detrás de behind (4.3)
deuda *f.* debt (7.2)
devorar to devour (1.3)
día *m.* day (1.1)
diablito *m.* little devil (4.1)
diablo *m.*, **diabla** *f.* devil (3.3)
diagrama *m.* diagram (1.3)
diálogo *m.* dialogue (2.2)
diamante *m.* diamond (2.1)
diario(a) daily (1.2) **(2.2)**
dibujar to draw (2.1) **(6.2)**
dibujo *m.* drawing, sketch (1.1)
dictador *m.* dictator (5.2)
dictadura dictatorship (5.2)
dictar to dictate (1.3)
dicho *past part.* **(decir)** said (6.2)
dicho *m.* saying, proverb (7.2)
diente *m.* tooth (2.3)
dieta *f.* diet **(5.1)**
diferencia *f.* difference (4.1)
diferente different (1.3)
difícil difficult (3.2)
dificultad *f.* difficulty (4.2)
dilema *m.* dilemma (3.1)
diminutivo *m.* diminutive (6.2)
dinero *m.* money (1.2)
dinero *m.* **de bolsillo** allowance, pocket money **(7.1)**
dios *m.* god (3.3)
¡dios mío! my God!, my goodness! (3.3)
dirección *f.* (*pl.* **direcciones**) address (5.1); instructions
directamente directly (3.2)
director *m.*, **directora** *f.* principal; director (1.1)
director *m.* **asociado** associate director (7.3)
director *m.* **en escena** stage director (5.3)
dirigir to manage, direct (3.2)
dirigirse (a) to address, speak to (2.2); to go to (8.2)
disciplinar to discipline (4.1)
disco *m.* record (1.2)
disco compacto compact disc
discoteca *f.* discotheque (1.1)
discurso *m.* speech (7.3)
discutir to discuss (1.2) **(8.1)**; to argue
diseñar to design (7.3)
diseño *m.* design *(pattern)* (4.3)
disminuir to diminish (7.2)
disperso(a) dispersed, scattered (3.3)
disponible available (7.3)
distancia *f.* distance (3.1)
a la distancia in the distance (3.1)
distinguir to distinguish (6.1)
distinto(a) different, distinct (1.1)
diversidad *f.* diversity, variety (2.1)
diversificado(a) diversified (7.1)
diversión *f.* (*pl.* **diversiones**) diversion, entertainment (2.1)

diverso(a) diverse, different (1.1) **(2.3)**
divertido(a) amusing, fun (1.3)
divertirse (ie, i) to have a good time (1.2) *pres. subj.* **(5.2)**
dividir to divide (5.2)
doblar to turn (3.2); to fold (5.1); to double
doble *m.* double (1.1)
docena *f.* dozen (3.3)
doctor *m.*, **doctora** *f.* doctor (1.2)
doler (ue) to hurt (1.2)
dolor *m.* pain (4.3)
doméstico(a) domestic (3.2)
dominación *f.* domination, rule (5.1)
dominar to rule; to control (1.1)
domingo *m.* Sunday (1.2)
dominicano(a) Dominican (2.2)
dominio *m.* dominion, power, authority (5.1)
don *m.* Don *(title of respect)* (4.3)
¿dónde? where? (1.1)
dorado(a) golden (2.3)
dormido(a) asleep (2.2) **(5.1)**
dormilera: té de dormilera sleep-inducing tea (5.1)
dormilón *m.*, **dormilona** *f.* sleepyhead **(8.1)**
dormirse (ue, u) to go to sleep; to fall asleep (3.3) *pres. subj.* **(5.2)** *fut.* **(8.1)**
dote *m.* dowry (4.3)
drama *m.* drama (6.3)
dramático(a) dramatic (4.1)
dramatizar to dramatize (1.1)
duda *f.* doubt (4.3) **(7.1)**
  no cabe duda there is no doubt (1.3)
dudar to doubt **(6.1)**
dudosamente doubtfully (5.2)
dudoso(a) doubtful **(5.1)**
dueño *m.*, **dueña** *f.* owner (1.3)
dulce *m.* candy (2.3) **(5.1)**; sweet
duplicar to duplicate (4.3)
durante during (1.1); for *(time)* (5.1)
durar to last (2.2)
duro(a) hard (2.3)

E

ecología *f.* ecology (6.1)
economía *f.* economy (2.1)
económico(a) economic (1.1); economical **(1.3)**
ecuador *m.* equator (2.3)
ecuatoriano(a) Ecuadorian (2.2)
echar de menos to miss **(1.1)**
echar la culpa to blame (7.3)
echarse to throw oneself (2.2)
edad *f.* age (1.1)
edición *f.* (*pl.* **ediciones**) edition (8.1)
edificio *m.* building (2.3)
educación *f.* education (1.3); good breeding
  educación *f.* **pública** public education (7.2)
educacional educational (3.2)
educador *m.*, **educadora** *f.* educator, teacher (3.2)
educar to educate (3.2)
efectivamente really, in fact (7.2)
efecto *m.* effect (2.3)
ejemplar *m.* specimen, example (6.1)
ejemplo *m.* example (1.1)
ejercicio *m.* exercise (1.1) **(2.3)**
ejército army (5.2)
el the (1.1)
él he (1.1)
elaborado(a) elaborate (4.3)
elección *f.* (*pl.* **elecciones**) election (3.1)
electricidad *f.* electricity (3.3)
eléctrico(a) electric, electrical (7.2)
elefante *m.* elephant (2.3)
elegante elegant (1.1)
elemento *m.* element (6.2)
elevar to erect (3.3); to raise
eliminar to eliminate (8.2)
ella she (1.1)
embrujado(a) haunted (3.3)
emergencia *f.* emergency (3.2)
emisario *m.*, **emisaria** *f.* emissary (7.3)
emoción *f.* (*pl.* **emociones**) emotion (5.3)
emocionado(a) emotional, excited (1.2)
empacar to pack (2.1)
empate *m.* tie *(in sports)* (2.2)
emperador *m.* emperor (4.2)
empezar (ie) to begin (1.2) *pres. subj.* **(5.2)**
empleado *m.*, **empleada** *f.* employee **(3.1)**
emplear to employ **(7.2)**; to use
empleo *m.* employment; job (7.1) **(7.2)**
empresa *f.* enterprise, business **(7.3)**
en in **(1.1)**
  en adelante henceforth (1.3)
  en busca de in search of (2.2)
  en camino on the way (2.3)
  en cuanto a with regard to, as to (6.3)
  en efecto in fact, actually (1.2) **(4.2)**
  en el fondo at heart, really (5.3)
  en gran parte most (2.1)
  en medio in the middle (5.1)
  en oferta on sale (1.2)
  en peligro in danger (6.1)
  en primer lugar in the first place (1.1)
  en punto on the dot *(time)* (1.1)
  en realidad in reality (2.2)
  en seguida right away (1.1)
  en su camino on her (his) way (2.2)
  en vano in vain (4.1)
  en vez de instead of (6.2)
enamorado(a) in love **(5.3)**
enamorarse de to fall in love with (7.3)
encaje *m.* lace (1.2)
encaminarse to set out for, take the road to (7.3)
encantado(a) delighted (1.1); enchanted (2.2)

encantador(a) charming (1.2)
encantar to love, really like (1.1)
encargado(a) in charge (6.2)
encerrar (ie) to shut in, lock up (4.1) to enclose
enciclopedia *f.* encyclopedia (2.3)
encima de on top of; above (6.2)
encontrar (ue) to find; to meet (1.1)
encuentro *m.* encounter, meeting (6.3)
encuesta *f.* survey (1.1) **(3.3)**
enchilada *f.* enchilada *(corn tortilla dipped in hot sauce and filled with meat or cheese)* (1.3)
energía *f.* energy **(5.1)**
  energía *f.* **nuclear** nuclear energy (8.1)
enfermarse to become ill (1.3)
enfermedad *f.* illness; disease (2.3)
  enfermedad venérea venereal disease (5.2)
enfermero *m.*, **enfermera** *f.* nurse (1.2)
enfermizo(a) sickly (3.3)
enfermo(a) sick (4.3)
enfocado(a) focused (8.1)
enfrente de facing, in front of (6.3)
enfurecer to infuriate **(5.3)**
enfurecerse to become furious (5.1)
enfurecido(a) furious (4.2)
engañar to trick, deceive (6.1)
engaño *m.* trick, deception (8.3)
engordarse to gain weight **(5.1)**
enigmático(a) enigmatic, mysterious (4.3)
enjaulado(a) caged (8.3)
enojado(a) angry (6.1)
enojar to anger (7.1)
enojarse to get angry (4.2) **(5.3)**
enorme enormous (4.3)
enrollado(a) rolled up (1.3)
ensalada *f.* salad (1.1)
enseñanza *f.* teaching (3.2)
enseñar to show; to teach (2.1) **(6.1)**
entender (ie) to understand (1.2)
entero(a) entire, whole (1.3)
enterrado(a) buried (3.3)
enterrar(ie) to bury (2.2)
entierro *m.* burial, funeral (4.1)
entonces then (1.1)
entrada entrance (5.2)
entrar to enter (1.1)
entre among (3.1); between (3.2)
entregar to deliver **(3.3)**; to hand in
entregarse to devote oneself (4.3)
entremés *m.* (*pl.* **entremeses**) appetizer (1.2)
entrenador *m.*, **entrenadora** *f.* trainer (1.2)
entrenamiento *m.* training **(7.3)**
entretener to entertain (8.2)
entrevistador *m.*, **entrevistadora** *f.* interviewer **(7.3)**
entrevistar to interview (1.1)
entristecer to sadden **(5.3)**
entusiasmado(a) excited, delighted, filled with enthusiasm (7.2)
entusiasmo *m.* enthusiasm (8.2)
envenenado(a) poisoned (7.3)
enviar to send (7.1)
envidia *f.* envy **(8.1)**
episodio *m.* episode (3.3)
época *f.* epoch, period, time (5.1)
equilibrio *m.* balance (2.3)
equipo *m.* team (1.2)
ermitaño *m.* hermit **(6.3)**
escalera *f.* stairs, staircase (3.3)
escapar to escape (5.2)
escarbar to dig (3.3)
escargot *(French)* snail (6.3)
escena: director *m.* **en escena** stage director (5.3)
esclavo *m.* slave (2.1)
escocés, escocesa (*m. pl.* **escoceses**) Scottish **(2.2)**
escoger to select (3.2)
escolar pertaining to school (1.1)
esconder(se) to hide (oneself) (4.1) **(4.3)**
escribir to write (1.1) *pret.* **(2.2)** *pres. perf.* **(6.2)**
  escribir a máquina to type **(7.2)**
escrito(a) written (3.1)
escritor *m.*, **escritora** *f.* writer (3.2)
escritorio *m.* desk (4.2)
escritura *f.* writing (4.1)
escuchar to listen to (1.1) *pret.* **(2.2)**
escudo *m.* coat-of-arms, shield (8.1)
escuela *f.* school (1.1)
  escuela primaria *f.* primary school (3.2)
escultura *f.* sculpture (3.3)
escupir to spit (7.2)
ese, esa *adj.* that (1.2)
ése, ésa *pron.* that (one) (3.1)
esencial essential **(8.2)**
esforzarse (ue) por to strive to (3.3)
esfuerzo *m.* effort (4.3)
esos, esas *adj.* those (3.1)
ésos, ésas *pron.* those (3.1)
espacio *m.* space (5.3)
espada *f.* sword (7.1)
espanto *m.* fright, terror **(6.3)**
espantoso(a) frightful, terrifying (4.1)
español *m.* Spanish *(language)* (1.2)
español *m.*, **española** *f.* Spaniard (2.2)
especial special (1.1)
especialidad *f.* specialty (1.2)
especialista *m. f.* specialist (3.3)
especializar to specialize **(8.3)**
especie *f.* species; kind (2.3) **(4.1)**
específico(a) specific (2.3)
espectáculo *m.* spectacle, sight (2.1); show, performance (7.2)
esperanza *f.* hope **(5.1)**
esperar to wait for (2.1); to hope for (4.3); to expect
espía *m. f.* spy (2.2)
espiar to spy (4.1)
espiral *f.* spiral (4.3)

espléndido(a) splendid (2.3)
esplendor *m.* splendor (7.3)
esposo *m.*, **esposa** *f.* husband, wife (5.1)
espuela *f.* spur (4.1)
esquema *m.* diagram, outline, plan (1.3)
  esquema *m.* **araña** clustering, visual mapping (4.2)
esquí *m.* (*pl.* **esquíes**) ski; skiing (7.1)
esquiador *m.*, **esquiadora** *f.* skier (3.1)
esquiar to ski **(1.3)**
esquina *f.* (street) corner (2.2)
estabilidad *f.* stability (8.1)
establecer to establish (1.1)
establecerse to take up residence (2.3)
establecimiento *m.* establishment, founding, setting-up (6.1)
estaca *f.* stake (4.3)
estación *f.* (*pl.* **estaciones**) television station (3.1); season of the year
estadístico(a) statistical (1.3)
estado *m.* state (1.1)
estadounidense *m. f.* of the United States, American **(2.2)**
estancamiento stagnation, paralysis (5.2)
estante *m.* bookcase (3.1)
estar to be (1.1) *pres. subj.* **(5.1)**
  estar frustrado(a) to be frustrated **(1.2)**
  estar loco(a) to be crazy (5.2)
  estar loco(a) por to be crazy about **(5.3)**
  estar muerto(a) to be dead **(5.2)**
  estar seguro(a) to be sure **(1.2)**
estatua *f.* statue (3.3)
este *m.* east (3.1)
este, esta *adj.* this (1.1)
éste, ésta *pron.* this (one) (3.1)
estereotipo *m.* stereotype (7.3)
estilizado(a) stylized (4.3)
estilo *m.* style (1.2)
estómago *m.* stomach (4.3)
estos, estas *adj.* these (3.1)
éstos, éstas *pron.* these (3.1)
estrella *f.* star (4.3)
estrofa *f.* verse, stanza (6.3)
estructura *f.* structure (4.1)
estudiante *m. f.* student (1.1)
estudiantil pertaining to students (3.1)
estudiar to study (1.1)
estudio *m.* study **(2.2)**
estudioso(a) studious (1.3)
estufa *f.* stove (3.3)
etapa *f.* stage, phase (5.1)
eterno(a) eternal (1.2)
étnico(a) ethnic **(2.3)**
europeo(a) European (2.1)
evidencia *f.* evidence, proof (7.2)
evitar to avoid **(3.2)**
exactamente exactly (6.3)
exagerado(a) exaggerated **(6.1)**
examen *m.* (*pl.* **exámenes**) exam, test (1.1)
excavación *f.* (*pl.* **excavaciones**) excavation (6.1)
excelente excellent (1.1)
excéntrico(a) eccentric (6.3)
exclusivo(a) exclusive (7.1)
excursión *f.* (*pl.* **excursiones**) excursion, short trip (1.1)
excusa *f.* excuse **(5.2)**
exhibición *f.* (*pl.* **exhibiciones**) exhibition (8.1)
exhibir to exhibit (4.3)
exigente demanding (1.1)
exigir to demand, require **(5.1)**
exiliarse to go into exile (5.2)
existir to exist; to be (3.1)
éxito *m.* success (3.2)
exótico(a) exotic (7.2)
experiencia *f.* experience (4.3)
experimento *m.* experiment (5.3)
explicación *f.* (*pl.* **explicaciones**) explanation (6.3)
explicar to explain (1.3)
explotación *f.* exploitation (2.3)
exportar to export (2.3)
expresar to express (3.2)
expresión *f.* (*pl.* **expresiones**) expression (4.3)
expuesto(a) exposed (5.2)
exquisito(a) exquisite (3.1)
extender(se) (ie) to spread (2.3); to extend (3.1)
extendido(a) widespread (1.1); extended
extensión *f.* size; extension; expanse (4.2)
extenso(a) spacious, vast (2.1)
exterminado(a) exterminated (8.1)
exterminar to exterminate (3.3)
externo(a) external (7.2)
extinción *f.* extinction (2.3)
extranjero(a) foreign (2.1)
extrañar to miss, pine for (4.3); to find strange or odd
extraño(a) strange (1.2)
extraordinario(a) extraordinary (3.2)
extraterrestre *adj.* extraterrestrial (1.2)
extremadamente extremely (5.3)
extremo *m.* outer part (7.2)
extremo(a) extreme (1.1)

F

fábrica *f.* factory (3.1)
fabricar to make (6.3)
fábula *f.* fable; myth; tale (5.1)
fabuloso(a) fabulous (5.2)
falda *f.* skirt (1.2)
falta *f.* lack (1.2)
faltar to be lacking (1.1)
fama *f.* fame (3.2); reputation (4.2)
familia *f.* family (1.1)
familiar familiar (4.3); pertaining to the family (7.3); family member
famoso(a) famous (2.3)

fantasía *f.* fantasy (1.2)
fantasma *m.* ghost, phantom (3.3)
fantástico(a) fantastic (2.1)
fascinado(a) fascinated (1.2)
fascinante fascinating (1.3)
fascinar to fascinate **(1.3)**
fastidioso(a) annoying (2.3)
fatiga *f.* fatigue (5.2)
favorecido(a) favored (6.3)
favorito(a) favorite (1.1)
fecha *f.* date (1.1)
feliz (*pl.* **felices**) happy (1.2)
femenino(a) feminine (7.3)
fenómeno *m.* phenomenon (1.1)
feo(a) ugly (2.1)
feria *f.* fair (5.2)
feroz (*pl.* **feroces**) fierce, ferocious **(2.3)**
ferrocarril *m.* railway, railroad (7.2)
fértil *adj.* fertile (3.1)
fibra *f.* fiber (2.3)
fiel loyal, faithful (5.2)
fiesta *f.* fiesta, party (1.1)
figura *f.* figure (4.3)
figurar to figure, appear (8.1)
figurita *f.* figurine (6.2)
fijarse to pay attention to; to notice; to check **(2.1)**
filipino(a) Philippine **(2.2)**
filo *m.* cutting edge (4.1)
filodendro *m.* philodendron (2.3)
filosófico(a) philosophical (5.1)
fin *m.* end (1.1)
finalista *m. f.* finalist (7.1)
fines de end of *(time period)* (8.1)
fino(a) thin, fine (5.3)
firmar to sign (1.1) **(2.2)**
física *f.* physics (5.1)
físico(a) physical (1.3)
flaco(a) skinny (3.2)
flamenco *m.* flamingo (8.2); a Spanish dance
flan *m.* flan *(custard with a burnt sugar sauce)* (8.2)
flecha *f.* arrow (7.3)
flor *f.* flower (4.1)
flora *f.* flora (6.1)
floral floral (5.1)
florecimiento *m.* flourishing (5.1)
florecita *f.* little flower (1.2)
folklórico(a) folkloric (1.3)
forma *f.* form, shape **(1.2)**; way (4.3)
formado(a) formed (3.1)
formar to form (1.1)
formidable formidable, enormous (3.3)
formulario *m.* form (3.3)
fortaleza *f.* fortress (4.1)
fortificación *f.* (*pl.* **fortificaciones**) fortification (7.3)
fortuna *f.* fortune (2.2) **(3.3)**; luck
foto *f.* photo (1.1)
fotografía *f.* photograph (4.1)
fracasado(a) failed (6.1)
fracaso *m.* disaster, failure (3.1)
fraile *m.* monk (1.1); priest
francés, francesa (*m. pl.* **franceses**) French (1.3) **(2.2)**
franciscano *m.* Franciscan (1.1)
frase *f.* sentence (2.3); phrase
frecuencia *f.* frequency (1.1) **(4.1)**
frecuentemente frequently (1.2)
frente *f.* forehead (6.3); *m.* front
  frente a facing, in front of (1.2)
fresco(a) cool (3.1)
frijol *m.* bean (1.3)
frío *m.* cold (6.1)
  un frío de mil demonios bitter cold (3.1)
frito(a) fried (1.1)
frontera *f.* border (between countries) (1.1)
fronterizo(a) border (1.1)
frustrado(a) frustrated **(1.2)**
fruta *f.* fruit (2.3)
frutal *adj.* fruit, pertaining to fruit (1.1)
  árbol *m.* **frutal** tree that bears fruit (1.1)
fuego *m.* fire (4.2)
fuente *f.* fountain, source (2.3)
fuera outside (3.3) **(7.2)**
  fuera de apart from, except for (2.3); outside (of) (7.1)
fuera were *(imperf. subj. of* ***ir****)* (6.3)
fuerte strong (1.3)
fuerza *f.* force (7.1)
fumar to smoke (7.3)
función *f.* (*pl.* **funciones**) function (1.1)
funcionamiento *m.* functioning (2.3)
funcionar to function (4.1)
fundador *m.*, **fundadora** *f.* founder (3.1)
fundar to found; to establish (1.1)
fundido(a) blown out *(fuse)* (6.1)
fungir to act, function as (7.3)
furia *f.* fury (6.3)
furioso(a) furious (1.2)
fusible *m.* fuse (6.1)
fusión *f.* fusion, uniting (5.1)
fútbol *m.* soccer (1.1)
futuro *m.* future (1.3) **(3.2)**

gabinete *m.* cabinet **(4.2)**
galán *m.* gentleman, leading man (5.3)
galón *m.* (*pl.* **galones**) gallon (1.3)
galleta *f.* cookie **(5.1)**
galletita *f.* small cookie **(5.1)**
gallo *m.* rooster (4.2)
ganadería *f.* cattle raising (8.1)
ganado *m.* cattle, livestock (1.3)
ganar to win (1.1); to earn (6.1)
garaje *m.* garage (3.3)

garantía *f.* guarantee (6.1)
garantizar to guarantee (7.3)
gasolina *f.* gas (7.1)
gasolinera *f.* service station **(5.2)**
gastar to spend *(time)*; to waste (6.3)
gasto *m.* expenditure, expense **(7.1)**
gato *m.* cat (1.3)
  gato *m.* **silvestre** wild cat (6.1)
gaucho *m.* gaucho *(Argentinian cowboy)* (8.1)
gazpacho *m.* gazpacho *(cold puréed vegetable soup from Spain)* (5.2)
gemelo *m.*, **gemela** *f.* twin brother, twin sister (1.1)
gemelo(a) twin (1.1)
  ciudad gemela twin city (1.1)
gemido *m.* groan, moan (3.3)
generalísimo supreme commander (5.2)
  Generalísimo Franco General Franco (5.2)
generalizarse to become general or universal; to become widely used (5.2)
generoso(a) generous (6.1)
genio *m.* genius (4.3) **(6.1)**
gente *f.* people (2.3)
genuino(a) genuine (7.2)
geografía *f.* geography (2.1)
geométrico(a) geometric (4.3)
gerente *m. f.* manager **(7.2)**
gigantesco(a) gigantic (3.3)
gimnasia *f.* gymnastics (1.3)
gimnasio *m.* gymnasium (1.1)
gitana *f.* gypsy (fortuneteller) (5.2)
globo *m.* ball; sphere (7.2)
gobernador *m.*, **gobernadora** *(f.)* governor (6.2)
gobernar (ie) to govern (5.2)
gobierno *m.* government (2.2)
gol *m.* goal *(soccer)* (5.1)
golpeado(a) struck down (6.3)
golpear to hit, strike (7.1)
gordo(a) fat (1.3)
gorila *m.* gorilla (2.3)
gorrioncillo *m.* little sparrow (8.3)
gozar to enjoy **(1.1)**
grabar to record (4.1)
gracias thank you (1.1)
gracioso(a) funny, amusing (2.1)
grado *m.* degree *(temperature)* **(3.1)**
graduado(a) graduated (7.3)
gráfico *m.* graph, diagram (1.3)
gramática *f.* grammar (7.2)
gran great (1.1); a lot (2.1); large
grande large, big (1.2)
grandeza *f.* greatness, magnificence (4.2)
granero *m.* granary, barn (1.3)
grapador *m.* stapler (3.2)
grasa *f.* grease **(5.2)**
grasoso(a) fatty, greasy (5.2)
gratis free, at no cost (7.2)
griego(a) Greek **(2.2)**
gris gray (1.2)
gritar to yell (3.3)
grito *m.* shout, yell (2.1)
grotesco(a) grotesque, bizarre (2.1)
grueso(a) thick, coarse (6.3)
gruñido *m.* growl, grunt (6.2)
grupo *m.* group (1.1)
guacamayo *m.* macaw **(2.2)**
guapo(a) good-looking (1.2)
guardabosque *m., f.* outfielder (3.1)
guardar to keep, save (1.3) **(3.3)**
guardia *f.* guard (6.1)
guatemalteco(a) Guatemalan (2.2)
guayaba *f.* guava jelly; guava apple (4.2)
guerra *f.* war (8.2)
guerrero *m.*, **guerrera** *f.* fighter, warrior (4.3)
guerrero(a) *(adj.)* warlike (7.3)
guerrilla *f.* guerrilla forces (8.1)
guía *m. f.* (tour) guide (6.2)
guiar to guide, lead, direct (8.1)
guitarra *f.* guitar (1.1)
guitarrista *m. f.* guitarist (4.2)
gustar to like (1.1)
gusto *m.* pleasure (1.1); taste (5.2); fancy, liking (5.3)

H

haber to have; to be *pret.* **(3.1)** *fut.* **(8.1)** *cond.* **(8.2)**
  había una vez once upon a time (3.3)
hábil skillful (8.1)
habilidad *f.* skill, ability (4.2)
habitación *f.* (*pl.* **habitaciones**) room, bedroom (6.3); dwelling, abode (8.1)
habitado(a) inhabited (3.1)
habitante *m. f.* inhabitant (2.1)
habitar to inhabit (3.3)
habla *f.* language, dialect, speech (6.2)
habla hispana Spanish-speaking (1.3)
hablar to speak, talk (1.1) *pres. perf.* **(6.2)**
hacendado *m.* land-owner, rancher (8.1)
hacer to do, to make *pret.* (2.1) *pres. perf.* **(6.2)** *fut.* **(8.1)** *cond.* **(8.2)**
  hacer autostop to hitchhike (1.2)
  hacer ejercicio to exercise (1.1) **(5.1)**
  hacer el papel to play the role **(2.1)**
  hacer una consulta to ask for advice (3.2)
  hacer una pregunta to ask a question **(1.2)**
hacerse to become (5.3)
hacia toward (3.1)
hacienda *f.* farm, ranch (3.1)
hada *f.* **madrina** fairy godmother (8.3)
hallar to find
hallarse to find oneself; to be (8.3)
hambre *f.* hunger **(1.2)**
hamburguesa *f.* hamburger (1.1)
harina *f.* flour **(3.2)**

hasta *prep.* until (1.1); up to (2.1)
hasta cierto punto up to a point, to some extent (7.1)
hasta luego good-bye, see you later (1.1)
hasta even (1.3)
hay there is, there are (1.1)
hazaña *f.* heroic feat; achievement; deed (4.2)
hebreo *m.* Hebrew (language) (5.1)
hectárea *f.* hectare *(unit of measure)* (4.3)
hecho *m.* event (1.1); deed (2.2); fact
hecho(a) made (2.2)
helado *m.* ice cream (1.2)
helecho *m.* fern (6.1)
hemisferio *m.* hemisphere (8.1)
heredar to inherit (4.3)
herencia *f.* heritage, inheritance, legacy (5.1)
herida *f.* wound, injury (8.2)
hermanastro *m.*, **hermanastra** *f.* stepbrother, stepsister (2.1)
hermanito *m.*, **hermanita** *f.* little brother, sister (1.2)
hermano *m.*, **hermana** *f.* brother, sister (1.1)
hermoso(a) beautiful (3.1)
herradura *f.* horseshoe (5.1)
herramienta *f.* tool (4.2)
hidroeléctrico(a) hydroelectric (8.1)
hielera *f.* ice chest **(6.2)**
hierba: mala hierba weed (8.1)
hierro *m.* iron (2.1)
hijo *m.* son (2.3)
¡híjole! geez! goodness! *(Mexican)* (1.1)
hilar to spin (5.3)
hilo *m.* thread, yarn (3.2)
hispanohablante Spanish-speaking (7.2)
historia *f.* history (1.1); story (4.1)
historiador *m.*, **historiadora** *f.* historian (3.3)
histórico(a) historic, historical; of historical importance (1.1)
hocico *m.* snout *(animal)* **(4.3)**
hoguera *f.* fire (6.1)
hoja *f.* leaf (4.1)
hoja *f.* **de papel** sheet of paper (3.3)
¡hola! hello!, hi! (1.1)
holandés, holandesa (*m. pl.* **holandeses**) Dutch **(2.2)**
hombre *m.* man (2.1)
hombro *m.* shoulder (1.2)
hondureño(a) Honduran (2.1)
honestidad *f.* honesty (4.2)
honesto(a) honest **(3.1)**
honor *m.* honor, fame **(3.1)**
honorable honorable, worthy (5.1)
honrado(a) honest, honorable, decent (5.1)
hora *f.* hour (1.1)
horario *m.* schedule (1.2)
horno *m.* oven (4.2)
horrorizado(a) horrified (6.1)
horroroso(a) horrible, dreadful (3.1)
hoy today (1.2)
huella *f.* footprint, trace, imprint (8.3)
huérfano *m.*, **huérfana** *f.* orphan (7.2)
huevo *m.* egg (6.1)
huir to flee (4.1)
humanidad *f.* humanity (3.2)
humilde *m. f.* humble (3.2)
humillante humiliating (8.1)

I

idéntico(a) identical (1.3)
identidad *f.* identity (2.2)
identificar to identify **(2.3)**
ideología *f.* ideology (5.2)
ideológico(a) ideological (6.3)
iglesia *f.* church (1.3)
igual same; alike; equal (3.3)
igual a like, the same as (8.2)
igualmente likewise (1.1)
ilusión *f.* (*pl.* **ilusiones**) illusion (7.1)
ilustración *f.* (*pl.* **ilustraciones**) illustration (3.2)
ilustre illustrious, famous (8.2)
imagen *f.* (*pl.* **imágenes**) image (5.3)
imaginación *f.* imagination (2.2)
imaginar to imagine (5.1)
imaginario(a) imaginary (5.3)
lo imaginario that which is imaginary (8.3)
imitar to imitate (5.1)
imperfecto imperfect (4.1)
imperio *m.* empire (4.1)
imponente imposing, majestic (4.2)
imponer to impose (5.2)
importancia *f.* importance (4.2)
importante important (2.3)
importar to be important (2.2) **(5.2)**
le importa to be important to (3.2)
impresión *f.* (*pl.* **impresiones**) impression **(1.2)**; imprint (8.3)
impresionante impressive (2.1)
impresionar to impress, make an impression (2.2)
impropio(a) improper, inappropriate (5.2)
impuesto *m.* tax **(1.2)**
incaico(a) Incan (3.3)
incapacitado(a) disabled
incentivar to encourage, stimulate, provide incentive for (7.1)
incesantemente incessantly, unceasingly (7.2)
incidente *m.* incident, occurrence **(3.1)**
inclinarse to be inclined (3.3); to bend (5.3)
incluir to include (1.1)
incluso including (1.1)
incómodo(a) uncomfortable (2.1)
incomparable without equal **(3.2)**
inconcebible unthinkable, inconceivable (5.2)
incontable countless (4.3)
incorporar to incorporate (5.1)
incorregible incorrigible (2.1)

increíble incredible (5.1)

indeciso(a) undecided; indecisive **(8.3)**

independencia *f.* independence (1.1)

indiano *m.* Spaniard returning prosperous from America (5.3)

indicado(a) indicated (2.2)

indicar to indicate (2.1)

índice *m.* rate (6.1); index

indígena *adj.* indigenous, native (1.1)

indígena *m. f.* native, indigenous person (2.1); Indian

indio *m.* Indian

individualista individualistic (8.1)

individualmente individually (1.3)

individuo *m.* individual (7.1)

índole *f.* class, kind, sort (6.2)

indudablemente undoubtedly (4.3)

industria *f.* industry (7.1)

industrial industrial (7.1)

industrializado(a) industrialized (8.1)

inesperado(a) unexpected (4.2)

inevitablemente inevitably (4.1)

influencia *f.* influence (1.1)

influir to influence (7.2)

información *f.* (*pl.* **informaciones**) information (1.1)

informado(a) informed (3.1)

informar to inform (1.3)

informativo(a) informative **(3.2)**

informe *m.* report **(2.2)**

ingeniería *f.* engineering (4.2)

ingeniero *m.*, **ingeniera** *f.* engineer (1.3)

ingenuo ingenuous, naïve (3.1)

inglés *m.* English (language) (1.1)

inglés, inglesa (*m. pl.* **ingleses**) English **(2.2)**

ingrato(a) ungrateful (8.3)

ingresar to enter, be admitted to (7.2)

iniciado initiated, begun (7.2)

iniciar to initiate, begin **(2.2)**

injusticia *f.* injustice (7.2)

inmediatamente immediately (1.2)

inmediato(a) immediate, next (7.2)

inmenso(a) immense, enormous (4.1)

inmigrante *m. f.* immigrant (8.1)

inquietar to worry, disturb, trouble (5.3)

inquieto(a) restless, unsettled (6.3); anxious, uneasy

inseguridad *f.* insecurity (5.3); unsafeness

inseguro(a) insecure (5.3); unsafe

insignificante insignificant, unimportant (2.3)

insistir to insist (1.1) **(5.2)**

insólito(a) unusual **(3.1)**

inspirarse en to be inspired by (5.1)

instalar to install (6.3)

institución *f.* (*pl.* **instituciones**) institution (2.1)

instituir to institute, establish (7.2)

instituto *m.* institute (7.2)

instrucción *f.* (*pl.* **instrucciones**) instruction (3.2)

instructor *m.*, **instructora** *f.* instructor **(5.1)**

insultar to insult (4.3)

integrar to integrate (8.1)

inteligente intelligent (1.3)

intención *f.* (*pl.* **intenciones**) intention (1.1)

intensamente intensely (4.1)

intenso(a) intense (3.2)

intentar to try, attempt (5.1)

intento *m.* attempt (4.3)

interacción *f.* (*pl.* **interacciones**) interaction (7.3)

intercalar to intercalate, insert (5.1)

intercambiar to exchange (7.1)

intercambio *m.* exchange (7.1)

interdependencia *f.* interdependence (1.1)

interés *m.* (*pl.* **intereses**) interest **(1.3)**

interesado(a) interested **(1.3)**

interesante interesting (1.1)

interesar to interest (5.3)

interesarse (en) to be interested (in) (4.3)

internacional international (3.2)

interpretar to interpret (1.2)

interrumpir to interrupt (6.3)

interrupción *f.* (*pl.* **interrupciones**) interruption **(3.2)**

intervención *f.* intervention (7.2)

íntimo(a) intimate (3.2)

intrigado(a) intrigued (3.3)

introducir to introduce, bring in (2.1)

inundación *f.* (*pl.* **inundaciones**) flood (2.1)

inútil useless, fruitless, in vain (5.2)

invadir to invade (5.1)

inválido(a) disabled (3.2)

invasión *f.* (*pl.* **invasiones**) invasion (5.2)

invencible invincible (2.3)

inventar to invent (4.3) **(5.1)**

invertir (ie, i) to invest (7.1); to invert

investigación *f.* (*pl.* **investigaciones**) investigation **(2.3)**

investigador *m.*, **investigadora** *f.* investigator (2.2)

invierno *m.* winter (1.1)

invitación *f.* (*pl.* **invitaciones**) invitation (5.2)

invitado *m.*, **invitada** *f.* guest (2.2)

invitar to invite (1.2)

involucrado(a) involved (6.3)

ir to go (1.1) *pret.* (2.1) *imperf.* **(4.1)** *pres. subj.* **(5.1)**

ir de compras to go shopping (1.1)

irse to leave, go; to go away (3.3)

irlandés, irlandesa (*m. pl.* **irlandeses**) Irish **(2.2)**

irrigación *f.* irrigation (4.2)

isla *f.* island (3.3)

israelita *m. f.* Israeli **(2.2)**

italiano(a) Italian **(2.2)**

izquierda left, left side (6.2)

izquierdo(a) left (3.2)

jabón *m.* soap (2.3)

jaguar *m.* jaguar **(2.2)**

jai alai *m.* jai alai *(sport)* (6.3)

jamás never (5.3)
jamón *m.* ham (3.2)
japonés, japonesa (*m. pl.* **japoneses**) Japanese **(2.2)**
jardín *m.* (*pl.* **jardines**) garden (4.2)
jardinero *m.* fielder (3.1)
  jardinero *m.* **corto** shortstop (3.1)
jaula *f.* cage **(4.1)**
jefe *m.*, **jefa** *f.* head, chief (5.2); leader (7.3); boss
  jefe *m.* **de estado** head (chief) of state (5.2)
jerga *f.* slang (2.2)
joven *m. f.* (*pl.* **jóvenes**) young person (1.2)
joya *f.* jewel, piece of jewelry (3.3)
joyería *f.* jewelry; jewelry department or store (1.2)
judío *m.* Jew (5.1)
juego *m.* game **(1.2)**
  juego *m.* **de damas** checkers **(4.1)**
jugador *m.*, **jugadora** *f.* player (2.3)
jugar (ue) to play (1.1)
jugo *m.* juice (5.2)
juguete *m.* toy **(4.1)**
julio July (1.1)
junio June (1.1)
junto a near (to), next to (8.3)
juntos(as) together (1.2)
juramento *m.* oath (4.3)
jurar to swear, promise (1.3)
justicia *f.* justice (3.2)
justo(a) just, fair (6.1)
juventud *f.* youth (3.2)

L

la *dir. obj. pron.* her, it (2.1)
labor *f.* labor, work (7.2)
laca *f.* lacquer, shellac (2.3)
lácteo(a) milky, pertaining to milk (5.2)
lado *m.* side (4.2)
ladrar to bark (3.3)
ladrón *m.* (*pl.* **ladrones**) robber, thief (4.2)
lagar *m.* wine, olive, or apple press (3.2)
lago *m.* lake (2.1)
lágrima *f.* tear (1.2) **(3.2)**
lamentablemente regrettably, unfortunately (5.2)
lámpara *f.* lamp **(3.1)**
lana *f.* wool (3.1)
lancha *f.* small boat; rowboat (4.3)
langosta *f.* lobster (1.3)
lanzador *m.* pitcher (3.1)
lápida *f.* gravestone (1.2)
lápiz *m.* (*pl.* **lápices**) pencil (2.3)
  lápiz *m.* **de labio** lipstick (2.3)
largo(a) long (1.2)
  a lo largo de along, alongside (7.3)
las *art.* the (1.1)
las *dir. obj. pron.* them (2.1)
lástima: ¡qué lástima! what a shame (3.1)
lastimado(a) hurt (3.1)
lastimar to hurt; to offend **(5.3)**; to bruise, injure (6.3)
latinoamericano(a) Latin American **(1.3)**
lavaplatos *m. sing.* dishwasher (7.2)
lavar to wash **(1.1)**
lavarse to wash oneself (3.3)
lazo *m.* tie, connection (1.1)
le to (for) him, her, or you (1.1)
lealtad *f.* loyalty (7.3)
lección *f.* (*pl.* **lecciones**) lesson (2.1)
lector *m. f.* reader (3.3)
lectura reading (2.1)
leche *f.* milk (3.2)
leer to read (1.1)
legítimamente legitimately, rightfully (6.2)
lejos (de) far (from) (2.1)
lengua *f.* tongue; language (1.3)
lenguaje *m.* language (2.2)
lentamente slowly (3.3)
lentes *m. pl.* eyeglasses (1.1)
lento(a) slow **(1.3)**
leña *f.* firewood (6.3)
leñador *m.* woodsman (6.3)
león *m.* (*pl.* **leones**) lion **(2.3)**
leopardo *m.* leopard **(2.3)**
les to (for) them, you (1.1)
letra *f.* letter (8.3)
  letra *f.* **mayúscula** capital letter (1.2)
letras *f. pl.* literature (5.1)
letrero *m.* sign, poster (7.3)
levantarse to get up (1.2)
ley *f.* law (7.2)
leyenda *f.* legend (2.1)
libertad freedom (5.2)
libra *f.* pound (1.3)
libre free (8.3)
  libre comercio *m.* free trade (7.1)
libro *m.* book (1.1)
liceo *m.* lycée, high school (3.2)
líder *m. f.* leader (3.1)
lienzo *m.* linen (5.3); canvas
ligado(a) tied, linked (1.1)
limitarse to limit oneself (3.3)
limonada *f.* lemonade (2.3)
limpiar to clean (1.1)
limpieza cleanliness **(4.1)**
lindo(a) pretty (1.2)
línea *f.* line (4.3)
lingüístico(a) linguistic; pertaining to language (6.2) **(8.3)**
lino *m.* flax linen (5.3)
linterna *f.* lantern **(6.2)**
líquido *m.* liquid **(5.2)**
lista *f.* list **(1.1)**
listo(a) ready **(1.1)**; clever
literario(a) literary (3.2) **(4.2)**

literatura *f.* literature **(4.2)**
litro *m.* liter **(5.2)**
lo *dir. obj. pron.* him, it (2.1)
lo mismo the same **(1.2)**
lobo *m.* wolf (4.3)
localizado(a) located (7.3)
localizar to locate (2.1) **(2.3)**
loción *f.* (*pl.* **lociones**) lotion **(3.2)**
loción *f.* **protectora** sunscreen (lotion) **(3.2)**
loco(a) crazy **(1.3)**
locutor *m.*, **locutora** *f.* announcer (3.1)
lógico(a) logical (5.1)
lograr to succeed, to manage to (5.1); to achieve, attain (6.1)
logro *m.* achievement (7.3)
lorito *m.* **real** little parrot (2.1)
loro *m.* parrot (2.1)
los *art.* the (1.1)
los *dir. obj. pron.* them (2.1)
lotería *f.* lottery (7.1)
luchar to fight (7.2)
luego then (1.1)
lugar *m.* place (1.1)
luna *f.* moon (8.1)
lunar lunar (4.3); mole
lunes *m.* Monday (1.1)
lustroso(a) shiny (2.3)
luz *f.* (*pl.* **luces**) light (3.3) **(4.2)**

LL

llamada *f.* (phone) call (3.2)
llamar to call (2.1)
llamar a la puerta to knock at the door (1.2)
llamarse to be named (1.1)
llamativo(a) flashy, showy **(7.1)**; catchy (title) (1.3)
llano *m.* plain, prairie (2.1)
llanta *f.* tire (2.3)
llanto *m.* weeping, crying (4.1)
llanura *f.* plain (2.1)
llegada *f.* arrival (1.1)
llegar to arrive; to reach (3.1)
llegar a ser to become (3.2)
llenar to fill (3.2)
lleno(a) filled (3.3)
llevar to carry; to take (1.1); to wear *pret.* **(2.2)** *cond.* **(8.2)**
llevar a cabo to carry out (8.1)
llevar su merecido to get one's just desserts (6.2)
llorar to cry (1.2)
llorón *m.*, **llorona** *f.* cry baby (6.2)
llover (ue) to rain (3.1)
llovizna *f.* mist, fine rain **(3.1)**
lloviznar to drizzle **(3.1)**
lluvia *f.* rain **(3.1)**

M

macedonio(a) Macedonian (4.2)
madeja *f.* skein (5.3)
madera *f.* wood (2.1)
madrastra *f.* stepmother (2.1)
madre *f.* mother (1.2)
madrugada *f.* dawn, daybreak (6.1)
maduro(a) mature; ripe (3.2)
maestro *m.*, **maestra** *f.* teacher (4.1) **(5.2)**
magia *f.* magic (2.1)
mágico(a) magical (2.2)
lo mágico that which is magic (7.1)
magnífico(a) magnificent, splendid (2.3)
maíz *m.* corn (4.1)
majestuoso(a) majestic (2.3)
mal bad (1.2)
mala hierba *f.* weed
maldad *f.* evil (7.1)
maleta *f.* suitcase (3.2)
malicioso(a) malicious, nasty (3.3)
malo(a) bad (1.3)
malvado *m.* villain (6.2)
malvado(a) evil, wicked (6.2)
mamá *f.* mom (1.1)
mancha *f.* spot (8.2)
manchar to stain (8.1)
mandar to order (4.2); to send (3.2)
mandato *m.* command **(3.2)**; order (8.1)
mandón, mandona bossy (6.2)
manejar to drive (1.2) **(7.1)**
manera *f.* manner, way (3.2)
mango *m.* mango *(tropical fruit)* **(2.1)**
mano *f.* hand (3.2)
tener a mano to have at hand
mantener(se) to maintain, keep (5.2)
mantenerse en forma to stay in shape (3.1)
mantequilla *f.* butter (3.2)
manzana *f.* apple (2.1)
manzano *m.* apple tree (8.3)
mañana *f.* morning (1.2)
mañana tomorrow (1.1)
mapa *m.* map (2.2)
maquiladora *f.* assembly plant (7.1)
máquina *f.* machine **(7.2)**
máquina *f.* **de coser** sewing machine (3.3)
mar *m.* sea (2.1)
maravilla *f.* marvel, wonder (4.1)
maravilloso(a) marvelous (1.3)
marca *f.* mark (6.2)
marcador *m.* highlighter (1.3)
marcar to mark (6.2)
marciano *m.*, **marciana** *f.* Martian (5.2)
marcha: ponerse en marcha to start (8.1)
marcharse to go (away), leave (8.3)
margen *f.* (*pl.* **márgenes**) border (2.1); margin

mariachi *m.* mariachi *(Mexican band of strolling musicians playing string and brass instruments)* (8.3)
marido *m.* husband (1.3)
marina *f.* navy (3.1)
mariposa *f.* butterfly (6.1)
marisco *m.* seafood (1.3)
marrón brown (1.1)
marroquí *m. f.* (*pl.* **marroquíes**) Moroccan **(2.2)**
marsupial *m.* marsupial (6.1)
más more (1.1)
  más adelante later (2.2)
  más vale + ***inf.*** to be better to (3.2)
masa *f.* dough (1.3); mass, bulk (8.1)
masas *f. pl.* masses (5.3)
máscara *f.* mask (3.1)
mata *f.* plant (4.2)
matado *past part.* killed (3.2)
matador *m.*, **matadora** *f.* killer (6.3)
"mataestudiantes" *lit.*, "student killer," difficult professor (1.2)
matar to kill (2.3)
matas *f. pl.* thicket, bushes (6.3)
matemáticas *f. pl.* mathematics (1.3)
materia *f.* material (3.2)
materno(a) maternal (2.1)
matricularse to enroll (7.3)
matrimonio *m.* matrimony, marriage (1.3)
máximo(a) maximum **(3.1)**
mayor *adj.* oldest (2.2); greater, older (1.3) **(2.3)**
  mayor parte *f.* most (2.1); the majority
mayoría *f.* majority (1.3)
me me (1.1)
mecánico *m.*, **mecánica** *f.* mechanic (5.2)
mecanografía *f.* typewriting **(7.2)**
mediados: a mediados de in the middle of *(time period)* (8.1)
medianoche *f.* midnight (8.3)
mediante by means of, through (5.2)
medias *f. pl.* stockings (1.2)
medicina *f.* medicine (2.3) **(5.1)**
médico *m.*, **médica** *f.* doctor (2.1)
medio *m.* **ambiente** environment (2.3)
medio *m.* **de transporte** means of transportation **(1.1)**
medio(a) *adj.* half (2.1); middle (7.1)
  medio tiempo half-time (7.3)
mediodía *m.* noon (1.2)
medir (i, i) to measure (1.3)
mejilla *f.* cheek (1.2)
mejor better (1.1)
mejorar to get better, improve (3.2) **(8.2)**
melodía *f.* melody (8.2)
melodrama *m.* melodrama (6.2)
melón *m.* (*pl.* **melones**) melon (5.2)
memoria *f.* memory (2.1)
mencionar to mention (1.2) **(2.3)**
mendigo *m.*, **mendiga** *f.* beggar (6.2)
menor *adj.* youngest (2.2); smaller, younger **(2.3)**
menos less (1.1)
mensaje *m.* message (3.3)
mensajero *m.*, **mensajera** *f.* messenger (8.3)
mensual monthly (7.1)
mentor *m.* mentor (7.2)
mercado *m.* market (7.2)
  mercado *m.* **al aire libre** outdoor (open-air) market **(7.2)**
merecer to deserve (1.3)
merecido *m.* just desserts *(deserving punishment or reward)* (6.2)
merendar to snack (1.2)
mérito *m.* merit (7.3)
mes *m.* month (1.1)
mesa *f.* table (1.2)
mesero *m.*, **mesera** *f.* waiter, waitress (7.2)
meseta *f.* plateau, tableland (1.1)
mesita *f.* little table; nightstand (3.1)
mesonero *m.*, **mesonera** *f.* waiter, waitress **(2.1)**
mestizo *m.* mestizo, person of mixed-race (8.1)
mestizo(a) mestizo, of mixed blood (4.1)
metáfora *f.* metaphor (8.3)
meter to put (in) **(3.3)**; to insert (4.1)
meterse to go into, get into (8.2)
  meterse el sol the setting of the sun (7.1)
metro *m.* subway (8.3)
metropolitano(a) metropolitan (3.1)
mexicano(a) Mexican (2.2)
mezcla *f.* mixture (2.1)
mezquita *f.* mosque (5.1)
mi my (1.1)
miedo *m.* fear **(2.2)**
miedoso(a) fearful (5.3)
miembro *m. f.* member (1.1)
mientras while (1.2)
migaja *f.* small bit of bread **(4.3)**
migración *f.* migration (7.1)
miguita *f.* crumb **(3.2)**
mil *m.* thousand (7.1)
milagro *m.* miracle (4.1)
militar military (1.2)
milla *f.* mile (2.1) **(6.2)**
millón *m.* (*pl.* **millones**) million (7.1)
millonario *m.* millionaire **(5.1)**
mimado(a) spoiled (4.3)
mina *f.* mine (2.1)
minería *f.* mining (2.3)
mínimo(a) minimum **(3.1)**; minimal (7.2)
ministro *m.* minister (7.2)
mío my (1.1)
mirar to watch, look at (1.1)
miseria *f.* poverty, destitution (6.3)
misionero *m.*, **misionera** *f.* missionary (3.3)
misión *m.* (*pl.* **misiones**) mission (1.1)
mismo(a) same (1.1)
misterio *m.* mystery **(3.3)**
misterioso(a) mysterious (1.2)

mitad *f.* half (1.3)
mito *m.* myth (6.3)
mixto(a) mixed (2.3)
mochila *f.* backpack (1.2)
moda *f.* fashion (5.2)
de moda in fashion (1.1)
moderno(a) modern (2.1)
mojarse to get wet (7.1)
moler to grind (4.2)
molestar to disturb; to bother (1.3) **(5.3)**
momento *m.* moment (2.2)
monarca *m.* monarch, king (2.3)
moneda *f.* coin (3.3)
monja *f.* nun (2.2)
mono *m.*, **mona** *f.* monkey **(2.3)**
monolito *m.* monolith (3.3)
montaña *f.* mountain (1.1)
montaña *f.* **de rocas** pile of rocks (4.3)
montañoso(a) mountainous (2.1)
montar to mount (4.2)
montar a caballo to ride (horseback) (2.2)
monte *m.* woodlands, forest (6.3); mountain
monumento *m.* monument (6.1)
moño *m.* bun *(a Victorian hairstyle)* (1.2); ribbon
morado(a) purple (1.1)
moral morals, morality (5.2)
moraleja *f.* moral (2.3)
moreno(a) dark-haired, dark-complexioned (1.3)
morir (ue, u) to die (1.2) *pret.* **(4.2)** *pres. perf.* **(6.2)**
morir de miedo to die of fright **(6.2)**
moro *m.* Moor (5.1)
mortero *m.* mortar (4.1)
mostrar (ue) to show (1.2)
motivo *m.* motif (5.1); motive
motocicleta (moto) *f.* motorcycle (7.2)
movimiento *m.* movement (5.2)
mozo *m.* young man (5.2)
muchacho *m.*, **muchacha** *f.* boy, girl (1.1)
muchísimo a (whole) lot (1.1)
mucho much, a lot (1.1)
mudanza *f.* move (7.1)
mudarse to move (1.1)
mueble *m.* (piece of) furniture (3.1)
mueblería *f.* furniture store (3.1)
muerte *f.* death (3.2)
muerto *m.*, **muerta** *f.* dead person (2.2)
muerto(a) dead (1.2)
muerto de hambre dying of hunger (1.2)
mujer *f.* woman (2.3)
mula *f.* mule (4.1)
mula *f.* **de carga** pack mule (4.1)
multa *f.* fine, penalty (5.2)
multilingüe multilingual (7.3)
mundial world-wide (3.1) **(5.1)**
mundo *m.* world (1.2)
municipal municipal **(3.1)**
muñeco *m.*, **muñeca** *f.* doll, puppet (5.1)
músculo *m.* muscle (2.3)
museo *m.* museum (1.1)
música *f.* music (1.1)
músico *m.*, **música** *f.* musician (5.2)
musulmán *m.* (*pl.* **musulmanes**) Moslem (5.1)
muy very (1.1)

N

nacer to be born (3.2)
nación *m.* (*pl.* **naciones**) nation (1.1)
nacional national (3.1)
nacionalidad *f.* nationality **(2.2)**
nacho *m.* nacho *(tortilla chip with cheese and chilis)* **(1.1)**
nada nothing (1.2)
nada en particular nothing really; nothing special **(1.1)**
nadar to swim **(1.1)** *pres. subj.* **(5.1)** *fut.* **(8.1)**
nadie no one, nobody (2.2)
naranja *f.* orange (4.3)
nariz *f.* (*pl.* **narices**) nose (3.2)
narrar to narrate (3.3)
natación *f.* swimming (1.1)
nativo(a) *adj.* native (3.1)
nativo *m.*, **nativa** *f.* native (3.3)
naturaleza *f.* nature (3.2)
navegante *m. f.* navigator, sailor (3.3)
navegar to navigate (2.1)
Navidad *f.* Christmas (6.2)
necesario(a) necessary (1.1) **(2.3)**
necesidad *f.* necessity (3.2)
necesitar to need (1.2) **(5.1)**
necio(a) bothersome; foolish; stubborn **(7.3)**
negativamente negatively (1.2)
negativo(a) negative **(1.1)**
negocio *m.* business, trade (2.3)
negro(a) black (1.1)
nervioso(a) nervous (1.2)
nevar (ie) to snow (3.1)
nevera *f.* refrigerator (3.2)
ni not even; nor (2.2)
ni siquiera not even (6.1)
nicaragüense *m. f.* Nicaraguan (2.2)
nicle *m.* nickel (6.1)
nido *m.* nest (8.3)
nieto *m.*, **nieta** *f.* grandson, granddaughter (3.3)
ningún, ninguno(a) no, none, not any (1.3)
niñez *f.* childhood; infancy **(4.1)**
niño *m.*, **niña** *f.* boy, girl (2.2)
nivel *m.* level (3.3)
no no; not (1.1)
no obstante nevertheless (3.3)
no sólo . . . sino también not only . . . but also (3.3)
noble noble (2.3)
nocturno *m.* nocturne, relating to night (6.3)

noche *f.* night (1.1)
nombrar to name (2.1)
nombre *m.* name (1.1)
nopal *m.* Mexican cacti with red flowers (8.1)
norma *f.* standard, norm, rule (6.3)
norte *m.* north (1.1)
norteamericano(a) North American (1.2)
norteño(a) northern (2.1)
noruego(a) Norwegian **(2.2)**
nos us; to (for) us (1.1)
nosotros we (1.1)
nota *f.* note; grade (2.2)
notable remarkable (2.1)
notar to note (5.1)
noticias *f. pl.* news (3.1)
noticiero *m.* newscast **(3.2)**
novela *f.* novel (1.1)
novio *m.*, **novia** *f.* boyfriend, girlfriend (1.2)
nube *f.* cloud (4.2)
  andar por las nubes to be daydreaming, to have one's head in the clouds (7.2)
nublado(a) cloudy (3.1)
núcleo *m.* nucleus (4.3)
nudo *m.* knot (4.1)
nuestro(a) our (1.2)
nuevo(a) new (1.1)
  ¿qué hay de nuevo? what's new? (1.1)
nuez *m.* (*pl.* **nueces**) nut (2.3)
número *m.* number (1.1)
numeroso(a) numerous (1.3)
nunca never (1.1)
nutrición *f.* nutrition **(5.2)**
nutritivo(a) nutritious **(5.1)**

O

obedecer to obey (8.1)
objeto *m.* object (2.1)
obligación *f.* (*pl.* **obligaciones**) obligation (1.3)
obligado(a) obliged (3.3); obligated (6.2)
obligar to force (6.3)
obligatorio(a) obligatory (5.2)
obra *f.* work (4.1)
observar to observe **(4.1)**
observatorio *m.* observatory (3.1)
obsesionado(a) obsessed (5.1)
obtener to get, obtain (7.3)
obviamente obviously (5.1)
obvio(a) evident, obvious **(5.1)**
occidental Western (1.1)
occidente *m.* West **(3.1)**
océano *m.* ocean **(2.3)**
ocultarse to hide (5.1)
oculto(a) hidden (5.1)
ocupación *f.* (*pl.* **ocupaciones**) occupation (1.1); job
ocupado(a) busy (1.1); occupied, inhabited (1.1)
ocupar to occupy *(space)* (1.1); to occupy, fill (5.1)
ocurrir to occur (1.1)
odiar to hate **(2.2)**
odio *m.* hatred (6.3)
oeste *m.* west (3.1)
oferta *f.* offer; bargain (1.2)
oficina *f.* office (1.1)
ofrecer to offer (1.2)
oír to hear (1.2)
ojalá let's hope that; I hope that **(5.1)**
ojear to eye quickly, to scan (2.3)
ojo *m.* eye (2.3)
oligarca *m.* oligarch (7.2)
olímpico(a) Olympic **(5.1)**
oliva *f.* olive (6.1)
olvidar to forget (2.1)
olla *f.* pot (3.3)
ondulado(a) wavy, curly (4.1)
operador *m.*, **operadora** *f.* operator **(7.3)**
opinar to form an opinion ; to think (1.1)
opinión *f.* (*pl.* **opiniones**) opinion (5.1)
oportunidad *f.* opportunity, chance (5.1)
optar to choose, decide on, opt for (5.2)
opuesto(a) opposite (1.3)
oración *f.* (*pl.* **oraciones**) sentence (1.1) **(2.1)**
orden *m. f.* (*pl.* **órdenes**) order, sequence (3.2); command **(3.3)**
ordenar to arrange, put in order (4.2)
ordinario(a) ordinary (2.1)
organizado(a) organized (1.3)
organizar to organize (3.2)
orgullo *m.* pride (8.2)
orgulloso(a) proud, haughty (2.1)
oriental oriental (5.1)
oriente *m.* East **(3.1)**
origen *m.* (*pl.* **orígenes**) origin (2.2)
orilla *f.* bank of a river, shore (2.2) **(4.3)**
oro *m.* gold (2.1)
orquesta *f.* orchestra (1.3)
orquídea *f.* orchid (6.1)
oscurecido(a) darkened (6.2); obscured
oscuro(a) dark (1.2) **(6.2)**
osito *m.* little bear **(4.1)**
  osito *m.* **de peluche** teddy bear **(4.1)**
otoño *m.* autumn (8.1)
otorgar to grant, give (5.2)
otro(a) other (1.1)
ovalado(a) oval (8.1)
óvalo *m.* oval (7.2)
oxígeno *m.* oxygen (2.3)
¡oye! *fam.* hey!, listen! (1.2)

P

paciencia *f.* patience (3.2) **(3.3)**
paciente *m. f.* patient (3.2)
pacífico(a) pacific, peaceful (6.1)

padrastro *m.* stepfather (2.1)
padre *f.* father (1.1)
padremonte *m.* Father Woods (6.3)
padrino *m.* godfather, protector (7.2)
paella *f.* paella *(Spanish rice dish seasoned with saffron)* (4.1)
pagado(a) paid **(7.3)**
pagar to pay (3.2)
página *f.* page (1.1)
pago *m.* payment **(7.1)**
país *m.* (*pl.* **países**) country, nation (1.3)
paisaje *m.* landscape, countryside (4.3)
paja *f.* straw **(4.2)**
pajarito *m.* little bird (2.1)
pájaro *m.* bird **(2.2)**
palabra *f.* word (2.2)
  palabras *f. pl.* **afines** cognates (2.3)
paleontólogo *m.*, **paleontóloga** *f.* paleontologist (3.3)
pálido(a) pale (1.2)
palo *m.* stick (7.1)
pampa *f.* pampas, prairie lands in Argentina (8.1)
pan *m.* bread (5.2)
panadería *f.* bakery (5.1)
panameño(a) Panamanian (3.2)
pandilla *f.* gang (7.3)
pandillero *m.* member of a gang (7.3)
panqueque *m.* pancake (1.3)
pantalones *m. pl.* pants (1.1)
  pantalones *m.* **cortos** shorts **(8.2)**
pantalla *f.* screen (5.3)
pantano *m.* marsh (2.3)
pañuelo *m.* handkerchief **(8.1)**
papa *f.* potato (1.1)
papá *m.* dad (1.1)
papel *m.* role **(2.1)**; paper (2.3)
papelería *f.* stationery store (1.1) **(2.3)**
papita *f.* small potato **(5.1)**
  papitas *f. pl.* **fritas** French fries **(5.1)**
paquete *m.* package (6.2)
paquistaní *m. f.* (*pl.* **paquistaníes**) Pakistani **(2.2)**
par *m.* pair (7.1)
para for (1.1)
paraguayo(a) Paraguayan (2.2)
paraíso *m.* paradise (6.1)
paralelo *m.* parallel (2.3)
paralizado(a) paralyzed (6.3)
parar to stop (1.2)
parcela *f.* part, portion (6.3)
parcial partial (7.1)
parecer to appear, seem (1.2) **(1.3)**
  al parecer apparently (3.2)
pared *f.* wall (4.2)
pareja *f.* couple, pair (6.2)
paréntesis *m. pl.* parentheses (5.2)
pariente *m.* relative (1.1)
parque *m.* park (1.2)
párrafo *m.* paragraph (1.2)
parte *f.* part (2.1)
participar to participate (3.2)
particular private (1.2); particular
partido *m.* game (1.2); political party (5.2)
  tomar partido to decide, make up one's mind (6.3)
partir: partido departed, left (3.3)
parvada *f.* flock (8.3)
pasado *m.* past (3.3) **(4.1)**
pasado(a) past (1.3)
pasar to happen; to go past; to spend time (1.1) *pret.* (2.2)
pasatiempo *m.* pastime (8.3)
pascua *f.* Easter (3.3)
Pascua de Resurrección *f.* Easter of Resurrection (3.3)
pasear to walk, stroll (1.1) *pret.* (2.2)
pasillo *m.* hallway (1.1)
paso *m.* pace; step (1.1)
  unos cuantos pasos a few steps (1.1)
pasta *f.* **dental** toothpaste **(8.2)**
pastel *m.* cake (1.2)
paternalista paternalistic (5.2)
paterno(a) paternal (2.1)
patita *f.* paw (3.3)
patria *f.* native land, mother country (6.3)
patrón *m.* (*pl.* **patrones**) master, boss (6.2); patron
paz *f.* peace (1.2)
pedir (i, i) to ask for, to request (1.1) *pres. subj.* **(5.2)** *cond.* **(8.2)**
  pedir perdón to ask forgiveness (1.3)
pegado(a) attached to (5.3)
peinarse to comb one's hair (3.3)
peine *m.* comb **(8.2)**
pelaje *m.* coat, hair (2.3)
pelear to fight (7.3)
película *f.* film, movie (1.1)
peligro *m.* danger (2.2)
peligroso(a) dangerous **(2.3)**
pelo *m.* hair **(1.3)**
pelota *f.* ball (1.2)
pena: alma en pena soul in torment (6.3)
pendiente hanging (8.3)
Península Ibérica Iberian Peninsula (5.1)
pensamiento *m.* thought (5.3)
pensar (ie) to think (1.1) *pres. subj.* **(5.2)**
pensionado retired (7.3)
peor worse (2.2)
pequeño(a) small, little (2.1)
perder (ie) to lose (2.1)
perderse (ie) to get lost (2.2)
pérdida *f.* loss (3.2)
perdido(a) lost (4.3)
perdonar to pardon, excuse (3.2); to forgive (7.3)
peregrinación *f.* (*pl.* **peregrinaciones**) pilgrimage (7.2)
perezoso *m.* sloth (6.1)
perezoso(a) lazy **(1.3)**
perfecto(a) perfect (1.2)
perfumado(a) perfumed (2.3)

perico *m.* parakeet, parrot (2.2)
periódico *m.* newspaper (1.3)
periodístico: de interés periodístico newsworthy (7.3)
periquito *m.* little parakeet (2.1)
perla *f.* pearl (2.1)
permanecer to remain (3.2)
permiso *m.* permission (3.2)
permitir to permit, allow (1.1)
pero but (1.1)
perrito *m.* puppy (1.2)
perro *m.* dog (1.2)
perseguido(a) *n.* one who is persecuted (3.2)
persistir to persist (8.1)
persona *f.* person (1.1)
personaje *m.* person (2.1); character (4.3)
personalidad *f.* personality **(1.1)**
personalizar to personalize (1.2)
pertenecer to belong (6.2)
pertinente pertinent, relevant (5.1)
peruano(a) Peruvian (2.2)
pesar to weigh (3.3) **(6.2)**
pesas *f. pl.* weights **(5.1)**
pescado *m.* fish (3.2)
pesimista *m. f.* pessimist (2.1)
peso *m.* weight **(5.2)**; peso *(Mexican monetary unit)* (7.1)
petición *f.* (*pl.* **peticiones**) request (1.3)
petróleo *m.* oil, petroleum (2.1)
picado(a) chopped, minced
picaflor *m.* humming-bird (6.1)
picante spicy (1.1)
picar to bite (2.3)
pico *m.* peak **(2.3)**; beak (8.1)
pie *m.* foot (2.2)
  a pie on foot (2.2)
piedra *f.* stone (3.3)
  piedra *f.* **preciosa** precious stone (2.1)
piel *f.* skin **(3.2)**
pierna *f.* leg (3.2)
pieza *f.* piece (5.3)
pilote *m.* pile *(bldg.)* (2.1)
pino *m.* pine tree (8.3)
pintado(a) painted (2.3)
pintar to paint (4.2); to depict (7.2)
pintarse to put on make-up (2.3)
pintor *m.*, **pintora** *f.* painter (7.3)
pintoresco(a) picturesque (6.3)
pintura *f.* painting, picture (1.3); paint (2.3)
pipa *f.* pipe (6.3)
pirámide *f.* pyramid (2.1)
piraña *f.* piranha fish **(2.2)**
piscina *f.* swimming pool **(5.1)**
piso *m.* floor (3.2)
piyamas *f. pl.* pajamas (3.3)
pizarra *f.* chalkboard (3.3)
placer *m.* pleasure (1.1)
planchar to iron **(4.1)**
planear to plan (2.1)
planeta *m.* planet (6.1)
planificar to plan (4.1)
planta *f.* plant **(2.3)**
plantación *f.* (*pl.* **plantaciones**) plantation (3.1)
plantar to plant (7.3)
plantear to set forth, state (3.3)
plata *f.* silver **(3.1)**
platillo *m.* saucer (7.3)
plato *m.* plate (1.2)
playa *f.* beach (3.2) **(8.2)**
plaza *f.* town square **(8.3)**
pluma *f.* feather(8.2)
plumaje *m.* plumage, feathers (6.1)
población *f.* (*pl.* **poblaciones**) population (1.1) **(2.3)**
poblar to settle, colonize (1.1)
pobre poor (1.2)
pobreza *f.* poverty (4.3)
poco(a) little
  dentro de poco within a short time, soon (1.3)
  poco a poco little by little (2.1)
  un poco a little (1.2)
poder (ue) to be able (1.1) *pres. subj.* **(5.2)** *fut.* **(8.1)** *cond.* **(8.2)**
poder *m.* power (6.3)
poderoso(a) powerful, mighty (2.3)
podrías *cond.* would be able (2.1)
poema *m.* poem (1.1)
poesía *f.* poetry (3.2)
poeta *m. f.* poet (1.2)
policía *f.* police force; policewoman; *m.* policeman (3.1)
policíaco(a) mystery **(3.1)**
policías policemen, policewomen (5.2)
poligonal polygonal (4.1)
Polinesia *f.* Polynesia (3.3)
polinesio(a) *n.* Polynesian (3.3)
política politics (5.2)
político(a) political (1.1)
pollo *m.* chicken (2.1)
poner to put, place (1.3) *pres. perf.* **(6.2)** *fut.* **(8.1)** *cond.* **(8.2)**
  poner a cargo to put in charge of (3.2)
ponerse to put on (3.3)
  ponerse + ***adj.*** to become (1.3)
  ponerse a + ***inf.*** to begin to + *inf.* (5.3)
  ponerse de acuerdo to agree (2.1)
  ponerse en línea to get into shape, slim down **(8.1)**
  ponerse en marcha to start (8.1)
poquísimo very little (4.1)
poquito(a) little (2.1)
por for; by **(1.1) (3.2)**
  por casualidad by accident, coincidence **(3.2)**
  por ciento *m.* percent (1.2)
  por ejemplo for example (1.2)
  por el contrario on the contrary (1.1) **(3.1)**
  por escrito in writing **(3.1)**
  por eso for that reason, therefore (2.1)

por favor please (1.1)
por lo menos at least (1.2)
por lo tanto so, therefore (2.1)
por si acaso if by chance, just in case **(8.2)**
por supuesto of course (1.1)
¿por qué? why? (1.1)
porque because (1.2)
portarse to behave (3.2)
portugués, portuguesa (*m. pl.* **portugueses**) Portuguese **(2.2)**
posada *f.* lodging (4.2)
posado(a) perched (8.1)
poseer to possess, have (8.1)
posesión *f.* (*pl.* **posesiones**) possession (8.1)
posibilidad *f.* possibility (1.2) **(3.1)**
posible possible (2.3)
positivo(a) positive **(1.1)**
poste *m.* post, pole (4.1)
poste *m.* **de alumbrado eléctrico** electrical pole (4.1)
posteriormente subsequently (3.3)
postre *m.* dessert (1.1)
práctica *f.* practice (1.3)
practicar to practice (1.1)
práctico(a) practical (5.3)
precio *m.* price (3.2)
precioso(a) beautiful, precious (4.3)
precisamente precisely (5.3)
preciso(a) necessary **(5.1)**
es preciso it's necessary (5.1)
precolombino(a) pre-Columbian (4.3)
preconcebido(a) preconceived (6.3)
predecir to predict (1.3) **(8.1)**
predicción *f.* (*pl.* **predicciones**) prediction **(8.1)**
predominante predominant (8.1)
predominar to predominate, prevail (6.3)
predominio *m.* predominance (8.1)
preferencia *f.* preference **(1.1)**
preferir (ie, i) to prefer (1.2)
pregunta *f.* question **(1.1)**
preguntarse to ask oneself, to wonder (1.3)
prehistórico(a) prehistoric (4.3)
premio *m.* prize (2.1) **(4.2)**
prenda *f.* article (of clothing) (2.1)
prendedor *m.* brooch (1.1)
prender to ignite, set fire **(6.3)**; to turn on
prendido(a) close to, fond of (1.3)
preocupado(a) worried (1.2)
preparación *f.* (*pl.* **preparaciones**) preparation (5.2)
preparar to prepare (1.1)
presencia *f.* presence (1.3)
presentación *f.* (*pl.* **presentaciones**) presentation (3.1)
presentar to introduce (1.1); to show (7.1); to present
presidente *m., f.* president (2.1)
preso *m.*, **presa** *f.* prisoner (8.3)
prestar to lend, give **(5.1)**
prestar atención to pay attention (3.2)
prestigioso(a) prestigious (3.2)
previo(a) previous, prior (3.3) **(7.2)**
primario(a) primary (3.3)
primate primate (6.1)
primo *m.*, **prima** *f.* cousin (1.3)
principal principal, main (7.1)
principio *m.* beginning (4.2)
principios de beginning of (1.2)
prisa *f.* hurry (1.3)
privarse to give up, go without (7.3)
privilegio *m.* privilege (1.1)
probabilidad *f.* probability (8.2)
probable probable **(5.1)**
probablemente probably (1.2)
probar (ue) to taste (1.2); to prove (5.1)
problema *m.* problem (1.1)
problemático(a) problematic (7.1)
proclamar to proclaim (1.1)
producir to produce (2.3)
producto *m.* product (2.1) **(2.3)**
profecía *f.* prophecy (8.1)
profesión *f.* (*pl.* **profesiones**) profession (5.1)
profesor *m.*, **profesora** *f.* professor, teacher (1.1)
profundamente deeply (5.1)
profundo(a) deep, profound (1.3)
programa *m.* program (2.2)
programación *f.* (*pl.* **programaciones**) programming **(3.2)**
programado(a) programmed; planned **(8.3)**
progresista progressive (5.2)
progreso *m.* progress (7.2)
prohibido(a) prohibited (7.3)
prohibir to prohibit (5.2)
promedio *m.* average (3.1) **(7.3)**
prometer to promise (4.3)
prominente prominent (7.1)
promoción *f.* (*pl.* **promociones**) promotion (3.2)
pronóstico *m.* forecast (3.1); prediction
pronto quickly (1.3)
pronunciar to pronounce (2.1)
propagarse to propagate, spread (5.1)
propiedad *f.* property (6.2)
propietario *m.*, **propietaria** *f.* owner (3.2)
propina *f.* tip (3.2)
propio(a) own (2.3)
proporcionar to provide (1.3)
propósito *m.* purpose (1.3)
prosa *f.* prose (5.1)
prosperar to prosper, flourish (8.1)
próspero(a) prosperous (3.2)
protección *f.* protection **(3.2)**
protector(a) protective **(3.2)**
proteger to protect **(3.2)**
protesta *f.* protest (6.3)
proveer to provide, supply (4.2)
provenir (ie, i) to come from (7.3)
providencial providential (5.2)
provincia *f.* province (3.2)

provocar to provoke (2.1)
próximo(a) next (2.2)
proyectado(a) thrown, hurled (8.2)
proyecto *m.* project (8.1)
prueba *f.* proof (3.3); test, trial (5.1)
publicación *f.* (*pl.* **publicaciones**) publication (6.3)
publicar to publish (3.2); to publicize (5.1)
publicidad *f.* publicity (3.2)
público *m.* public, audience (5.1)
pueblo *m.* town, village (1.1)
puente *m.* bridge (4.2)
puerta *f.* door (1.1)
puerto *m.* port (2.1) **(2.3)**
puertorriqueño(a) Puerto Rican (2.2)
pues well (1.1)
puesto *m.* job, position (3.2) **(7.1)**
puesto(a) placed, set (2.1); in place; on (4.3)
pulga *f.* flea **(2.3)**
pulgada *f.* inch (3.2)
pulsera *f.* bracelet (1.1) **(1.2)**
puma *m.* mountain lion, puma **(6.1)**
puntería *f.* marksmanship, aim (6.3)
punto *m.* point; dot (1.1)
  punto *m.* **de vista** point of view (6.3)
puntualidad *f.* punctuality **(7.3)**
puntualmente punctually (7.2)
puñado *m.* handful (6.1)
pupitre *m.* student desk (3.2)
pureza *f.* purity (5.2)
puro(a) pure (3.1)

Q

que that (1.1)
qué what (1.1)
  ¡qué barbaridad! what an outrage! what nonsense! (5.2)
  ¡qué caballero! what a gentleman! **(5.1)**
  ¡qué culto! how educated! how cultured! **(2.2)**
  ¡qué envidia! what envy! **(8.1)**
  ¡qué fracaso! what a disaster! (3.1)
  ¡qué lástima! what a shame! (3.1)
  ¡qué padre! how great! (6.1)
  ¡qué suerte! what luck! **(1.2)**
  ¡qué susto! what a fright! **(6.3)**
  ¡qué va! no, not at all. (6.2)
  ¡qué vergüenza! how embarrassing! (5.1)
¿qué? what? (1.1)
  ¿qué hay de nuevo? what's new? **(1.1)**
  ¿qué tal? how's it going? (1.1)
  ¿qué va? what's happening? (1.1)
quebrado(a) *n.* one who is broken (3.2)
quebrar (ie) to break, smash (6.3)
quechua *f.* quechua *(indigenous Peruvian language)* (8.2)
quedar to remain (1.2)
quehacer *m.* chore **(4.1)**
quejarse to complain (1.3)
quejido *m.* moan (3.3)
quemado(a) burned **(3.2)**
quemadura *f.* burn **(3.2)**
quemar(se) to burn (oneself) (2.3)
querer (ie) to want, wish (1.1) *pret.* **(3.1)** *fut.* **(8.1)** *cond.* **(8.2)**
querido(a) dear, beloved (1.2)
queso *m.* cheese (2.1)
quetzal *m.* quetzal *(Central American bird with brilliant plumage)* (6.1)
¿quién?, ¿quiénes? who? (1.1)
¡quíhubole! what's happening, what's up **(6.1)**
química *f.* chemistry (1.2)
químico *m.*, **química** *f.* chemist (6.2)
quitar to take away, remove **(5.2)**
quitarse to take off *(clothes)* (3.3)
¡quítate! stop it! **(2.2)**
quizás perhaps **(5.1)**

R

raíz *f.* (*pl.* **raíces**) root (1.1)
rallado(a) grated (1.3)
rama *f.* branch (6.3)
ranchería *f.* a village in which certain Native-American tribes lived and farmed (1.1)
ranchito *m.* small ranch (1.3)
rancho *m.* ranch (3.2)
rápidamente quickly, rapidly (3.3)
rápido(a) fast (1.1) **(1.3)**
raqueta *f.* racket (7.1)
raro(a) strange (1.2)
rasuradora *f.* razor **(8.2)**
rato *m.* short period of time, a while (1.2)
ratón *m.* (*pl.* **ratones**) mouse **(2.3)**
ratoncito *m.* little mouse **(4.2)**
rayo *m.* ray **(3.2)**
raza *f.* race (2.3)
razón *f.* (*pl.* **razones**) reason (1.3)
razonar to reason (6.2)
reacción *f.* (*pl.* **reacciones**) reaction (3.2)
reaccionar to react; to respond (1.2)
reajustar to readjust (5.3)
real *m.* coin of 25 *céntimos*, one quarter of a peseta (7.1)
real magnificent (2.1) royal; real
realidad *f.* reality (2.2)
realista *m. f.* realist **(7.1)**
realizado(a) carried out (3.3)
realmente really (2.3)
rebajado(a) reduced, discounted (1.2)
recepcionista *m. f.* receptionist **(7.2)**
receptor *m.* catcher (3.1)
receta *f.* recipe (3.2)

recibir to receive (1.1)
recién recently (7.3)
reciente recent **(7.3)**
recientemente recently (1.3)
recitar to recite (5.2)
reclamar to reclaim **(3.1)**; to claim, demand (8.1)
reclutador *m.* **voluntario** voluntary recruiter (7.3)
reclutar to recruit (7.3)
recoger to gather (1.1); to pick up (1.2)
recomendable advisable **(5.1)**; commendable
recomendación *f.* (*pl.* **recomendaciones**) recommendation **(5.1)**
recomendar (ie) to recommend (1.2)
reconocer to realize (6.1); to recognize (7.3)
recordar (ue) to remind (8.1); to remember (1.2)
recrear to recreate (2.3)
recreo *m.* recess, recreation (1.1)
rectitud *f.* rectitude, honesty (7.2)
recuerdo *m.* remembrance, souvenir (4.1); memory
redondo(a) round (7.2)
reducido(a) reduced (6.3)
referencia *f.* reference **(7.3)**
referirse (ie, i) a to refer (to) (2.2)
reflejar to reflect (4.1)
reflexionar to reflect, think (5.3)
reforma *f.* reform (3.2)
reformista *m. f.* reformer (3.2)
refrán *m.* refrain, saying (1.3)
refresco *m.* soft drink (1.1)
refrito(a) refried (1.3)
refugio *m.* refuge (4.1) **(6.2)**
regalar to give (as a gift) **(4.2)**
regalo *m.* gift (1.1)
régimen *m.* regimen, diet **(5.2)**
región *f.* (*pl.* **regiones**) region (1.1)
registrar to register (3.1)
regla *f.* ruler *(for measuring)* (1.2); rule (6.2)
regresar to return, go back (2.3)
regreso *m.* return (3.1)
reguero *m.* stream (4.1)
regular okay, so-so (1.1)
rehusar to refuse (7.2)
reino *m.* reign, kingdom (4.2)
reír (i, i) to laugh **(4.1)**
reírse (i, i) to laugh (6.1)
  reírse a carcajadas to roar with laughter (6.2)
rejilla *f.* lattice; canework (4.3)
relación *f.* relation, relationship (7.1)
relacionado(a) related (2.2)
relajar to relax (2.3)
relatar to tell (of), relate (3.2)
relativamente relatively (8.1)
reloj *m.* clock; watch (1.2)
rellenar to fill (1.3) **(3.2)**
relleno(a) filled (1.3)
remedio *m.* remedy, cure (4.3)
remoto(a) remote (3.3)
rendir to render (4.3)
  rendir culto to render homage (4.3)
renovar to restore (4.2)
reparar to repair (7.2)
repartir to distribute **(7.2)**
repasar to review, go over (3.3)
repente: de repente suddenly (4.3)
repetir (i, i) to repeat (1.2)
repleto(a) replete, full (3.3)
reporte *m.* report (3.1)
reportero *m.*, **reportera** *f.* reporter (1.3)
representante *m. f.* representative (8.2)
representar to represent (1.3)
república *f.* republic (1.1)
republicano(a) republican (7.2)
reputación *f.* reputation (5.1)
requerir (ie, i) to require **(7.2)**
requisito *m.* requisite **(7.3)**
reserva *f.* reserve (8.1); reservation
residencia *f.* residence (7.3)
resina *f.* resin (2.3)
resolución *f.* (*pl.* **resoluciones**) resolution (8.1)
resolver (ue) to resolve **(3.3)** *pres. perf.* **(6.2)**
respecto a with respect to (5.2)
respetar to respect (1.3)
respeto *m.* respect (1.3)
respirar to breathe **(5.2)**
responder to respond (1.1)
responsabilidad responsibility (5.2)
responsable responsible (3.2)
respuesta *f.* answer, response (1.2)
restaurante *m.* restaurant (1.1)
resto *m.* rest, remainder (2.1)
restos *m. pl.* remains (4.1)
resultado *m.* result **(5.3)**
resultado(a) resulted (1.3)
resultar to turn out to be (1.3)
resumen *m.* summary (4.3)
resumir to sum up (4.3)
reunión *f.* (*pl.* **reuniones**) meeting, (social) gathering (2.1); reunion (4.1)
reunir to assemble, bring together (7.3)
reunirse to get together, meet (1.3)
revés: al revés backwards, inside-out (6.3)
revisar to look over, examine (3.1)
revista *f.* magazine (1.1)
revitalización *f.* revitalization (8.1)
revolucionario(a) revolutionary (7.2)
rico *m.*, **rica** *f.* rich person (7.1)
rico(a) rich; tasty, delicious (1.2)
ridículo(a) ridiculous (3.1)
rima *f.* rhyme (6.3)
rincón *m.* corner (3.3)
río *m.* river (2.1)
riqueza *f.* riches, wealth (2.1); richness (8.3)
riquezas *f. pl.* riches; resources (1.1)
risa *f.* laughter (1.2)

ritmo *m.* rhythm (6.3)
rito *m.* rite, ceremony (7.1)
robar to rob, steal (3.1)
robo *m.* robbery, theft (4.2)
roca *f.* rock (4.3)
rodar to roll (7.2)
rodeado(a) surrounded **(8.3)**
rodear to surround (8.1)
rodilla *f.* knee (7.2)
rojo(a) red (1.1)
romántico(a) romantic (1.1)
romper to break **(2.2)** *pres. perf.* **(6.2)**
rondar to prowl around; to haunt (6.2)
ropa *f.* clothing (1.1)
rosa *adj.* pink (1.2)
rosa *f.* rose (3.3)
rosado(a) pink (1.1)
rubio(a) blond (1.3)
rueda *f.* wheel **(1.3)**
ruido *m.* noise, sound (5.1) **(6.3)**
ruidosamente loudly (8.2)
ruidoso(a) noisy, loud (1.2)
ruina *f.* ruin (8.2)
ruinas *f. pl.* ruins (4.1)
ruiseñor *m.* nightingale (8.2)
ruso(a) Russian **(2.2)**
ruta *f.* route (2.3)
rutina *f.* routine **(1.1)**

S

sábado *m.* Saturday (1.1)
sabana *f.* savanna, a tropical/subtropical grassland (3.3)
sábana *f.* sheet *(on a bed)* (5.1)
sabelotodo *m.* know-it-all (7.2)
saber to know; to know how (1.1) *pret.* **(3.1)** *pres. subj.* **(5.1)** *cond.* **(8.2)**
sabio *m.* wise person (7.2)
sabio(a) wise (3.2) **(4.3)**
sabor *m.* flavor **(3.2)**
sacar to take out (1.2)
  sacar apuntes to take notes (4.3)
  sacar fotos to take photos (1.1)
sacerdote *m.* priest, leader (8.1)
saco *m.* sack, bag (6.1); jacket (5.2)
  saco *m.* **de dormir** sleeping bag **(6.1)**
sacudir: sacudir los muebles to dust *(the furniture)* (7.1)
sal *m.* salt (5.2)
salario *m.* salary **(7.2)**
salchicha *f.* sausage (3.1)
salir to leave (1.1) *pret.* **(2.2)** *imperf.* **(3.3)** *pres. subj.* **(5.1)** *pres. perf.* **(6.2)** *fut.* **(8.1)** *cond.* **(8.2)**
salón *m.* (*pl.* **salones**) living room (3.3)
salsa *f.* sauce (1.1)
saltar to jump (3.2)
saltón (*pl.* **saltones**) bulging (5.3)
salud *f.* health **(2.3)**
saludable healthful **(5.2)**
saludar to greet (1.1)
saludo *m.* greeting (1.3)
salvadoreño(a) Salvadoran (2.2)
salvaje wild, savage **(2.2)**
salvar to save *pret.* **(2.2)**
sanar to heal (8.2)
sandalia *f.* sandal **(8.2)**
sándwich *m.* sandwich (3.2)
sangre *f.* blood (2.3)
sangriento(a) bloody (7.2)
sanitorio *m.* sanatorium (6.3)
sano(a) healthy, wholesome (3.2)
santo *m.* saint's day, birthday (1.2)
sapo *m.* toad (8.2)
sastre *m.* tailor (5.1)
sátira *f.* satire; skit (8.2)
secar to dry (4.2)
secarse to dry up (3.3)
sección *f.* (*pl.* **secciones**) section **(2.1)**
secretario *m.*, **secretaria** *f.* secretary (1.2)
secreto(a) secret **(3.3)**
secundario(a) secondary (1.1)
sed thirst (5.2)
seda *f.* silk (7.2)
seguida: en seguida right away, straightaway (5.2)
seguidor *m.*, **seguidora** *f.* follower (5.2)
seguir (i, i) to follow; *pres. subj.* **(5.2)**
según according to (1.1)
seguramente surely **(2.2)**
seguridad *f.* security (5.1); safety
seguro *m.* insurance **(7.1)**
seguro(a) sure, certain **(1.2)**
seleccionado(a) selected (8.2)
seleccionar to select (1.3)
selva *f.* jungle **(2.2)**
  selva *f.* **tropical** (2.3) rain forest
semana *f.* week (1.3)
  fin *m.* **de semana** weekend (4.2)
sembrar to plant (4.1)
semejante a similar to (4.2)
semejanza *f.* similarity (4.1)
seminario *m.* seminary (7.2)
sencillo(a) simple (2.3)
sensacional sensational (3.2)
sentarse to sit down (1.2)
sentido *m.* sense
  doble sentido double meaning (1.3)
  sentido *m.* **común** common sense (4.1)
sentimiento *m.* feeling (1.3)
sentir (ie, i) to feel (1.2) **(5.2)**
sentirse (ie, i) to feel (7.2)
señal *f.* sign, signal **(6.3)**
señalado(a) indicated (7.1)
señalar to point out (4.1); to point to (6.1); to mark; to indicate

señor (Sr.) *m.* Mr. (1.1)
señora (Sra.) *f.* Mrs. (1.2)
señorita (Srta.) *f.* Miss (6.2)
separación *f.* (*pl.* **separaciones**) separation (1.1)
separado(a) separated, separate (7.2)
separar to separate (1.1)
separarse to separate; to distance oneself **(4.1)**
sequía *f.* drought (2.1)
ser to be (1.1) *pret.* (2.1) *imperf.* **(4.1)** *pres. subj.* **(5.1)** *cond.* **(8.2)**
 ser listo(a) to be clever or sharp (5.2)
ser *m.* **humano** human being (8.2)
sereno(a) serene, calm (6.1)
serie *f.* series **(3.2)**
serio(a) serious (1.3)
serpiente *f.* snake **(2.2)**
servicio *m.* service (1.3); restroom (6.2)
servir (i, i) to serve (1.2) *pres. subj.* **(5.2)**
severo(a) severe (4.2)
si if (1.2)
sí yes (1.1)
SIDA *m.* AIDS (2.3)
siempre always (1.1)
sierra *f.* ridge (of mountains) **(6.1)**
siesta *f.* nap (4.3)
siglo *m.* century (6.3)
significado *m.* meaning (2.3)
significar to mean (5.1)
significativo(a) significant (3.2)
siguiente following, next (2.1)
silencio *m.* silence (4.3)
silencioso(a) silent (4.1)
silla *f.* chair (1.2)
 silla *f.* **de ruedas** wheelchair **(1.3)**
 silla *f.* **mecedora** rocking chair (2.1)
sillón *m.* (*pl.* **sillones**) easy chair (3.1)
simbolismo *m.* symbolism (6.3)
símbolo *m.* symbol (8.3)
similitud *f.* similarity (3.3)
simpático(a) nice (1.2)
sin without (1.3)
 sin duda without a doubt (1.3)
 sin embargo nevertheless (1.1)
singular unique, extraordinary (1.3)
sinnúmero *m.* a great many, a huge number of (5.1)
sino rather (1.1)
sinsonte *m.* mockingbird (8.2)
síntoma *m.* symptom **(1.2)**
siquiera without even (7.3)
sirviente *m.*, **sirvienta** *f.* servant (3.3)
sistema *m.* system (4.1)
sitio *m.* site, place (1.2) **(6.2)**
situación *f.* (*pl.* **situaciones**) situation (1.1)
situado(a) situated, located (4.1)
sobre on; over; about (1.2)
 sobre todo above all **(1.3)**
sobrellevar to bear, to endure (8.1)
sobrenatural: lo sobrenatural the supernatural (7.1)
sobresaliente outstanding (7.3)
sobresalir to stand out, excel (5.3) **(6.2)**
sobrevivir to make it through, survive (3.1)
sobrino *m.*, **sobrina** *f.* nephew, niece (2.1)
sociedad *f.* society (6.1)
socio *m.*, **socia** *f.* member (3.1) **(5.1)**
sociología *f.* sociology (8.2)
sofisticado(a) sophisticated, advanced (3.1)
sol *m.* sun (1.3)
solamente only (1.1)
soledad *f.* loneliness (3.2)
solicitar to apply, solicit **(7.2)**
solicitud *f.* application **(7.3)**
solo(a) alone; single (1.2)
sólo only (1.2)
solución *f.* (*pl.* **soluciones**) solution (3.2)
sombrero *m.* hat (1.1)
sonar (ue) to ring **(4.2)**; to sound (5.3)
soneto *m.* sonnet (3.2)
sonreír (i, i) to smile **(4.1)**
sonreírse (i, i) to smile (1.2)
soñador *m.*, **soñadora** *f.* dreamer
sopa *f.* soup (2.1)
sordo *m.*, **sorda** *f.* deaf person (7.2)
sorprender to surprise (6.2)
sorpresa *f.* surprise (2.3) **(3.3)**
sospechar to suspect **(6.1)**
sospechoso(a) suspicious **(6.2)**
sostener to sustain (2.3)
sotana *f.* cassock, monk's attire (5.1)
sótano *m.* basement (6.2)
su, sus his, her, your; your (*pl.*), their (1.1)
suave smooth, soft **(4.2)**
sub-alcalde deputy mayor (5.1)
subgraduado undergraduate (7.3)
subir to go up; to climb; to get into (2.1)
subterráneo(a) subterranean, underground (4.3)
subtítulo *m.* subtitle, captions (2.3) **(3.3)**
subyugar: subyugado subjugated (3.3)
suceso *m.* event, incident (3.3)
sucio(a) dirty **(6.1)**
sudadera *f.* sweatshirt (1.1)
sudor *m.* sweat (6.3)
sueco(a) Swedish **(2.2)**
suegro *m.*, **suegra** *f.* father-in-law, mother-in-law (1.3)
suela *f.* sole *(of shoe)* (2.3)
sueldo *m.* salary, wages (7.3)
suelo *m.* floor *(of a room)* (1.2); ground (6.1)
sueño *m.* sleep; dream **(5.1)**
suerte *f.* luck (4.1)
suéter *m.* sweater (1.1)
suficiente sufficient, enough (1.1)
sufrir to experience (2.1); to suffer (5.3)
sugerencia *f.* suggestion **(3.3)**
sugerir (ie, i) to suggest **(5.2)**
suicidarse to commit suicide, kill oneself (3.2)

suicidio *m.* suicide (3.2)
suizo(a) Swiss **(2.2)**
sujetarse to conform to (6.3); to subject oneself to
sujeto *m.* subject (1.2)
suma *f.* amount (1.1)
sumamente extremely (5.2)
sumario *m.* summary (4.3)
supermercado *m.* supermarket (1.1)
supervisar to supervise **(4.2)**
suponer to suppose (3.3)
supremo(a) supreme (8.1)
sur *m.* south (2.1)
suroeste *m.* southwest (1.1)
suspender to suspend (4.1)
suspendido(a) hanging (7.1)
suspirar to sigh (8.3)
sustituir to substitute (3.2)
susto *m.* fright **(6.3)**

T

tabulación *f.* (*pl.* **tabulaciones**) tabulation, tally (7.2)
tacaño(a) stingy **(1.3)**
taco *m.* taco *(corn tortilla with filling)* (8.2)
tal such (8.2)
  tal vez maybe, perhaps (1.1)
tala *f.* destruction, devastation (3.2) felling of trees
talento *m.* talent **(1.1)**
talla *f.* size *(clothing)* (7.2)
tallar to carve (3.3)
taller *m.* (work)shop (3.3)
tamaño *m.* size (2.3)
también also (1.1)
tambor *m.* drum (3.2)
tamborito *m.* little drum (3.2)
tampoco neither, not either (1.2)
tan so (1.2)
  tan pronto como as soon as (2.2)
tanto *adv.* so much (2.3)
  tanto como as . . . as (1.2)
tanto(a) so much, so many (1.1)
tapas *f. pl.* appetizers (4.2)
tapir *m.* tapir **(2.2)**
taquería *f.* taco restaurant (7.3)
taquigrafía *f.* shorthand **(7.2)**
taquimecanógrafa *m. f.* shorthand typist (7.2)
tarde *f.* afternoon (3.3)
tarde late (1.1)
tarea *f.* homework (1.1); task
tarjeta *f.* card (2.2)
te *dir. (indir.) obj. pron.* to (for) you (1.1)
  te toca a ti it's your turn **(1.1)**
te *refl. pron.* yourself (1.1)
té *m.* tea (5.1)
  té *m.* **de dormilera** tea that induces sleep (5.1)
teatro *m.* theatre (2.1)
técnico(a) technical **(3.2)**
tecnológico(a) technological (3.3)
techo *m.* ceiling; roof (4.2)
tejer to weave (3.1)
tejido *m.* weaving (4.3)
telaraña spiderweb (5.2)
tele *abbrev.* television (1.1)
telefónico(a) pertaining to the telephone (3.2)
teléfono *m.* telephone (1.1)
telenovela *f.* soap opera **(2.2)**
televisión *f.* television (1.1)
televisor *m.* television set (2.1)
tema *m.* theme, subject (1.3) **(2.2)**
temer to fear (5.3)
temeroso(a) fearful, frightened (6.3)
temor *m.* dread, fear (8.2)
temperamento *m.* temperament, nature, disposition (5.1)
temperatura *f.* temperature (2.1) **(2.3)**
templado(a) mild (6.1)
templo *m.* temple (3.3)
temporada *f.* season (3.1)
temprano *adv.* early (2.1)
temprano(a) early (4.1)
tender (ie) to tend (1.3)
tendido flat, extended (1.3)
tener to have **(1.1)** *pres. subj.* **(5.1)** *fut.* **(8.1)** *cond.* **(8.2)**
  tener a mano to have at hand (3.3)
  tener buen efecto to have a good effect (2.3)
  tener calor to be hot (1.3)
  tener cuidado to be careful (1.3)
  tener derecho to have the right (5.2)
  tener éxito to succeed, be successful (5.1)
  tener frío to be cold (1.3)
  tener ganas de to feel like, to have a mind to (1.1) **(1.3)**
  tener hambre to be hungry (1.3)
  tener lugar to take place (2.1)
  tener miedo to be afraid **(1.3)**
  tener presente to keep in mind (7.3)
  tener prisa to be in a hurry (1.3)
  tener que ver (con) to have to do (with) (2.3)
  tener razón to be right (1.3)
  tener sed to be thirsty (1.3)
  tener sentido to make sense (6.1)
  tener sueños to have dreams **(1.3)**
  tener suerte to be lucky **(1.3)**
tenis *m.* tennis (1.3)
tentación *f.* (*pl.* **tentaciones**) temptation (5.2)
teñido(a) dyed (2.3)
teoría *f.* theory (3.3)
tercio *m.* one third (3.1)
terminar to end (1.1)
ternura *f.* tenderness (3.2)
terraza *f.* terrace *(hillside farming)* (4.1)
terremoto *m.* earthquake (4.1)

terreno *m.* terrain (2.1)
  terreno *m.* **de fútbol** soccer (football) field (4.3)
territorio *m.* territory (2.1)
terror *m.* terror (2.3)
tesoro *m.* treasure (3.3) **(4.1)**
testigo *m. f.* witness (3.3)
tiempo *m.* time (1.1)
tienda *f.* store (1.1)
tierra *f.* land (1.1); earth (7.2)
tigre *m.* tiger, mountain lion (6.3)
tijeras *f. pl.* scissors (3.2)
timbre *m.* bell (4.1)
tímido(a) timid (1.3)
tío *m.*, **tía** *f.* uncle, aunt (2.1)
típico(a) typical (1.3)
tipo *m.* type (1.3)
tira *f.* strip (3.1)
  tira *f.* **cómica** comic strip (3.1)
tiranía *f.* tyranny (2.3)
tiránico(a) tyrannical (2.3)
tirar to pull (3.3); to throw (7.2)
titulado(a) titled, called (2.1)
titular *m.* title; headline **(5.3)**
título *m.* title (2.1); degree (7.2)
toalla *f.* towel **(8.2)**
tocar to play an instrument (1.1); to touch
  tocar a la puerta to knock on the door (7.1)
todavía still (1.2)
todo(a), todos(as) all (1.1)
tolerancia *f.* tolerance (5.1)
tomar to eat; to drink; to take (2.1)
  tomar apuntes to take notes (4.3)
  tomar conciencia to become aware of (4.3)
  tomar el sol to sunbathe (3.3)
tomo *m.* volume (6.3)
tonelada *f.* ton (3.3)
tono *m.* tone (7.2)
tonto(a) foolish, silly (1.3)
toparse to run into (7.1)
torbellino *m.* brainstorm (2.3)
torcido(a) bent (5.3); twisted
tormenta *f.* storm (6.2)
tortilla *f.* cornmeal or flour pancake (1.3)
  tortilla *f.* **española** Spanish omelet of eggs and potatoes (6.2)
tortillería *f.* tortilla factory (1.3)
tortuga *f.* turtle, tortoise **(2.3)**
totalmente totally (1.3)
tóxico(a) toxic (6.2)
trabajador *m.*, **trabajadora** *f.* worker **(1.3)**
trabajador(a) hard-working (1.3)
trabajar to work (1.1) *pres. subj.* (5.1)
trabajo *m.* work (1.1)
traducir to translate (5.1)
traductor *m.* translator (5.1)
traer to bring (1.2) *pret.* **(3.1)**
tráfico *m.* traffic (4.3)
trágico(a) tragic (3.2) **(4.1)**
traicionar to betray (7.3)
traído(a) brought (2.1)
traje *m.* suit (1.1)
  traje de baño bathing suit (5.2)
tranquilo(a) calm, tranquil (1.2)
tranquilizante soothing, lulling (6.3)
transcurrir to pass (4.2)
transporte *m.* transportation (1.1)
trapecio *m.* trapezoid (4.3)
trapo *m.* cloth, rag **(4.1)**
tras after (2.3)
traspasar to transfer over (1.3)
tratado *m.* agreement, treaty (1.1)
tratado(a) treated (8.1)
tratamiento *m.* treatment (8.1)
tratar to treat (1.3)
tratar de to attempt to, try to (1.2); to deal with, be about (5.2)
travieso(a) mischievous, naughty (3.2)
trayectoria *f.* **cronológica** time line (4.3)
trazado *m.* outline (4.3)
trazado(a) outlined, sketched (4.3)
trazar to draw; trace (a line) (1.1)
tren *m.* train (2.3)
triángulo *m.* triangle (4.3)
tribu *f.* tribe (1.1)
tributario *m.* tributary (2.3)
trigo *m.* wheat (1.1)
triste sad (1.2)
tristeza *f.* sadness (3.2)
triunfo *m.* triumph (3.2)
trofeo *m.* trophy (4.1)
tronco *m.* trunk (6.3)
tropical tropical (2.3)
trópico *m.* tropics (2.1)
trotar to trot (6.3)
tu, tus your (1.1)
tú you (1.1)
tucán *m.* (*pl.* **tucanes**) toucan **(2.3)**
tumba *f.* tomb, grave (1.2)
túnico *m.* bride's tunic, blouse (6.2)
turismo *m.* tourism (7.1)
turista *m. f.* tourist (2.1)
turístico(a) tourist(ic) (6.3)
turnar to take turns (1.1)
tuyo(a) your (4.2)

ubicado(a) to be placed, situated (3.3)
último(a) last, final (1.1)
un, una a (1.1)
único(a) only (1.3); unique

unido(a) united **(5.1)**
uniforme *m.* uniform (3.2)
unir to join, unite (1.1)
universidad *f.* university (1.2)
universitario(a) pertaining to the university (1.3); university student **(5.3)**
universo *m.* universe (3.2)
urbano(a) urban (8.1)
uruguayo(a) Uruguayan (2.2)
usado(a) used (7.3)
usar to use (1.1)
uso *m.* use (7.3)
usted(es) you (1.1)
útil useful (3.1)
utilizar to use (4.1)

V

vaca *f.* cow (1.3)
vacaciones *f. pl.* vacation (1.1)
vaciar to empty **(3.1)**
vacío(a) empty (4.2)
vagar to wander, roam (6.3)
vale: mi vale my friend *(Venez.)* (2.2)
valer to be worth (4.3)
válido(a) valid (2.3)
valiente valiant, brave (7.3)
valioso(a) valuable (5.1)
valor *m.* value (7.1)
valorar to value (7.3)
valle *m.* valley (3.1)
vaquero *m.,* **vaquera** *f.* cowboy, cowgirl (1.1)
variado(a) varied (5.2)
variar to vary (2.1)
variedad *f.* variety (2.1)
varios(as) several (1.1)
varón *m.* (*pl.* **varones**) man, male (5.1)
vasto(a) vast, huge (4.2)
vecino *m.,* **vecina** *f.* neighbor **(1.2)**
vecino(a) neighboring, nearby (1.1)
vegetación *f. sing.* vegetation (6.1)
vegetal *m.* vegetable **(5.2)**
velo *m.* veil (6.2)
velorio *m.* wake (4.1)
vencer to conquer, defeat, beat (2.3)
vencido(a) beaten, defeated (7.3)
vendedor *m.,* **vendedora** *f.* salesperson **(7.3)**
vender to sell (3.1)
venerar to venerate, worship (8.1)
venéreo(a) venereal (5.2)
venezolano(a) Venezuelan (1.2)
venir (ie, i) to come (1.1) *fut.* **(8.1)** *cond.* **(8.2)**
venta *f.* sale **(7.2)**
ventaja *f.* advantage (7.1)
ventana *f.* window (4.1)
ver to see (1.1) *imperf.* **(4.1)** *pres. subj.* **(5.1)** *pres. perf.* **(6.2)** *fut.* **(8.1)**
  verse obligado a + *inf.* to be obliged to + *inf.*, find oneself compelled to + *inf.* (6.2)
verano *m.* summer (1.1)
veras: de veras in truth, really (4.2)
verbo *m.* verb (1.1)
verdad *f.* truth (1.1)
verdaderamente truthfully (8.2)
verdadero(a) real, true (1.1); actual, real (1.3)
verde green (1.1)
verduras *f. pl.* green vegetables (6.1)
vereda *f.* path, trail (1.2); sidewalk
vergüenza *f.* shame, embarrassment (5.1)
verificar to verify (1.1)
verso *m.* verse (4.1); line (of a poem) (8.3)
vestido *m.* dress (1.2); clothing (5.2)
vestir *m.* dress, attire (1.2)
vestirse (i, i) to get dressed (3.3)
veterinario *m.,* **veterinaria** *f.* veterinarian **(5.2)**
vez *f.* (*pl.* **veces**) time (1.1)
  a veces at times (1.1)
  de vez en cuando from time to time (8.1)
  en vez de instead of (1.2)
viajar to travel **(1.1)** *pret.* **(2.2)**
viaje *m.* trip (1.3)
vibrante vibrant (6.3)
vice-presidente *m., f.* vice president (5.1)
víctima *f.* victim (8.2)
victoria *f.* victory (7.3)
victoriano(a) Victorian (1.2)
vida *f.* life **(1.1)**
vidrio *m.* glass (7.2)
viejito *m.,* **viejita** *f.* elderly person **(3.3)**
viejo(a) old (1.3)
viento *m.* wind (3.1)
  hace viento it's windy (3.1)
viera would see *(imperf. subj.)* (8.2)
vietnamita *m. f.* Vietnamese **(2.2)**
viga *f.* beam, rafter (7.1)
villano m. villain (2.2)
vino *m.* wine (3.1)
viñedo *m.* vineyard (1.1)
violín *m.* violin **(1.3)**
virtual virtual (7.2)
virtualmente virtually (8.1)
virtuoso(a) virtuous (6.2)
visión *f.* view (7.1); vision
visita *f.* visit (4.2)
visitante *m. f.* visitor (1.2)
visitar to visit (1.1) *pret.* **(2.2)**
vista *f.* view (2.1); sight (2.2)
visto seen *(past part.)* (6.1)

visualizar visualize (8.3)
viudo *m.*, **viuda** *f.* widower, widow (1.3)
víveres *m. pl.* food (1.1)
vivir to live **(1.2)**
vivo(a) lively, vivid (7.2); alive
vocabulario *m.* vocabulary (5.1)
volado(a) *adv.* in a rush, hastily (6.2)
volando(a) flying (3.3)
volar (ue) to fly (3.3)
volcán *m.* (*pl.* **volcanes**) volcano (3.1)
volibol *m.* volleyball (5.2)
volteado(a) turned around (6.3)
voluntario *m.*, **voluntaria** *f.* volunteer (1.3)
volver (ue) to return (1.2) *pres. perf.* **(6.2)**
  volver a + *inf.* to (*inf.*) again (1.2)
volverse to become (2.3)
voseo the use of **vos** *(Argentina)* (8.2)
voz *f.* (*pl.* **voces**) voice (3.2) **(4.3)**
vuelo *m.* flight **(8.2)**
vuelta *f.* turn (1.2) **(7.1)**

y and (1.1)
ya right now (1.1); already (2.1)
ya no no longer (3.3)
ya que since, as (1.3)
yerno *m.*, **yerna** *f.* son-in-law, daughter-in-law (4.3)
yo I (1.1)

Z

zanahoria *f.* carrot (6.2)
zapatero *m.*, **zapatera** *f.* shoemaker (5.1)
zapatilla *f.* slipper (3.3)
zapato *m.* shoe (1.1)
zarcillo *m.* earring **(4.1)**
zona *f.* zone, area (1.1)
zoológico *m.* zoo (6.1)
zorro *m.* fox (6.3)

ÍNDICE

Gramática / Funciones / Estrategias

This index lists the grammatical structures, their communicative functions, and the reading and writing strategies in the text. Entries preceded by a ● indicate functions. Entries preceded by a ■ indicate strategies. The index also lists important thematic vocabulary (such as household chores, leisure-time activities, weather expressions.) Page references beginning with *G* correspond to the ***¿Por qué se dice así?*** **(Manual de gramática)** section.

A

C

VIDEO CREDITS

For D.C. Heath & Company

Producers	Roger D. Coulombe
	Marilyn Lindgren

For Videocraft Productions, Inc.

Executive Producer	Judith M. Webb
Project Director	Bill McCaw
Directors	Juan Mandelbaum
	Chris Schmidt
Producer	Mark Donadio
Associate Producers	Krista D. Thomas
Video Editor	Stephen Bayes
Directors of Photography	Gary Henoch
	Jim Simeone
Sound Recordist	James Mase
Graphic Designer	Alfred DeAngelo
Composer	Jonno Deily
Sound Mixer	Joe O'Connell

El Paso

Local Producer	Michael Charske
Local Associate Producer	John Gutiérrez

Venezuela

For Alter Producciones Cinematográficas	Delfina Catalá
	Cristián Castillo
Local Producer	Hilda de Luca
Local Associate Producers	Miguel Cárdenas
	María Eugenia Jacome

TEXT CREDITS

''La Isla de Pascua y sus misterios'' from *Mundo 21* is reprinted by permission of Editorial América, S.A.

''nocturno sin patria'' by Jorge Debravo from *Nosotros los hombres* is reprinted by permission of Margarita Salazar Madrigal.

''Bailó con un bulto,'' ''La nuera,'' and ''La ceniza'' are reprinted from *Cuentos From My Childhood* by Paulette Atencio by permission of the Museum of New Mexico Press.

''Ahora valoro mucho más España'' by Lola Díaz is used by permission from *Cambio 16* (No.1.068/11-5-92).

''El rico'' and ''Caipora, el Padremonte'' are adapted by permission from *Cuentos de espantos y aparecidos* by Verónica Uribe.

''Los viejitos y el gallo de la cresta de oro'' and ''Cuento del pájaro de los siete colores'' from *Había una vez 26 cuentos* by Pilar Almoina de Carrera is adapted by permission.

''La profecía de la gitana'' and ''Las ánimas'' are adapted from *Leyendas de España* by Genevieve Barlow and William N. Stivers by permission of National Textbook Company.

''La camisa de Margarita'' from *Leyendas latinoamericanas* by Genevieve Barlow is adapted by permission of National Textbook Company.

''Las lágrimas del Sombrerón'' from *Cuentos de espantos y aparecidos* by Luis Alfredo Arango is used by permission of Ediciones Ekaré-Banco del Libro, Venezuela.

''La familia Real,'' ''El león y las pulgas, and ''El hijo ladrón'' from *Aventuras infantiles* by Maricarmen Ohara is reprinted by permission of the author and Alegría Hispana Publications.

''El collar de oro'' from *Cuentos From My Childhood* by Paulette Atencio is used by permission of the Museum of New Mexico Press.

''Los árboles de flores blancas,'' ''El origen del

nopal,'' and ''Las manchas del sapo'' from *Leyendas latinoamericanas* by Genevieve Barlow are adapted by permission of National Textbook Company.

''Out of poverty, into MIT: 5 El Paso students rise, shine'' by Mark McDonald, *Dallas Morning News*, is adapted by permission.

''Good Morning U.S.A.'' is adapted from SPICE by permission of Stanford Program on International and Cross Cultural Education.

ILLUSTRATION CREDITS

Fian Arroyo: 83

Susan Banta: 15, 32, 33, 232, 304, 320

Ron Barrett: 313

Willi Baum: 295

Diana Bryan: 155

Carlos Castellanos: 11, 30, 84-85, 99(b), 122, 125, 157, 158, 160, 198, 211, 223(rt), 248-249, 285, 306, 325, 343, 347, 364, 379, 397

Marilyn Cathcart: 153, 154

Dan Derdula: 18-19, 34-35, 50-51, 72-73, 106-107, 254-255, 404-405, 438-439

Tom Durfee: 207, 208, 209, 277

Randall Enos: 37, 99(t), 101, 194, 345, 400, 432

David Gothard: 414

Tamar Haber-Schaim: 257, 376, 377, 398

Cynthia Jabar: 50, 439(glosses)

Timothy C. Jones: 159, 195, 212-213, 308, 407, 425, 434

Joni Levy Liberman: 11(side), 44, 69, 177, 180

Judy Love: 12-13, 28-29, 178, 181, 223(center), 247, 264-265, 290, 322-323, 380, 436

Claude Martinot: 13(side), 68, 121, 126, 139, 210, 251, 288, 289, 323(b), 421, 433

Tim McGarvey: 45, 65, 67, 417, 424

Kathy Meisl: 21, 294, 303, 335, 353, 362-363, 366-367, 373, 382-383, 388, 389, 422

Morgan Cain & Associates: 71, 86-87, 95, 102, 127, 145, 161, 183, 199, 235, 291, 403, 418

Cyndy Patrick: 106-107(glosses), 123, 124, 143(t), 375

Sean Sheerin: 202, 203

Anna Veltfort: 75

Joe Veno: G6, G10, G12-G13, G25, G36, G39, G40-G41, G52, G56, G58-G59, G63, G71, G74, G85, G90-G91, G93, G98, G101, G106, G108-G109, G115, G122

Anna Vojtech: 82, 138, 143(center), 378

Para empezar **sections**

Polo Barrera: 170, 171, 172, 426, 427

Ron Barrett: 114, 115, 116

Willi Baum: 224, 225, 226

Gavin Bishop: 92, 93, 94

Diana Bryan: 150, 151, 152

Randall Enos: 58, 59, 60, 188, 189, 190, 354, 355, 356

David Gothard: 22, 23, 24, 408, 409, 410

Hrana Janto: 240, 241, 242

Timothy C. Jones: 278, 279, 280

Paige Leslie Miglio: 314, 315, 316

Cyndy Patrick: 370, 371, 372, 390, 391, 392

Winslow Pels: 204, 205, 206, 296, 297, 298

Elivia Savadier: 76, 77, 78

Beata Szpura: 38, 39, 40

Anna Vojtech: 132, 133, 134, 258, 259, 260, 336, 337, 338

PHOTO CREDITS

Picture Research and Assignment Photography Coordination: Connie Komack/Pictures & Words.

Principal photography: Rob Crandall/Image Works/ ©D.C. Heath. Exceptions noted below.

Front Matter: v: Courtesy of The Hispanic Society of America, New York.

Unit One: 4: *#2tl (mission),* John Elk III; *#2tr (jewelry),* Robert Frerck/Odyssey/Chicago; **6:** *#7l (tin coyote),* Ken O'Donoghue/©DCH; **18:** *b,* Southern Pacific Photograph Collection/University of Texas at El Paso Library Special Collections; **33:** Peter Menzel; **48:** *bl,* Robert Frerck/Odyssey/Chicago; **50-51:** All courtesy of the Whole Enchilada Fiesta,Inc./ Las Cruces Chamber of Commerce; **51:** *tl, ml & bl,* Bob Peticolas; *bc,* John Bryan.

Unit Two: 54-55: ©Rob Crandall; **57:** *tl,* Luis Villota/Stock Market; *tc,* Ulrike Welsch; *bl,* Bud Lehnhausen/Photo Researchers,Inc.; *br,* Warren Garst/ Tom Stack & Associates; **71:** Jack Swenson/Tom Stack & Associates; **72:** *m,* Chip & Rosa Maria Peterson; *b,* Robert Frerck/Odyssey/Chicago; **73:** *t,* Rob Crandall/Picture Group; *ml,* Cameramann Intl., Ltd.; *bl & br,* Ulrike Welsch; **86:** *t,* Alan Oddie/ PhotoEdit; *m,* Robert Fried, *bl,* Michael Major/ Envision; *bc,* Robert Fried; *br,* Richard Steedman/ Stock Market; **87:** *tl,* Richard Lucas/Image Works; *tc,* Margo Granitsas/Image Works; *tr,* Buena Ventura/ Image Works; *ml,* David Edgerton/Photo Researchers,Inc.; *bl,* Kirby Harrison/Image Works; *br,* Cameramann Intl.,Ltd.; **88:** Robert Frerck/Odyssey/ Chicago; **90:** *inset,* Tom McHugh/Photo Researchers,Inc.; **91:** *tl & tm,* Bruce Stein/Nature Conservancy; *tr,* Michael Dick/Animals Animals; *ml,* Nair Benedicto/f4/DDB Stock Photo; *mc,* Mark Greenberg/Visions/Envision; *mr,* Kjell B. Sandved/ Photo Researchers,Inc.; *b,* Jim Cronk; **92:** *tl,* Jim Cronk; *tc,* Bruce Stein/Nature Conservancy; *tr,* Kevin Schafer/Tom Stack & Associates; **96:** *tmr,* Manfred Gottschalk/Tom Stack & Associates; *bml,* Cynthia Brito/f4/DDB Stock Photo; *bmc,* Tim Holt/Photo Researchers,Inc.; *bmr,* G. Buttner/Okapia/Photo Researchers,Inc.; *bl,* Nigel Smith/Earth Scenes; *br,* Rogerio Reis/Black Star; **97:** *tl,* John Maier, Jr./ Picture Group; *tm,* Nair Benedicto/f4/DDB Stock Photo; *mt,* Cynthia Brito/f4/DDB Stock Photo; *mb,* Nigel Smith/Animals Animals; *bl,* Doug Wechsler/ Animals Animals; *br,* Michael Major/Envision; **103:** *tl,* Eduardo Gil/Black Star; *tr, ml, mr & bl,* Jack Swenson/Tom Stack & Associates; *br,* Kevin Schafer & Martha Hill/Tom Stack & Associates; **106:** Tom Van Sant/Photo Researchers,Inc.

Unit Three: 113: *tl,* Wolfgang Kaehler; *tr,* Robert Frerck/Odyssey/Chicago; *bl,* Michael J. Howell/ Envision; *bc,* Jack Fields/Tony Stone Images; *br,* Gary Milburn/Tom Stack & Associates; **127:** Galen Rowell/Mountain Light; **128:** *t,* Marco/Ana/Viesti Associates,Inc.; *m,* Jerry Cooke/Photo Researchers, Inc.; *b,* David A. Harvey/Woodfin Camp & Associates; **129:** *t,* Luis Villota/Stock Market; *m,* Elsa Peterson/DDB Stock Photo; *bl,* Owen Franken/Stock Boston; *br,* Peter Menzel; **146:** *t & b,* AP/Wide World Photos, Inc.; **147:** UPI/Bettmann; **148:** Susan McCartney/Photo Researchers,Inc.; **149:** *tl,* Robert Frerck/Odyssey/Chicago; *tr,* Robert Frerck/Stock Market; *b,* Luis Villota/Stock Market; **161:** Roberto Bunge/DDB Stock Photo; **162-163:** *background,* Ben Simmons/Stock Market; **162:** *bl,* Ben Simmons/Stock Market; *br,* Luis Villota/Stock Market; **163:** *l,* Ben Simmons/Stock Market; *tr,* Anna E. Zuckerman/Tom Stack & Associates; *br,* George Holton/Photo Researchers, Inc.

Unit Four: 166-167: Instituto Autónomo Biblioteca Nacional y de Servicios de Bibliotecas Dirección de Servicios Audiovisuales, Caracas,VZ; **167:** *inset,* ©Rob Crandall; **169:** *t,* Instituto Autónomo Biblioteca Nacional y de Servicios de Bibliotecas Dirección de Servicios Audiovisuales, Caracas, VZ; *bl & br,* ©Rob Crandall; **184:** *t,* Peter Menzel; *mt,* Robert Frerck/ Odyssey/Chicago; *m,* Loren McIntyre/Woodfin Camp & Associates; *mb & b,* Robert Frerck/Odyssey/ Chicago; **185:** *t & m,* Robert Frerck/Odyssey/Chicago; *b,* Mireille Vautier/Woodfin Camp & Associates; **186:** ©Rob Crandall; **187:** *tr & bl,* Instituto Autónomo

Biblioteca Nacional y de Servicios de Bibliotecas Dirección de Servicios Audiovisuales, Caracas, VZ; **198:** *l,* D. Donne Bryant/DDB Stock Photo; *r,* Tom McCarthy/Stock Market; **200:** *l,* Tony Morrison/South American Pictures; *r,* Loren McIntyre/Woodfin Camp & Associates; **201:** *t, mr & b,* Robert Frerck/Odyssey/ Chicago; *ml,* Tony Morrison/South American Pictures; **202:** *l,* Rob Crandall/Image Works; *c,* Robert Frerck/ Stock Market; *r,* C. Schule/DDB Stock Photo; **203:** *tl,* Library of Congress; *tr,* Betty Press/Picture Group; *br,* AP/Wide World Photos, Inc.; **214:** Robert Frerck/ Odyssey/Chicago; **216:** *t,* Tony Morrison/South American Pictures; *inset,* Robert Frerck/Odyssey/ Chicago; **217:** *t,* Robert Frerck/Odyssey/Chicago; *bl,* John Phelan/DDB Stock Photo; *br,* Loren McIntyre/ Woodfin Camp & Associates.

Unit Five: 235: Richard Lucas/Image Works; **236-237:** *background,* Joe Viesti/Viesti Associates,Inc.; **236:** *t,* Robert Frerck/Stock Market; *mt,* John Colombaris/Stock Market; *mb,* Tibor Bognar/Stock Market; *b,* Robert Frerck/Odyssey/Chicago; **237:** *t,* Joe Viesti/Viesti Associates, Inc.; *mt,* Carl Purcell/ Photo Researchers,Inc.; *mb,* Robert Frerck/Odyssey/ Chicago; *b,* Jose Fuste Raga/Stock Market; **239:** *l,* Andy Levin/Photo Researchers,Inc.; *c,* Ulrike Welsch; *r,* Robert Frerck/Odyssey/Chicago; **254:** *t & m,* UPI/ Bettmann; *b,* The Hulton-Deutsch Collection/Hulton Picture Company, London; **255:** *t & b,* Robert Frerck/ Odyssey/Chicago; *m,* AP/Wide World Photos,Inc.; **268:** *l,* Robert Fried; *r,* Bob Daemmrich/Stock Boston; **269:** Bonnie Colodzin/Shooting Star; **270:** Raul Demolina/Shooting Star; **271:** *l,* Photofest; *r,* Wayen Williams/Shooting Star.

Unit Six: 290: Bob Daemmrich; **291:** Larry Hamill/ DDB Stock Photo; **292-293:** *background: l,* Gary Braasch/Woodfin Camp & Associates; *r,* Gregory G. Dimijian/Photo Researchers,Inc.; **292:** *t,* Gerald & Buff Corsi/Tom Stack & Associates; *mt,* D. Donne Bryant/DDB Stock Photo; *m,* Anne Heimann/Stock Market; *mb,* Byron Augustin/Tom Stack & Associates; *bl,* J. Carmichael, Jr./Image Bank; *bcl,* Tom McHugh/Photo Researchers,Inc.; *bc,* Gregory G. Dimijian/Photo Researchers,Inc.; *bcr,* Kevin Schafer & Martha Hill/Tom Stack & Associates; *br,* Gregory G. Dimijian/Photo Researchers,Inc.; **293:** *t,* S.E. Cornelius/Photo Researchers,Inc.; *m,* Chip & Jill Isenhart/Tom Stack & Associates; *b,* Wide World Photos,Inc.; **309:** *t,* Peter Menzel; *br,* Barbara Alper/ Stock Boston; **310:** *l,* Owen Franken/Stock Boston; *r,* Byron Augustin/Tom Stack & Associates; **311:** Jeff Greenberg/Picture Cube; **326:** Bob Daemmrich/Image Works; **328-29:** *background,* Mario Algaze/Image Works.

Unit Seven: 348: *r,* Robert Fried; **350-51:** *background,* Bob Daemmrich; **350:** *t,* John Elk III; *b,* Bob Daemmrich; **351:** *b,* AP/Wide World Photos,Inc.; **352:** *tc,* Michael Newman/PhotoEdit; *tr,* Bob Daemmrich/Image Works; *bl.,* Bob Daemmrich/Stock Boston; *br,* John Eastcott and Yva Momatiuk/Image Works; **365:** *l,* Robert Frerck/Odyssey/Chicago; **366:** Columbus Memorial Library/Organization of American States; **367:** *t,* Archivo General de la Nación, Mexico City and Martha Davidson/Picture Collections of Mexico; *b,* Robert Frerck/Odyssey/ Chicago; **369:** *tl,* Rob Crandall/Stock Boston; *c,* Tony Freeman/PhotoEdit; *tr,* Bob Daemmrich; *bl,* Brian Kanof/The Greater El Paso Civic, Convention and Tourism Department; *br,* Bob Daemmrich/Image Works; **372:** *br,* Robert Frerck/Odyssey/Chicago; *br inset,* Jane Grushow/Grant Heilman; **380:** Nita Winter/ Image Works; **382:** *1,* The Dallas Morning News; *r,* Leonard Harris/Stock Boston.

Unit Eight: 386-87: *background,* ©Rob Crandall; **386:** *b,* ©Rob Crandall; **392:** *b,* Cameramann/Image Works; **402:** *t & bl,* Peter Menzel; *br,* Robert Frerck/ Odyssey/Chicago; **404:** *tr,* Carlos Goldin/Focus/DDB Stock Photo; *tl,* Macintyre/Viesti Associates, Inc.; *mt,* Bettmann Archive; *mb,* Gary Milburn/Tom Stack & Associates; *b,* Ned Gillette/Stock Market; **405:** *t,* Carlos Goldin/Focus/DDB Stock Photo; *m,* Owen Franken/Stock Boston; *bl,* Peter Menzel; *br,* Robert Frerck/Odyssey/Chicago; **422:** *t & b,* Bob Daemmrich; **423:** Peter Menzel; **429:** *l & r,* Ulrike Welsch; **430:** *t,* Mark Antman/Image Works; *bl & br:* Courtesy of Marilyn Lindgren; *bc,* Rob Crandall & Marilyn Lindgren; **431:** *c,* Courtesy of Marilyn Lindgren; **436:** Bob Daemmrich; **438:** Annie Valva/ Courtesy of F.X. Alarcón.

p. p. decir - dicho

he

has

ha

hemos

han

Subjunctive - expression of doubt and belief

M.C.

oral section

estar - location condition, emotion

WOTTANDOLA

me

te

le

mor